DU MÊME AUTEUR

Aux Éditions Gallimard

L'AUTRE MOITIÉ DU SOLEIL, roman

AUTOUR DE TON COU, nouvelles et récits

Aux Éditions Anne Carrière

L'HIBISCUS POURPRE

Du monde entier

CHIMAMANDA NGOZI ADICHIE

AMERICANAH

roman

Traduit de l'anglais (Nigeria)
par Anne Damour

GALLIMARD

Titre original :

AMERICANAH

Ce livre est dédié à notre prochaine génération, ndi na-abia n'iru*:*
Toks, Chisom, Amaka, Chinedum, Kamsiyonna et Arinze.

À mon merveilleux père en cette année de ses quatre-vingts ans.

Et, comme toujours, à Ivara.

PREMIÈRE PARTIE

CHAPITRE 1

Princeton, en été, n'avait pas d'odeur, et si Ifemelu appréciait le calme verdoyant de ses nombreux arbres, ses rues propres et ses majestueuses maisons, ses magasins aux prix subtilement exagérés et son air tranquille, immuable de grâce méritée, c'était cette absence d'odeur qui la séduisait le plus, peut-être parce que les autres villes américaines qu'elle connaissait dégageaient toutes des effluves caractéristiques. Philadelphie exhalait le parfum suranné du passé. New Haven sentait l'abandon. Baltimore l'océan, et Brooklyn les ordures pourrissant au soleil. Mais Princeton n'avait pas d'odeur. Elle aimait y respirer à pleins poumons. Elle aimait observer les habitants qui conduisaient leurs voitures dernier cri avec une courtoisie particulière et se garaient devant l'épicerie bio de Nassau Street ou le restaurant de sushis, ou devant le vendeur de glaces aux cinquante parfums, poivron inclus, ou devant la poste dont le personnel s'empressait de les accueillir à l'entrée. Elle aimait le campus, empreint de la gravité du savoir, ses bâtiments gothiques aux murs drapés de lierre, et la manière dont tout y prenait, dans la pénombre de la nuit, un aspect fantomatique. Elle aimait par-dessus tout pouvoir prétendre, dans ce lieu où régnait l'abondance, être quelqu'un d'autre, admis par faveur dans le club consacré de l'Amérique, quelqu'un auréolé d'assurance.

Mais elle n'aimait pas devoir se rendre à Trenton pour faire tresser ses cheveux. Espérer trouver un coiffeur de tresses à Princeton n'était pas raisonnable – les rares résidents noirs qu'elle y avait vus avaient la peau si claire et les cheveux si raides qu'elle ne pouvait les imaginer tressés – et pourtant en attendant son train à la gare de

Princeton Junction, par un après-midi blanc de chaleur, elle se demandait pourquoi il n'existait aucun endroit où elle pourrait se faire coiffer. Le chocolat avait fondu dans son sac. Quelques voyageurs attendaient sur le quai, tous blancs et minces, en shorts et vêtements légers. L'homme qui était le plus près d'elle mangeait un cornet de glace ; il lui avait toujours semblé un peu ridicule que des Américains adultes, des hommes, lèchent des cornets de glace, surtout en public. Il se tourna vers elle et dit, quand le train arriva enfin dans un crissement de freins : « Ce n'est pas trop tôt », avec la familiarité que partagent des étrangers déçus par un service public. Elle lui sourit. Ses cheveux grisonnants étaient ramenés vers l'avant, un artifice risible destiné à masquer sa calvitie. Sans doute professeur d'université, mais pas de sciences humaines, sinon il aurait été plus emprunté. Une science dure comme la chimie peut-être. Autrefois, elle aurait dit : « Je sais », cette expression bien américaine qui marque l'approbation plutôt que la connaissance, puis elle aurait entamé une conversation avec lui dans l'espoir d'en recueillir quelque chose d'intéressant pour son blog. Les gens étaient flattés qu'on les interroge sur eux-mêmes, et si elle se taisait après les avoir écoutés parler, ils étaient poussés à en dire davantage. Ils étaient conditionnés à remplir les silences. Si on lui demandait ce qu'elle faisait, elle répondait vaguement : « Je rédige un blog sur les modes de vie », car dire « J'écris un blog anonyme intitulé *Raceteenth*[1] *ou Observations diverses sur les Noirs américains (ceux qu'on appelait jadis les nègres) par une Noire non américaine* » les aurait mis mal à l'aise. Elle l'avait dit parfois, cependant. À un Blanc coiffé de dreadlocks qui était assis à côté d'elle dans le train, ses cheveux semblables à de vieilles ficelles terminées par un duvet blond, sa chemise déchirée portée avec suffisamment de ferveur pour la convaincre qu'il était un activiste social qu'elle pourrait inviter sur son blog. « De nos jours, la race est un concept totalement surfait, les Noirs doivent en finir avec ça, tout ce qui importe aujourd'hui c'est la catégorie sociale, les possédants et les autres », avait-il dit calmement, et elle l'avait utilisé comme accroche d'un post intitulé : « Non, tous les Américains blancs qui portent des

1. *Raceteenth* est un jeu de mots inspiré du mot-valise *Juneteenth*, qui commémore le 19 juin 1865, jour de l'abolition de l'esclavage dans l'État du Texas, et plus généralement l'émancipation des citoyens africains-américains aux États-Unis. *(Toutes les notes sont de la traductrice.)*

dreadlocks n'ont pas le moral à zéro. » Puis, il y eut le type de l'Ohio qui était coincé contre elle dans un avion. Un cadre moyen, elle en était sûre, vu son costume droit et son col dont la couleur tranchait avec celle de sa chemise. Il voulait savoir ce qu'elle entendait par « blog sur les modes de vie », et elle le lui avait expliqué, s'attendant à le voir se fermer, ou mettre fin à la conversation par une phrase vaguement dissuasive comme « La seule race qui compte est la race humaine », mais il avait dit : « Avez-vous jamais écrit sur l'adoption ? Personne ne veut de bébés noirs dans ce pays, et je ne parle pas de bébés métis, je veux dire noirs. Même les familles noires n'en veulent pas. »

Il lui avait raconté que sa femme et lui avaient adopté un enfant noir et que leurs voisins les regardaient comme s'ils avaient choisi de devenir les martyrs d'une cause discutable. L'article de son blog le concernant, « Les cadres moyens blancs mal habillés de l'Ohio ne sont pas toujours ce que vous pensez », était celui qui avait reçu le plus de commentaires ce mois-là. Elle se demandait s'il l'avait lu. Elle espérait que oui. Souvent, assise dans un café, un aéroport ou une gare, elle observait les étrangers, imaginait leurs existences, se demandant lesquels avaient lu son blog. Aujourd'hui son ex-blog. Elle avait écrit son dernier post quelques jours auparavant, et il avait jusqu'à présent donné lieu à deux cent soixante-quatorze commentaires. Tous ces lecteurs, plus nombreux de mois en mois, qui échangeaient leurs posts, qui en savaient beaucoup plus qu'elle ; ces lecteurs-là l'avaient toujours effrayée et ravie. Sapphic Derrida, une des contributrices les plus fréquentes, avait écrit : *Je suis un peu surprise de prendre tout cela aussi personnellement. Bonne chance dans votre quête d'un « changement de vie » mais s'il vous plaît regagnez vite la blogosphère. Vous avez utilisé votre voix impertinente, insistante, drôle et sagace pour créer un espace de véritable échange sur un sujet important.* Des lecteurs comme Sapphic Derrida qui dévidaient des statistiques et utilisaient des mots comme « chosifier » dans leurs commentaires agaçaient Ifemelu, la poussant à se montrer arrogante et à se mettre en valeur, si bien qu'elle avait fini peu à peu par se comparer à un vautour dépouillant les histoires des autres pour y trouver quelque chose à utiliser. Établissant parfois de fragiles rapports à la race. Auxquels il lui arrivait de ne pas croire elle-même. Plus elle écrivait, moins elle se sentait sûre d'elle. Chaque post lui ôtait un peu de sa personnalité et elle finit par se sentir vulnérable et fausse.

L'homme à la glace s'assit à côté d'elle dans le train et, pour décourager la conversation, elle garda les yeux fixés sur une tache marron près de ses pieds, une éclaboussure de café, jusqu'à leur arrivée à Trenton. Le quai était bondé de Noirs, généralement gros, court vêtus. Elle s'étonna à nouveau que tout soit si différent après un trajet en train de quelques minutes. Au cours de sa première année en Amérique, quand elle prenait le New Jersey Transit jusqu'à Penn Station puis le métro pour rendre visite à Tante Uju à Flatlands, elle avait été frappée par la minceur des Blancs qui descendaient aux stations de Manhattan, alors que plus le train s'enfonçait dans Brooklyn, plus les passagers restants étaient noirs et gros. Mais à l'époque elle ne les qualifiait pas de « gros ». Elle disait d'eux qu'ils étaient « costauds » parce que l'une des premières choses que son amie Ginika lui avait apprises était que le terme de « gros » était péjoratif en Amérique, chargé d'un jugement moral comme « stupide » ou « salaud », et pas uniquement descriptif comme « petit » ou « grand ». Aussi avait-elle banni le mot « gros » de son vocabulaire. Mais « gros » avait réapparu l'hiver précédent, au bout de treize années, quand un homme dans la queue derrière elle au supermarché avait marmonné : « Les gros n'ont qu'à pas manger toute cette saloperie », tandis qu'elle payait son sac géant de Tostitos. Elle l'avait regardé, surprise, un peu vexée, et pensé qu'il serait un sujet parfait pour son blog, cet inconnu qui l'avait traitée de grosse. Elle le rangerait dans la rubrique « race, genre et volume corporel ». Mais de retour chez elle, devant la glace, elle s'était rendu compte qu'elle avait négligé, pendant trop longtemps, le fait que ses vêtements étaient devenus trop étroits, que ses cuisses frottaient l'une contre l'autre, que les parties plus molles, plus rondes de son corps tremblotaient quand elle bougeait. Elle était grosse.

Elle avait articulé le mot « grosse » lentement, le ravalant aussitôt prononcé, puis songé à tout ce qu'elle avait appris à ne pas dire à haute voix en Amérique. Elle était grosse. Elle n'était ni bien en chair ni robuste, elle était grosse, c'était le seul mot qui sonnait juste. Et elle avait négligé, aussi, le durcissement de son âme. Son blog était un succès, avec des milliers de visiteurs tous les mois, elle percevait des honoraires de conférencière substantiels, elle avait eu une bourse de Princeton et une liaison avec Blaine – « Tu es l'unique amour de ma vie », avait-il écrit sur la dernière carte qu'il lui avait envoyée pour son anniversaire – et pourtant son âme s'était durcie. Elle le sentait depuis un certain temps, un sentiment d'épuisement tôt le matin, de flou, de non-appartenance. Il était chargé d'attentes informulées, de désirs mal définis, de brèves visions des existences différentes qu'elle aurait pu vivre, et au fil des mois il s'était transformé en un violent mal du pays. Elle parcourut des sites Internet nigérians. Des profils nigérians sur Facebook. Des blogs nigérians, et chaque clic révélait le récit d'un jeune qui était rentré au pays depuis peu, bardé de diplômes américains ou anglais, pour y créer une société d'investissement, une affaire de production musicale, un label de mode, un magazine, une franchise de fast-food. Elle regardait les photos de ces hommes et de ces femmes et ressentait la sourde douleur d'une perte, comme s'ils avaient ouvert sa main de force et pris quelque chose qui lui appartenait. Ils vivaient sa vie. Le Nigeria devint l'endroit où elle devait être, le seul endroit où elle pouvait enfouir ses racines sans éprouver en permanence le désir de les arracher et d'en secouer la terre. Et naturellement, il y avait aussi Obinze. Son premier amour, son premier amant, le seul être avec lequel elle n'avait jamais ressenti le besoin d'expliquer qui elle était. Il était à présent marié et père de famille, ils n'avaient eu aucun contact depuis des années, pourtant elle ne pouvait prétendre qu'il était étranger à son mal du pays, qu'elle ne pensait pas à lui, remuant les souvenirs de leur passé, cherchant les présages de ce qu'elle ne pouvait pas nommer.

L'inconnu grossier du supermarché – plongé dans des problèmes que lui aussi devait affronter, la mine défaite et les lèvres serrées – avait eu l'intention de la choquer mais l'avait poussée au contraire à se réveiller.

Elle se mit à faire des projets, à caresser des rêves, à répondre à des propositions de travail à Lagos. Elle n'en dit rien à Blaine au début, car elle voulait poursuivre ses études à Princeton jusqu'à la fin de sa bourse, et ensuite elle resta silencieuse parce qu'elle voulait se donner le temps d'être sûre d'elle. Mais, les semaines passant, elle se rendit compte qu'elle ne serait jamais sûre. Aussi lui annonça-t-elle qu'elle retournait chez elle, en ajoutant : « Il le faut », sans ignorer qu'il percevrait dans ces mots le ton d'une rupture.

« Pourquoi ? » demanda Blaine presque machinalement, stupéfié par ce qu'elle venait de lui annoncer. Ils étaient là tous les deux, dans son salon de New Haven baigné de lumière et d'un fond de jazz, et elle le regarda, cet homme bon, interloqué, et sut que la journée allait prendre un tour épique et triste. Ils avaient vécu ensemble pendant trois ans, trois années sans heurts, lisses comme des draps fraîchement repassés, jusqu'à leur unique dispute, quelques mois plus tôt, lorsque le regard de Blaine s'était empli de reproches et qu'il avait refusé de lui parler. Mais ils avaient survécu à cette dispute, en grande partie grâce à Barack Obama, scellant à nouveau leur passion commune. Le soir de l'élection, avant de l'embrasser, le visage mouillé de larmes, Blaine l'avait serrée contre lui comme si la victoire d'Obama était aussi leur victoire personnelle. Et maintenant elle lui disait que c'était fini. « Pourquoi ? » demanda-t-il. Il enseignait les notions de subtilité et de complexité dans ses cours et malgré tout il lui demandait de fournir une seule raison, la *cause*. Mais elle n'avait pas eu de révélation soudaine et il n'y avait pas de cause ; c'était simplement que, peu à peu, l'insatisfaction s'était installée en elle jusqu'à former une masse qui aujourd'hui la poussait irrésistiblement à aller de l'avant. Elle ne le lui dit pas, car il aurait été blessé en apprenant que cette impression durait depuis un certain temps, que sa relation avec lui consistait seulement à vivre heureuse dans une maison, où elle restait assise à la fenêtre à regarder au-dehors.

« Emporte la plante », lui dit-il le dernier jour, tandis qu'elle emballait les vêtements qu'elle avait laissés dans son appartement. Il avait l'air défait, affalé sur une chaise dans la cuisine. La plante verte était à lui, avec ses feuilles prometteuses qui s'élançaient à partir de trois tiges de bambou, et quand elle la prit, elle se sentit accablée par une soudaine nostalgie qui demeura en elle durant des semaines. Elle la sentait encore parfois. Comment pouvait-on regretter quelque chose dont on ne voulait plus ? Blaine désirait ce qu'elle n'était plus capable de lui donner et elle avait besoin de ce qu'il ne pouvait pas lui offrir, et c'était ce qu'elle pleurait, la perte de ce qui aurait pu être.

La voilà donc, un jour éclatant d'été, sur le point d'aller faire tresser ses cheveux pour le voyage qui la ramènerait chez elle. Une chaleur moite collait à sa peau. Il y avait des personnes trois fois plus corpulentes qu'elle sur le quai à Trenton, et elle regarda l'une d'elles avec admiration, une femme en jupe ultracourte. Qu'une minijupe mette en valeur des jambes minces lui importait peu – après tout, c'était normal et facile d'exposer des jambes que tout le monde admirait – mais cette grosse femme agissait avec la calme conviction qu'on ne partage qu'avec soi-même, la certitude de son bon droit que les autres ne voyaient pas. Sa propre décision de rentrer au pays était similaire ; chaque fois qu'elle se sentait assiégée par le doute, elle s'imaginait qu'elle faisait front seule avec courage, presque héroïque, afin de juguler son indécision. La grosse femme accompagnait un groupe d'adolescents, des jeunes de seize ou dix-sept ans. Ils étaient attroupés, le nom de leur programme d'été imprimé sur le devant et le dos de leurs T-shirts jaunes, et ils bavardaient et riaient. Leur vue rappela à Ifemelu son cousin Dike. Un des garçons, un grand brun, avec la musculature fine d'un athlète, lui ressemblait. Sauf que Dike n'aurait jamais porté ce genre de chaussures semblables à des espadrilles. Des pompes complètement nulles, aurait-il dit. C'était un mot nouveau. Il l'avait employé pour la première fois quelques jours plus tôt en lui racontant qu'il avait été faire des courses avec Tante Uju. « Maman voulait m'acheter ces chaussures ridicules. Écoute, cousine, tu sais bien que je ne peux pas porter des pompes aussi nulles. »

Ifemelu rejoignit la file d'attente pour les taxis à la sortie de la gare. Elle espérait que son chauffeur ne serait pas un Nigérian, car dès qu'il reconnaîtrait son accent, soit il s'empresserait de lui dire qu'il était diplômé de l'université, que le taxi était un travail d'appoint et que sa fille figurait au tableau d'honneur de Rutgers, soit il conduirait dans un silence maussade, lui rendrait sa monnaie en ignorant son « merci », remâchant son humiliation, parce que cette compatriote nigériane, petite de surcroît, qui était peut-être infirmière ou comptable, voire médecin, le regardait de haut. Les chauffeurs de taxi nigérians en Amérique étaient tous convaincus de n'être pas réellement des chauffeurs de taxi. Elle était la prochaine dans la queue. Son chauffeur était noir et d'âge moyen. Elle ouvrit la portière et jeta un coup d'œil au dossier du siège du conducteur. *Mervin Smith*. Pas nigérian, mais qui sait. Les Nigérians prenaient ici toutes sortes de noms. Même elle avait un jour été quelqu'un d'autre.

« Comment ça va ? » demanda l'homme.

Elle se rendit compte aussitôt, avec soulagement, qu'il avait l'accent caribéen.

« Très bien, merci. »

Elle lui donna l'adresse du Mariama African Hair Braiding. C'était la première fois qu'elle se rendait dans ce salon de coiffure – son coiffeur habituel était fermé parce que le propriétaire était rentré en Côte-d'Ivoire pour se marier – mais il ressemblait sûrement à tous les autres salons de nattage qu'elle avait connus : ils se trouvaient dans cette partie de la ville pleine de graffitis, de bâtiments insalubres, sans un seul Blanc à l'horizon, avaient des enseignes affichant des noms tels qu'Aisha et Fatima African Hair Braiding, des radiateurs trop chauds en hiver et des appareils de climatisation qui ne refroidissaient rien en été, et ils étaient pleins de coiffeuses francophones d'Afrique occidentale, dont l'une était la patronne et parlait bien anglais, répondait au téléphone et était traitée avec respect par les autres. Souvent, l'une d'entre elles portait un bébé dans le dos, maintenu par une bande d'étoffe. Ou il y avait un gamin endormi sur un canapé défoncé recouvert d'un peignoir. Parfois entraient des enfants plus âgés. Les conversations étaient animées et bruyantes, en français, en wolof ou en malinké, et quand elles s'adressaient en anglais aux clientes, elles parlaient bizarrement, comme si elles n'avaient pas vraiment tout à fait intégré la langue elle-même avant d'adopter des américanismes argotiques. Les mots sortaient de leur bouche incomplets. Un jour, une coiffeuse guinéenne avait dit à Ifemelu : « Mi comme, oh Diou, zi volle. » Elle avait dû la faire répéter plusieurs fois avant de comprendre ce qu'elle disait : « Je suis comme, oh Dieu, si folle. »

Mervin Smith était enjoué et bavard. Il dit, tout en conduisant, qu'il faisait trop chaud, qu'il fallait sûrement s'attendre à des coupures d'électricité.

« C'est le genre de chaleur qui est fatale aux vieux. S'ils n'ont pas la climatisation, il faut qu'ils aillent au centre commercial, vous savez. Au centre commercial l'air conditionné est gratuit. Mais des fois il n'y a personne pour les y conduire. Il faut que les gens prennent soin des vieux », dit-il, son humeur joyeuse insensible au silence d'Ifemelu.

« Nous y voilà ! » dit-il en s'arrêtant devant un immeuble miteux.

Le salon était coincé entre un restaurant chinois appelé Happy Joy et une épicerie qui vendait des billets de loterie. À l'intérieur, la pièce était un modèle de laisser-aller, avec sa peinture écaillée, ses murs recouverts de grands posters de différents styles de nattage, et de plus petits qui proclamaient REMBOURSEMENT RAPIDE DES TAXES. Trois femmes, en bermudas et T-shirts, étaient occupées à coiffer des clientes assises. Une petite télévision dans un angle du mur, le son réglé un peu trop fort, projetait un film nigérian, un homme qui battait sa femme, la femme qui tentait de se protéger et criait, la piètre qualité audio de l'appareil écorchant les oreilles.

« Bonjour », dit Ifemelu.

Elles se retournèrent toutes pour la regarder mais une seule, sans doute la Mariama de l'enseigne, dit : « Bonjour, bienvenue.

— Pouvez-vous me faire des tresses ?

— Quel genre de tresses ? »

Ifemelu dit qu'elle voulait des vanilles et demanda quel était le prix.

« Deux cents, répondit Mariama.

— J'ai payé cent soixante le mois dernier. »

Elle avait fait tresser ses cheveux trois mois auparavant.

Mariama resta silencieuse un moment, les yeux à nouveau fixés sur les cheveux qu'elle nattait.

« Alors, cent soixante ? » demanda Ifemelu.

Mariama haussa les épaules et sourit.

« D'accord, mais il faudra revenir ici la prochaine fois. Asseyez-vous. Aisha va s'occuper de vous. Elle a bientôt fini. »

Mariama désigna la plus petite des coiffeuses, qui avait un problème de peau, des spirales rosées de décoloration sur les bras et le cou, à l'air contagieux peu rassurant.

« Bonjour, Aisha », dit Ifemelu.

Aisha la regarda, hocha à peine la tête, le visage fermé, presque hostile dans son absence d'expression. Il y avait quelque chose d'étrange dans son attitude.

Ifemelu s'assit près de la porte, le ventilateur sur la table écaillée était réglé au maximum mais n'avait pratiquement aucun effet sur la touffeur de la pièce. À côté du ventilateur étaient posés des peignes, des paquets de pinces, d'épais magazines dont certaines pages étaient déchirées, des piles de DVD multicolores. Un balai était appuyé contre le mur dans un coin, près d'un distributeur de bonbons et du sèche-cheveux rouillé qui n'avait pas servi depuis un siècle. Sur l'écran de la télé, un père battait deux enfants, simulant des coups qui frappaient l'air au-dessus de leurs têtes.

« Non ! Méchant père ! Méchant homme ! » dit l'autre coiffeuse en frissonnant, l'œil rivé sur la télévision.

« Vous êtes du Nigeria ? demanda Mariama.

— Oui, dit Ifemelu. Et vous ?

— Ma sœur Halima et moi sommes du Mali. Aisha vient du Sénégal. »

Aisha ne leva pas les yeux mais Halima adressa un sourire à Ifemelu, un sourire qui, dans sa chaleureuse complicité, accueillait une sœur d'Afrique ; elle n'aurait pas souri ainsi à une Américaine. Elle louchait fortement, ses pupilles pointant dans des directions opposées, déconcertant Ifemelu qui ne savait pas quel œil d'Halima était posé sur elle.

Ifemelu s'éventait avec un magazine. « Il fait tellement chaud », dit-elle. Enfin des femmes qui ne lui diraient pas : « Vous avez chaud ? Pourtant vous venez d'Afrique ! »

« La vague de chaleur est épouvantable. Désolée, la climatisation est tombée en panne hier », dit Mariama.

Ifemelu savait que la climatisation n'était pas tombée en panne la veille, elle était en panne depuis beaucoup plus longtemps, sans doute avait-elle toujours été en panne ; pourtant elle hocha la tête, et dit qu'elle avait peut-être rendu l'âme à force d'avoir servi. Le téléphone sonna. Mariama décrocha et au bout d'une minute dit : « Venez maintenant », les paroles mêmes qui avaient décidé Ifemelu à cesser de prendre des rendez-vous avec les salons de coiffure africains. Venez maintenant, disaient-ils toujours, et ensuite vous arriviez et trouviez deux personnes en train d'attendre qu'on leur fasse des micro-tresses et la propriétaire qui disait : « Attendez, ma sœur va venir m'aider. » Le téléphone sonna à nouveau et Mariama parla en français, haussant la voix, et elle s'arrêta de natter pour agiter la main tout en criant dans le téléphone. Puis elle tira un imprimé jaune de la Western Union de sa poche et se mit à lire les chiffres. « *Trois ! Cinq ! Non, non, cinq** [1] *!* »

La femme dont elle nattait les cheveux en de minuscules tresses collées dit d'un ton sec : « Hé ! Je ne vais pas passer toute la journée ici !

— Désolée, désolée », dit Mariama. Elle finit malgré tout d'énumérer les chiffres de la Western Union avant de se remettre à tresser, le téléphone coincé entre son épaule et son oreille.

Ifemelu ouvrit son roman, *Cane*, de Jean Toomer, et parcourut quelques pages. Cela faisait un certain temps qu'elle avait l'intention de le lire, elle se disait qu'il lui plairait puisque Blaine ne l'aimait pas. Une belle performance, avait dit Blaine, de ce ton gentiment patient qu'il employait quand ils discutaient de romans, comme s'il était sûr qu'avec un peu plus de temps et un peu plus de discernement elle en viendrait à reconnaître que les romans qu'il aimait étaient supérieurs, des romans écrits par des

1. Les termes en italique suivis d'un astérisque sont en français dans le texte.

hommes jeunes et juvéniles, avec de la *matière*, une accumulation fascinante, déconcertante de marques, de musique, de bandes dessinées et d'icônes, saupoudrée d'un zeste d'émotion, et dont chaque phrase était élégamment consciente de sa propre élégance. Elle en avait lu un certain nombre, parce qu'il les lui avait recommandés, mais ils ressemblaient à de la barbe à papa, qui s'évaporait si facilement de sa mémoire gustative.

Elle referma le livre, il faisait trop chaud pour se concentrer. Elle goûta un peu de chocolat fondu, envoya un texto à Dike lui demandant de la rappeler quand il aurait fini son entraînement de basket, et s'éventa. Elle lut les inscriptions sur le mur en face d'elle – PAS D'AJUSTEMENT DE TRESSES APRÈS UNE SEMAINE. LES CHÈQUES NE SONT PAS ACCEPTÉS. PAS DE RISTOURNES – mais elle évita soigneusement de regarder dans les coins de la pièce car elle savait qu'elle y verrait des journaux moisis coincés sous des tuyaux, de la crasse et des choses depuis longtemps avariées.

Aisha en finit enfin avec sa cliente et demanda à Ifemelu quelle couleur elle désirait pour ses extensions.

« Numéro quatre.

— C'est pas une bonne teinte, dit vivement Aisha.

— C'est celle que j'utilise.

— Elle a l'air sale. Tu veux pas la numéro un ?

— Elle est trop noire, elle a l'air artificiel, dit Ifemelu en détachant le foulard qui lui couvrait la tête. Il m'arrive d'utiliser la numéro deux, mais la quatre est la plus proche de ma couleur naturelle. »

Aisha haussa les épaules, un geste hautain, comme si le manque de goût de sa cliente n'était pas son problème. Elle fouilla dans un placard, en sortit deux paquets d'extensions, vérifia qu'elles étaient toutes les deux de la même couleur.

Elle toucha les cheveux d'Ifemelu. « Pourquoi tu utilises pas de défrisant ?

— J'aime mes cheveux tels que Dieu les a faits.

— Mais comment tu fais pour les peigner ? Difficiles à peigner », dit Aisha.

Ifemelu avait apporté son propre peigne. Elle peigna doucement ses cheveux, épais, doux et bouclés, jusqu'à ce qu'ils encadrent sa tête comme un halo. « Ils ne sont pas difficiles à peigner si vous les hydratez correctement », dit-elle, avec le ton persuasif de la prosélyte qu'elle utilisait chaque fois qu'elle essayait de convaincre d'autres femmes noires des mérites d'une chevelure naturelle. Aisha bougonna, elle ne comprenait franchement pas comment quelqu'un pouvait choisir de souffrir en peignant des cheveux à l'état naturel au lieu de les défriser. Elle sépara en mèches les cheveux d'Ifemelu, prit une petite extension dans le tas posé sur la table, et commença sa tresse.

« C'est trop serré, dit Ifemelu. Ne serrez pas autant. » Comme Aisha continuait à tresser, Ifemelu pensa qu'elle n'avait peut-être pas compris, et elle toucha du doigt la tresse en question et dit : « Trop serré, trop serré. »

Aisha repoussa sa main. « Non, non. Laisse. C'est bien.

— C'est trop serré, dit Ifemelu. S'il vous plaît, desserrez-la. »

Mariama les observait. Un flot de français sortit de sa bouche. Aisha desserra la tresse.

« Désolée, dit Mariama. Elle ne comprend pas bien. »

Mais il était clair, à son expression, qu'Aisha comprenait très bien. C'était simplement une femme rustique insensible aux subtilités américaines de l'attention au client. Ifemelu l'imaginait sur un marché à Dakar, comme les coiffeuses de Lagos qui se mouchaient dans leurs doigts et essuyaient leurs mains sur leurs peignoirs, manipulaient brutalement la tête de leurs clientes pour leur donner une meilleure position, se plaignaient que les cheveux soient trop épais, trop courts ou trop raides, interpellaient les passantes tout en parlant trop fort et en tressant trop serré.

« Tu la connais ? demanda Aisha en jetant un regard à la télévision.

— Quoi ? »

Aisha répéta sa question, et désigna l'actrice sur l'écran.

« Non, dit Ifemelu.

— Mais tu es nigériane.

— Oui, mais je ne la connais pas. »

Aisha fit un geste en direction de la pile de DVD sur la table. « Avant, trop de vaudou. Très mauvais. Maintenant le film du Nigeria très bon. Grande belle maison. »

Ifemelu n'avait pas une haute opinion des films de Nollywood, avec leurs effets dramatiques exagérés et leurs scénarios improbables, mais elle fit un signe d'assentiment car entendre « Nigeria » et « bon » dans la même phrase était un luxe, même dans la bouche de cette étrange Sénégalaise, et elle choisit d'y voir un présage favorable à son retour au pays.

Tous ceux qu'elle avait prévenus de son retour semblaient surpris, s'attendant à une explication, et quand elle disait qu'elle le faisait uniquement parce qu'elle en avait envie, la perplexité ridait les fronts.

« Tu fermes ton blog et tu vends ton appart pour retourner à Lagos et travailler dans un magazine qui ne paie pas tellement bien », avait dit Tante Uju, se répétant, comme pour faire comprendre à Ifemelu la gravité de son inconséquence. Seule sa vieille amie de Lagos, Ranyinudo, avait trouvé normal qu'elle revienne. « Lagos est aujourd'hui remplie de rapatriés d'Amérique, et tu ferais bien de revenir et de te joindre à eux. On les voit du matin au soir avec une bouteille d'eau comme s'ils avaient besoin de boire toutes les cinq minutes pour ne pas mourir de chaleur », avait-elle dit. Elles étaient restées en contact tout au long des années. Au début, elles s'écrivaient rarement, mais avec l'ouverture des cybercafés, le développement des téléphones portables et le succès de Facebook, elles s'étaient mises à communiquer plus souvent. C'était Ranyinudo qui lui avait annoncé, quelques années plus tôt, qu'Obinze allait se marier. « Il a beaucoup d'argent maintenant. Tu vois ce que tu as raté ! » avait-elle dit. Ifemelu avait feint l'indifférence à l'annonce de cette nouvelle. Après tout, elle n'avait plus aucun contact avec Obinze, le temps s'était écoulé, et elle avait cette nouvelle relation avec Blaine, s'adaptait sans mal à une vie de couple. Mais après avoir raccroché, elle n'avait cessé de penser à Obinze. L'imaginer le jour de son mariage lui laissait un vague sentiment de tristesse, une tristesse lointaine. Pourtant elle était heureuse pour lui, se dit-elle, et pour s'en convaincre elle décida de lui écrire. Elle n'était pas certaine qu'il ait conservé son ancienne adresse électronique et elle envoya un e-mail, s'attendant presque à ne pas avoir de réponse, mais il répondit. Elle ne lui écrivit plus par la suite, car elle avait pris soudain conscience que brûlait en elle une petite flamme encore vivante. Mieux valait laisser les choses en paix. Au mois de décembre, lorsque Ranyinudo lui avait raconté qu'elle l'avait rencontré par hasard dans le centre commercial de Palms, avec sa petite fille (Ifemelu n'arrivait pas à se représenter ce nouveau centre moderne, gigantesque de Lagos, elle se souvenait seulement du Mega Plaza riquiqui) – « Il avait l'air si élégant, et sa fille est si mignonne », avait dit Ranyinudo –, Ifemelu avait eu le cœur serré à la pensée de tous les changements survenus dans la vie d'Obinze.

« Les films du Nigeria très bons maintenant, répéta Aisha.

— Oui », dit Ifemelu avec enthousiasme. Voilà ce qui lui arrivait, elle était en quête de signes. Les films du Nigeria étaient bons, donc rentrer au pays était bon.

« Tu es yoruba du Nigeria, dit Aisha.

— Non, je suis igbo.

— Toi igbo ? » Pour la première fois un sourire apparut sur le visage d'Aisha, un sourire qui découvrait autant ses petites dents que ses gencives foncées. « Je pensais toi yoruba parce que toi foncée et Igbos clairs. J'ai deux hommes igbos. Très bons, les hommes igbos s'occupent bien des femmes. »

Aisha chuchotait presque, une inflexion sexuelle dans le ton, et dans la glace les décolorations de ses bras et de son cou ressemblèrent soudain à d'affreuses plaies. Ifemelu imagina que certaines d'entre elles crevaient et suintaient, d'autres se desquamaient. Elle détourna le regard.

« Les hommes igbos s'occupent bien des femmes, répéta Aisha. Je veux me marier. Ils m'aiment mais disent que la famille veut une femme igbo. Parce que Igbos marient toujours Igbos. »

Ifemelu réprima une envie de rire. « Vous voulez vous marier avec les deux ?

— Non. » Aisha fit un geste d'impatience. « Je veux marier un. Mais c'est vrai ça ? Igbos marient toujours Igbos ?

— Les Igbos se marient avec toutes sortes de gens. Le mari de ma cousine est yoruba. La femme de mon oncle est écossaise. »

Aisha abandonna sa torsade, observant Ifemelu dans la glace, comme si elle hésitait à la croire.

« Ma sœur dit que c'est vrai. Igbos marient toujours Igbos.

— Comment votre sœur le sait-elle ?

— Elle connaît beaucoup d'Igbos en Afrique. Elle vend du tissu.

— Où vit-elle ?

— En Afrique.

— Où en Afrique ? Au Sénégal ?

— Au Bénin.

— Pourquoi dites-vous Afrique au lieu de citer simplement le pays ? » demanda Ifemelu.

Aisha fit claquer sa langue. « Tu connais pas l'Amérique. Tu dis Sénégal et ils disent, c'est où ? À mon amie du Burkina Faso, ils demandent, votre pays c'est en Amérique latine ? » Aisha se remit à tresser, un sourire moqueur aux lèvres, puis demanda, comme si Ifemelu était incapable de comprendre la réalité des choses dans ce pays : « Combien de temps tu es en Amérique ? »

Ifemelu décida alors qu'elle n'aimait pas Aisha. Déterminée à abréger la conversation, à n'aborder que les sujets indispensables durant les six heures qui seraient nécessaires pour tresser ses cheveux, elle fit mine de ne pas avoir entendu et sortit son téléphone. Dike n'avait toujours pas répondu à son texto. En temps normal, il répondait au bout de quelques minutes, mais peut-être était-il encore à son entraînement de basket, ou avec ses amis, en train de regarder une vidéo stupide sur YouTube. Elle l'appela et laissa un long message, élevant la voix, s'attardant sur son entraînement de basket, faisait-il aussi chaud dans le Massachusetts, avait-il toujours l'intention d'emmener Page au cinéma aujourd'hui. Puis, renonçant à toute prudence, elle rédigea un e-mail pour Obinze et l'envoya aussi sec, sans prendre le temps de le relire. Elle avait écrit qu'elle rentrait au Nigeria et, bien qu'elle ait un emploi en vue, bien que sa voiture soit déjà embarquée sur un bateau à destination de Lagos, elle eut soudain l'impression, pour la première fois, que c'était réel. *J'ai récemment décidé de rentrer au Nigeria.*

Aisha ne s'était pas découragée pour autant. Lorsque Ifemelu abandonna son téléphone et leva les yeux, elle demanda derechef : « Longtemps tu es en Amérique ? »

Ifemelu prit son temps pour ranger son portable dans son sac. Des années auparavant, on lui avait posé la même question, au mariage d'une amie de Tante Uju, et elle avait répondu deux ans, ce qui était la vérité, mais l'expression moqueuse sur le visage de ses interlocuteurs lui avait appris que pour avoir la chance d'être prise au sérieux par les Nigérians en Amérique, par les Africains en Amérique, en vérité parmi les immigrants en Amérique, il fallait être là depuis plus longtemps. Six ans, se mit-elle à dire, quand cela faisait trois ans et demi. Huit, au bout de cinq. Maintenant qu'elle était là depuis treize ans, mentir semblait inutile, mais elle mentit quand même.

« Quinze ans, dit-elle.

— Quinze ans ? C'est longtemps. » Une nouvelle nuance de respect apparut dans le regard d'Aisha. « Tu vis ici à Trenton ?

— J'habite à Princeton.

— Princeton. » Aisha marqua une pause. « Toi étudiante ?

— J'ai eu une bourse pour mes études », dit-elle, sachant qu'Aisha ignorait ce qu'était une bourse, et de ce rare moment où Aisha parut intimidée Ifemelu tira un plaisir pervers. Oui, Princeton. Oui, le genre d'endroit qu'Aisha pouvait à peine imaginer, le genre d'endroit où il n'y aurait jamais un panneau disant REMBOURSEMENT RAPIDE DES TAXES. À Princeton les gens n'avaient pas besoin de remboursement rapide des taxes.

« Mais je retourne au Nigeria, ajouta soudain Ifemelu, pleine de remords. Je pars la semaine prochaine.

— Pour voir la famille.

— Non. Je rentre définitivement. Pour vivre au Nigeria.

— Pourquoi ?

— Comment ça, pourquoi ? Pourquoi pas ?

— C'est mieux envoyer de l'argent là-bas. Sauf si ton père est un homme important ? Tu as des relations ?

— J'ai trouvé un emploi là-bas.

— Tu restes quinze ans en Amérique et tu rentres juste pour travailler ? » Aisha eut un sourire narquois. « Tu peux rester là-bas ? »

Aisha lui rappelait ce qu'avait dit Tante Uju quand elle avait enfin compris qu'Ifemelu était sérieuse en parlant de retour – « *Bon, seras-tu capable de t'y faire ?* » – et cette façon d'insinuer que l'Amérique l'avait en quelque sorte irrévocablement changée avait planté des épines dans sa peau. Ses parents, eux aussi, semblaient croire qu'elle ne pourrait pas « se faire » au Nigeria. « Au moins es-tu citoyenne américaine, tu pourras toujours retourner aux États-Unis », avait dit son père. Tous les deux avaient demandé si Blaine l'accompagnait, et leur question était chargée d'espoir. Elle s'amusait de les entendre l'interroger si souvent au sujet de Blaine, car ils avaient mis longtemps à s'habituer à l'idée que son ami était un Noir américain. Elle les imaginait en train de faire des projets pour son mariage : sa mère choisirait le traiteur et les couleurs, et son père penserait à un ami en vue auquel il pourrait demander d'être le parrain. Hésitant à briser leur espoir, et sachant qu'il fallait peu de choses pour l'entretenir, et les rendre heureux, elle avait dit à son père : « Nous avons décidé que je reviendrais d'abord et que Blaine me rejoindrait au bout de quelques semaines.

— Splendide ! » s'était exclamé son père, et elle n'avait rien ajouté parce que mieux valait en rester à ce splendide.

Aisha lui tira les cheveux un peu trop fort. « Quinze ans en Amérique très longtemps, dit-elle, comme si elle y avait réfléchi. Tu as un ami ? Tu es mariée ?

— Je retourne aussi au Nigeria pour voir mon homme », répondit Ifemelu, surprise de s'entendre parler ainsi. *Mon homme*. C'était si facile de mentir à des inconnus, de créer avec eux les différentes versions de notre vie que l'on a imaginées.

« Oh ! OK ! » dit Aisha, tout excitée. Ifemelu avait fini par lui donner une raison simple de vouloir rentrer au pays. « Tu vas te marier ?

— Peut-être. Nous verrons.

— Oh ! »

Aisha s'arrêta de tresser, et la regarda dans la glace, un regard fixe, et Ifemelu craignit un instant que la femme fût douée de pouvoirs divinatoires et capable de voir qu'elle mentait.

« Je veux que tu voies mes hommes. Je les appelle. Ils viennent et tu les vois. D'abord j'appelle Chijioke. Il conduit taxi. Puis Emeka. Il travaille vigile. Tu les vois.

— Ce n'est pas la peine de les faire venir juste pour me rencontrer.

— Si. Je les appelle. Tu leur dis qu'Igbo peut marier pas Igbo. Ils t'écouteront.

— Non, vraiment, je ne peux pas faire ça. »

Aisha continua à parler comme si elle n'avait pas entendu. « Tu leur dis. Ils écoutent parce que tu es sœur igbo. Un ou l'autre OK. Je veux me marier. »

Ifemelu regarda Aisha, une petite Sénégalaise au visage ordinaire, avec une peau comme un patchwork, et qui avait deux amoureux igbos, aussi peu plausible que cela puisse être, et qui voulait qu'Ifemelu les rencontre et les incite à l'épouser. Cela aurait fait un bon post pour son blog. « Le cas singulier d'une Noire non américaine, ou Comment les contraintes de l'immigration peuvent vous pousser à faire n'importe quoi. »

CHAPITRE 2

Quand Obinze découvrit son e-mail, il était assis à l'arrière de sa Range Rover, bloqué dans les encombrements de Lagos, sa veste suspendue au dossier du siège devant lui, un petit mendiant aux cheveux couleur rouille, le visage collé à la vitre, un marchand ambulant pressant des DVD multicolores contre l'autre vitre, la radio dont le volume avait été baissé débitant les nouvelles en pidgin sur Wazobia FM, et tout autour le gris maussade d'une averse imminente. Il contempla son BlackBerry, sentant son corps se contracter. D'abord, il parcourut rapidement l'e-mail, regrettant instinctivement qu'il ne soit pas plus long. *Mon cher Ciel*, kedu ? *J'espère que tout va bien pour ta famille et tes affaires. Ranyinudo me dit qu'elle t'a rencontré il y a quelque temps et que tu as un enfant à présent ! Fier papa. Félicitations. J'ai récemment décidé de revenir au Nigeria. Devrais être à Lagos dans une semaine. Aimerais qu'on reste en contact. Prends soin de toi. Ifemelu.*

Il relut lentement l'e-mail et éprouva le besoin de passer sa main sur quelque chose, sur son pantalon, son crâne rasé. Elle l'avait appelé Ciel. Dans le dernier message qu'il avait reçu d'elle, elle l'avait appelé Obinze, s'excusant de son silence depuis des années, lui souhaitant d'être heureux avec des mots chaleureux, et mentionnant qu'elle vivait avec un Noir américain. Un e-mail très aimable. Qu'il avait détesté à tel point qu'il avait cherché sur Google des détails sur le Noir américain – et pourquoi donc lui indiquait-elle le nom de cet homme si ce n'était parce qu'elle voulait qu'il se renseigne ? –, un maître de conférences à Yale, et il avait trouvé insupportable qu'elle vive avec quelqu'un qui dans son blog traitait ses amis de « chats », mais c'était la photo de l'Américain, image de l'intellectuel décontracté par excellence, avec son jean piteux et ses lunettes à monture noire, qui avait achevé Obinze, et l'avait incité à lui adresser une réponse glaciale. *Merci de tes bons vœux, je n'ai jamais été aussi heureux de ma vie*, avait-il écrit. Il avait espéré recevoir d'elle un mot moqueur – cela lui ressemblait si peu de n'avoir montré aucune acrimonie, même imperceptible, dans ce premier e-mail – mais elle n'avait pas répondu et quand il lui avait écrit à nouveau, après son voyage de noces au Maroc, pour lui dire qu'il voulait rester en contact avec elle et lui parler de temps en temps, elle ne s'était pas manifestée.

La circulation reprenait. Une pluie fine tombait. Le petit mendiant l'accompagna en courant, l'expression de ses yeux de biche encore plus pathétique, ses gestes de plus en plus excessifs : portant avec frénésie sa main à sa bouche, ses doigts pressés les uns contre les autres. Obinze baissa la vitre et tendit un billet de cent nairas. Dans le rétroviseur, son chauffeur, Gabriel, l'observa d'un air profondément désapprobateur.

« Dieu te bénisse, *oga* ! dit l'enfant.

— Ne donnez pas d'argent à ces mendiants, monsieur, dit Gabriel. Ils sont tous riches. Ils mendient pour avoir beaucoup d'argent. On m'a raconté que l'un d'eux s'est fait construire un immeuble de six appartements à Ikeja !

— Alors pourquoi es-tu chauffeur plutôt que mendiant, Gabriel ? » demanda Obinze, et il rit, un peu trop fort.

Il aurait voulu dire à Gabriel qu'il venait de recevoir un e-mail de la fille qui était sa petite amie à l'université, plus précisément à l'université et au lycée. La première fois qu'elle l'avait laissé lui ôter son soutien-gorge, elle était couchée sur le dos et gémissait doucement, tenant la tête d'Obinze dans ses doigts écartés, et après elle lui avait dit : « J'avais les yeux ouverts mais je ne voyais pas le ciel. Ça ne m'était jamais arrivé. » D'autres filles auraient prétendu qu'elles n'avaient jamais permis à un autre garçon de les toucher, mais pas elle, jamais elle. Elle était d'une franchise saisissante. Elle se mit à appeler ce qu'ils faisaient ensemble *le ciel*, leurs étreintes brûlantes sur son lit en l'absence de sa mère, vêtus de leurs seuls sous-vêtements, se touchant, s'embrassant, se suçant, bougeant les hanches en guise de simulacre. *J'ai envie du ciel*, avait-elle écrit un jour au dos du cahier de géographie d'Obinze, et pendant longtemps par la suite il ne put regarder ce carnet sans être traversé d'un frisson, d'une secrète excitation. À l'université, quand ils cessèrent enfin de simuler, elle se mit à l'appeler Ciel, en riant, d'une façon suggestive – mais quand ils se disputaient ou qu'elle restait à bouder, elle l'appelait Obinze. Elle ne l'avait jamais appelé le Zed, comme le faisaient ses amis. « Pourquoi l'appelles-tu Ciel ? » lui avait demandé son ami Okwudiba, par un de ces jours nonchalants qui succédaient aux examens du premier semestre. Elle s'était mêlée à un groupe d'amis d'Obinze assis autour d'une table de plastique crasseuse dans un bistrot à bière à l'extérieur du campus. Elle avait bu son Maltina à la bouteille, avalé d'un coup, regardé Obinze et dit : « Parce qu'il est si grand qu'il a la tête près du ciel, vous ne voyez pas ? » Sa lenteur délibérée, le léger sourire qui étirait ses lèvres, signifiaient clairement qu'elle voulait leur faire savoir que ce n'était pas pour cette raison qu'elle l'appelait Ciel. D'ailleurs il n'était pas grand. Elle lui lança un coup de pied sous la table et il le lui rendit, regardant ses amis rire ; ils avaient tous un peu peur d'elle, étaient tous un peu amoureux d'elle. Voyait-elle le ciel quand le Noir américain la caressait ? Avait-elle utilisé le mot « ciel » avec d'autres hommes ? Cette pensée le troubla soudain. Son téléphone sonna et durant un instant de confusion il crut que c'était Ifemelu qui l'appelait d'Amérique.

« Chéri, *kedu ebe I no ?* » Sa femme, Kosi, quand elle lui téléphonait, commençait toujours par ces mots : Où es-tu ? Lui ne demandait jamais où elle se trouvait quand il l'appelait, mais elle le lui disait chaque fois : je pars chez le coiffeur, je suis sur le Third Mainland Bridge. Comme si elle avait besoin d'être rassurée sur leur présence physique quand ils n'étaient pas ensemble. Elle avait une voix enfantine, haut perchée. Ils étaient censés se retrouver chez Chief pour la réception à sept heures et demie et il était déjà six heures passées.

Il lui dit qu'il était pris dans un embouteillage. « Mais on avance et nous venons de tourner dans Ozumba Mbadiwe. J'arrive. »

Sur la voie express de Lekki, la circulation s'accéléra tandis que la pluie diminuait, et peu après Gabriel donnait un coup d'avertisseur devant le portail de la maison. Mohammed, le portier, silhouette maigre sous son caftan blanc sale, ouvrit en grand les grilles et leva une main en guise de salut. Obinze regarda la maison ocre entourée d'une colonnade. À l'intérieur il y avait ses meubles importés d'Italie, sa femme, sa fille âgée de deux ans, Buchi, la nounou Christiana, la sœur de sa femme Chioma, venue ici en vacances forcées parce que les professeurs de l'université étaient à nouveau en grève, et la nouvelle domestique, Marie, qu'ils avaient fait venir du Bénin lorsque sa femme avait décrété que les Nigérianes ne faisaient pas l'affaire. Les pièces seraient fraîches, les vibrations de la climatisation agréables, et la cuisine embaumerait le curry et le thym ; la télévision au rez-de-chaussée serait branchée sur CNN, tandis que celle de l'étage diffuserait des dessins animés, et partout régnerait une impression de bien-être. Il descendit de la voiture. Il avait une démarche raide, levait les jambes avec difficulté. Depuis quelques mois, il avait l'impression d'être surchargé par tout ce qu'il avait acquis – la famille, les maisons, les voitures, les comptes en banque – et était pris, de temps en temps, de l'envie de crever cette bulle avec une épingle, de tout faire dégonfler, pour être libre. Il ne savait plus avec certitude, il ne l'avait jamais su en réalité, s'il aimait vraiment cette existence ou s'il l'aimait parce qu'il était censé l'aimer.

« Chéri », dit Kosi en ouvrant la porte avant qu'il l'atteigne. Elle était maquillée, éclatante, et il pensa, comme souvent, que c'était une femme ravissante, avec ses yeux fendus en amande, l'étonnante symétrie de ses traits. Sa robe de soie froissée était étroitement serrée à la taille et donnait à sa silhouette l'aspect d'un sablier. Il la prit dans ses bras, évitant soigneusement ses lèvres, peintes en rose et soulignées d'une teinte plus foncée.

« Soleil du soir ! *Asa ! Ugo !* dit-il. Chief n'aura pas besoin d'allumer les lampes à sa fête une fois que tu seras là ! »

Elle rit. De la même façon qu'elle riait, ne cachant pas qu'elle était heureuse d'être belle, quand on lui demandait : « Est-ce que votre mère est blanche ? Êtes-vous métisse ? » car elle avait la peau très claire. Il s'était toujours étonné du plaisir qu'elle éprouvait à être prise pour une métisse.

« Papa-papa ! » s'écria Buchi en accourant vers lui avec l'équilibre incertain des tout-petits. Elle sortait de son bain du soir, vêtue de son pyjama à fleurs, et répandait une agréable odeur de lotion pour bébés.

« Buch-Buch ! La Buchi de papa ! » Il l'éleva en l'air dans ses bras, l'embrassa, enfouit son visage dans son cou et, parce que cela la faisait toujours rire, fit semblant de la laisser tomber sur le sol.

« Tu as l'intention de prendre un bain ou seulement de te changer ? » demanda Kosi en le suivant à l'étage, où elle avait disposé un caftan bleu sur son lit. Il aurait préféré une chemise habillée ou un caftan plus simple que celui-ci, avec ses broderies trop chargées, que Kosi avait acheté à un prix scandaleux chez un de ces nouveaux créateurs de mode dans l'Île. Mais il le mettrait pour lui faire plaisir.

« Je vais juste me changer.

— C'était comment au bureau ? » demanda-t-elle de son air gentiment distrait avec lequel elle posait toujours la question. Il répondit qu'il réfléchissait au nouvel immeuble d'habitation qu'il venait de terminer dans Parkview. Il espérait que Shell le louerait, parce que les compagnies pétrolières étaient les meilleurs locataires, ne se plaignaient jamais des hausses brutales, payaient facilement en dollars américains afin que personne n'ait à s'inquiéter des fluctuations du naira.

« Ne t'inquiète pas », dit-elle, et elle lui effleura l'épaule. « Dieu nous amènera Shell. Tout ira bien, chéri. »

Les appartements étaient en réalité déjà loués par une compagnie pétrolière, mais il lui débitait parfois des mensonges absurdes comme celui-ci parce qu'une partie de lui-même espérait qu'elle lui poserait une question ou le contredirait, tout en sachant qu'elle n'en ferait rien, car son seul désir était que leur mode d'existence reste inchangé, et qu'elle lui en laissait l'entière responsabilité.

*

La réception chez Chief l'ennuierait, comme d'habitude, mais il y alla parce qu'il assistait à toutes les fêtes de Chief, et chaque fois qu'il garait sa voiture devant la grande résidence, il se souvenait de sa première visite, avec sa cousine Nneoma. Il venait de rentrer d'Angleterre et n'était à Lagos que depuis une semaine, mais Nneoma se plaignait de le voir rester à lire et se morfondre dans l'appartement qu'elle occupait.

« Ahn-ahn ! *O gini ?* Tu crois être le premier à avoir ce problème ? Allez, remue-toi. Tout le monde s'active à Lagos », avait-elle dit. Elle avait des mains robustes aux paumes épaisses et des intérêts dans de nombreuses affaires ; elle se rendait à Dubai pour acheter de l'or, en Chine pour acheter des vêtements féminins, et assurait depuis peu la distribution d'une société de poulets congelés. « Je pensais que tu pourrais m'aider dans mes affaires, mais non, tu es trop mou, tu parles trop anglais. J'ai besoin de quelqu'un avec du *gragra* », avait-elle dit.

Obinze était encore sous le coup de ce qui lui était arrivé en Angleterre, encore annihilé par le poids de son apitoiement sur lui-même, et entendre Nneoma poser cette question sarcastique – « Tu crois être le premier à avoir ce problème ? – avait provoqué un choc chez lui. Elle ne comprenait rien, cette cousine qui avait grandi au village, qui posait sur le monde un regard sévère et insensible. Mais peu à peu il se rendit compte qu'elle avait raison, il n'était pas le premier et ne serait pas le dernier. Il se mit à répondre à des offres d'emploi trouvées dans les journaux, mais personne ne l'appela pour lui proposer un entretien, et ses amis d'école qui travaillaient maintenant dans des banques ou des compagnies de téléphone se mirent à l'éviter, redoutant qu'il leur fourre un CV de plus dans la main.

Un jour, Nneoma dit : « Je connais cet homme très riche, Chief. Il m'a beaucoup couru après, hé, mais j'ai refusé. Il a un vrai problème avec les femmes et il pourrait refiler le sida à quelqu'un. Mais tu connais ce genre d'homme, la seule femme qui leur dit non est celle qu'ils n'oublient pas. Alors, de temps en temps, il m'appelle et parfois je vais le saluer. Il m'a même aidée en me prêtant de l'argent pour faire repartir mon affaire après que ces enfants de Satan m'ont volée l'année dernière. Il croit encore qu'un jour je lui dirai oui. Ha, *o di egwu*, pour aller où ? Je vais te le présenter. Lorsqu'il est de bonne humeur, cet homme-là il peut être très généreux. Il connaît tout le monde dans le pays. Peut-être qu'il nous donnera une recommandation pour un directeur quelque part. »

Un intendant les introduisit. Assis sur une chaise dorée semblable à un trône, Chief sirotait un cognac en compagnie d'invités. Il se leva d'un bond, il était petit, plein d'entrain et d'excitation. « Nneoma ! C'est toi ? Alors aujourd'hui tu te souviens de moi ! » dit-il. Il la serra dans ses bras, se recula pour apprécier d'un regard effronté ses hanches que soulignait sa jupe étroite, ses longs cheveux qui retombaient sur ses épaules. « Tu veux me donner une crise cardiaque, eh ?

— Comment pourrais-je te donner une crise cardiaque ? Qu'est-ce que je ferais sans toi ? le taquina Nneoma.

— Tu sais quoi faire », dit Chief, et ses invités partirent d'un grand rire, trois hommes avertis qui s'esclaffaient.

« Chief, je te présente mon cousin Obinze. Sa mère est la sœur de mon père, le professeur, dit Nneoma. C'est elle qui a payé mes études du début jusqu'à la fin. Sans elle, je ne sais pas où je serais aujourd'hui.

— Parfait, parfait », dit Chief, regardant Obinze comme s'il était responsable de cette générosité.

« Bonsoir, monsieur », dit Obinze.

Il s'étonna de trouver à l'homme un côté dandy, avec son apparence excessivement soignée : ongles faits, pantoufles de velours noir aux pieds, une croix de diamant autour du cou. Il s'était attendu à un homme plus grand et à une allure plus fruste.

« Asseyez-vous. Que puis-je vous offrir ? »

Les Hommes Importants et les Femmes Importantes, comme Obinze l'apprendrait plus tard, ne parlaient pas aux gens, mais parlaient à l'intention des gens, et ce soir-là Chief n'avait cessé de parler de politique d'un ton pontifiant, tandis que ses invités criaient leur approbation : « Exactement ! Vous avez raison, Chief ! Merci ! » Ils portaient l'uniforme de la riche jeunesse de Lagos – mocassins de cuir, jeans et chemises à col ouvert, arborant les logos de couturiers connus – mais on décelait dans leur attitude l'empressement d'hommes dans le besoin.

Après le départ de ses invités, Chief se tourna vers Nneoma. « Tu connais cette chanson, "Personne ne sait ce que sera demain" ? » Puis il se mit à chanter avec une vigueur juvénile. *Personne ne sait ce que sera demain ! Demain ! Personne ne le sait !* Il se versa une autre généreuse rasade de cognac. « C'est le principe sur lequel est fondé ce pays. Le principe majeur. Personne ne sait ce que demain sera. Tu te souviens de ces grands banquiers sous le gouvernement d'Abacha ? Ils se croyaient propriétaires du pays et, sans avoir rien vu venir, ils se sont retrouvés en prison. Regarde ce malheureux qui ne pouvait pas payer son loyer jusqu'alors, Babangida lui a donné un puits de pétrole, et maintenant il a son jet privé ! » Chief parlait d'un ton triomphant, présentant ses banales remarques comme de grandes révélations, tandis que Nneoma écoutait, souriait et approuvait. Elle montrait un enthousiasme exagéré, comme si un sourire plus large et un rire plus vif, chaque coup de brosse à reluire plus appuyé que le précédent pouvaient garantir que Chief allait les aider. Obinze s'en amusa tant c'était flagrant, tant elle ne se cachait pas pour le flatter. Mais Chief se borna à leur faire cadeau d'une caisse de vin, et dit vaguement à Obinze : « Viens me voir la semaine prochaine. »

Obinze lui rendit visite la semaine suivante puis la suivante. Nneoma lui conseilla de patienter jusqu'à ce que Chief fasse quelque chose pour lui. L'intendant lui servait toujours une soupe pimentée fraîche, des morceaux de poisson savoureux dans un bouillon qui lui piquait le nez, lui dégageait le cerveau et d'une certaine manière éclaircissait l'avenir et l'emplissait d'espoir, tandis qu'il restait assis, satisfait, à écouter Chief et ses invités. Il était fasciné par eux, par la servilité des presque riches en présence du très riche ; avoir de l'argent, semblait-il, revenait à être consumé par l'argent. Obinze éprouvait de la répulsion mêlée d'envie, il avait pitié d'eux, mais s'imaginait en même temps comme eux. Un jour, Chief but plus de cognac qu'à l'accoutumée et parla de manière décousue des gens qui vous poignardaient dans le dos, des petits garçons avec de gros pénis et des imbéciles ingrats qui se croyaient soudain intelligents. Obinze n'était pas sûr de ce qui s'était passé mais quelqu'un avait contrarié Chief, un fossé s'était creusé, et dès qu'ils furent seuls il dit : « Chief, si je peux faire quelque chose pour vous aider, n'hésitez pas à me le dire. Vous pouvez compter sur moi. » Ses propres mots le surprirent. Il était sorti de lui-même. Il était excité par la soupe au piment. C'était ça, s'activer. Il était à Lagos et il fallait qu'il s'active.

Chief lui lança un long regard perspicace. « Nous avons besoin de davantage de gens comme toi dans ce pays. De gens de bonne origine, bien élevés. Tu es un gentleman, je le vois dans tes yeux. Et ta mère est professeur. Ce n'est pas rien. »

Obinze sourit à demi, prenant l'air modeste devant ces éloges étranges.

« Tu es ambitieux et honnête, c'est très rare dans ce pays. N'est-ce pas ? demanda Chief.

— Oui », répondit Obinze, même s'il n'était pas véritablement sûr de posséder ces qualités ni que ces qualités soient rares. Mais peu importait, puisque Chief en semblait convaincu.

« Tout le monde est ambitieux ici, même les riches le sont, mais personne n'est honnête. »

Obinze hocha la tête et Chief le regarda encore longuement, avant de retourner silencieusement à son cognac. À la visite suivante, Chief se montra tout aussi loquace.

« J'étais l'ami de Babangida. J'étais l'ami d'Abacha. Maintenant que les militaires sont partis, Obasanjo est mon ami, dit-il. Sais-tu pourquoi ? Parce que je suis stupide ?

— Bien sûr que non, Chief, dit Obinze.

— Ils disent que la National Farm Support Corporation est en faillite et qu'ils vont la privatiser. Es-tu au courant ? Non. Comment je le sais ? Parce que j'ai des amis. Le temps de dire ouf, j'aurais pris position et bénéficié de l'arbitrage. C'est ça notre marché libre ! » Chief se mit à rire. « La corporation a été créée dans les années soixante et possède des propriétés un peu partout. Les maisons sont pourries et les termites mangent les toits. Mais ils les vendent. Je vais acheter sept propriétés pour cinq millions chacune. Tu sais pour combien elles sont inscrites dans les comptes ? Un million. Tu sais quelle est leur valeur réelle ? Cinquante millions. » Chief s'interrompit pour regarder celui de ses téléphones portables qui sonnait – il y en avait quatre sur la table à côté de lui – puis n'y fit plus attention et se laissa aller en arrière sur le canapé. « J'ai besoin d'un prête-nom pour cette affaire.

— Oui, monsieur. Je peux faire ça », dit Obinze.

Un peu plus tard, assise sur son lit, Nneoma excitée, par ce qu'il lui racontait, lui prodiguait des conseils tout en se frappant la tête de temps en temps. Son crâne la démangeait sous ses tresses mais elle ne pouvait pas faire mieux pour se gratter.

« C'est ta chance ! Le Zed, sois malin et ouvre les yeux ! On appelle ça d'un nom ronflant, consultant en évaluation, mais ce n'est pas difficile. Tu sous-évalues les propriétés et tu t'arranges pour avoir l'air d'appliquer les procédures. Tu acquiers les propriétés, en vends la moitié pour payer ton prix d'achat et l'affaire est conclue ! Tu crées ta propre société. Ensuite, tu te fais construire une maison à Lekki, tu achètes des voitures, demandes à notre ville natale de te donner quelques titres et à tes amis de faire paraître des messages de félicitations dans les journaux, et en un rien de temps la première banque que tu iras trouver te consentira sur-le-champ un prêt, parce qu'ils penseront que désormais tu n'as plus besoin d'argent ! Et après avoir déposé les statuts de ta propre société, tu devras trouver un homme blanc. Choisis un de tes amis d'Angleterre. Annonce à tout le monde qu'il est ton directeur général. Tu verras les portes s'ouvrir devant toi parce que tu as un directeur général *oyinbo*. Même Chief a des managers blancs qu'il exhibe quand il a besoin d'eux. C'est comme ça que fonctionne le Nigeria. Je te le dis. »

Et c'était, effectivement, ainsi que tout avait fonctionné et fonctionnait encore pour Obinze. Pareille facilité l'avait stupéfié. La première fois qu'il avait présenté sa demande de crédit à la banque, il lui avait semblé surréaliste de dire « cinquante » et « cinquante-cinq » sans préciser « millions » parce qu'il était inutile de spécifier ce qui allait de soi. Il s'était également étonné de constater à quel point tant d'autres choses étaient devenues faciles, comment la simple apparence de la richesse lui ouvrait les portes. Il lui suffisait de se présenter devant une grille d'entrée dans sa BMW et le portier le saluait et ouvrait sans poser de questions. Même l'ambassade américaine était différente. On lui avait refusé un visa des années auparavant quand il était jeune diplômé et débordait d'ambitions américaines, mais avec son nouveau relevé bancaire il en avait facilement obtenu un. Durant son premier voyage, à l'aéroport d'Atlanta, le fonctionnaire de l'immigration s'était montré loquace et chaleureux et lui avait demandé : « Et alors combien d'argent avez-vous sur vous ? » Quand Obinze lui avait répondu qu'il n'avait pas grand-chose, l'homme avait eu l'air surpris. « Je vois tous les jours des Nigérians comme vous qui déclarent des milliers et des milliers de dollars. »

C'était ce qu'il était devenu aujourd'hui, le genre de Nigérian qu'on s'attendait à voir déclarer une fortune en liquide dans les aéroports. Il en éprouvait une impression d'anomalie déconcertante, parce que son esprit n'avait pas changé au même rythme que son existence, et il sentait un écart béant entre lui et la personne qu'il était censé être.

Il ne comprenait toujours pas pourquoi Chief avait décidé de l'aider, de l'utiliser sans s'occuper, voire en les encourageant, des incroyables bénéfices collatéraux qu'il en tirait. Il y avait après tout une flopée de visiteurs qui faisaient le siège de la maison de Chief, se prosternaient devant lui, des parents et des amis qui amenaient d'autres parents et amis, leurs poches pleines de requêtes et de sollicitations. Il se demandait parfois si Chief lui demanderait un jour quelque chose de particulier, à lui le garçon ambitieux et honnête qui avait réussi, et dans ses moments les plus mélodramatiques il imaginait qu'il lui demanderait d'organiser un assassinat.

*

Dès qu'ils arrivèrent à la réception de Chief, Kosi le précéda dans la pièce, embrassant des hommes et des femmes qu'elle connaissait à peine, appelant les plus âgés « ma » et « monsieur » avec un respect exagéré, jouissant de l'attention que son visage suscitait sans se mettre en avant afin que sa beauté ne paraisse pas provocante. Elle complimentait une femme pour sa coiffure, une autre pour sa robe, un homme pour sa cravate. Elle disait souvent : « Nous remercions Dieu. » Quand une femme lui demanda, d'un ton accusateur, « Quelle crème de soin pour le visage utilisez-vous ? Comment peut-on avoir une peau aussi parfaite ? », Kosi rit gentiment et promit de lui envoyer un texto avec les détails de son traitement.

Obinze avait toujours été frappé par le souci de Kosi de toujours paraître naturellement charmante, de ne jamais manifester la moindre impatience. Le dimanche, elle invitait ses parents à un repas de purée d'ignames et de soupe d'onugbu et s'assurait ensuite que tout le monde s'était convenablement nourri. *Oncle, il faut que tu manges* o[1] *! Il y a encore de la viande à la cuisine ! Je vais t'apporter une autre Guinness !* La première fois qu'il l'avait emmenée chez sa mère à Nsukka, peu avant leur mariage, elle s'était précipitée pour l'aider à servir le repas, et quand sa mère avait voulu débarrasser la table, elle s'était levée d'un air offensé et avait dit : « Mama, comment pourrais-je être ici et que ce soit vous qui débarrassiez ? » Elle terminait toutes les phrases qu'elle adressait à ses oncles par « monsieur ». Elle mettait des rubans dans les cheveux des filles de ses cousines. Il y avait quelque chose d'immodeste dans sa modestie : elle la proclamait.

À présent elle s'inclinait devant Mme Akin-Cole, une très célèbre vieille dame d'une très célèbre vieille famille, à l'air hautain et au sourcil dédaigneux des personnes habituées à recevoir des hommages. Obinze l'imaginait souvent en train de roter des bulles de champagne.

« Comment va ton enfant ? Va-t-elle déjà à l'école ? demanda Mme Akin-Cole. Tu devrais la mettre à l'école française. Ils sont très bons, très professionnels. Naturellement, l'enseignement est en français, mais cela ne peut faire que du bien à une enfant d'apprendre une autre langue civilisée, puisqu'elle apprend déjà l'anglais à la maison.

— Très bien, ma. Je m'informerai sur l'école française, dit Kosi.

— L'école française n'est pas mauvaise, mais je préfère Sidcot

1. Pidgin nigérian, interjection placée à la fin d'une phrase pour donner un effet emphatique.

Hall ; ils suivent le programme anglais en entier », dit une autre femme, dont Obinze avait oublié le nom.

Il savait qu'elle avait gagné beaucoup d'argent sous le gouvernement du général Abacha. Elle avait été entremetteuse, disait-on, fournissant des filles jeunes aux officiers de l'armée qui, à leur tour, lui procuraient de juteux contrats de fournitures. À présent, dans son étroite robe à paillettes qui soulignait la proéminence de son ventre, elle appartenait à une certaine catégorie de femmes d'âge mûr qu'on rencontrait à Lagos, elle était desséchée par les désillusions, marquée par l'amertume, et l'éruption de boutons sur son front était masquée par une épaisse couche de fond de teint.

« Oh oui, Sidcot Hall, disait Kosi. Elle est déjà en tête de ma liste, parce que je sais qu'ils suivent le programme anglais. »

Obinze ne serait pas intervenu en temps normal, se bornant à observer et écouter, mais ce jour-là, sans raison apparente, il dit :

« Ne sommes-nous pas tous allés à l'école primaire qui enseignait le programme nigérian ? »

Les femmes le regardèrent ; leur évidente stupéfaction laissait entendre qu'il ne pouvait pas parler sérieusement. Et, d'une certaine manière, c'était le cas. Naturellement, lui aussi voulait ce qu'il y avait de mieux pour sa fille. Parfois, comme aujourd'hui, il avait l'impression d'être un intrus dans son nouveau milieu, parmi ces gens persuadés que les écoles les plus modernes, les programmes les plus récents, garantiraient l'épanouissement de leurs enfants. Il ne partageait pas leur certitude. Il passait trop de temps à regretter ce qui aurait pu être et à s'interroger sur ce qui devrait être.

Plus jeune, il était plein d'admiration pour des gens ayant eu une enfance aisée qui parlaient avec un accent étranger, mais il avait fini par déceler chez eux une aspiration muette, une quête mélancolique de quelque chose qu'ils ne pourraient jamais trouver. Il ne voulait pas avoir une enfant instruite et empêtrée dans des peurs. Buchi n'irait pas à l'école française, de cela il était sûr.

« Si vous choisissez de désavantager votre enfant en la mettant dans une de ces écoles avec des professeurs nigérians médiocres, vous ne pourrez vous en prendre qu'à vous-même », dit Mme Akin-Cole. Elle s'exprimait avec un accent étranger indéfinissable, anglais et américain, avec quelque chose d'autre, l'accent d'une riche Nigériane qui ne voulait pas qu'on oublie son importance dans le monde, ni que sa carte Executive de British Airways était bourrée de miles.

« Une de mes amies a mis son fils dans une école sur le continent[1] et, le croiriez-vous, ils n'ont que cinq ordinateurs dans toute l'école. Seulement cinq ! » dit l'autre femme.

Obinze se souvint alors de son nom. Adamma.

« Les choses ont changé, dit Mme Akin-Cole.

— C'est vrai, dit Kosi. Mais je comprends aussi ce que dit Obinze. »

Elle prenait les deux partis, pour plaire à tout le monde ; elle choisissait toujours l'apaisement plutôt que la vérité, soucieuse d'être en harmonie avec tous. En la regardant ce jour-là s'entretenir avec Mme Akin-Cole, l'ombre dorée de ses paupières chatoyant dans la lumière, il eut honte de ses pensées. C'était une femme tellement attentionnée, tellement bien intentionnée. Il tendit le bras et lui prit la main.

« Nous irons à Sidcot Hall et à l'école française et jetterons un œil à certaines écoles nigérianes comme Crown Day, dit Kosi en lui lançant un regard suppliant.

— Oui », dit-il. Il lui pressa la main.

Elle saurait que c'était une manière de s'excuser, et plus tard il s'excuserait dans les formes. Il aurait dû se taire, la laisser parler sans intervenir. Elle lui disait souvent que ses amies l'enviaient, qu'il se comportait comme un mari étranger, lui préparant son petit déjeuner le week-end et restant le soir à la maison. Et dans la fierté qui brillait dans les yeux de Kosi il percevait une image meilleure, plus séduisante de lui-même. Il était sur le point de dire quelque chose à Mme Akin-Cole, quelque chose d'insignifiant et d'apaisant, quand il entendit Chief élever la voix derrière lui.

« Mais vous savez qu'au moment où nous parlons le pétrole coule dans des conduites clandestines et qu'on le vend en bouteille à Cotonou. Si ! Si ! »

Chief s'approchait d'eux.

« Ma belle princesse ! », dit-il à Kosi, et il la serra dans ses bras.

Obinze se demanda si Chief lui avait jamais fait des propositions. Il n'en aurait pas été surpris. Il s'était trouvé un jour chez Chief quand un homme était venu le voir avec sa petite amie, et

1. Par opposition à Victoria Island, une île au sud de Lagos qui a été reliée au continent et est devenue le quartier des « très riches ».

lorsqu'elle avait quitté la pièce pour aller aux toilettes, Obinze avait entendu Chief dire à l'homme : « Cette fille me plaît. Donne-la-moi et je te céderai un beau terrain à Ikeja. »

« Vous semblez en forme, Chief, dit Kosi. Toujours aussi jeune.

— Ah, ma chérie, j'essaye, j'essaye. »

Chief tira en riant sur les revers de soie de sa veste noire. Il avait l'air en forme en effet, mince et droit, contrairement à beaucoup de ses pairs qui ressemblaient à des hommes enceints.

« Mon garçon ! dit-il à Obinze.

— Bonsoir, Chief. »

Obinze serra sa main entre les deux siennes en s'inclinant légèrement. Il vit les autres hommes présents à la réception s'incliner, eux aussi, rassemblés autour de Chief, se disputant l'honneur d'être celui qui rirait le plus fort à ses plaisanteries.

De plus en plus de monde se pressait à la réception. Obinze leva les yeux et aperçut Ferdinand, un homme à la forte carrure, un proche de Chief, qui s'était présenté au poste de gouverneur aux dernières élections, avait été battu et, comme tous les politiciens ayant perdu, avait intenté une action en justice pour en contester les résultats. Ferdinand avait un visage dur, pervers ; si vous examiniez ses mains, vous y verriez le sang de ses ennemis incrusté sous ses ongles. Le regard de Ferdinand croisa le sien et Obinze détourna les yeux. Il craignait que Ferdinand ne vienne lui parler de l'affaire immobilière douteuse qu'il avait mentionnée à leur dernière rencontre, aussi s'éloigna-t-il en murmurant qu'il allait aux toilettes.

Devant le buffet, il vit un jeune homme qui contemplait d'un air désappointé les tranches de viande froide et les pâtes. Obinze fut attiré par son attitude embarrassée ; ses vêtements et sa contenance trahissaient un désarroi qu'il n'aurait pu dissimuler même s'il l'avait voulu.

« Il y a une autre table de l'autre côté avec de la nourriture nigériane », lui dit Obinze, et le jeune homme le regarda et se mit à rire, reconnaissant. Il s'appelait Yemi et était journaliste. Ce n'était pas surprenant : les photos des réceptions de Chief s'étalaient toujours dans les journaux du week-end.

Yemi avait appris l'anglais à l'université et Obinze lui demanda quels étaient ses livres préférés, heureux de parler enfin de quelque chose d'intéressant, mais il comprit rapidement qu'un livre pour Yemi n'était pas de la littérature à moins de contenir des mots polysyllabiques et des passages incompréhensibles.

« Le problème est que le roman est trop simple, l'auteur n'utilise aucun grand mot », disait Yemi.

Attristé de voir que Yemi était si peu instruit et qu'il ne s'en rendait pas compte, Obinze eut soudain envie d'être professeur. Il se vit face à une classe remplie de Yemi. Cette vie d'enseignant lui conviendrait, comme elle avait convenu à sa mère. Il imaginait souvent tout ce qu'il aurait pu faire, ou ce qu'il pourrait encore faire : enseigner dans une université, publier un journal, entraîner des joueurs de ping-pong.

« J'ignore quelle est votre branche d'activité, monsieur, mais je suis toujours à la recherche d'un meilleur job. Je suis en train de terminer mon master », expliqua Yemi, à la manière d'un vrai Lagotien qui se démène du matin au soir, toujours en quête du plus beau et du meilleur.

Obinze lui donna sa carte avant de partir à la recherche de Kosi.

« Je me demandais où tu étais, dit-elle.

— Désolé. Je suis tombé sur une connaissance », dit Obinze.

Il plongea la main dans sa poche pour toucher son BlackBerry. Kosi lui demandait s'il voulait encore quelque chose à manger. Non. Il avait envie de rentrer chez lui. Une impatience fébrile l'avait envahi, le désir de se retrouver dans son bureau et de répondre à l'e-mail d'Ifemelu, réponse qu'il avait déjà inconsciemment rédigée dans son esprit. Si elle envisageait de revenir au Nigeria, cela signifiait qu'elle n'était plus désormais avec le Noir américain. À moins qu'elle ne l'amène avec elle, c'était le genre de femme qui pouvait sans peine amener un homme à abandonner ses racines, le genre de femme qui, parce qu'elle n'attendait ni n'exigeait aucune certitude, rendait possible une certaine forme d'assurance. Quand elle lui tenait la main à l'université, elle la pressait jusqu'à ce que leurs deux paumes deviennent moites de sueur, et elle disait, moqueuse : « Au cas où ce serait la dernière fois que nous nous tenons la main, faisons-le vraiment. Car une moto ou une voiture pourrait nous tuer maintenant, ou je pourrais voir l'homme de mes rêves apparaître au coin de la rue et te quitter, ou c'est toi qui pourrais voir la vraie femme de tes rêves et me quitter. » Le Noir américain viendrait peut-être lui aussi au Nigeria, accroché à elle. Mais à lire son e-mail, il devinait qu'elle était seule. Il sortit son BlackBerry de sa poche pour calculer l'heure qu'il était en Amérique lorsqu'elle l'avait envoyé. En début d'après-midi. Ses phrases semblaient hâtives ; il se demanda ce qu'elle faisait à ce moment-là. Et il se demanda ce que Ranyinudo avait bien pu lui dire d'autre à son sujet.

Ce samedi de décembre où il avait rencontré Ranyinudo au centre commercial Palms, il portait Buchi sur un bras, attendant à l'entrée que Gabriel amène la voiture, et tenait un sac de biscuits pour sa fille de l'autre main. « Le Zed ! » avait crié Ranyinudo. Au lycée, c'était un vrai garçon manqué, pleine de vie, grande et maigre, directe, dépourvue des allures mystérieuses des filles. Tous les garçons l'aimaient, mais aucun ne lui courait après, et ils l'appelaient amicalement « Laisse-Moi-En-Paix » parce que, chaque fois qu'on la questionnait à propos de son nom inhabituel, elle répondait : « Oui, c'est un nom igbo et il veut dire "Laisse-moi en paix", alors tu me fiches la paix ! » Il s'était étonné de la voir si élégante à présent, changée, avec sa coiffure courte et un jean étroit qui soulignait sa silhouette aux courbes pleines.

« Le Zed-le Zed ! Depuis si longtemps ! Tu n'as pas pris de nos nouvelles. C'est ta fille ? Oh, par exemple ! L'autre jour j'étais avec un de mes amis, Dele. Tu te souviens, Dele de la banque Hale ? Il dit que tu es propriétaire de cet immeuble près des bureaux d'Ace dans Banana Island ? Félicitations. Tu as vraiment réussi. Et Dele dit que tu es resté modeste. »

Il s'était senti embarrassé devant ses compliments exagérés, la déférence que révélait discrètement son attitude. Elle ne le voyait plus comme le Zed du lycée, et les remarques sur sa richesse laissaient entendre qu'à ses yeux il avait changé plus qu'on ne l'aurait cru. Les gens lui disaient souvent qu'il était modeste, mais ils ne faisaient pas allusion à une véritable humilité, simplement au fait qu'il ne se vantait pas d'appartenir à des clubs chics, ne profitait pas du pouvoir qui en découlait – se montrer grossier, manquer d'égards, être salué plutôt que saluer –, et parce que tant d'autres dans sa situation tiraient avantage de ce pouvoir, ses choix étaient interprétés comme de l'humilité. Il n'affichait pas non plus, ni même n'évoquait, ses possessions, ce qui laissait croire aux gens qu'il avait beaucoup plus qu'en réalité. Même son meilleur ami Okwudiba lui disait souvent qu'il était trop humble, et il s'en irritait un peu, car il aurait voulu qu'Okwudiba comprenne que mettre l'accent sur son humilité revenait à tenir la grossièreté pour normale. En outre, l'humilité lui avait toujours paru une qualité fallacieuse, inventée pour rassurer autrui ; vous êtes apprécié pour votre humilité parce que vous ne faites pas ressentir aux gens leur insuffisance. C'était l'honnêteté qu'il appréciait ; il avait toujours voulu être scrupuleusement honnête, et craignait toujours de ne pas l'être.

Dans la voiture qui les ramenait chez eux, Kosi dit :

« Chéri, tu dois être affamé. Tu n'as mangé qu'un rouleau de printemps.

— Et du suya.

— Il faut que tu manges. Dieu merci j'ai demandé à Marie de nous préparer quelque chose », dit-elle, et elle ajouta en riant : « Pour ma part, j'aurais dû faire attention et ne pas toucher à ces escargots. Je crois en avoir mangé dix. Ils étaient si bons et si bien assaisonnés. »

Obinze rit, vaguement agacé, mais heureux qu'elle soit heureuse.

*

Marie était de petite taille et Obinze n'aurait su dire si elle était timide ou si son anglais hésitant donnait cette impression. Elle n'était à leur service que depuis un mois. La dernière domestique, présentée par un parent de Gabriel, était trapue et était arrivée chez eux serrant un fourre-tout contre elle. Il n'était pas présent lorsque Kosi l'avait inspecté – ce qu'elle faisait en général avec tous les domestiques parce qu'elle voulait savoir ce qu'on introduisait dans sa maison – mais il sortit quand il entendit Kosi hurler de cette voix impatiente et aiguë qu'elle prenait avec les serviteurs pour affirmer son autorité, parer à toute tentative d'irrespect. Le sac de la fille était sur le sol, ouvert, débordant d'un flot de vêtements vaporeux. Kosi se tenait à côté, brandissant du bout des doigts un paquet de préservatifs.

« Et ça, c'est pour quoi faire ? Eh ? Tu viens dans ma maison pour te prostituer ? »

La fille avait d'abord baissé les yeux, silencieuse, puis regardé Kosi en face en répondant calmement : « Dans ma dernière place, le mari de ma madame était toujours en train de me forcer. »

Kosi l'avait regardée les yeux exorbités. Elle s'était avancée, prête à frapper la fille, puis s'était immobilisée.

« Fais-moi le plaisir de prendre ton sac et de partir sur-le-champ. »

La fille avait fait un mouvement, visiblement surprise, puis elle avait ramassé son sac et s'était dirigée vers la porte. Lorsqu'elle fut partie, Kosi dit :

« Peux-tu croire une telle absurdité, chéri ? Elle est venue ici avec des préservatifs et elle n'a ouvert la bouche que pour dire des insanités. Tu peux y croire ?

— Son ancien employeur la violait et elle a décidé de se protéger cette fois-ci », dit Obinze.

Kosi lui lança un regard noir.

« Tu la plains. Tu ne connais pas ces domestiques. Comment peux-tu la plaindre ? »

Il aurait voulu rétorquer : *Comment peux-tu ne pas la plaindre ?* Mais la lueur d'inquiétude qu'il avait vue apparaître dans son regard le fit taire. Son insécurité était si profonde et si banale qu'il resta silencieux. Elle s'inquiétait à cause d'une domestique qu'il n'aurait jamais eu l'idée de séduire. Lagos pouvait produire cet effet sur une femme mariée à un homme jeune et riche ; il savait avec quelle facilité on pouvait tomber dans la paranoïa à propos des domestiques, des secrétaires, des filles de Lagos, ces monstres de séduction qui avalaient les maris tout crus, les faisant glisser le long de leurs gorges ornées de bijoux. Mais il aurait aimé que Kosi se montre moins inquiète, moins conformiste.

Quelques années plus tôt, il lui avait parlé d'une jolie banquière qui était venue à son bureau pour l'inciter à ouvrir un compte, une jeune femme vêtue d'un chemisier ajusté dont un des boutons du haut était défait, qui essayait de cacher son désarroi. « Chéri, ta secrétaire ne devrait pas laisser ces filles du service marketing des banques entrer dans ton bureau ! » avait dit Kosi, comme si elle ne le voyait plus, lui, Obinze, mais projetait à sa place des personnages indistincts, des types classiques : un homme riche, une banquière qui avait pour objectif l'ouverture d'un compte, un échange facile. Kosi s'attendait à ce qu'il la trompe, et son souci était d'en minimiser les possibilités. « Kosi, rien ne peut arriver à moins que je le veuille », avait-il dit, à la fois rassurant et fâché.

Elle avait, depuis qu'ils étaient mariés, conçu une antipathie immodérée pour les célibataires de sexe féminin, et un amour immodéré pour Dieu. Avant leur mariage, elle allait à la messe une fois par semaine à l'église anglicane sur la Marina, obéissant à une habitude routinière due à son éducation, mais elle avait ensuite changé pour la House of David parce que, comme elle le lui avait confié, c'était une Église qui croyait dans la Bible. Plus tard, quand il avait découvert que la House of David avait un service spécial de prière intitulé « Gardez votre mari », il avait été désorienté. Tout comme il l'avait été quand il avait demandé pourquoi sa meilleure amie de fac ne venait presque jamais les voir, et que Kosi avait répondu : « Elle est toujours célibataire », comme si c'était une raison évidente.

*

Marie frappa à la porte de son bureau et entra avec un plateau de riz et de bananes plantain frites. Il mangea lentement. Il introduisit un CD de Fela dans le lecteur et commença à rédiger l'e-mail sur son ordinateur, le clavier de son BlackBerry lui aurait paralysé les doigts et l'esprit. Il avait fait connaître Fela à Ifemelu à l'université. Auparavant, elle voyait en Fela l'accro à la marijuana qui venait en survêtement à ses concerts, mais elle s'était mise à aimer l'afrobeat[1] et ils restaient étendus sur son matelas à Nsukka à l'écouter, puis elle se levait d'un bond et d'un mouvement rapide et provocant des hanches accompagnait le *run-run-run* du chœur quand il entrait en scène. Obinze se demandait si elle s'en souvenait. Il se demandait si elle se souvenait que son cousin leur envoyait des compilations de l'étranger, dont il lui avait fait des copies dans le célèbre magasin d'électronique du marché où la musique retentissait du matin au soir, résonnant dans vos oreilles même lorsque vous l'aviez quitté. Il voulait lui faire entendre la musique qu'il écoutait. Elle ne s'était jamais vraiment intéressée à Biggie, Warren G, Dr. Dre et Snoop Dogg, mais Fela c'était autre chose. Sur Fela, ils étaient d'accord.

Il écrivit et réécrivit l'e-mail, sans mentionner sa femme ni utiliser la première personne du pluriel, essayant de trouver un équilibre entre les choses sérieuses et drôles. Il ne voulait pas qu'elle s'éloigne de lui. Il voulait s'assurer qu'elle lui répondrait cette fois. Il cliqua sur envoyer et quelques minutes plus tard regarda si elle avait répondu. Il était fatigué. Ce n'était pas une fatigue physique – il allait régulièrement à la salle de sport et se sentait mieux qu'il ne l'avait été depuis des années – mais une lassitude débilitante qui engourdissait quelque peu son esprit. Il se leva et sortit sur la véranda ; la soudaine bouffée d'air chaud, le rugissement du géné-

1. L'afrobeat, créé à Lagos par Fela Anikulapo Kuti à la fin des années 1960, est une musique issue de rythmes traditionnels yorubas, fortement imprégnée de funk.

rateur de son voisin, l'odeur des gaz d'échappement du diesel lui firent tourner la tête. Des insectes affolés virevoltaient autour des ampoules électriques. Contemplant l'obscurité brumeuse du lointain, il eut l'impression qu'il pourrait flotter, et qu'il lui suffirait pour cela de se laisser aller.

DEUXIÈME PARTIE

CHAPITRE 3

Mariama finit de coiffer sa cliente, vaporisa de la laque sur ses cheveux et, lorsqu'elle fut partie, annonça : « Je vais chez le Chinois. »

Aisha et Halima lui dirent ce qu'elles désiraient – poulet très épicé du Général Tiao, ailes de poulet, poulet à l'orange – avec la rapidité de ceux qui répètent tous les jours la même chose.

« Vous voulez quelque chose ? demanda Mariama à Ifemelu.

— Non merci.

— Tes cheveux prennent longtemps. Tu as besoin de manger, dit Aisha.

— Tout va bien. J'ai une barre de muesli », dit Ifemelu.

Elle avait aussi des carottes naines dans un sac Ziploc, mais n'avait encore goûté qu'à son chocolat fondu.

« Quel genre de barre ? » demanda Aisha.

Ifemelu montra la barre, bio, cent pour cent céréales complètes avec de vrais fruits.

« C'est pas de la nourriture ! » se moqua Halima, quittant des yeux la télévision.

« Elle est ici depuis quinze ans, Halima », dit Aisha, comme si la durée du séjour en Amérique expliquait pourquoi Ifemelu mangeait une barre aux céréales.

« Quinze ans ? Beaucoup de temps », dit Halima.

Aisha attendit que Mariama soit partie pour prendre son téléphone portable dans sa poche.

« Désolée, je fais appel rapide », dit-elle, et elle sortit. Son visage s'était éclairé quand elle revint ; il était empreint d'une beauté régulière et souriante après cette conversation téléphonique, une grâce qu'Ifemelu n'avait pas remarquée jusque-là.

« Emeka travaille tard aujourd'hui. Seulement Chijioke vient te voir, avant que nous avons fini, dit-elle, comme si Ifemelu et elle avaient tout arrangé ensemble.

— Écoutez, ce n'est pas la peine de leur demander de venir. Je ne saurai même pas quoi leur dire, protesta Ifemelu.

— Tu dis Chijioke Igbo peut marier pas Igbo.

— Aisha, je ne peux pas lui dire de vous épouser. Il vous épousera s'il en a envie.

— Ils ont envie de se marier avec moi. Mais je suis pas igbo ! » Les yeux d'Aisha étincelaient. Cette fille devait être un peu perturbée mentalement.

« C'est ce qu'ils vous ont dit ? demanda Ifemelu.

— Emeka dit que sa mère lui dit que s'il se marie avec une Américaine elle se tue, dit Aisha.

— Ce n'est pas bien.

— Mais moi, je suis africaine.

— Alors peut-être ne se suicidera-t-elle pas s'il vous épouse. »

Aisha la regarda d'un air ébahi.

« La mère de ton ami veut bien qu'il t'épouse ? »

Ifemelu pensa d'abord à Blaine puis comprit qu'Aisha parlait de son prétendu petit ami.

« Oui. Elle n'arrête pas de nous demander quand nous allons nous marier. »

Elle s'étonna du naturel avec lequel elle répondait, comme si elle s'était convaincue elle-même qu'elle ne vivait pas sur des souvenirs émoussés par treize années d'absence. Mais cela aurait pu être vrai. La mère d'Obinze l'aimait bien, au fond.

« Ah ! » dit Aisha avec une envie bienveillante.

Un homme à la peau parcheminée et grise, couronné d'une masse de cheveux blancs, entra avec un plateau de plastique chargé de potions à base de plantes qu'il cherchait à vendre.

« Non, non, non », lui dit Aisha, la paume levée comme pour lui barrer le chemin. L'homme battit en retraite. Ifemelu le plaignit, il avait l'air affamé dans son vieux dashiki, et elle se demanda ce qu'il pouvait retirer de ses ventes. Elle aurait dû lui acheter quelque chose.

« Tu parles igbo à Chijioke. Il t'écoutera, reprit Aisha. Tu parles igbo ?

— Bien sûr que je parle igbo », répondit Ifemelu, sur la défensive, se demandant si Aisha insinuait à nouveau que l'Amérique l'avait changée. « Doucement, ajouta-t-elle quand Aisha passa un peigne fin à travers une mèche de ses cheveux.

— Tes cheveux raides, dit Aisha.

— Ils ne sont pas raides, dit Ifemelu d'un ton sec. Vous n'utilisez pas le peigne qu'il faut. »

Et elle retira le peigne de la main d'Aisha et le posa sur la table.

*

Ifemelu avait grandi dans l'ombre des cheveux de sa mère. Ils étaient noir-noir, si abondants qu'ils absorbaient deux flacons de démêlant quand on la coiffait, si épais qu'il leur fallait rester des heures entières sous le casque du séchoir, et quand enfin libérés des bigoudis de plastique rose ils s'échappaient en une masse libre et volumineuse, ils se répandaient jusqu'en bas de son dos comme une fête. Son père les appelait sa couronne de gloire. « Est-ce que ce sont de vrais cheveux ? » demandaient des inconnus qui tendaient la main pour les toucher avec respect. D'autres disaient : « Êtes-vous de la Jamaïque ? » comme si seul un sang étranger pouvait expliquer une chevelure aussi opulente qui ne s'éclaircissait pas aux tempes. Enfant, Ifemelu se regardait souvent dans la glace et tirait sur ses cheveux, les déroulait, souhaitant désespérément qu'ils deviennent semblables à ceux de sa mère, mais ils demeuraient rêches et poussaient difficilement ; les coiffeuses disaient qu'ils étaient coupants comme des couteaux.

Un jour, l'année de ses dix ans, sa mère revint du travail avec un air différent. Ses vêtements étaient les mêmes, une robe marron ceinturée à la taille, mais son visage était rougi, ses yeux avaient un regard vague. « Où sont les grands ciseaux ? » demanda-t-elle, et quand Ifemelu les lui eut apportés, elle les leva vers sa tête et, poignée par poignée, coupa tous ses cheveux. Ifemelu regardait, figée sur place. Les cheveux gisaient sur le sol comme de l'herbe sèche. « Apporte-moi un grand sac », dit sa mère. Ifemelu obéit, frappée de stupeur devant ce qui arrivait soudain et qu'elle ne comprenait pas. Elle regarda sa mère faire le tour de l'appartement, rassembler tous les objets religieux catholiques, les crucifix accrochés aux murs, les rosaires enfouis dans les tiroirs, les missels rangés sur les rayonnages. Sa mère les fourra tous dans le sac en plastique qu'elle emporta dans la cour derrière la maison, marchant d'un pas précipité, son regard déterminé perdu au loin. Elle alluma un feu près du tas d'ordures, à l'endroit où elle brûlait ses serviettes hygiéniques, et commença par y jeter ses cheveux enveloppés dans un vieux journal puis, l'un après l'autre, les objets religieux. Des volutes de fumée grise s'élevèrent dans l'air. Ifemelu se mit à pleurer parce qu'elle sentait qu'il s'était passé quelque chose, et que la femme debout près du feu, qui l'arrosait de pétrole dès qu'il diminuait et se reculait quand il flambait, cette femme chauve au regard vide, ne pouvait pas être sa mère.

En la voyant regagner la maison, Ifemelu eut un mouvement de recul, mais sa mère la serra dans ses bras.

« Je suis sauvée, dit-elle. Mme Ojo est venue me convertir cet après-midi pendant la récréation des enfants, et j'ai reçu le Christ. Les choses anciennes ont disparu et tout aujourd'hui est nouveau. Que Dieu soit loué. Dimanche nous commencerons à fréquenter l'église de la Résurrection des Saints. C'est une église qui croit en la Bible, une église vivante, pas comme celle de Saint-Dominique. » Les paroles de sa mère ne lui appartenaient pas. Elle les prononçait avec raideur, d'une manière qui n'était pas la sienne. Même sa voix, habituellement haut perchée et féminine, était devenue profonde et rauque. Cet après-midi-là, Ifemelu vit l'essence intime de sa mère s'envoler. Avant, sa mère récitait son chapelet une fois de temps en temps, se signait avant les repas, portait de jolies images de saints autour du cou, chantait des cantiques en latin et riait quand le père d'Ifemelu se moquait de son horrible prononciation. Elle riait, aussi, chaque fois qu'il disait : « Je suis un agnostique respectueux de la religion », et qu'il avait de la chance d'être marié avec elle, car, bien qu'il n'allât à l'église que pour les enterrements et les mariages, il irait au ciel porté par la foi de sa femme. Mais, à partir de ce jour-là, son Dieu changea. Il devint exigeant. Les cheveux dénoués L'offensaient. Danser L'offensait. Elle se mit à faire du troc avec Lui, offrant de jeûner en échange de son bien-être, d'un avancement dans son travail, de sa bonne santé. Elle jeûna jusqu'à devenir squelettique, des jeûnes complets le week-end, et de l'eau le soir durant les jours de la semaine. Le père d'Ifemelu la regardait d'un air inquiet, la suppliant de manger un peu plus, de jeûner un petit peu moins, et il lui parlait toujours avec ménagement, afin qu'elle ne le traite pas de suppôt du diable, comme elle l'avait fait avec une cousine qui séjournait chez eux. « Je jeûne pour la conversion de ton père », disait-elle souvent à Ifemelu. Pendant des mois, l'atmosphère familiale ressembla à une vitre fêlée. Chacun marchait sur la pointe des pieds autour de sa mère qui était devenue une étrangère, maigre, osseuse et sévère. Ifemelu s'inquiétait de la voir, un jour, simplement se briser et mourir.

Puis, par un austère samedi saint, le premier samedi saint calme de la vie d'Ifemelu, sa mère sortit en courant de la cuisine et dit : « J'ai vu un ange ! » Avant, tout le monde se serait affairé, il y aurait eu des marmites plein la cuisine, une flopée de parents dans l'appartement, et Ifemelu et sa mère auraient assisté à la messe du soir, brandi des cierges allumés, chanté au milieu d'une mer de flammes vacillantes, puis elles seraient rentrées à la maison, auraient continué à faire la cuisine pour le grand déjeuner de Pâques. Mais l'appartement était silencieux. Les parents n'étaient pas venus et le déjeuner serait l'habituel ragoût accompagné de riz. Ifemelu était dans le salon avec son père, et quand sa mère dit « J'ai vu un ange ! » Ifemelu perçut une lueur d'exaspération dans les yeux de celui-ci, un éclat furtif.

« Que s'est-il passé ? » demanda-t-il sur le ton apaisant que l'on prend avec un enfant, comme si se prêter aux délires de sa femme pouvait les faire disparaître.

Sa mère leur rapporta la vision qu'elle venait d'avoir, la figure flamboyante d'un ange près de la cuisinière, tenant un livre orné de fil rouge, lui enjoignant de quitter l'église de la Résurrection des Saints parce que le pasteur était un sorcier qui participait à des réunions démoniaques la nuit au fond de la mer.

« Tu devrais écouter l'ange », dit son père.

C'est ainsi que sa mère abandonna l'église et laissa repousser ses cheveux, mais cessa de porter des colliers et des boucles d'oreilles parce que les bijoux, d'après le pasteur de Miracle Spring, étaient impies et indignes d'une femme de vertu. Peu après, le même jour que le coup d'État raté, alors que les commerçants qui habitaient l'étage en dessous étaient en pleurs parce que le coup d'État aurait sauvé le Nigeria et que les vendeuses du marché auraient eu des postes de ministres, sa mère eut une nouvelle vision. Cette fois, l'ange lui apparut dans sa chambre, au-dessus de la penderie, et lui dit de quitter Miracle Spring et de suivre la Guiding Assembly. Lors du premier service auquel Ifemelu assista en compagnie de sa mère, dans une salle de congrès au sol de marbre, au milieu d'une assistance parfumée et de l'écho de voix sonores et chaudes,

Ifemelu observa sa mère et vit qu'elle pleurait et riait en même temps. Dans cette église où déferlait l'espoir, où l'on applaudissait et tapait des pieds, où Ifemelu imaginait des anges fortunés tournoyant au-dessus d'elle, l'esprit de sa mère avait trouvé un havre. C'était une église pleine de nouveaux riches : la petite voiture de sa mère dans le parking était la plus vieille, avec sa peinture ternie et de multiples éraflures. Si elle faisait ses dévotions en compagnie de fidèles prospères, disait-elle, alors Dieu la bénirait comme Il les avait bénis. Elle recommença à porter des bijoux, à boire sa Guinness ; elle ne jeûnait qu'une fois par semaine et répétait souvent : « *Mon* Dieu me dit » et « *Ma* Bible dit », comme si ceux des autres n'étaient pas seulement différents mais dans l'erreur. Sa réaction à un « Bonjour » ou à un « Bon après-midi » était un joyeux « Dieu vous bénisse ! ». Son Dieu devint clément et ne s'offusquait pas de recevoir des ordres. Tous les matins, elle réveillait la maisonnée pour prier, et ils s'agenouillaient sur le tapis rugueux de la salle de séjour où ils chantaient, frappaient des mains, recouvraient la journée à venir du sang du Christ, et les paroles de sa mère perçaient alors l'immobilité de l'aube : « Dieu, mon père céleste, je Te demande de remplir cette journée de bienfaits et de me prouver que Tu es Dieu ! Seigneur, je compte sur Toi pour assurer ma prospérité ! Ne laisse pas le diable vaincre, ne laisse pas mes ennemis triompher de moi ! » Le père d'Ifemelu déclara un jour que ces prières étaient des batailles délirantes avec d'imaginaires calomniateurs, mais il insistait pour qu'Ifemelu se réveille tôt pour prier. « Ça fait plaisir à ta mère », disait-il.

À l'église, lorsque venait le moment de témoigner, sa mère était la première à se hâter vers l'autel, « J'avais un rhume ce matin, commençait-elle. Mais quand le pasteur Gideon s'est mis à prier, il a diminué. Maintenant il a disparu. Que Dieu soit loué ! » La congrégation s'écriait « Alléluia ! » et d'autres témoignages suivaient. *Je n'ai pas étudié parce que j'étais malade et pourtant j'ai réussi mes examens haut la main ! J'ai eu la malaria et prié, et j'ai été guérie ! Ma toux a disparu quand le pasteur a commencé à prier !* Mais sa mère était toujours la première, tout sourire, baignée de la lumière du salut. Plus tard au cours du service, lorsque le pasteur Gideon se dressait dans son costume épaulé et ses chaussures pointues, et disait : « Notre Dieu n'est pas un Dieu pauvre, amen ? C'est notre destin de prospérer, amen ? », la mère d'Ifemelu levait haut le bras vers le ciel et disait : « Amen, Seigneur, amen. »

Ifemelu ne pensait pas que Dieu avait donné au pasteur Gideon cette grande maison et toutes ces voitures, il les avait probablement achetées avec l'argent des trois quêtes de chaque service, et elle ne pensait pas que Dieu ferait pour tous ce qu'Il avait fait pour le pasteur Gideon parce que c'était impossible, mais elle était heureuse de voir sa mère manger normalement à présent. Son regard avait retrouvé sa vivacité, il y avait une gaieté nouvelle dans son attitude, et elle s'attardait à nouveau après le repas à table avec son père, et elle chantait à pleine voix dans son bain. Sa nouvelle église l'absorbait, mais ne la détruisait pas. Elle n'était plus imprévisible et il était facile de lui mentir. « Je vais à l'étude de la Bible » et « Je vais à la Confrérie » étaient pour Ifemelu dans son adolescence des excuses commodes pour sortir sans qu'on lui pose de questions. Ifemelu montrait peu d'intérêt pour l'église, guère soucieuse de faire des efforts pour se rapprocher de la religion, peut-être parce que sa mère en faisait déjà tant. Et pourtant la foi de sa mère la réconfortait, c'était, dans son esprit, un nuage blanc qui se déplaçait doucement au-dessus de sa tête en même temps qu'elle. Jusqu'au jour où le Général entra dans leur vie.

*

Tous les matins, la mère d'Ifemelu priait pour le Général. Elle disait : « Père céleste, je Te demande de bénir le mentor d'Uju. Que ses ennemis ne triomphent jamais de lui ! » Ou bien : « Nous répandons sur le mentor d'Uju le précieux sang de Jésus ! » Et Ifemelu marmonnait quelque chose d'indistinct en guise d'« amen ». Sa mère prononçait le mot « mentor » d'un ton lourd de défi, comme si la force de sa conviction allait réellement faire du Général un mentor, et aussi transformer le monde en un lieu où les jeunes médecins pourraient se payer la nouvelle Mazda de Tante Uju, cette voiture verte rutilante d'un aérodynamisme impressionnant.

Chetachi, qui habitait l'étage au-dessus d'eux, demanda à Ifemelu : « Ta mère dit que le mentor de Tante Uju lui a fait un prêt pour la voiture ?

— Oui.

— Dis donc ! Tante Uju a de la chance *o* ! » dit Chetachi.

Son sourire entendu n'échappa pas à Ifemelu. Chetachi et sa mère avaient sans doute déjà jasé au sujet de la voiture ; c'étaient des jalouses, des bavardes, qui ne rendaient visite aux gens que pour voir ce qu'ils possédaient, pour évaluer leurs nouveaux meubles ou leurs nouveaux appareils électroniques.

« Dieu devrait bénir cet homme *o* ! J'espère moi aussi rencontrer un mentor quand j'aurai mon diplôme », dit Chetachi. Ifemelu s'irritait des piques lancées par Chetachi. Mais c'était la faute de sa mère, toujours si désireuse de raconter aux voisins son histoire de mentor. Elle n'aurait pas dû ; ce que faisait Tante Uju ne regardait personne. Ifemelu l'avait entendue dire à quelqu'un dans la cour derrière la maison : « Tu vois, le Général voulait être docteur quand il était jeune, et maintenant il soutient les jeunes docteurs, Dieu l'utilise vraiment pour aider les gens. » Et elle semblait sincère, joyeuse, convaincante. Elle croyait à ce qu'elle disait. Ifemelu ne comprenait pas cette capacité qu'avait sa mère de se raconter des histoires devant une réalité qui n'avait pratiquement rien à voir avec sa propre réalité. Quand Tante Uju leur parla pour la première fois de son nouveau travail – « L'hôpital n'avait pas de poste de médecin vacant, mais le Général a demandé d'en créer un pour moi », leur dit-elle –, la mère d'Ifemelu dit aussitôt : « C'est un miracle ! »

Tante Uju sourit, un sourire tranquille que rien ne semblait troubler ; elle ne pensait pas, naturellement, qu'il s'agissait d'un miracle, mais ne voulait pas le dire. Ou peut-être y avait-il réellement quelque chose de miraculeux dans sa nouvelle situation de consultante à l'hôpital militaire de Victoria Island, et dans sa nouvelle maison de Dolphin Estate, cet ensemble d'habitations d'inspiration étrangère, certaines peintes en rose, d'autres d'un bleu d'azur, entourées d'un parc au gazon aussi luxuriant qu'un tapis neuf et de bancs où les gens venaient s'asseoir – une rareté même dans l'Île. À peine quelques semaines auparavant, elle était une jeune diplômée et tous ses camarades parlaient d'aller passer leurs examens de médecine en Amérique ou en Angleterre, car l'autre choix était de dégringoler dans la désolation du chômage. Le pays n'avait plus d'espoir, les voitures restaient coincées pendant des jours entiers sous le soleil à attendre de l'essence, les retraités brandissaient des pancartes défraîchies réclamant leur pension, des enseignants se rassemblaient, annonçant une grève de plus. Mais Tante Uju ne voulait pas partir ; depuis aussi longtemps qu'Ifemelu s'en souvenait, elle avait rêvé de posséder une clinique privée, et elle se cramponnait à ce rêve.

« Le Nigeria ne va pas rester indéfiniment dans cet état, je suis sûre que je vais trouver un travail à mi-temps et ce sera dur, oui, mais un jour j'ouvrirai ma clinique, et dans l'Île ! » avait dit Tante Uju à Ifemelu. Puis elle avait assisté au mariage d'une amie. Le père de la mariée était un vice-maréchal de l'Air, et le bruit courait que le chef de l'État viendrait peut-être, et Tante Uju avait dit en plaisantant qu'elle allait lui demander de faire d'elle un médecin militaire à Aso Rock. Il ne vint pas, mais nombre de ses généraux étaient présents et l'un d'eux demanda à son aide de camp d'appeler Tante Uju, de lui demander de venir jusqu'à sa voiture dans le parking après la réception, et quand elle arriva près de la Peugeot foncée avec un petit fanion à l'avant et dit : « Bonsoir, monsieur » à l'homme assis à l'arrière, celui-ci lui répondit : « Tu me plais. Je veux m'occuper de toi. » Peut-être y avait-il quelque chose de miraculeux dans ces mots, *Tu me plais, je veux m'occuper de toi*, pensa Ifemelu, mais pas de la manière dont sa mère l'entendait. « Un miracle ! Dieu tient parole ! » dit la mère d'Ifemelu ce jour-là, les yeux humides de foi.

*

Elle dit, sur le même ton : « Le diable est un menteur. Il essaye de nous empêcher d'être heureux, il n'y réussira pas », quand le père d'Ifemelu perdit son travail à l'agence fédérale. Il avait été viré pour avoir refusé d'appeler sa nouvelle patronne *Mummy*[1]. Il rentra à la maison plus tôt que d'habitude, amer et hébété, sa lettre de licenciement à la main, déplorant qu'un homme adulte soit obligé d'appeler une femme adulte *Mummy* parce qu'elle avait décidé que c'était la meilleure façon de lui manifester du respect. « Douze années de loyaux services. C'est absurde. » La mère d'Ifemelu lui tapota le dos, lui dit que Dieu lui fournirait un autre job et que d'ici là ils vivraient de son salaire d'assistante du proviseur. Il se lança tous les matins dans la recherche d'un travail, les dents serrées et la cravate fermement nouée, et Ifemelu se demandait s'il contactait au hasard diverses sociétés pour tenter sa chance, mais bientôt il commença à rester à la maison en peignoir et maillot de corps, traînant sur le canapé défraîchi à côté de la stéréo. « Tu n'as pas pris de bain ce matin ? » lui demanda sa mère un après-midi en revenant du travail l'air épuisé, serrant des dossiers contre sa

1. Référence aux *Dugar Mummies* nigérianes, femmes seules cherchant un homme.

poitrine, des taches de transpiration sous les bras. Puis elle ajouta d'un ton irrité : « S'il suffisait d'appeler quelqu'un *Mummy* pour toucher ton salaire, tu aurais dû le faire. »

Il ne répondit rien. Pendant un moment, il sembla perdu, recroquevillé sur lui-même et désorienté. Ifemelu s'attrista pour lui. Elle l'interrogea sur le livre posé, à plat, sur ses genoux, un livre à l'aspect familier dont elle savait qu'il l'avait déjà lu. Elle espérait qu'il lui ferait un de ses longs discours sur l'histoire de la Chine, par exemple, et elle écouterait à moitié, comme à l'accoutumée, tout en le réconfortant. Mais il n'était pas d'humeur à parler. Il haussa les épaules comme pour dire qu'elle pouvait regarder le livre si elle le désirait. Les paroles de sa mère le blessaient trop facilement, il lui prêtait trop d'attention, ses oreilles toujours prêtes à capter sa voix, les yeux toujours fixés sur elle. Récemment, avant son renvoi, il avait dit à Ifemelu : « Le jour où j'aurai ma promotion, j'achèterai à ta mère un cadeau inoubliable », et quand elle lui avait demandé quoi, il avait souri et répondu d'un ton mystérieux : « Ce sera une surprise. »

En le regardant assis silencieux sur le canapé, elle se dit qu'il ressemblait vraiment à ce qu'il était, un homme aux espoirs déçus, un fonctionnaire intellectuellement moyen qui aurait voulu avoir une vie différente de celle qu'il avait, qui avait souhaité être plus instruit qu'il ne l'était. Il racontait souvent qu'il n'avait pas pu aller à l'université parce qu'il avait dû travailler pour entretenir ses frères et sœurs, et que des camarades de lycée moins intelligents que lui avaient maintenant des doctorats. Il parlait un anglais classique, élégant. Leurs domestiques le comprenaient à peine mais étaient néanmoins très impressionnés. Un jour, leur ancienne domestique, Jecinta, était entrée dans la cuisine et s'était mise à applaudir doucement en disant à Ifemelu : « Tu aurais dû entendre tout à l'heure le langage de ton père. *O di egwu !* » Parfois Ifemelu l'imaginait dans une salle de classe dans les années cinquante, sujet colonial trop zélé portant un uniforme mal ajusté de coton bon marché, se démenant pour impressionner ses professeurs missionnaires. Même son écriture était maniérée, toute en courbes et fioritures, d'une monotone élégance digne d'un texte imprimé. Il avait reproché à Ifemelu quand elle était enfant de se montrer récalcitrante, rétive, intransigeante, des mots qui donnaient à ses petites actions un aspect héroïque et presque digne d'éloge. Mais, plus tard, son anglais affecté l'avait agacée, car ce n'était à ses yeux qu'un paravent, un rempart contre l'insécurité. Il était obsédé par ce qu'il n'était pas – diplômé de l'université, membre de la classe moyenne supérieure – et ses mots prétentieux devenaient son armure. Elle préférait l'entendre parler igbo, c'était le seul moment où il semblait oublier ses angoisses.

La perte de son emploi l'avait rendu plus silencieux et un mur ténu s'était élevé entre le monde et lui. Il ne marmonnait plus « une nation de fourbes irréductibles » quand les nouvelles du soir débutaient sur NTA, ne tenait plus de longs discours sur la façon dont le gouvernement de Babangida avait réduit les Nigérians à l'état de pauvres imbéciles et il ne taquinait plus sa mère. Et, surtout, il commença à se mêler aux prières du matin. Il ne l'avait jamais fait auparavant ; sa mère l'y avait incité un jour, avant de se rendre dans leur ville natale. « Prions et répandons sur les routes le sang de Jésus », et il avait répliqué que les routes seraient plus sûres, moins glissantes, si elles n'étaient pas recouvertes de sang. À la suite de quoi Ifemelu avait failli s'étrangler de rire tandis que sa mère prenait un air réprobateur.

Mais il n'allait toujours pas à l'église. Avant, lorsque Ifemelu et sa mère revenaient de l'église, elles le trouvaient assis par terre dans le salon, occupé à passer en revue ses 33 tours, chantant au son de la musique. Il avait toujours l'air reposé, comme si se trouver seul avec sa musique l'avait ragaillardi. Aujourd'hui, après avoir perdu sa situation, il écoutait rarement ses disques. Elles rentraient à la maison et le trouvaient assis à la table de la salle à manger, penché sur des feuilles volantes, en train d'écrire aux journaux et aux magazines. Et Ifemelu savait que, si l'occasion se représentait, il appellerait sa patronne *Mummy*.

*

C'était un dimanche matin, tôt, et quelqu'un frappait violemment à la porte d'entrée. Ifemelu aimait les dimanches matin, le lent passage du temps quand, habillée pour aller à l'église, elle attendait dans le séjour avec son père pendant que sa mère se préparait. Tantôt ils bavardaient, tantôt ils restaient silencieux, dans un silence partagé et agréable, comme ce matin-là. Seul leur parvenait le ronronnement du réfrigérateur depuis la cuisine, jusqu'à ce qu'ils entendent ce martèlement à la porte. Une interruption brutale. Ifemelu alla ouvrir et se trouva face au propriétaire, un homme replet avec des yeux globuleux injectés de sang, connu pour commencer sa journée par un verre de gin sec. Son regard passa au-dessus d'Ifemelu pour se porter vers son père et il cria : « Ça fait maintenant trois mois ! J'attends toujours mon argent ! » Sa voix était familière à Ifemelu, une vocifération métallique qui venait en général des appartements de leurs voisins, de quelque part ailleurs. Mais à présent il était chez eux. La scène la bouleversa, le propriétaire qui hurlait devant *leur* porte, et son père muet, lui opposant un visage de pierre. Ils n'avaient jamais été en retard pour le loyer auparavant. Ils avaient vécu dans cet appartement toute leur vie ; il était étriqué, les murs de la cuisine étaient noircis par la fumée des lampes à pétrole et elle était gênée quand ses amies de l'école venaient la voir, mais ils n'avaient jamais été en retard pour le loyer.

« Quel butor, ce type ! » dit son père après le départ du propriétaire, et il n'ajouta rien d'autre. Il n'y avait rien à dire. Ils devaient le loyer.

Sa mère apparut en chantant, copieusement parfumée, le visage brillant sous une couche de poudre d'un ton trop clair. Elle tendit au père d'Ifemelu son poignet où pendait un mince bracelet d'or dont le fermoir était ouvert.

« Uju nous rejoint après l'église pour nous emmener voir la maison à Dolphin Estate, dit sa mère. Tu viens avec nous ?

— Non », dit-il sèchement, comme si la nouvelle vie de Tante Uju était un sujet qu'il préférait éviter.

« Tu devrais venir », dit-elle, mais il ne réagit pas, agrafa soigneusement le bracelet autour de son poignet, et lui dit qu'il avait vérifié l'eau dans sa voiture.

« Dieu est fidèle. Regarde Uju, qui peut se payer une maison dans l'Île ! dit sa mère d'un ton joyeux.

— Maman, mais tu sais bien qu'Uju ne paye pas un kobo pour habiter là-bas », dit Ifemelu.

Sa mère lui jeta un coup d'œil.

« Tu as repassé cette robe ?

— Elle n'a pas besoin d'être repassée.

— Elle est froissée. *Ngwa*, va la repasser. Au moins il y a de l'électricité. Sinon change-toi. »

Ifemelu se leva à contrecœur.

« Cette robe n'est pas froissée.

— Va la repasser. Pas besoin de montrer à tout le monde que

les choses sont difficiles pour nous. Nous ne sommes pas les plus à plaindre. Aujourd'hui c'est le Dimanche du Travail avec sœur Ibinabo, aussi dépêche-toi et partons. »

*

Sœur Ibinabo avait du pouvoir, et parce qu'elle prétendait l'utiliser avec discrétion, elle n'en était que plus puissante. Le pasteur, disait-on, faisait tout ce qu'elle lui demandait. La raison n'en était pas claire ; certains disaient qu'elle avait fondé l'église avec lui, d'autres qu'elle détenait un terrible secret sur son passé, d'autres encore qu'elle avait plus de puissance spirituelle que lui mais étant une femme ne pouvait pas être pasteur. Elle pouvait empêcher l'autorisation pastorale à un mariage, si elle le voulait. Elle connaissait tout et tout le monde et semblait être partout en même temps, avec son visage buriné, comme si la vie l'avait longtemps malmenée. Il était difficile de lui donner un âge, peut-être cinquante ou soixante ans, avec son corps maigre et nerveux, son visage fermé comme une coquille. Elle ne riait jamais mais souriait souvent, du mince sourire d'une dévote. Les mères manifestaient un respect craintif devant elle ; elles lui apportaient des petits cadeaux, s'empressaient de lui confier leurs filles le Dimanche du Travail. Sœur Ibinabo, sauveuse de la gent féminine. On lui demandait de parler aux adolescentes troublées et fauteuses de troubles. Certaines mères demandaient que leurs filles aillent vivre avec elle, dans l'appartement derrière l'église. Mais Ifemelu avait toujours senti bouillonner chez sœur Ibinabo une hostilité profondément enracinée envers les jeunes filles. Sœur Ibinabo ne les aimait pas, elle se bornait à les observer et à les mettre en garde, comme si elle était offensée par ce qu'il y avait encore de neuf en elles, et qui était chez elle depuis longtemps desséché.

« Je t'ai vue porter un pantalon moulant samedi dernier », dit sœur Ibinabo à l'une d'elles, Christie, dans un murmure exagéré, assez bas pour prétendre être un murmure, mais assez haut pour que tout le monde l'entende. « On peut tout accepter, mais tout n'est pas acceptable. Une fille qui porte des pantalons étroits cherche à commettre le péché de la tentation. Il vaut mieux l'éviter. »

Christie hocha la tête, humble, gracieuse, acceptant l'humiliation.

Dans la sacristie de l'église, les deux minuscules fenêtres ne laissaient pénétrer que peu de lumière, et l'électricité était toujours allumée pendant la journée. Des piles d'enveloppes destinées à la collecte de fonds étaient posées sur la table, à côté d'une montagne de papiers de soie de couleur, aussi légers qu'une gaze. Les filles s'organisèrent. Bientôt, plusieurs d'entre elles se mirent à écrire sur les enveloppes, d'autres à découper, coller et façonner les feuilles de papier de soie en forme de fleurs, qu'elles enfilaient pour en faire des guirlandes vaporeuses. Le dimanche suivant, au service de Thanksgiving, les guirlandes orneraient le cou massif de Chief Omenka et ceux, plus menus, des membres de sa famille. Il avait offert deux camionnettes neuves à l'église.

« Rejoins ce groupe, Ifemelu », dit sœur Ibinabo.

Ifemelu croisa les bras et, comme souvent quand elle s'apprêtait à dire quelque chose qu'elle aurait mieux fait de garder pour elle, les mots jaillirent de sa gorge.

« Pourquoi devrais-je fabriquer des décorations pour un voleur ? »

Sœur Ibinabo la regarda d'un air interdit. Il y eut un moment de silence. Les autres filles se tournèrent vers elles, attendant la suite.

« Qu'est-ce que tu as dit ? » demanda doucement sœur Ibinabo, laissant à Ifemelu une chance de s'excuser, de ravaler ses paroles. Mais Ifemelu était incapable de s'arrêter, le cœur battant, lancé à une allure précipitée.

« Chief Omenka est un 419[1], et tout le monde le sait, dit-elle. Cette église est remplie de 419. Pourquoi prétendre que ce hall n'a pas été construit avec de l'argent sale ?

— C'est le travail de Dieu, dit calmement sœur Ibinabo. Si tu ne peux pas faire le travail de Dieu, alors tu dois t'en aller. Va-t'en. »

Ifemelu sortit à la hâte de la pièce, franchit la grille d'entrée et se dirigea vers l'arrêt d'autobus, certaine que d'une minute à l'autre l'histoire reviendrait aux oreilles de sa mère dans le bâtiment principal de l'église. Elle avait gâché la journée. Elles auraient dû aller voir la maison de Tante Uju et faire un bon déjeuner. À présent, sa mère serait d'une humeur de chien. Elle aurait mieux fait de se taire. Après tout, elle avait participé à la confection de guirlandes pour d'autres 419 dans le passé, des hommes qui avaient des sièges réservés au premier rang, des hommes qui offraient des voitures comme d'autres distribuaient des chewing-gums. Elle avait assisté à leurs réceptions sans se faire prier, elle avait mangé du riz, de la

1. La fraude 419, également appelée arnaque nigériane, est une escroquerie sur Internet.

viande et du coleslaw, de la nourriture souillée par la fraude, elle l'avait mangée en le sachant et ne s'était pas étouffée, n'avait même pas craint de s'étouffer. Pourtant, il s'était passé quelque chose de différent aujourd'hui. Quand sœur Ibinabo s'était adressée à Christie, avec ce mépris venimeux qu'elle qualifiait d'instruction religieuse, Ifemelu l'avait observée et lui avait trouvé une ressemblance avec sa mère. Sa mère était une personne plus simple et plus aimable mais, comme sœur Ibinabo, elle niait la réalité des choses. Elle aussi avait jeté le voile de la religion sur ses désirs mesquins. Soudain, Ifemelu avait souhaité par-dessus tout ne plus être dans cette petite pièce pleine d'ombres. Elle lui avait paru inoffensive auparavant, la foi de sa mère, baignée de grâce, mais ce n'était soudain plus le cas. Elle souhaita, un instant, que sa mère ne soit plus sa mère, et n'en ressentit ni culpabilité ni tristesse, mais une simple émotion mêlée de culpabilité et de tristesse.

L'arrêt de l'autobus était étrangement désert et elle imagina la foule qui s'y pressait habituellement en train de chanter et de prier dans les églises. Elle attendit le bus, hésitant à rentrer tout de suite chez elle ou à s'attarder quelque part ailleurs. Mieux valait rentrer, et affronter ce qu'il y avait à affronter.

*

Sa mère lui tira l'oreille, presque gentiment, comme si elle voulait éviter de lui faire mal. Elle avait toujours fait comme ça depuis qu'Ifemelu était petite. « Je vais te battre ! » disait-elle quand Ifemelu avait mal agi, mais elle ne la frappait jamais, se contentait de lui tirer mollement l'oreille. Cette fois-ci elle la tira deux fois, une première fois puis une seconde pour donner plus de poids à ses paroles. « Le diable se sert de toi. Tu dois prier pour l'en empêcher. Ne porte pas de jugement. Laisse à Dieu le soin de juger. »

Son père dit : « Tu dois lutter contre ta tendance naturelle à la provocation, Ifemelu. Tu t'es fait remarquer à l'école par ton insubordination, et je t'ai dit que cela avait déjà nui à ton excellent livret scolaire. Inutile de créer une situation similaire à l'église.

— Oui, papa. »

Quand Tante Uju arriva, la mère d'Ifemelu lui raconta ce qui s'était passé.

« Va donc faire la leçon à Ifemelu. Tu es la seule personne qu'elle écoute. Demande-lui ce que je lui ai fait pour qu'elle me mette ainsi dans l'embarras à l'église. Elle a insulté sœur Ibinabo ! C'est comme insulter le pasteur ! Pourquoi cette fille doit-elle toujours semer le trouble ? J'ai toujours dit, en la voyant se comporter ainsi, qu'il aurait mieux valu qu'elle soit un garçon.

— Sœur, tu sais que son problème est qu'elle ne sait pas toujours quand elle doit se taire. Ne t'inquiète pas, je vais lui parler », dit Tante Uju, jouant les médiatrices, calmant la femme de son cousin.

Elle s'entendait bien avec la mère d'Ifemelu, l'entente facile de deux personnes qui évitent soigneusement toute conversation d'une certaine profondeur. Tante Uju éprouvait peut-être de la gratitude pour la mère d'Ifemelu qui l'accueillait, lui accordait le statut particulier de parente à résidence. En grandissant, Ifemelu n'avait jamais eu l'impression d'être une enfant unique grâce aux cousins, oncles et tantes qui habitaient avec eux. Il y avait toujours des valises et des sacs dans l'appartement : parfois un ou deux parents dormaient par terre dans le salon pendant plusieurs semaines. La plupart appartenaient à la famille de son père, venus à Lagos apprendre un métier, étudier ou chercher un emploi, si bien que les gens de son village ne pouvaient maugréer contre leur frère qui n'avait qu'un enfant et ne voulait pas en élever d'autres. Son père avait un sentiment d'obligation envers eux, il insistait pour que tout le monde soit rentré avant huit heures du soir, s'assurait qu'il y avait assez à manger pour tous, et fermait la porte de sa chambre à clé même quand il allait aux toilettes de crainte que l'un d'eux y entre par mégarde et vole quelque chose. Mais Tante Uju était différente. Trop intelligente pour dépérir dans ce trou perdu, disait-il. Il l'appelait sa plus jeune sœur bien qu'elle fût l'enfant du frère de son père, et il s'était montré plus protecteur, moins distant avec elle. Quand il trouvait Ifemelu et Tante Uju en train de bavarder, blotties dans le lit, il s'exclamait affectueusement : « Vous deux ! » Lorsque Tante Uju partit étudier à l'université d'Ibadan, il dit à Ifemelu, d'un ton presque mélancolique : « Uju a eu sur toi une influence apaisante. » Il semblait voir, dans leur proximité, la preuve que son choix était le bon, comme s'il avait consciemment offert un cadeau à sa famille, un tampon entre sa femme et sa fille.

Donc, dans la chambre, Tante Uju disait à Ifemelu : « Tu aurais dû confectionner la guirlande. Je t'ai déjà dit de ne pas débiter tout ce qui te passe par la tête. Il faut que tu apprennes ça. Tu ne dois pas tout dire.

— Pourquoi maman ne peut-elle apprécier les choses que tu reçois du Général sans prétendre qu'elles viennent de Dieu ?

— Qui dit qu'elles ne viennent pas de Dieu ? » demanda Tante Uju avec une moue sceptique.

Ifemelu se mit à rire.

D'après la légende familiale, Ifemelu à l'âge de trois ans était une enfant boudeuse qui hurlait dès que s'approchait un étranger, mais la première fois qu'elle avait vu Tante Uju, une gamine de treize ans boutonneuse, Ifemelu s'était avancée vers elle, avait grimpé sur ses genoux et y était restée. Elle ignorait si c'était la réalité, ou si elle était devenue vraie à force d'être répétée, cette jolie histoire du début de leur intimité. C'était Tante Uju qui cousait ses robes de petite fille et, quand Ifemelu était devenue plus grande, toutes les deux se plongeaient dans la lecture des magazines de mode, choisissant ensemble les modèles. Tante Uju lui apprit à écraser un avocat et à l'étaler sur son visage, à dissoudre du baume camphré dans de l'eau chaude et se pencher au-dessus de la vapeur, à sécher un bouton avec du dentifrice. C'est Tante Uju qui lui apporta des romans de James Hadley Chase enveloppés dans du papier journal pour dissimuler les femmes à moitié nues qui ornaient leur couverture, qui lui passa les cheveux au fer chaud quand elle attrapa les poux de ses voisins, lui donna les explications nécessaires lorsqu'elle eut ses premières règles, complétant les sermons de sa mère bourrés de citations bibliques sur la vertu mais dépourvus de détails pratiques concernant les crampes et les tampons. Quand Ifemelu fit la connaissance d'Obinze, elle raconta qu'elle avait rencontré l'amour de sa vie à Tante Uju, qui lui conseilla de lui permettre de l'embrasser et de la caresser, mais sans la pénétrer.

CHAPITRE 4

Les dieux, ces divinités célestes qui planent au-dessus des humains faisant et défaisant les amours juvéniles, avaient décidé qu'Obinze sortirait avec Ginika. Obinze était le nouveau, un beau garçon, en dépit de sa petite taille. Il venait du collège de Nsukka, et à peine quelques jours plus tard tout le monde connaissait les rumeurs qui couraient sur sa mère. Elle s'était battue avec un homme, un autre professeur de Nsukka, une vraie bataille, à coups de poing et de pied, et elle avait gagné, allant jusqu'à déchirer ses vêtements, ce qui lui avait valu d'être suspendue pendant deux ans et de s'installer à Lagos jusqu'à ce qu'elle puisse revenir. C'était une histoire inhabituelle ; les femmes du marché se battaient, les folles se battaient, mais pas les professeurs. Obinze, avec son air calme et réservé, rendait la chose encore plus intrigante. Il avait été rapidement admis dans le clan des jeunes mâles qui roulaient des mécaniques, désinvoltes et insouciants, les Big Guys ; il s'attardait dans les couloirs avec eux, restait avec eux au fond du hall pendant l'assemblée. Aucun ne rentrait le pan de sa chemise dans son pantalon, ce qui leur attirait toujours des ennuis auprès des professeurs, des ennuis et du prestige, mais Obinze venait au collège avec sa chemise rentrée dans son pantalon et bientôt tous les Big Guys suivirent son exemple, même Kayode DaSilva, le plus désinvolte de la bande.

Kayode passait toutes ses vacances en Angleterre dans la maison de ses parents, qu'Ifemelu avait trouvée grande et menaçante sur les photos.

Sa petite amie, Yinka, était comme lui – elle aussi allait souvent en Angleterre, vivait à Ikoyi et parlait avec un accent anglais.

C'était la fille la plus populaire de leur classe, son sac d'école était en cuir épais frappé d'un monogramme, ses sandales toujours différentes de celles des autres élèves. La deuxième fille la plus populaire s'appelait Ginika, la meilleure amie d'Ifemelu. Ginika n'allait pas souvent à l'étranger et n'avait pas l'air *à part* comme Yinka, mais elle avait une peau couleur caramel et des cheveux ondulés qui, dénattés, tombaient sur ses épaules au lieu de rester dressés dans le style afro. Chaque année, elle était élue la plus jolie fille de leur classe et disait avec ironie : « C'est uniquement parce que je suis métisse. Comment pourrais-je être plus belle que Zainab ? »

Il était donc dans l'ordre naturel des choses que les dieux réunissent Obinze et Ginika. Kayode avait organisé une fête à l'improviste dans leur maison d'amis pendant que ses parents étaient à Londres. Il dit à Ginika : « Je vais te présenter à mon pote Zed à la fête.

— Il n'est pas mal, dit Ginika en souriant.

— J'espère qu'il n'a pas hérité des gènes bagarreurs de sa mère », l'avait taquinée Ifemelu. C'était chouette de voir Ginika s'intéresser à un garçon ; presque tous les Big Guys à l'école avaient tenté leur chance auprès d'elle et aucun n'avait tenu longtemps ; Obinze était calme, ils étaient bien assortis.

Ifemelu et Ginika arrivèrent ensemble ; la fête avait à peine commencé, la piste de danse était déserte, les garçons couraient partout avec leurs cassettes, aussi timides et gauches qu'à l'habitude. Chaque fois qu'Ifemelu venait chez Kayode, elle se demandait à quoi ressemblait la vie ici, à Ikoyi, dans cette grande et belle propriété à la cour gravillonnée et aux serviteurs vêtus de blanc.

« Voilà Kayode avec le nouveau, dit Ifemelu.

— Je ne veux pas regarder, dit Ginika. Est-ce qu'ils viennent par ici ?

— Oui.

— Mes chaussures sont tellement étroites.

— Tu peux danser avec des chaussures étroites », dit Ifemelu.

Les garçons étaient devant elles. Obinze semblait engoncé dans une veste de velours épais, tandis que Kayode portait un T-shirt et un jean.

« Salut, les filles ! » dit Kayode. Grand, élancé, il avait une aisance naturelle. « Ginika, voici mon ami Obinze. Zed, je te présente Ginika, la reine que Dieu a créée pour toi, si tu es prêt à la mériter ! » Il les raillait, déjà légèrement ivre, le garçon béni des dieux qui arrange un mariage béni des dieux.

« Salut, dit Obinze à Ginika.

— Et voici Ifemelu, dit Kayode. Connue aussi sous le nom d'Ifemsco. Elle est l'homme de confiance de Ginika. Si tu te conduis mal, elle te fouettera. »

Ils éclatèrent d'un rire convenu.

« Salut », dit Obinze. Son regard croisa celui d'Ifemelu, sans se détourner.

Kayode parlait de choses et d'autres, racontait à Obinze que les parents de Ginika étaient également professeurs à l'université. « Ainsi vous êtes tous les deux dans les livres », dit-il. Obinze aurait dû enchaîner et se mettre à parler avec Ginika, Kayode serait parti, Ifemelu l'aurait suivi, et la volonté des dieux aurait été accomplie. Mais Obinze ne prononça presque pas un mot et Kayode resta seul à entretenir la conversation, sur un ton de plus en plus impatient ; de temps en temps il jetait un coup d'œil à Obinze, comme pour le pousser à prendre l'initiative. Ifemelu ne sut jamais quand c'était arrivé mais, pendant que Kayode parlait, quelque chose d'étrange se produisit en elle. Une impatience, une sensation naissante. L'impression soudaine qu'elle avait envie de respirer le même air qu'Obinze. Elle se sentit, en même temps, brusquement consciente du moment présent, de l'instant. De la voix de Toni Braxton qui jaillissait du lecteur de cassettes, *be it fast or slow, it doesn't let go, or shake me,* de l'odeur du brandy du père de Kayode, subrepticement piqué dans la maison principale, et du chemisier étroit qui la gênait sous les aisselles. Tante Uju lui avait dit de le nouer, en un nœud lâche, au-dessus du nombril, et elle se demandait à présent si c'était véritablement élégant ou si elle avait l'air d'une gourde.

La musique s'arrêta brusquement.

« J'y vais », dit Kayode, et il partit voir ce qui n'allait pas. Dans le silence, Ginika se mit à jouer avec le bracelet de métal qui entourait son poignet.

Le regard d'Obinze croisa à nouveau celui d'Ifemelu.

« Tu n'as pas trop chaud avec cette veste ? » demanda Ifemelu. La question avait jailli malgré elle, tant elle était habituée à parler sans contrainte, à voir la terreur apparaître dans les yeux des garçons. Mais il souriait. Il semblait amusé. Il n'avait pas peur d'elle.

« Très chaud, dit-il. Mais je suis un cul-terreux et c'est ma première fête en ville, tu dois donc me pardonner. » Il retira lentement sa veste, verte et renforcée aux coudes, sous laquelle il portait une chemise à manches longues. « Maintenant il va falloir que je la trimballe avec moi.

— Je peux te la tenir, proposa Ginika. Et n'écoute pas Ifem, ta veste est très bien.

— Merci, mais ne t'en fais pas. C'est à moi de m'en charger, ça m'apprendra à l'avoir mise. » Il regarda Ifemelu, l'œil pétillant.

« Ce n'était pas ce que je voulais dire, dit Ifemelu. Mais il fait si chaud dans la pièce et cette veste a l'air si lourde.

— J'aime bien ta voix », dit-il, l'interrompant presque.

Et elle, qui ne se démontait jamais, croassa : « Ma voix ?

— Oui. »

La musique avait commencé. « Tu viens danser ? » demanda-t-il.

Elle hocha la tête.

Il prit sa main et sourit à Ginika comme à un charmant chaperon dont la mission était à présent terminée. Ifemelu trouvait stupides les romans sentimentaux Harlequin, mais ses amies et elle s'amusaient parfois à rejouer les scènes. Ifemelu ou Ranyinudo endossaient le rôle de l'homme et Ginika ou Priye celui de la femme – l'homme se saisissait de la femme, la femme se débattait faiblement, puis se laissait aller contre lui avec des gémissements aigus – et elles s'esclaffaient. Mais sur la piste de danse de Kayode bientôt bondée, elle éprouva un choc en réalisant que ces romans contenaient une petite part de vérité. Il était vrai qu'en présence d'un mâle votre estomac pouvait rester obstinément noué, vos articulations flancher, vos membres refuser de suivre la musique, et le moindre geste naturel devenir soudain d'une lourdeur de plomb. En se déplaçant d'un pas raide, elle vit sur le côté Ginika qui les observait, l'air stupéfait, la bouche entrouverte, comme si elle n'arrivait pas à croire ce qui était arrivé.

« Tu as vraiment dit "cul-terreux", dit Ifemelu, haussant la voix pour dominer la musique.

— Quoi ?

— Personne ne dit "cul-terreux". C'est le genre de chose qu'on trouve dans les livres.

— J'aimerais bien savoir quels livres tu lis », dit-il.

Il la taquinait, et elle ne saisit pas très bien la plaisanterie, mais elle rit. Plus tard, elle regretta de ne pas avoir retenu tout ce qu'ils s'étaient dit pendant qu'ils dansaient. Elle se souvint seulement d'avoir eu l'impression de flotter. Quand les lumières s'éteignirent, et que le moment vint de danser un blues, elle aurait voulu être dans ses bras dans un coin sombre, mais il dit : « Allons bavarder dehors. »

Ils s'assirent sur des blocs de ciment derrière la maison d'amis, près de ce qui semblait être les toilettes du gardien, une cabine étroite qui, lorsque le vent soufflait, laissait échapper un relent nauséabond. Ils parlèrent encore et encore, avides de se connaître. Il lui dit que son père était mort quand il avait sept ans, et qu'il se souvenait clairement de l'époque où il lui apprenait à faire du tricycle dans une rue bordée d'arbres près de leur logement sur le campus, mais qu'il découvrait parfois, pris de panique, qu'il était incapable de se remémorer son visage et, accablé par un sentiment de trahison, il se hâtait alors d'aller examiner la photo accrochée au mur de leur séjour.

« Ta mère n'a jamais voulu se remarier ?

— Même si elle l'avait voulu, je ne pense pas qu'elle l'aurait fait, à cause de moi. Je veux qu'elle soit heureuse, mais je ne veux pas qu'elle se remarie.

— J'éprouverais le même sentiment. Elle s'est réellement battue avec un autre professeur ?

— Tu as donc entendu parler de cette histoire.

— On dit que c'est pour ça qu'elle a dû quitter l'université de Nsukka.

— Non, elle ne s'est pas battue. Elle faisait partie d'un comité et ils ont découvert que ce professeur avait détourné des fonds. Ma mère l'a accusé publiquement ; il s'est mis en colère et l'a giflée, il a dit qu'il ne supportait pas qu'une femme lui parle ainsi. Ma mère s'est levée, a fermé à clé la porte de la salle de réunion et mis la clé dans son soutien-gorge. Elle lui a dit qu'elle ne pouvait pas lui rendre sa gifle parce qu'il était plus fort qu'elle, mais qu'il devait s'excuser publiquement, devant tous ceux qui l'avaient vu la frapper. Ce qu'il fit. Mais elle savait qu'il n'était pas sincère. Elle a dit que ses excuses étaient du genre "bon je regrette, si c'est ça que tu veux entendre ; et maintenant donne la clé". Elle est rentrée à la maison, en rage, elle répétait que les choses avaient changé, et comment accepter qu'aujourd'hui on puisse se permettre de gifler quelqu'un. Elle a écrit des circulaires et des articles sur le sujet et l'association des étudiants s'en est mêlée. Les gens disaient : Oh, pourquoi l'a-t-il giflée alors qu'elle est veuve, ce qui l'irritait encore davantage. Elle a dit qu'elle n'aurait pas dû être giflée parce qu'elle était un être humain à part entière, pas parce qu'elle n'avait pas de mari pour parler à sa place. Alors certaines de ses étudiantes ont fait imprimer "un être humain à part entière" sur des T-shirts. C'est sans doute ce qui l'a rendue célèbre. Elle est en général très calme et a peu d'amis.

— C'est pour ça qu'elle est venue à Lagos ?

— Non. Elle avait l'intention de prendre un congé sabbatique depuis quelque temps. Je me souviens de la première fois où elle m'a dit qu'elle voulait s'accorder un congé de deux ans, j'étais tout excité car je pensais qu'on irait en Amérique, les parents d'un de mes amis venaient juste de partir là-bas, puis elle a dit que ce serait Lagos, et je lui ai demandé pourquoi. Autant rester à Nsukka. »

Ifemelu se mit à rire. « Mais venir à Lagos c'était au moins l'occasion de prendre l'avion.

— Oui, sauf que nous sommes venus en voiture, dit Obinze en riant. En tout cas maintenant je suis heureux qu'elle ait choisi Lagos sinon je ne t'aurais pas rencontrée.

— Ni rencontré Ginika, dit-elle, moqueuse.

— Arrête.

— Tes copains vont te tuer. Tu es censé t'intéresser à elle.

— Je m'intéresse à toi. »

Elle se rappellerait toujours cet instant, ces mots. *Je m'intéresse à toi*.

« Je t'ai vue à l'école l'autre jour. J'ai même interrogé Kay à ton sujet.

— Tu es sérieux ?

— Je t'ai vue avec un bouquin de James Hadley Chase, près du labo. Et je me suis dit, Ah, chouette, il y a de l'espoir. Elle lit.

— Je crois les avoir tous lus.

— Moi aussi. Quel est ton préféré ?

— *Miss Shumway jette un sort*.

— Et moi *Le denier du colt*. Je n'ai pas pu le lâcher avant de l'avoir fini.

— Oui. Je l'aime bien aussi.

— Et les autres livres ? Quels sont les classiques qui t'intéressent ?

— Des classiques, *kwa*[1] ? Je n'aime que les policiers et les thrillers. Sheldon, Ludlum, Archer.

1. Exclamation signifiant « incroyable ! », « tu plaisantes ? ».

— Mais tu dois aussi lire de vrais livres. »

Elle le regarda, amusée par son sérieux. « Enfant gâté ! Fils d'universitaire ! C'est sans doute ce que t'a appris ta professeur de mère.

— Non, sans blague. » Il fit une pause. « Je vais t'en prêter quelques-uns pour voir. J'ai une passion pour les Américains.

— Tu dois aussi lire de vrais livres, dit-elle en l'imitant.

— Et la poésie ?

— Quelle est la dernière que nous avons étudiée en cours ? Le *Vieux Marin*. Tellement ennuyeux ! »

Obinze rit et Ifemelu, peu désireuse de poursuivre sur le thème de la poésie, demanda : « Alors qu'est-ce que Kayode a dit de moi ?

— Rien de mal. Il t'aime bien.

— Tu ne veux pas me répéter ce qu'il a dit ?

— Il a dit : Ifemelu est une super nana mais elle crée trop de problèmes. Elle discute. Elle parle. Elle n'est jamais d'accord. Mais Ginika est une gentille fille. » Il s'interrompit avant d'ajouter : « Il ne savait pas que c'était exactement ce que j'espérais entendre. Les filles trop gentilles ne m'intéressent pas.

— Ah-ah ! Tu cherches à m'insulter ? » Elle le poussa du coude, feignant la colère. Elle avait toujours aimé cette image d'elle-même, la fille qui créait des ennuis, qui était différente, et elle pensait parfois que c'était une carapace qui la protégeait.

« Tu sais très bien que je ne t'insulte pas. » Il passa un bras autour de ses épaules et l'attira doucement vers lui. C'était la première fois que leurs corps se touchaient et elle se raidit. « Je t'ai trouvée très jolie, mais pas seulement. Tu semblais être le genre de personne qui agit comme bon lui semble et pas parce que tout le monde le fait. »

Elle posa sa tête contre lui et éprouva, pour la première fois, ce qu'elle ressentirait souvent avec lui : de l'estime pour elle-même. Il lui apprit à s'aimer. Elle se sentait à l'aise, bien dans sa peau. Elle lui avoua qu'elle aurait bien voulu croire que Dieu existait mais craignait qu'il n'en soit rien, qu'elle s'inquiétait de ne pas savoir ce qu'elle voulait faire dans la vie, elle ne savait même pas ce qu'elle avait envie d'étudier à l'université. Cela lui paraissait si naturel, de lui parler de choses et d'autres. Elle ne l'avait jamais fait auparavant. Cette confiance, si soudaine et si totale, cette intimité, l'effrayèrent. Ils ne connaissaient rien l'un de l'autre quelques heures plus tôt, et pourtant une connivence était née entre eux pendant ces quelques moments avant qu'ils ne se mettent à danser, et maintenant elle ne pensait plus qu'à ce qu'elle voulait lui dire, à ce qu'elle voulait faire avec lui. Les similarités entre leurs vies devenaient d'heureux présages : ils étaient tous deux enfants uniques, fêtaient leur anniversaire à deux jours d'intervalle et leurs villages natals étaient situés dans l'État d'Anambra. Il était originaire d'Abba et elle d'Umunnachi et les deux villages se trouvaient à quelques minutes l'un de l'autre.

« Ah-ah ! Un de mes oncles se rend tout le temps dans ton village ! lui dit-il. Je l'ai parfois accompagné. Les routes sont terribles chez toi.

— Je connais Abba. Les routes y sont pires.

— Tu reviens souvent dans ton village ?

— Pour Noël.

— Une seule fois par an ! J'y vais souvent avec ma mère, au moins cinq fois par an.

— Mais je parie que je parle igbo mieux que toi.

— Impossible », dit-il, et il se mit à parler igbo. « *Ama m atu inu*. Je connais même des proverbes.

— Oui. Les classiques que tout le monde sait par cœur. Une grenouille ne sort pas l'après-midi pour rien.

— Non. Je connais des proverbes sérieux. *Akota ife ka ubi, e lee oba*. Si on déniche quelque chose de plus grand que la ferme, la grange est vendue.

— Ah, tu veux me tester ? demanda-t-elle en riant. *Acho afu adi ako n'akpa dibia.* Le sac du sorcier contient toutes sortes de choses.

— Pas mal, dit-il. *E gbuo dike n'ogu uno, e luo na ogu agu, e lote ya.* Si tu tues un guerrier dans un combat de voisinage, tu te souviendras de lui quand tu combattras des ennemis. »

Ils échangèrent des proverbes. Elle n'en récita que deux de plus avant de renoncer, alors qu'il était impatient de continuer.

« Comment sais-tu tout ça ? demanda-t-elle, impressionnée. La plupart des garçons ne connaissent pas un mot d'igbo, sans parler de proverbes.

— Il me suffit d'écouter mes oncles parler ; je pense que mon père aurait été content. »

Ils restèrent silencieux. De la fumée de cigarette s'élevait de l'entrée de la maison d'amis, où des garçons s'étaient rassemblés. Les bruits de la fête flottaient dans l'air : une musique à plein volume, des voix perçantes, les éclats de rire des garçons et des filles, tous plus libres et déchaînés qu'ils ne le seraient le lendemain.

« On ne s'embrasse pas ? » demanda-t-elle.

Il parut surpris. « D'où tu sors ça ?

— Je demande seulement. Nous sommes restés si longtemps assis tous les deux.

— Je ne veux pas que tu croies que j'ai uniquement ça en tête.

— Et si on parlait de ce que je veux, moi ?

— Qu'est-ce que tu veux ?

— À ton avis ?

— Ma veste ? »

Elle rit. « Oui, ta fameuse veste.

— Tu m'intimides, dit-il.

— Tu es sérieux ? C'est plutôt *toi* qui m'intimides.

— Je crois qu'il n'y a rien qui puisse t'intimider. »

Ils s'embrassèrent, pressèrent leurs fronts l'un contre l'autre, se tinrent la main. Le baiser d'Obinze était agréable, presque grisant ; il ne ressemblait pas à ceux de son ex-petit ami Mofe, dont les baisers lui paraissaient trop mouillés.

Quand elle en parla à Obinze quelques semaines plus tard, elle dit : « Et, dis-moi, où as-tu appris à embrasser ? Parce que ça n'a rien à voir avec les tâtonnements salivaires de mon ex. » Il éclata de rire et répéta « tâtonnements salivaires ! » puis lui dit que ce n'était pas une question de technique mais d'émotion. Il avait fait la même chose que son petit ami mais la différence, dans ce cas, c'était l'amour.

« Tu sais que ça a été le coup de foudre entre nous deux, dit-il.

— Entre nous deux ? C'est obligé ? Pourquoi parles-tu à ma place ?

— Je me borne à rapporter un fait. Arrête de lutter. »

Ils étaient assis côte à côte sur un bureau au fond de la salle de classe d'Obinze presque déserte. La sonnerie de la fin de la récréation retentit, stridente.

« Oui, c'est un fait, dit-elle.

— Quoi ?

— Que je t'aime. » Les mots lui étaient venus spontanément, avec force. Elle voulait qu'il les entende et elle voulait que le garçon assis devant eux, un binoclard studieux, entende lui aussi, ainsi que les filles dans le couloir.

« Un fait », répéta Obinze, avec un large sourire.

À cause d'elle, il s'était inscrit au club des débats, et quand elle prenait la parole, il applaudissait plus fort et plus longuement que tout le monde, jusqu'à ce que les amis d'Ifemelu disent : « Obinze, s'il te plaît, ça suffit. » À cause de lui, elle s'inscrivit au club de sport et le regarda jouer au football, assise près de la ligne de touche, sa bouteille d'eau à la main. Mais c'était au ping-pong qu'il préférait jouer, transpirant, hurlant, rayonnant d'énergie, écrasant la petite balle blanche, et elle s'émerveillait de son habileté, de la façon dont il s'éloignait de la table et parvenait quand même à attraper la balle. Il était déjà le champion incontesté de l'école comme il l'avait été, lui dit-il, dans la précédente. Quand elle jouait avec lui, il lui disait en riant : « Ce n'est pas en tapant sur la balle comme une dingue que tu vas gagner, *o* ! » À cause d'elle, ses amis se mirent à l'appeler « le toutou de madame ». Un jour, comme ils parlaient de se retrouver après les cours pour aller jouer au football, l'un d'eux demanda : « Est-ce qu'Ifemelu t'a donné la permission de venir ? » et Obinze répondit du tac au tac : « Oui, mais elle ne m'a accordé qu'une heure. » Elle aimait le voir afficher carrément leur relation, comme une chemise de couleur voyante. Il lui arrivait de s'inquiéter d'être trop heureuse. Elle devenait alors d'humeur maussade, le rudoyait, ou se montrait distante. Et sa joie se transformait en tourment, battant des ailes au plus profond d'elle-même, comme cherchant une issue pour s'envoler.

CHAPITRE 5

Après la fête de Kayode, Ginika garda une attitude guindée, une gêne inhabituelle s'insinua entre elles.

« Tu sais, je ne pensais pas que ça se passerait comme ça, lui dit Ifemelu.

— Ifem, c'est toi qu'il regardait dès le début », dit Ginika, puis, comme pour montrer que tout ça lui était égal, elle dit en riant qu'Ifemelu lui avait fauché son jules sans le faire exprès. Son insouciance était forcée, elle en rajoutait, et Ifemelu était bourrelée de remords et aurait voulu se racheter. Il lui paraissait anormal que sa meilleure amie, la jolie, l'adorable et populaire Ginika avec laquelle elle ne s'était jamais disputée, en fût réduite à simuler l'indifférence, même si son ton se teintait de mélancolie chaque fois qu'elle parlait d'Obinze. « Ifem, as-tu du temps pour nous aujourd'hui, ou n'y en a-t-il que pour Obinze ? » demandait-elle.

Et ainsi quand Ginika arriva en cours un matin, les yeux rougis et cernés, et dit à Ifemelu : « Papa dit que nous partons en Amérique le mois prochain », Ifemelu se sentit presque soulagée. Son amie allait lui manquer, mais le départ de Ginika les forcerait toutes les deux à mettre à nu leur amitié et à la revoir de fond en comble, pour revenir au point où elles en étaient auparavant. Les parents de Ginika parlaient depuis un certain temps de démissionner de l'université et de recommencer à zéro aux États-Unis. Un jour qu'elle était chez eux, Ifemelu avait entendu le père de Ginika dire : « Nous ne sommes pas des moutons. Ce régime nous traite comme des moutons et nous sommes en train de nous comporter comme si nous étions des moutons. Cela fait des années que je n'ai pu entreprendre de vraies recherches parce que je passe mes journées à organiser des grèves, discuter de salaires impayés et réclamer de la craie dans les salles de cours. » C'était un homme de petite taille à la peau foncée qui paraissait plus petit et plus brun à côté de la mère de Ginika, une grande femme aux cheveux couleur de cendre, et qui avait l'air perpétuellement indécis comme s'il hésitait toujours entre plusieurs choix. Quand Ifemelu rapporta à ses parents que la famille de Ginika avait enfin décidé de partir, son père soupira : « Au moins ils ont la chance d'avoir le choix », et sa mère ajouta : « Ils sont bénis. »

Mais Ginika se lamentait et pleurait, dépeignant l'image d'une vie triste, sans amis dans une Amérique inconnue. « Je voudrais pouvoir vivre avec vous pendant qu'ils sont partis », dit-elle à Ifemelu. Elles s'étaient réunies chez Ginika, Ifemelu, Ranyinudo, Priye et Tochi, et se tenaient dans sa chambre, piochant chacune parmi les vêtements qu'elle n'emporterait pas avec elle.

« Ginika, j'espère que tu sauras encore nous parler à ton retour, dit Priye.

— Quand elle reviendra, elle sera devenue une Americanah sérieuse comme Bisi », dit Ranyinudo.

Elles s'esclaffèrent en entendant le mot « Americanah », prononcé avec jubilation, en traînant sur la quatrième syllabe, et à la pensée de Bisi, une fille de la classe en dessous de la leur qui était revenue d'un court séjour en Amérique avec des manières affectées, feignant de ne plus comprendre le yoruba, bredouillant un *r* à chaque mot d'anglais.

« Mais franchement, Ginika, je donnerais n'importe quoi pour être à ta place, dit Priye. Je ne comprends pas pourquoi tu ne veux pas partir. Tu pourras toujours revenir. »

À l'école, ses amies se pressaient autour de Ginika. Elles voulaient toutes l'emmener à la boutique de friandises, la voir après la classe, comme si son départ imminent la rendait encore plus attirante. Ifemelu et Ginika s'étaient attardées dans le couloir durant la récréation quand les Big Guys vinrent les rejoindre : Kayode, Obinze, Ahmed, Emenike et Osahon.

« Ginika, où vas-tu en Amérique ? » demanda Emenike. Il était impressionné par les gens qui partaient à l'étranger. Lorsque Kayode était revenu d'un voyage en Suisse avec ses parents, Emenike s'était penché pour caresser ses chaussures. « Je veux les toucher parce qu'elles ont touché la neige. »

« Dans le Missouri, dit Ginika. Mon père a obtenu un poste d'enseignant là-bas.

— Ta mère est américaine, *abi* ? Alors tu as un passeport américain ? demanda Emenike.

— Oui. Mais nous n'y sommes pas retournés depuis la fin de ma troisième année à l'école élémentaire.

— Un passeport américain c'est ce qu'il y a de plus chouette, dit Kayode. Je serais prêt à troquer mon passeport britannique dès demain.

— Moi aussi, dit Yinka.

— J'ai failli en avoir un, dit Obinze. J'avais huit mois quand mes parents m'ont emmené en Amérique. Je passe mon temps à dire à ma mère qu'elle aurait dû y aller plus tôt et m'avoir là-bas.

— Pas de chance, mon vieux ! dit Kayode.

— Je n'ai pas de passeport. La dernière fois que nous sommes partis en voyage, j'étais inscrit sur le passeport de ma mère, dit Ahmed.

— Moi aussi jusqu'en troisième année de l'école primaire, puis mon père a dit que nous devions avoir nos propres passeports, dit Osahon.

— Je ne suis jamais allé à l'étranger, mais mon père a promis que j'irais pour l'université. J'aimerais bien faire ma demande de visa maintenant plutôt que d'attendre d'avoir fini l'école », dit Emenike. Ensuite, un long silence s'établit.

« Ne nous quitte pas tout de suite, attends d'avoir terminé », dit enfin Yinka, et elle éclata de rire avec Kayode. Les autres en firent autant, même Emenike, mais on décelait une pointe d'ironie derrière leur rire. Ils savaient qu'il mentait, qu'Emenike s'inventait des histoires de parents riches qu'il n'avait pas, tant il avait besoin de se créer une vie qui n'était pas la sienne. La conversation ralentit, s'orienta vers le professeur de maths qui ne savait pas résoudre des équations simultanées. Obinze prit la main d'Ifemelu et ils s'éclipsèrent. Ils le faisaient souvent, s'éloignant lentement de leurs amis, pour aller s'asseoir dans un coin près de la bibliothèque ou marcher sur la pelouse derrière les laboratoires. Pendant qu'ils marchaient, elle voulut dire à Obinze qu'elle ne savait pas ce que signifiait « être sur le passeport de sa mère », que sa mère n'avait même pas de passeport. Mais elle ne dit rien, marcha à côté de lui en silence. Il était à sa place dans cette école, beaucoup plus qu'elle. Elle était populaire, invitée à toutes les fêtes, toujours présentée lors des assemblées comme « l'une des trois premières de la classe », et pourtant elle se sentait différente des autres, isolée dans une brume légère. Elle n'aurait pas été là si elle n'avait pas si brillamment réussi l'examen d'entrée, si son père n'avait pas été déterminé à ce qu'elle fréquente « une école qui forge le caractère et une carrière ». Son école primaire avait été autre, pleine d'enfants qui lui ressemblaient, dont les parents étaient enseignants ou fonctionnaires, qui prenaient le bus et n'avaient pas de chauffeur. Elle se souvenait de l'expression d'étonnement d'Obinze, une surprise qu'il avait vite dissimulée, quand il avait demandé : « Quel est ton numéro de téléphone ? » et qu'elle avait répondu : « Nous n'avons pas le téléphone. »

Il lui tenait la main à présent, la pressant doucement. Il l'admirait parce qu'elle était différente et s'exprimait franchement, mais il ne semblait pas capable de voir plus loin que cela. Se trouver ici, au milieu de gens qui étaient allés à l'étranger, lui était naturel. Il connaissait bien les caractéristiques des autres pays, spécialement de l'Amérique. Tout le monde allait voir les films américains et échangeait de vieux magazines américains, mais lui connaissait des détails sur les présidents qui remontaient à cent ans. Tout le monde regardait les shows américains, mais lui savait que Lisa Bonet avait quitté le *Cosby Show* pour jouer dans *Angel Heart* et que Will Smith avait un paquet de dettes avant d'être engagé dans *Le Prince de Bel-Air*. « Tu ressembles à une Noire américaine » était le compliment suprême qu'il lui adressait quand elle portait une jolie robe, ou était coiffée de grandes tresses. Manhattan était son zénith. Il disait souvent : « Cela ne ressemble pas à Manhattan » ou « Tu devrais voir comment c'est à Manhattan ». Il lui avait donné un exemplaire de *Huckleberry Finn*, dont les pages étaient cornées à force d'avoir été feuilletées, et elle commença à le lire dans le bus mais s'arrêta au bout de quelques chapitres. Le lendemain elle le déposa sur le bureau d'Obinze d'un geste décidé : « Des âneries illisibles.

— C'est écrit dans différents dialectes américains, avait-il dit.

— Et alors ? Je n'y comprends toujours rien.

— Tu dois être patiente, Ifem. Si tu t'y plonges vraiment, c'est très intéressant et tu ne pourras plus t'arrêter de le lire.

— C'est déjà fait. S'il te plaît, garde tes livres sérieux pour toi et laisse-moi lire ceux qui me plaisent. Et, au passage, c'est encore moi qui gagne au Scrabble, monsieur qui lit des livres sérieux. »

Elle lâcha la main d'Obinze tandis qu'ils regagnaient leur classe. Chaque fois, la panique s'emparait d'elle au moindre prétexte et des événements insignifiants devenaient annonciateurs de désastre. Cette fois, c'est Ginika qui en fut la cause ; elle se tenait près de l'escalier, son sac à dos à l'épaule, son visage doré dans le soleil, et Ifemelu pensa soudain à tout ce que Ginika et Obinze avaient en commun. La maison de Ginika à l'université de Lagos, le paisible bungalow, le jardin ceint de haies de bougainvillées ressemblaient sans doute à la maison d'Obinze à Nsukka, et elle imagina qu'Obinze se rendait compte que Ginika lui convenait mieux et que cette félicité, cette chose lumineuse et fragile qui existait entre eux, disparaissait.

*

Obinze lui dit un jour, après l'assemblée, que sa mère voulait la voir.

« Ta mère ? demanda-t-elle, stupéfaite.

— Je pense qu'elle veut faire la connaissance de sa future belle-fille.

— Obinze, sois sérieux !

— Je me souviens qu'en sixième j'avais emmené une fille à la fête de fin d'année et ma mère nous avait déposés tous les deux et avait donné à cette fille un mouchoir. Elle avait dit : "Une dame a toujours besoin d'un mouchoir." Ma mère est parfois bizarre, *sha*. Elle veut peut-être te donner un mouchoir.

— Obinze Maduewesi !

— Elle ne l'a jamais fait, mais je n'ai pas eu de vraie petite amie auparavant. Je pense qu'elle veut simplement te voir. Elle dit que tu devrais venir déjeuner. »

Ifemelu le regarda. Quelle mère ayant tout son bon sens pouvait demander à la petite amie de son fils de venir la voir ? C'était étrange. Même l'expression « venir déjeuner » faisait partie des choses que les gens disaient dans les livres. Si vous étiez le petit ami ou la petite amie, vous n'alliez pas chez les parents : vous vous inscriviez à des cours, au club français, partout où vous pouviez vous voir en dehors de l'école. Ses propres parents, naturellement, ne savaient rien d'Obinze. L'invitation de la mère d'Obinze l'effraya et l'excita ; pendant des jours elle se demanda ce qu'elle allait porter.

« Sois simplement toi-même », lui dit Tante Uju, et Ifemelu répondit : « Comment puis-je être simplement moi-même ? Qu'est-ce que ça veut dire ? »

Le jour de la visite, elle resta un instant sur le seuil de l'appartement avant de sonner, espérant follement qu'ils étaient sortis. Obinze ouvrit la porte.

« Salut. Ma mère vient juste de rentrer. »

Le salon était spacieux, les murs dépourvus de décoration à part un tableau turquoise représentant une femme au long cou coiffée d'un turban.

« C'est la seule chose qui nous appartienne. Tout le reste se trouvait dans l'appartement, dit Obinze.

— C'est joli, bredouilla-t-elle.

— Ne sois pas nerveuse. N'oublie pas que c'est elle qui a demandé à te voir », murmura Obinze avant que n'apparaisse sa mère.

Elle ressemblait à Onyeka Onwenu, une ressemblance stupéfiante : une beauté aux lèvres pleines et au nez charnu, un visage rond encadré d'une coiffure afro, un teint parfait d'un brun chocolat profond. La musique d'Onyeka Onwenu avait bercé l'enfance d'Ifemelu et continué à faire sa joie par la suite. Elle n'oublierait jamais le jour où son père était rentré à la maison avec son nouvel album *In the Morning Light*. Le visage d'Onyeka Onwenu sur la couverture avait été une révélation pour elle, et pendant longtemps elle en avait suivi le contour avec son doigt. Les chansons égayaient leur appartement, transformaient son père en un être insouciant qui chantait sur des airs imprégnés de féminité, et Ifemelu ne pouvait s'empêcher de l'imaginer marié à Onyeka Onwenu plutôt qu'à sa mère. Quand elle salua la mère d'Obinze d'un « Bonjour, ma », elle s'attendait presque à ce qu'elle se mette à chanter d'une voix aussi exceptionnelle que celle d'Onyeka Onwenu. Mais elle avait une voix sourde, semblable à un murmure.

« Tu as un bien joli nom, Ifemelunamma », dit-elle.

Ifemelu resta muette quelques secondes. « Merci, ma.

— Traduis-le, dit-elle.

— Le traduire ?

— Oui, comment traduirais-tu ton nom ? Obinze ne t'a pas dit que je faisais des traductions ? Du français. Je suis professeur de littérature, pas de littérature anglaise, vois-tu, mais de littératures en anglais, et traduire est une sorte de passe-temps pour moi. Bon, la traduction de ton nom en anglais pourrait être Faite en des Temps Heureux ou Joliment Faite, qu'en penses-tu ? »

Ifemelu était incapable de réfléchir. Il y avait quelque chose chez cette femme qui lui donnait envie de dire des choses intelligentes, mais son esprit était vide.

« Maman, elle est venue te saluer, pas pour traduire son nom, dit Obinze avec une exaspération amusée.

— Avons-nous quelque chose à offrir à boire à notre invitée ? As-tu sorti la soupe du congélateur ? Allons à la cuisine », dit sa mère. Elle tendit la main et ôta une petite peluche des cheveux de son fils, puis lui tapota doucement la tête. Leurs rapports naturels, enjoués, mettaient Ifemelu mal à l'aise. C'était une attitude libre de toute contrainte, sans crainte des conséquences ; loin des habituelles relations entre enfant et parent. Ils firent la cuisine ensemble, sa mère remuant la soupe, Obinze préparant le tapioca, tandis qu'Ifemelu restait plantée à boire un Coca-Cola. Elle avait proposé de les aider, mais la mère d'Obinze avait dit : « Non, ma chère, peut-être la prochaine fois », comme s'il était hors de question que quelqu'un l'aide dans sa cuisine. Elle était aimable et franche, mais il y avait une retenue chez elle, une hésitation à se dévoiler complètement au monde extérieur, tout comme chez Obinze. Elle avait appris à son fils à se sentir bien dans ses baskets, même au milieu d'une foule de gens.

« Quels sont tes romans préférés, Ifemelunamma ? demanda-t-elle. Tu sais qu'Obinze ne lit que des livres américains ?

— Maman, tu essayes seulement de me forcer à aimer celui-là. » Il désigna un livre posé sur la table de la cuisine, *Le fond du problème*, de Graham Greene. « Ma mère lit ce livre deux fois par an. J'ignore pourquoi, dit-il à Ifemelu.

— C'est un livre plein de sagesse. Les histoires humaines qui comptent sont celles qui durent. Les livres américains que tu lis sont des poids légers. » Elle se tourna vers Ifemelu. « Ce garçon est trop entiché de l'Amérique.

— Je lis des romans américains parce que l'Amérique est l'avenir, maman. Et souviens-toi que ton mari a été élevé là-bas.

— C'était à l'époque où seuls les nuls allaient étudier en Amérique. On considérait alors que les universités américaines avaient le même niveau que les écoles secondaires en Angleterre. J'ai dû remettre cet homme à niveau après l'avoir épousé.

— Mais tu laissais tes affaires dans son appartement pour que ses autres petites amies n'y mettent pas les pieds.

— Je t'ai dit de ne pas prendre au sérieux les racontars de ton oncle. »

Ifemelu était fascinée. La mère d'Obinze, avec son beau visage, son allure sophistiquée, son tablier de cuisine blanc, ne ressemblait à aucune des mères qu'elle connaissait. À côté, son père paraîtrait vulgaire, avec ses grands mots inutiles, et sa mère provinciale et futile.

« Tu peux te laver les mains dans l'évier, lui dit la mère d'Obinze. Je pense qu'il y a encore de l'eau. »

Ils s'assirent à la table de la salle à manger, mangèrent du tapioca et de la soupe, Ifemelu s'efforçant, comme Tante Uju le lui avait recommandé, d'être « elle-même », bien qu'elle ne fût plus très sûre de ce que représentait « elle-même ». Elle se sentait peu digne d'intérêt, incapable de rejoindre Obinze et sa mère dans leur univers.

« La soupe est excellente, ma, dit-elle poliment.

— Oh, c'est Obinze qui l'a préparée. Il ne t'a pas dit qu'il savait cuisiner ?

— Si, mais je ne pensais pas qu'il savait faire la soupe, ma », dit Ifemelu.

Obinze avait pris un petit air suffisant.

« Tu fais la cuisine à la maison ? » demanda sa mère.

Ifemelu eut envie de mentir, de dire qu'elle faisait la cuisine et adorait ça, mais elle se souvint des paroles de Tante Uju. « Non, ma, dit-elle. Je n'aime pas faire la cuisine. Je peux manger des nouilles Indomie [1] du matin au soir. »

La mère d'Obinze partit d'un grand rire, comme charmée par sa franchise, et quand elle riait elle ressemblait à Obinze avec des traits plus doux. Ifemelu mangea lentement ; elle aurait aimé par-dessus tout rester avec eux, partager leur félicité, pour toujours.

*

Le week-end, quand la mère d'Obinze faisait de la pâtisserie, l'appartement sentait la vanille. Des tranches de mangue irisées sur une tarte, des petits gâteaux bruns gonflés de raisins secs. Ifemelu remuait la pâte et épluchait les fruits ; sa mère ne faisait pas de pâtisserie, leur four abritait des cafards.

« Obinze vient de dire "malle", ma. Il a dit c'est dans la malle de votre voiture », fit-elle remarquer. Dans leur joute anglo-américaine, elle se rangeait toujours du côté de la mère d'Obinze.

1. Marque indonésienne de nouilles instantanées.

« Malle ne fait pas partie d'une voiture, mon cher fils, c'est une valise », dit-elle. Quand Obinze prononçait « almanach » avec un *k*, sa mère disait : « Ifemelunamma, je t'en prie, dis à mon fils que je ne parle pas américain. Est-ce qu'il peut le dire en anglais ? »

Le week-end, ils regardaient des films. Ils s'installaient dans le salon, le regard rivé sur l'écran, et quand sa mère, de temps en temps, faisait un commentaire sur la vraisemblance d'une scène, ou sur ce qui allait se passer, ou si tel acteur portait une perruque, Obinze disait : « Maman, *chelu*, laisse-nous écouter. » Un dimanche, au milieu d'un film, elle partit à la pharmacie acheter des médicaments contre ses allergies. « J'avais oublié qu'ils ferment tôt aujourd'hui », dit-elle. Dès que le moteur de la voiture démarra, avec un grondement sourd, Ifemelu et Obinze se précipitèrent dans la chambre d'Obinze et s'affalèrent sur le lit, s'embrassant, se caressant, leurs vêtements relevés, écartés, à moitié retirés. Leur peau était chaude. Ils avaient laissé la porte et les jalousies des fenêtres ouvertes, prêtant l'oreille au bruit de la voiture. En quelques secondes, ils furent à nouveau habillés, de retour dans le salon. Ils mirent en marche le lecteur de DVD.

La mère d'Obinze entra dans la pièce et jeta un coup d'œil à la télévision. « Vous étiez en train de regarder cette scène quand je suis partie », dit-elle calmement. Un silence glacial se fit, même dans le film. Puis la mélopée d'un vendeur de haricots pénétra dans la pièce à travers la fenêtre.

« Ifemelunamma, viens ici, s'il te plaît » dit la mère, en se retournant.

Obinze se leva mais Ifemelu l'arrêta. « Non, c'est moi qu'elle a appelée. »

La mère d'Obinze lui demanda de la suivre dans sa chambre et de s'asseoir sur le lit.

« S'il se passe quelque chose entre Obinze et toi, vous serez tous les deux responsables. Cependant la nature est injuste avec les femmes. Un acte est accompli par deux personnes mais s'il en résulte des conséquences, une seule en porte le fardeau. Est-ce que tu me comprends ?

— Oui. » Ifemelu gardait les yeux obstinément fixés sur le linoléum noir et blanc du sol.

« As-tu fait quelque chose de sérieux avec Obinze ?

— Non.

— J'ai été jeune autrefois. Je sais ce que c'est d'être amoureux quand on est jeune. Je veux te mettre en garde. Je sais bien que tu finiras par faire ce que tu désires. Je te conseille d'attendre. Tu peux aimer sans faire l'amour. C'est une très belle façon de montrer ses sentiments mais qui demande de la responsabilité, une grande responsabilité, et il n'y a pas d'urgence. Je te conseille d'attendre d'être au moins à l'université, jusqu'à ce que tu saches te contrôler un peu plus. Tu comprends ?

— Oui », dit Ifemelu. Elle ignorait ce que signifiait « se contrôler un peu plus ».

« Je sais que tu es une fille intelligente. Les femmes sont plus raisonnables que les hommes, et c'est toi qui devras être raisonnable. Persuade-le. Vous devriez tous les deux accepter d'attendre afin qu'il n'y ait pas de contrainte. »

La mère d'Obinze se tut et Ifemelu se demanda si elle avait terminé. Le silence résonnait dans sa tête.

« Merci, ma, dit-elle.

— Et quand tu voudras commencer, je veux que tu viennes me voir. Je veux savoir que tu agis de manière responsable. »

Ifemelu hocha la tête. Elle était assise sur le lit de la mère d'Obinze, dans la chambre de cette femme, hochant la tête et acceptant de lui dire quand elle commencerait à coucher avec son fils. Pourtant elle n'éprouvait aucune honte. Peut-être à cause du ton de la voix de la mère d'Obinze, un ton égal, normal.

« Merci, ma » répéta Ifemelu en regardant le visage qui lui faisait face, franc, tel qu'il était d'habitude. « Je viendrai. »

Elle regagna le salon. Obinze semblait nerveux, perché sur le bord de la table au milieu de la pièce. « Je suis désolé. Je vais lui dire deux mots quand tu seras partie. Si elle veut parler à quelqu'un, ce doit être à moi.

— Elle a dit que je ne devais plus jamais venir ici. Que j'entraîne son fils sur une mauvaise voie. »

Obinze écarquilla les yeux. « Quoi ? »

Ifemelu éclata de rire. Plus tard, quand elle lui raconta ce que sa mère avait dit, il secoua la tête. « Il faut que nous lui disions quand nous commencerons ? Qu'est-ce que c'est que ces inepties ? Elle veut peut-être nous acheter des préservatifs ? Cette femme perd la tête !

— Mais qui t'a dit que nous commencerions un jour à faire quoi que ce soit ? »

CHAPITRE 6

Pendant la semaine, Tante Uju se dépêchait de rentrer à la maison pour prendre une douche et attendre le Général, et le week-end elle traînait en chemise de nuit, lisait ou faisait la cuisine ou regardait la télévision, parce que le Général était à Abuja avec sa femme et ses enfants. Elle évitait le soleil et utilisait des crèmes que renfermaient d'élégants flacons, grâce à quoi son teint, naturellement pâle, prenait un ton plus clair, plus brillant, avec un éclat particulier. Parfois, quand elle donnait des instructions à son chauffeur, Sola, à son jardinier, Baba Flower, ou à ses deux domestiques, Inyang la femme de ménage et Chikodili la cuisinière, Ifemelu se souvenait de Tante Uju, la fille du village venue à Lagos des années auparavant, à qui la mère d'Ifemelu reprochait d'être une pauvre gourde qui se tenait aux murs. Qu'avaient donc tous ces villageois incapables de rester sur leurs pieds sans laisser la trace de leurs paumes sur un mur ? Ifemelu se demandait si Tante Uju se voyait avec les yeux de la jeune fille qu'elle avait été. Peut-être pas. Elle s'était installée dans sa nouvelle vie sans effort, attachant plus d'importance au Général lui-même qu'à sa nouvelle richesse.

La première fois qu'Ifemelu vit la maison de Tante Uju à Dolphin Estate, elle ne voulut plus en repartir. La salle de bains la fascinait, avec son robinet d'eau chaude, le jet jaillissant de la douche, les carreaux roses. Le rideau de douche était en soie sauvage, et elle dit à Tante Uju : « Ahn-ahn, c'est du gâchis d'utiliser ce tissu pour faire un rideau ! On pourrait y coudre une robe ! » Le salon avait des portes vitrées qui coulissaient sans bruit pour s'ouvrir et se refermer. Même la cuisine était climatisée. Elle voulait vivre ici. Ses amis seraient impressionnés ; elle les imaginait assis dans la petite pièce à côté du salon que Tante Uju appelait la salle télé, regardant les programmes diffusés par satellite. Elle demanda alors à ses parents si elle pouvait habiter chez Tante Uju pendant la semaine. « C'est plus près de l'école. Je n'aurais pas besoin de prendre deux bus. Je pourrais y aller le lundi et rentrer le vendredi, dit Ifemelu. Je pourrais aussi aider Tante Uju dans la maison.

— D'après ce que je sais, Uju a toute l'aide nécessaire, dit son père.

— C'est une bonne idée, dit sa mère à son père. Elle pourrait étudier correctement là-bas, au moins elle aurait de la lumière tous les jours. Pas besoin de travailler à la lueur d'une lampe à pétrole.

— Elle peut aller rendre visite à Uju après l'école et pendant les week-ends. Mais elle n'habitera pas là-bas », dit son père.

Sa mère se tut, déconcertée par sa fermeté. « D'accord », dit-elle, lançant un regard impuissant à Ifemelu.

Pendant des jours, Ifemelu bouda. Son père cherchait souvent à lui faire plaisir, cédait à ses demandes, mais cette fois il ignora ses moues, ses silences délibérés à table pendant les repas. Il prétendit ne rien remarquer quand Tante Uju leur offrit une nouvelle télévision. Il se cala dans son canapé défraîchi, resta à lire son livre défraîchi, tandis que le chauffeur de Tante Uju déposait le carton brun Sony. La mère d'Ifemelu entonna un cantique – « Le Seigneur m'a donné la victoire, je l'élèverai plus haut » – qui était souvent chanté au moment de la quête.

« Le Général a acheté plus qu'il n'en fallait à la maison. Il n'y avait pas de place pour la mettre », dit Tante Uju, un constat d'ordre général adressé à personne en particulier, une façon de couper court aux remerciements. La mère d'Ifemelu ouvrit le carton, en ôta précautionneusement la protection en mousse.

« Notre vieille télé ne donne plus rien », dit-elle, mais ils savaient tous qu'elle fonctionnait encore.

« Regardez comme l'écran est plat, ajouta-t-elle. Regardez ! »

Son père leva les yeux de son livre. « Oui, il est plat », dit-il, puis il abaissa son regard.

*

Le propriétaire revint. Il entra dans l'appartement en bousculant Ifemelu, alla à la cuisine, tendit le bras vers le compteur électrique et en arracha le fusible, coupant le peu de courant dont ils disposaient.

Après son départ, le père d'Ifemelu dit : « Quelle honte ! Nous réclamer deux ans de loyer. Nous avons payé un an.

— Mais même cette année-là nous n'avons pas payé », dit sa mère, et son ton contenait un soupçon d'accusation.

« J'ai parlé à Akunne à propos d'un prêt », dit son père. Il n'aimait pas Akunne, son presque-cousin, l'homme riche de leur village natal auquel chacun soumettait ses problèmes. Il tenait Akunne pour un abominable illettré, un nouveau riche qui dépensait sans compter.

« Qu'a-t-il dit ?

— Il a dit que je vienne le voir vendredi prochain. » Ses doigts tremblaient, il semblait lutter pour réfréner son émotion. Ifemelu détourna hâtivement le regard, espérant qu'il ne l'avait pas vue l'observer, et lui demanda s'il pouvait lui expliquer une question difficile dans ses devoirs. Pour le distraire, lui faire penser que la vie pouvait recommencer.

*

Son père ne demanderait pas d'aide à Tante Uju, mais si elle apportait de l'argent, il ne refuserait pas. Il préférait ça que d'être redevable envers Akunne. Ifemelu raconta à Tante Uju comment le propriétaire avait frappé à la porte, plus fort que nécessaire, pour attirer l'attention des voisins, tandis qu'il accablait son père d'injures. « Tu n'es donc pas un homme ? Paye-moi mon argent. Je te jetterai hors de cet appartement si je n'ai pas le loyer la semaine prochaine ! »

Comme Ifemelu imitait le propriétaire, un voile de tristesse se répandit sur le visage de Tante Uju. « Comment ce nullard de propriétaire peut-il embarrasser Frère comme ça ? Je vais demander à Oga de me donner l'argent. »

Ifemelu l'arrêta. « Tu n'as pas d'argent ?

— Mon compte est presque vide. Mais Oga va me le donner. Et, tu sais, je n'ai pas reçu mon salaire depuis que j'ai commencé à travailler. Tous les jours, il y a une histoire nouvelle à la comptabilité. Les ennuis ont commencé avec ma position qui n'existe pas officiellement, même si je reçois des patients tous les jours.

— Mais les docteurs sont en grève, dit Ifemelu.

— Les hôpitaux militaires payent encore. Mais ma paye sera insuffisante pour le loyer, c'est sûr, *sha*.

— Tu n'as pas d'argent ? » demanda à nouveau Ifemelu, lentement, pour bien comprendre, pour s'en persuader. « Ahn-ahn, Tante, mais comment peux-tu ne pas avoir d'argent ?

— Oga ne me donne jamais beaucoup d'argent. Il paye toutes les factures et il veut que je lui demande tout ce dont j'ai besoin. Certains hommes sont comme ça. »

Ifemelu regarda Tante Uju, dans sa grande maison rose avec la grosse antenne parabolique qui sortait du toit, son générateur plein à ras bord de diesel, son congélateur rempli de viande, et elle n'avait pas d'argent sur son compte en banque.

« Ifem, ne prends pas cet air comme si quelqu'un était mort ! » Tante Uju rit, de son rire ironique. Elle paraissait soudain petite et décontenancée parmi les résidus de sa nouvelle vie, le coffret à bijoux couleur fauve sur la coiffeuse, la robe de soie jetée en travers du lit, et Ifemelu eut peur pour elle.

*

« Il m'a même donné un peu plus que ce que j'avais demandé », dit Tante Uju à Ifemelu le week-end suivant, avec un petit sourire, comme amusée par la réaction du Général. « Nous irons directement du salon de coiffure à la maison afin que je puisse le donner à Frère. »

Ifemelu fut stupéfaite du prix d'une retouche de défrisant au salon de coiffure de Tante Uju. L'air hautain, les coiffeuses évaluaient chaque cliente, la jaugeaient de la tête aux pieds, pour décider du degré d'attention qu'elle méritait. Elles s'agitaient autour de Tante Uju, se mettaient à plat ventre devant elle, l'accueillaient avec force révérences, la complimentaient sur son sac à main et ses chaussures. Ifemelu les observait, fascinée. C'était ici, dans un salon de coiffure de Lagos, que les différentes strates de l'imperium féminin étaient le plus faciles à saisir.

« Ces filles, je m'attendais à ce qu'elles tendent leurs mains et te demandent de chier dedans pour qu'elles puissent adorer ça aussi », dit Ifemelu, quand elles quittèrent le salon.

Tante Uju rit et tapota les extensions soyeuses qui lui tombaient sur les épaules : ondulations chinoises, dernier cri, brillantes et parfaitement régulières ; elles ne s'emmêlaient jamais.

« Tu sais, nous vivons dans une économie de lèche-culs. Le plus gros problème dans ce pays n'est pas la corruption. C'est qu'il y a une quantité de gens qualifiés qui ne sont pas là où ils devraient être, parce qu'ils refusent de lécher le cul de qui que ce soit, ou qu'ils ne savent pas quel cul lécher, ou encore qu'ils ne savent pas lécher un cul. J'ai la chance de lécher le cul qu'il faut. » Elle sourit. « C'est juste un coup de chance. Oga dit que j'ai été bien élevée, que je n'étais pas comme toutes les filles de Lagos qui couchent avec lui la première nuit et le lendemain matin lui remettent une liste de ce qu'elles veulent qu'il leur achète. La première fois que j'ai couché avec lui, je n'ai rien demandé, ce qui était stupide maintenant que j'y pense, mais je n'ai pas couché avec lui parce que je voulais quelque chose. Ah, cette chose qu'on appelle le pouvoir. J'étais attirée par lui, même avec ses dents de Dracula. J'étais attirée par son pouvoir. »

Tante Uju aimait parler du Général, répétant et savourant différentes versions de la même histoire. Son chauffeur lui avait dit – elle s'attachait sa loyauté en arrangeant les visites prénatales de sa femme et les vaccinations de son bébé – que le Général lui demandait des détails sur les endroits où elle se rendait et le temps qu'elle y restait, et chaque fois que Tante Uju racontait cette histoire à Ifemelu, elle terminait en soupirant : « Me croit-il incapable de rencontrer un autre homme sans qu'il le sache, si je le voulais ? Mais je n'en ai pas envie. »

Elles étaient dans la Mazda climatisée. Comme le chauffeur faisait marche arrière pour franchir les grilles du parking du salon de coiffure, Tante Uju fit un signe au portier, abaissa la vitre et lui donna un peu de monnaie.

« Merci, madame », dit-il, et il salua.

Elle avait glissé des billets de nairas à toutes les coiffeuses, aux vigiles à l'extérieur, et aux policiers au croisement de la route.

« Ils ne sont pas assez payés pour envoyer à l'école ne serait-ce qu'un seul enfant, dit Tante Uju.

— Cette monnaie que tu lui as donnée ne va pas l'aider à payer l'école, dit Ifemelu.

— Mais il pourra se payer un petit extra, il sera de meilleure humeur et ne battra pas sa femme ce soir », dit Tante Uju. Elle regarda par la vitre et dit : « Ralentis, Sola », pour regarder un accident sur Osborne Road, un bus qui avait embouti une voiture, et les deux conducteurs qui s'invectivaient, au milieu d'une foule grandissante. « D'où viennent-ils ? Tous ces gens qui surgissent dès qu'il y a un accident ? » Tante Uju se renfonça dans son siège. « J'ai oublié à quoi ressemble de prendre un bus, tu sais ? C'est tellement facile de s'habituer à tout ça.

— Tu peux très bien aller à Falomo et monter dans un bus, dit Ifemelu.

— Mais ce ne serait pas la même chose. Ce n'est jamais la même chose quand tu as d'autres possibilités. » Tante Uju la regarda. « Ifem, cesse de te faire du souci pour moi.

— Je ne me fais pas de souci.

— Tu t'inquiètes depuis que je t'ai parlé de mon compte en banque.

— Si quelqu'un d'autre faisait la même chose, tu dirais que c'est stupide.

— Je n'aurais même pas l'idée de te conseiller de faire comme moi. » Tante Uju se tourna vers la vitre. « Il changera. Je le ferai changer. Il me faut juste du temps. »

Arrivée à l'appartement, Tante Uju tendit au père d'Ifemelu un sac de plastique bourré d'argent liquide. « De quoi payer le loyer pendant deux ans, Frère », dit-elle avec une désinvolture forcée, puis elle se moqua du trou qu'il y avait dans son maillot de corps. Elle lui parlait sans le regarder en face, et il la remercia sans la regarder en face.

*

Le Général avait les yeux jaunes, ce qui pour Ifemelu était signe d'une enfance sous-alimentée. Son corps massif, trapu, parlait de combats engagés et gagnés, et ses dents de lapin qui pointaient entre ses lèvres lui donnaient un air vaguement dangereux. Ifemelu fut surprise par sa vulgarité jubilatoire. « Je suis un paysan ! » déclara-t-il d'un ton joyeux, comme pour expliquer les gouttes de soupe qui atterrissaient sur sa chemise et sur la table pendant qu'il mangeait, ou ses rots sonores par la suite. Il arrivait le soir, dans son uniforme vert, un ou deux magazines people à la main, tandis que son aide de camp, qui se tenait quelques pas derrière lui à une distance respectueuse, portait son attaché-case et le posait sur la table de la salle à manger. Il remportait rarement les magazines : des exemplaires de *Vintage People*, de *Prime People* et de *Lagos Life* traînaient dans la maison de Tante Uju, avec leurs photos floues et leurs titres racoleurs.

« Si je te disais ce que font ces gens, eh », disait Tante Uju à Ifemelu, tapotant la photo d'un magazine de son ongle manucuré à la française. « Leurs histoires véritables ne figurent même pas dans les magazines. Oga en connaît l'essentiel. » Puis elle parlait de l'homme qui couchait avec un général important pour obtenir une concession de pétrole, de l'intendant militaire dont les enfants étaient d'un autre père, des prostituées étrangères qui arrivaient chaque semaine en avion pour le chef de l'État. Elle rapportait ces histoires avec un amusement complice, comme si elle considérait l'intérêt du Général pour ces potins salaces comme un petit plaisir pardonnable. « Sais-tu qu'il a peur des piqûres ? Un général commandant en chef et il meurt de trouille à la vue d'une aiguille ! » disait-elle sur le même ton. C'était, pour elle, un détail touchant. Ifemelu ne voyait rien de touchant chez le Général, avec ses manières brutales et grossières, sa façon d'appliquer une claque sur le postérieur de Tante Uju quand ils montaient l'escalier en disant : « Tout ça pour moi ? Tout ça pour moi ? » et de parler sans arrêt, refusant de s'interrompre, jusqu'à ce qu'il ait terminé son histoire. Une de ses préférées, qu'il racontait souvent à Ifemelu en buvant une bière Star après le dîner, était celle où il expliquait à quel point Tante Uju était différente. Il la racontait d'un air satisfait comme si cette différence reflétait son bon goût personnel. « La première fois où je lui ai dit que j'allais à Londres et lui ai demandé ce qui lui ferait plaisir, elle m'a donné une liste. Avant même d'y jeter un œil, j'ai dit que je savais déjà ce qu'elle voulait. Du parfum, des chaussures, un sac, une montre ou des vêtements ? Je connais les filles de Lagos. Mais tu sais ce que c'était ? Un parfum et quatre livres ! J'ai été stupéfait. *Chai*. J'ai passé une bonne heure dans cette librairie de Piccadilly. Je lui ai acheté vingt livres ! Quelle fille de Lagos demanderait des livres, franchement ? »

Tante Uju riait, jouant soudain à la petite fille docile. Ifemelu souriait poliment. Mais ce vieil homme marié qui lui racontait des histoires lui paraissait méprisable et irresponsable, c'était comme s'il s'était montré devant elle en caleçon sale. Elle s'efforçait de le voir avec les yeux de Tante Uju, un homme qui accomplissait des prodiges, un homme de grande expérience, mais elle n'y parvenait pas. Elle appréciait la spontanéité, le tempérament joyeux de Tante Uju pendant la semaine ; c'était ce qu'elle ressentait quand elle attendait Obinze après l'école. Mais elle trouvait anormal, un gâchis, que Tante Uju éprouve ce sentiment pour le Général. Son ancien petit ami, Olujimi, était différent, séduisant, avec une voix douce ; il brillait d'un éclat tranquille. Ils avaient été ensemble pendant la presque totalité de leurs études à l'université, et il suffisait de les voir pour comprendre pourquoi ils étaient ensemble. « Je me suis détachée de lui », disait Tante Uju.

« Quand on se détache de quelqu'un, n'est-ce pas pour trouver mieux ? » demanda Ifemelu. Et Tante Uju rit comme s'il s'agissait d'une plaisanterie.

Le jour du coup d'État, un ami proche du Général appela Tante Uju et lui demanda si elle était avec lui. Il régnait une certaine tension : des officiers de l'armée avaient déjà été arrêtés. Tante Uju n'était pas avec le Général, elle ne savait pas où il était, et fit les cent pas à l'étage, puis en bas, inquiète, passant des coups de téléphone en vain. Elle se sentit bientôt oppressée, se mit à haleter, sa panique transformée en crise d'asthme. Elle étouffait, tremblait, s'enfonçait une aiguille dans le bras, tentait de s'injecter un médicament, des gouttes de sang tachant le dessus-de-lit, jusqu'à ce qu'Ifemelu se précipite dans la rue et aille frapper à la porte d'un voisin dont la sœur était aussi médecin. Le Général finit par téléphoner pour dire qu'il allait bien, que le coup avait échoué, et que tout était redevenu normal pour le chef de l'État. Les tremblements de Tante Uju cessèrent.

*

À l'occasion d'une fête musulmane, un de ces congés de deux jours où les non-musulmans de Lagos disaient « Heureux Sallah » à tous ceux qu'ils croyaient être musulmans, souvent des gardiens venus du nord, et durant lesquels la station de télévision NTA montrait toute la journée des séquences sur des hommes occupés à abattre des béliers, le Général promit de venir en visite ; ce serait la première fois qu'il prendrait un congé avec Tante Uju. Elle passa toute la matinée dans la cuisine à superviser Chikodili, chantant à tue-tête, se montrant un peu trop familière avec Chikodili, un peu trop prête à rire avec elle. La préparation du repas terminée et la maison embaumant les épices et les sauces, elle monta à l'étage pour prendre une douche.

« Ifem, s'il te plaît, viens m'aider à me raser les poils du bas. Oga dit que ça le dérange ! » dit Tante Uju en riant, et elle s'allongea sur le dos, les jambes écartées et levées haut, un vieux magazine sous elle, pendant qu'Ifemelu s'affairait avec un savon à barbe. Ifemelu avait fini et Tante Uju était en train d'appliquer un masque exfoliant sur son visage quand le Général téléphona pour dire qu'il ne lui était pas possible de venir. Blême, le visage recouvert de son masque de pâte crayeuse à l'exception des cercles de chair autour des yeux, Tante Uju raccrocha, alla à la cuisine et entreprit de mettre la nourriture au congélateur dans des boîtes en plastique. Chikodili la regardait faire l'air étonné. Tante Uju s'affairait fébrilement, ouvrait brutalement la porte du congélateur, claquait celle du buffet et, en repoussant la casserole de riz jollof, elle renversa celle de la soupe d'egusi qui mijotait. Elle regarda la sauce jaunâtre se répandre sur le sol de la cuisine comme si elle ne savait pas comment c'était arrivé. Elle se tourna vers Chikodili et hurla : « Pourquoi restes-tu là comme une *mumu* ? Allez, nettoie tout ça ! »

Ifemelu l'observait depuis la porte de la cuisine. « Tante, la personne à laquelle tu devrais t'en prendre est le Général. »

Tante Uju se figea, les yeux hors de la tête, folle de rage. « C'est à moi que tu parles ainsi ? Est-ce que nous avons le même âge ? »

Elle se rua sur elle. Ifemelu ne s'attendait pas à ce qu'elle la frappe, pourtant quand la gifle atteignit le côté de son visage, avec un bruit qui lui parut venir de très loin, laissant les marques des doigts de Tante Uju sur sa joue, elle ne fut pas surprise. Elles se regardèrent fixement ; Tante Uju ouvrit la bouche comme pour dire quelque chose, puis la referma, tourna les talons et monta à l'étage, et toutes les deux surent que quelque chose avait changé entre elles. Tante Uju ne redescendit pas avant le soir, quand Adesuwa et Uche vinrent lui rendre visite. Elle les appelait « mes amies entre guillemets ». « Je vais chez le coiffeur avec "mes amies entre guillemets" », disait-elle, un léger rire dans l'œil. Elle savait qu'elles étaient ses amies uniquement parce qu'elle était la maîtresse du Général. Mais elles l'amusaient. Elles venaient la voir à tout bout de champ, parlaient d'achats et de voyages, la priant de les accompagner à des fêtes. Elle s'étonnait d'en savoir autant et si peu à leur sujet, dit-elle un jour à Ifemelu. Elle savait par exemple qu'Adesuwa était propriétaire d'un terrain à Abuja, qui lui avait été offert à l'époque où elle sortait avec le chef de l'État, et qu'un Haoussa très fortuné avait payé la boutique d'Uche à Surulere, mais elle ignorait combien d'enfants elles avaient, où vivaient leurs parents et si elles avaient fait des études à l'université.

Chikodili les fit entrer. Elles étaient fortement parfumées, vêtues de caftans brodés, leurs extensions chinoises retombant sur leurs épaules. Elles papotaient, toujours pragmatiques, avec des rires brefs et méprisants. *Je lui ai dit de l'acheter à mon nom* o. *Ah, je savais qu'il n'apporterait pas l'argent à moins que je dise que quelqu'un était malade. Non, pour le moment il ne sait pas que j'ai ouvert le compte*. Elles allaient à une fête de Sallah sur Victoria Island, et étaient venues chercher Tante Uju.

« Je n'ai pas envie d'y aller », leur dit Tante Uju, tandis que Chikodili servait du jus d'orange, un carton posé sur un plateau accompagné de deux verres.

« Ahn-ahn. Pourquoi pas ? demanda Uche.

— Il y aura des hommes importants, dit Adesuwa. On ne sait jamais si on ne va pas rencontrer quelqu'un.

— Je n'ai envie de rencontrer personne », dit Tante Uju, et le silence régna, comme si chacune d'elles retenait sa respiration, comme si les paroles de Tante Uju étaient une tempête qui mettait en pièces leurs attentes. Elle était censée vouloir rencontrer des hommes, garder les yeux ouverts ; elle était censée voir le Général comme une option qui pouvait être améliorée. Finalement l'une d'elles, Adesuwa ou Uche, dit : « Ce jus d'orange est d'une marque bon marché *o* ! Tu n'achètes plus du Just Juice ? » Une piètre plaisanterie mais elles rirent pour détendre l'atmosphère.

Après leur départ, Tante Uju s'approcha de la table de la salle à manger où Ifemelu était en train de lire.

« Ifem, je ne sais pas ce qui m'a pris. *Ndo*. » Elle saisit le poignet d'Ifemelu, puis passa sa main, presque pensivement, sur le titre gaufré du roman de Sidney Sheldon que lisait Ifemelu. « Je dois être folle. Il a une panse gonflée de bière et les dents de Dracula, une femme et des enfants, et il est vieux. »

Pour la première fois, Ifemelu se sentit plus vieille que Tante Uju, plus sage et plus forte, et elle souhaita pouvoir l'arracher à son existence, la secouer pour lui ouvrir les yeux, pour qu'elle ne place pas ses espoirs dans le Général, pour qu'elle cesse de trimer et de se raser pour lui, toujours prête à minimiser ses défauts. Ce n'était pas ainsi que les choses devaient être. Ifemelu se sentit un peu réconfortée, plus tard, en l'entendant hurler au téléphone : « Foutaise ! Tu savais dès le début que tu allais à Abuja alors pourquoi me laisser perdre mon temps à faire des préparatifs pour toi ! »

Le gâteau qu'un chauffeur livra le lendemain matin, avec un « Je regrette, mon amour » écrit en glaçage bleu, avait un arrière-goût amer, mais Tante Uju le garda pendant des mois dans le congélateur.

*

La grossesse de Tante Uju les surprit comme une soudaine détonation par une nuit calme. Elle arriva à l'appartement dans un boubou pailleté qui attrapait la lumière, scintillant comme une présence céleste flottant dans l'air, et dit qu'elle voulait avertir les parents d'Ifemelu avant qu'ils l'apprennent par les bavardages. « *Adi m ime* », dit-elle simplement.

La mère d'Ifemelu fondit en larmes, de grands sanglots tragiques, comme si elle voyait répandus autour d'elle les fragments brisés de sa propre histoire. « Mon Dieu, pourquoi m'avez-vous abandonnée ? »

« Je n'ai rien prémédité, c'est juste arrivé, dit Tante Uju. J'ai été enceinte d'Olujimi à l'université, j'ai avorté, mais je ne vais pas recommencer. » Le mot « avorter », dans toute sa brutalité, les effraya car ils savaient tous que la mère d'Ifemelu avait omis de dire qu'il y avait sûrement d'autres moyens de régler le problème. Le père d'Ifemelu posa son livre puis le reprit. Il s'éclaircit la gorge. Il calma sa femme.

« Bon, je ne peux pas demander quelles sont les intentions de cet homme, dit-il enfin à Tante Uju. Aussi dois-je te demander quelles sont tes intentions à toi.

— Je vais garder l'enfant. »

Il attendit d'en entendre davantage, mais elle n'ajouta rien, et donc il se rassit, accablé. « Tu es une adulte. Ce n'est pas ce que j'avais espéré pour toi, Obianuju, mais tu es une adulte. »

Tante Uju alla vers lui et s'assit sur le bras du canapé. Elle s'exprima d'une voix basse, apaisante, inhabituelle par son côté formel, mais dont la sobriété attestait la sincérité. « Frère, ce n'est pas non plus ce que j'espérais, mais c'est arrivé. Je suis désolée de te décevoir, après tout ce que tu as fait pour moi, et je te supplie de me pardonner, mais j'agirai pour le mieux. Le Général est un homme responsable. Il prendra soin de son enfant. »

Le père d'Ifemelu haussa les épaules sans dire un mot. Tante Uju l'entoura d'un bras, comme si c'était lui qui avait besoin de réconfort.

*

Par la suite, Ifemelu pensa que cette grossesse était chargée de symboles. Elle annonçait le début de la fin et semblait accélérer tout le reste, les mois se bousculèrent, le temps se précipita. Et Tante Uju était tout sourire, le visage rayonnant, l'esprit empli de projets tandis que son ventre s'arrondissait. Tous les jours, elle proposait un nouveau prénom de fille pour le bébé. « Oga est heureux, disait-elle. Il est heureux de savoir qu'il peut encore marquer un point à son âge, un vieil homme comme lui ! » Le Général venait plus souvent, parfois même le week-end, lui apportant des bouillottes, des pilules à base de plantes, des choses qu'on lui avait recommandées pour la grossesse.

Il lui dit : « Tu vas évidemment accoucher à l'étranger », et demanda ce qu'elle préférait, l'Angleterre ou l'Amérique. Il aurait voulu l'Angleterre, pour pouvoir l'accompagner ; les Américains avaient interdit l'entrée de leur territoire aux membres de haut rang du gouvernement militaire. Mais Tante Uju choisit l'Amérique parce que son bébé pourrait y acquérir automatiquement la nationalité américaine. Les plans furent arrêtés, l'hôpital choisi, un appartement meublé loué dans un condominium à Atlanta. « Au fait, c'est quoi un condo ? » demanda Ifemelu. Et Tante Uju haussa les épaules : « Qui sait ce qu'entendent par là les Américains ? Demande-le à Obinze, il le saura. En tout cas, c'est un endroit où habiter. Et Oga a des gens là-bas qui pourront m'aider. » Tante Uju ne perdit son enthousiasme que lorsque son chauffeur lui annonça que la femme du Général avait eu connaissance de sa grossesse et était furieuse ; il y avait eu une réunion de famille tendue à laquelle assistaient ses parents et ceux du Général. Il parlait rarement de sa femme mais Tante Uju en savait bien assez : elle était avocate et avait renoncé à sa carrière pour élever quatre enfants à Abuja ; une femme d'allure corpulente et aimable sur les photos parues dans la presse. « Je me demande ce qu'elle pense », dit tristement Tante Uju, l'air rêveur. Pendant qu'elle était en Amérique, le Général avait fait repeindre une des chambres en blanc. Il acheta un lit d'enfant avec des pieds en forme de délicates chandelles. Il acheta des peluches et trop de nounours. Inyang les disposa dans le berceau, en aligna une partie sur un rayonnage et, sans doute certaine que personne ne le remarquerait, en emporta un dans sa chambre à l'arrière de la maison. Tante Uju accoucha d'un garçon. Elle semblait excitée et joyeuse au téléphone. « Ifem, il a tellement de cheveux ! Tu imagines ? Quel gâchis ! »

Elle l'appela Dike, comme son père, et lui donna son propre nom de famille, ce qui irrita et inquiéta la mère d'Ifemelu.

« L'enfant devrait porter le nom de son père, à moins que cet homme n'ait pas l'intention de le reconnaître ? » demanda-t-elle tandis qu'elles étaient assises dans le salon, encore secouées par la nouvelle de la naissance.

« Tante Uju a dit que c'était plus facile de lui donner son nom à elle, dit Ifemelu. Et se comporte-t-il comme un homme qui ne reconnaîtrait pas son enfant ? Tante Uju m'a dit qu'il envisage même de venir payer son prix de la mariée.

— Que Dieu l'en garde », dit la mère d'Ifemelu, crachant presque ces mots, et Ifemelu se souvint de toutes ces ferventes prières pour le mentor de Tante Uju. Sa mère, quand elle revint, s'installa quelque temps à Dolphin Estate pour nourrir le doux bébé gazouillant et lui donner son bain, mais elle fit face au Général avec une froide détermination. Elle lui répondait par monosyllabes, comme s'il l'avait trahie en rompant les règles de son accord. Une liaison avec Tante Uju était acceptable, mais une preuve aussi flagrante ne l'était pas. La maison sentait le talc pour bébé. Tante Uju était heureuse. Le Général prenait souvent Dike dans ses bras, suggérant qu'il avait peut-être encore faim ou qu'il fallait montrer à un médecin les éruptions de boutons sur son cou.

*

Pour le premier anniversaire de Dike, le Général fit venir un orchestre. Les musiciens s'installèrent dans le jardin de devant, près du bâtiment du générateur, et restèrent jusqu'au départ des derniers invités, repus, le pas lourd, emportant des restes enveloppés dans du papier d'aluminium. Il y avait les amis de Tante Uju, les amis du Général, tous déterminés à montrer que, en dépit des circonstances, l'enfant de leur ami était avant tout l'enfant de leur ami. Dike, qui marchait depuis peu, trottinait en costume et nœud papillon rouge, suivi de Tante Uju qui tentait de le faire tenir tranquille devant le photographe. Au bout d'un moment, fatigué, il se mit à pleurer, tirant sur son nœud, et le Général le prit dans ses bras et le promena parmi l'assistance. C'est cette image du Général qu'Ifemelu garderait en mémoire, les bras de Dike passés autour de son cou, le visage rayonnant, son sourire laissant voir ses dents de lapin, clamant : « Il me ressemble *o*, mais Dieu merci il a les dents de sa mère. »

Le Général mourut la semaine suivante, dans l'accident d'un avion militaire. « Le jour même, exactement le jour où le photographe nous a apporté les photos de l'anniversaire de Dike », répétait souvent Tante Uju en racontant cette histoire, comme si cela avait une signification spéciale.

C'était un samedi après-midi, Obinze et Ifemelu étaient dans la salle de télévision, Inyang à l'étage avec Dike, Tante Uju dans la cuisine avec Chikodili, quand le téléphone sonna. Ifemelu décrocha. La voix à l'autre bout du fil, de l'aide de camp du Général, crépitait à cause de la mauvaise connexion mais était suffisamment claire pour qu'il lui transmette les détails : l'accident était survenu à quelques kilomètres de Jos, les corps étaient calcinés, des rumeurs couraient déjà, selon lesquelles le chef de l'État l'avait organisé pour se débarrasser d'officiers qu'il soupçonnait de fomenter un coup d'État contre lui. Ifemelu était agrippée au téléphone, abasourdie. Obinze l'accompagna à la cuisine, et se tint près de Tante Uju pendant qu'Ifemelu lui répétait les paroles de l'aide de camp.

« Tu mens, dit Tante Uju. C'est un mensonge. »

Elle se dirigea vers le téléphone, comme pour lui demander des explications, à lui aussi, puis s'affala sur le sol, glissant comme une masse molle, et se mit à pleurer. Ifemelu la prit dans ses bras, la berça, personne ne sachant quoi faire, et le silence entre ses sanglots sembla trop silencieux. Inyang descendit avec Dike.

« Maman ? dit Dike, l'air étonné.

— Ramène Dike en haut », dit Obinze à Inyang.

Des coups retentirent à la porte. Deux hommes et trois femmes, des parents du Général, avaient obligé Adamu à ouvrir le portail, et se tenaient devant la porte de la maison, criant : « Uju ! Fais tes valises et fiche le camp ! Donne-nous les clés de la voiture ! » L'une des femmes était décharnée, agitée, les yeux rougis, et elle hurlait : « Putain ! Que Dieu t'empêche de toucher à ce qui appartient à notre frère ! Prostituée ! Tu ne vivras jamais en paix à Lagos ! » Elle ôta le foulard qu'elle avait sur la tête et le noua étroitement autour de sa taille, se préparant à se battre. Tante Uju ne dit rien, resta à les regarder, immobile à la porte. Puis elle leur demanda de partir d'une voix voilée par les larmes, mais les cris des parents s'intensifièrent et elle tourna les talons, s'apprêtant à rentrer dans la maison. « Très bien, ne partez pas, dit-elle. Restez là en attendant que j'appelle mes hommes de la caserne. »

Ils ne partirent qu'à ce moment-là en promettant : « Nous reviendrons avec nos propres hommes. » Tante Uju se remit alors à pleurer. « Je n'ai rien. Tout est à son nom. Où vais-je emmener mon fils désormais ? »

Elle souleva le téléphone, le contempla, ne sachant qui appeler.

« Appelle Uche et Adesuwa », dit Ifemelu. *Elles* sauraient quoi faire.

Tante Uju lui obéit, activa le haut-parleur du téléphone, puis s'appuya contre le mur.

« Il faut que tu partes immédiatement. Ne laisse rien dans la maison, prends tout, dit Uche. Dépêche-toi avant que sa famille revienne. Trouve un pick-up et prends le groupe électrogène. Assure-toi de bien emporter le groupe électrogène.

— Je ne sais pas où trouver un pick-up, marmonna Tante Uju.

— On va t'en trouver un, fissa fissa. Il faut que tu emportes ce générateur. C'est ce qui te permettra de vivre jusqu'à ce que tu puisses te retourner. Tu dois aller t'installer quelque part pendant un certain temps, pour qu'ils ne te fassent pas d'ennuis. Va à Londres ou en Amérique. As-tu un visa américain ?

— Oui. »

Ifemelu se souviendrait des images de ces derniers moments dans une sorte de brouillard. Adamu qui disait qu'il y avait un journaliste de *City People* à la grille du jardin. Chikodili et elle en train de bourrer les valises de vêtements, Obinze transportant les affaires dans le pick-up, Dike qui marchait en trébuchant et riait. La chaleur dans les chambres du haut était insupportable ; les climatiseurs s'étaient arrêtés brusquement, comme s'ils avaient décidé, d'un commun accord, de payer un tribut à la fin.

CHAPITRE 7

Obinze voulait aller à l'université d'Ibadan à cause d'un poème. Il lui lut le poème, « Ibadan », de J. P. Clark, et il s'attarda sur les mots « un jaillissement continu de rouille et d'or ».

« Tu es sérieux ? demanda-t-elle. À cause de ce poème ?

— Il est si beau. »

Ifemelu secoua la tête, avec un air d'incrédulité moqueuse.

Mais elle aussi voulait aller à Ibadan, parce que Tante Uju s'y était installée. Ils remplirent ensemble leurs formulaires d'inscription, assis à la table de la salle à manger pendant que la mère d'Obinze tournait autour d'eux, disant : « Vous êtes sûrs d'utiliser le bon crayon ? Vérifiez tout. Il paraît qu'il y a des erreurs invraisemblables, incroyables. »

Obinze dit : « Maman, on aura bien plus de chances de remplir ces papiers sans faire d'erreur si tu t'arrêtes de parler.

— En tout cas, vous devriez prendre Nsukka comme deuxième choix », dit sa mère. Mais Obinze ne voulait pas aller à Nsukka, il voulait échapper à l'existence qu'il avait toujours menée, et pour Ifemelu, l'université de Nsukka était lointaine et poussiéreuse. Ils décidèrent donc de prendre l'université de Lagos comme deuxième choix.

Le lendemain, la mère d'Obinze fit un malaise à la bibliothèque. Un étudiant la trouva évanouie par terre, une petite bosse à la tête, et Obinze dit à Ifemelu : « Dieu merci, nous n'avons pas envoyé nos formulaires d'inscription.

— Que veux-tu dire ?

— Maman rentre à Nsukka à la fin du semestre. Je dois être

près d'elle. Le médecin dit que ce truc risque de se reproduire. » Il s'interrompit. « Nous pourrons nous voir pendant les longs week-ends. J'irai à Ibadan et tu viendras à Nsukka.

— Tu plaisantes, dit-elle. *Biko*, je change moi aussi pour Nsukka. »

Le changement fit plaisir à son père. C'était bien, dit-il, qu'elle aille à l'université dans le pays igbo, puisqu'elle avait passé toute sa vie dans l'Ouest. Sa mère était catastrophée. Ibadan n'était qu'à une heure de Lagos, et Nsukka à une journée de voyage en bus.

« Pas une journée, maman, seulement sept heures.

— Et quelle est la différence entre sept heures et une journée ? » demanda sa mère.

Ifemelu attendait avec impatience de quitter la maison, de pouvoir gérer son temps en toute liberté, et elle était rassurée à la pensée que Ranyinudo et Tochi allaient aussi à Nsukka. Ainsi qu'Emenike, qui demanda à Obinze s'ils pouvaient partager une chambre dans la partie réservée aux garçons de la maison de sa mère. Obinze accepta. Ifemelu aurait préféré qu'il refuse. « Il y a un truc pas net avec Emenike, dit-elle. Mais peu importe, du moment qu'il s'en va quand nous allons au ciel. »

Plus tard, Obinze lui demanderait, mi-figue mi-raisin, si elle pensait que l'évanouissement de sa mère avait été prémédité, un complot pour le garder près d'elle. Pendant longtemps, il parla avec nostalgie d'Ibadan, jusqu'au jour où il se rendit sur le campus pour un tournoi de ping-pong et revint en lui disant, d'un air penaud : « Ibadan m'a rappelé Nsukka. »

*

Se rendre à Nsukka lui permit enfin de voir la maison d'Obinze, un bungalow dans une résidence fleurie. Ifemelu l'imaginait dévalant la rue en pente sur sa bicyclette, rentrant de l'école avec son sac et sa bouteille d'eau. Pourtant elle était désorientée à Nsukka. Tout lui paraissait trop lent, la poussière était trop rouge, les gens trop satisfaits de leurs petites existences. Mais elle parviendrait à l'aimer, d'un amour hésitant au début. De la fenêtre de sa résidence étudiante, où quatre lits s'entassaient dans un espace prévu pour deux, elle voyait l'entrée de Bello Hall. De grands gmelinas se balançaient au vent, et en dessous se trouvaient une foule de vendeurs ambulants avec leurs plateaux de bananes et de cacahuètes, des *okada*, ces motos-taxis rangées les unes contre les autres dont les conducteurs bavardaient et riaient, chacun prêt à bondir sur le client. Elle tapissa son coin de papier bleu vif et comme elle avait entendu parler de querelles entre résidentes – une étudiante de dernière année, disait-on, avait versé du pétrole dans le tiroir d'une première année qui s'était d'après elle montrée « impertinente » – elle considéra qu'elle avait de la chance en ce qui concernait ses camarades. Elles étaient faciles à vivre et bientôt elle commença à partager et à emprunter ce qui venait rapidement à manquer, dentifrice, lait en poudre, nouilles déshydratées ou pommade pour les cheveux. Le matin elle se réveillait le plus souvent en entendant un murmure de voix dans le couloir, les étudiantes catholiques qui récitaient leur chapelet, et elle se dépêchait d'aller à la salle de bains pour remplir son seau d'eau avant que le robinet ne coule plus, de s'accroupir au-dessus de la cuvette des toilettes avant qu'elle ne soit abominablement pleine. Parfois, quand elle arrivait trop tard et que les toilettes débordaient déjà, elle allait jusqu'à la maison d'Obinze même en son absence, et quand Augustina la femme de ménage lui ouvrait la porte, elle lui disait : « Tina-Tina, comment va ? Je suis venue pour utiliser les toilettes. »

Elle déjeunait souvent chez Obinze, ou bien ils allaient en ville, chez Onyekaozulu, et s'asseyaient sur un des bancs de bois dans la pénombre du restaurant, mangeant dans des assiettes émaillées les viandes les plus tendres et les ragoûts les plus savoureux. Elle passait parfois la soirée dans le quartier des garçons chez Obinze, allongée sur son matelas, à écouter de la musique. Ou elle dansait en sous-vêtements, roulant des hanches, et il se moquait d'elle et de son petit cul : « J'allais te dire de le remuer, mais il n'y a rien à remuer. »

L'université était grande et vaste, il y avait toute la place pour passer inaperçu, tellement d'espace ; elle s'intégra facilement tant étaient nombreuses les possibilités de s'intégrer. Obinze la taquinait au sujet de la popularité qu'elle avait déjà acquise, de l'activité qui régnait dans sa chambre où se bousculaient les étudiants de première année, tandis que ceux de dernière année venaient tenter leur chance, bien qu'une grande photo d'Obinze soit accrochée au-dessus de son oreiller. Les garçons l'amusaient. Ils arrivaient et s'asseyaient sur son lit, proposant d'un air solennel de « lui faire visiter le campus », et elle les imaginait en train de débiter les mêmes paroles sur le même ton à la fille de première année de la chambre voisine. L'un d'eux, pourtant, était différent. Il s'appelait

Odein. Il vint dans sa chambre, non pas avec le flot des première année, mais pour parler à ses camarades de chambre de l'association des étudiants. Par la suite, il revint lui dire bonjour, apportant parfois un paquet de suya chaud et épicé, enveloppé dans du papier journal taché de graisse. Son activisme surprenait Ifemelu – il semblait un peu trop poli, un peu trop sympa pour appartenir à la direction de l'association des étudiants – mais en même temps il l'impressionnait. Il avait des lèvres charnues et bien dessinées, la supérieure de la même taille que l'inférieure, des lèvres sensibles et sensuelles, et pendant qu'il parlait – « Si les étudiants ne sont pas unis, personne ne nous écoutera » – Ifemelu s'imaginait en train de l'embrasser, sachant qu'elle ne le ferait jamais. C'est à cause de lui qu'elle prit part à la manifestation et convainquit Obinze d'y participer lui aussi. Ils psalmodièrent « Pas de lumière ! Pas d'eau ! » et « Le VC est un veau ! » et se trouvèrent emportés par la foule grondante qui finit par faire halte devant la maison du vice-chancelier. Des bouteilles furent brisées, une voiture incendiée, puis le vice-chancelier sortit, minuscule, encadré de ses gardes du corps, et s'exprima dans un langage en demi-teinte.

Un peu plus tard, la mère d'Obinze dit : « Je comprends les griefs des étudiants, mais nous ne sommes pas l'ennemi. Les militaires sont l'ennemi. Ils n'ont pas payé nos salaires depuis des mois. Comment enseigner si nous ne pouvons pas manger ? » Plus tard encore, la rumeur se répandit sur le campus que les maîtres de conférences faisaient grève, et les étudiants se rassemblèrent dans le hall du foyer qui bourdonnait de vraies et fausses nouvelles. C'était vrai, ce que confirma le représentant de la résidence. Tous soupirèrent à la perspective de cette interruption inopportune et regagnèrent leurs chambres pour faire leurs valises ; le campus serait fermé dès le lendemain. Ifemelu entendit près d'elle une fille dire : « Je n'ai pas les dix kobos nécessaires pour rentrer chez moi. »

*

La grève dura trop longtemps. Les semaines s'éternisaient. Ifemelu était nerveuse, agitée ; elle écoutait tous les jours les nouvelles, espérant apprendre que la grève avait pris fin. Obinze l'appelait chez Ranyinudo ; elle y arrivait quelques minutes avant l'heure où il était censé téléphoner et elle s'asseyait près du téléphone gris à cadran, attendant la sonnerie. Elle se sentait coupée de lui, comme si chacun vivait et respirait dans des sphères différentes, lui languissant et déprimé à Nsukka, elle languissante et déprimée à Lagos, tout restant figé dans une sorte de léthargie. L'existence était devenue un film flou passant au ralenti. Sa mère lui demanda si elle voulait s'inscrire au cours de couture de la paroisse pour s'occuper, et son père dit que c'était ça, ces grèves interminables de l'université, qui transformait les jeunes en bandits armés. La grève était nationale et tous ses amis étaient rentrés chez eux. Même Kayode était en vacances à la maison, de retour de son université américaine. Elle alla voir des amies et assista à des fêtes, regrettant qu'Obinze n'habite pas Lagos. Parfois Odein, qui avait une voiture, venait la chercher et l'emmenait là où elle voulait. « Ton petit ami a de la chance », lui disait-il, et elle riait, flirtait avec lui. Elle s'imaginait encore en train de l'embrasser, lui avec ses yeux de biche et ses lèvres charnues.

Un week-end, Obinze vint la voir et habita chez Kayode.

« Que se passe-t-il avec cet Odein ? lui demanda-t-il.

— Quoi ?

— Kayode raconte qu'il t'a ramenée chez toi après la fête d'Osahon. Tu ne me l'as pas dit.

— J'ai oublié.

— Tu as oublié. »

Elle soupira. « Ciel, ce n'est rien. Je suis seulement curieuse à son sujet. Il ne se passera jamais rien. Mais je suis curieuse. Tu t'intéresses aussi à d'autres filles, non ? »

Il la dévisageait, le regard inquiet. « Non, dit-il froidement. Elles ne m'intéressent pas.

— Sois franc.

— Je suis franc. Le problème est que tu crois que tout le monde est comme toi. Tu crois être la norme mais tu ne l'es pas.

— Que veux-tu dire ?

— Rien. Laisse tomber. »

Il ne voulut pas en dire davantage, mais l'atmosphère entre eux se détériora, et resta tendue pendant plusieurs jours, même après qu'il fut rentré chez lui, si bien que lorsque la grève prit fin (« Les maîtres de conférences ont levé l'ordre de grève ? Dieu soit loué ! » s'écria un matin Chetachi dans leur appartement) et qu'Ifemelu retourna à Nsukka, ils restèrent hésitants l'un envers l'autre durant les premiers jours, mesurant leurs propos, abrégeant leurs étreintes.

Ifemelu s'aperçut avec surprise que Nsukka lui avait manqué, les habitudes au rythme nonchalant, les amies qui se réunissaient le soir dans sa chambre jusqu'après minuit, les petits potins répétés à satiété, les escaliers gravis et descendus lentement comme après un réveil difficile, et chaque matin blanchi par l'harmattan. À Lagos, l'harmattan était un simple voile de brume, mais à Nsukka, c'était une présence déchaînée, changeante ; les matins étaient vifs, les après-midi plombés par la chaleur et les nuits imprévisibles. Des tourbillons de poussière se formaient dans le lointain – très beaux à voir tant qu'ils restaient au loin – et tournoyaient jusqu'à ce qu'ils aient tout recouvert d'une pellicule brune. Même les cils. Partout, l'humidité étaient goulûment absorbée : le bois plastifié des tables se décollait et se recourbait, les pages des cahiers se fendillaient, les vêtements séchaient quelques minutes après avoir été suspendus, les lèvres gerçaient et saignaient et les baumes pour les lèvres étaient toujours gardés à proximité, dans les poches et les sacs à main. On s'enduisait la peau de vaseline tandis que les parties oubliées – entre les doigts ou aux coudes – devenaient d'un gris mat. Les branches des arbres étaient sans vie et, dénudées de leurs feuilles, se dressaient dans une sorte de fière désolation. Les ventes de charité paroissiales emplissaient l'air des fumées des cuisines collectives. Certaines nuits, la chaleur était lourde, épaisse comme une serviette. Parfois un vent froid et coupant se levait et Ifemelu abandonnait sa chambre de la résidence. Blottie près d'Obinze sur son matelas, elle écoutait les pins siffleurs hurler au-dehors, dans un monde devenu soudain fragile et précaire.

*

Les muscles d'Obinze étaient douloureux. Il était à plat ventre et, à cheval sur lui, Ifemelu lui massait le dos, le cou et les cuisses avec ses doigts, ses poings et ses coudes. Il était endolori et tendu. Elle se mit debout sur lui, posa délicatement un pied sur une de ses cuisses, puis sur l'autre. « Est-ce que ça te fait du bien ?

— Oui. » Il gémit de douleur et de plaisir mêlés. Elle appuya lentement, sentant sa peau chaude sous la plante de ses pieds, ses muscles noués qui se détendaient. Elle se retint d'une main au mur, et pressa ses talons plus profondément, centimètre par centimètre, tandis qu'il grognait : « Ah, Ifem, juste là. Ah !

— Vous devriez vous étirer après avoir joué, cher monsieur », dit-elle, puis elle s'allongea sur son dos, le chatouillant sous les bras et l'embrassant dans le cou.

« Je peux te suggérer une meilleure sorte de massage », dit-il. Quand il la déshabilla, il ne s'arrêta pas, comme d'habitude, à ses sous-vêtements. Il les fit glisser et elle souleva ses jambes pour l'aider.

« Ciel », dit-elle, pas tout à fait certaine. Elle ne voulait pas qu'il s'arrête, mais elle avait imaginé la chose autrement, pensé qu'ils en feraient une cérémonie soigneusement planifiée.

« Je me retirerai, dit-il.

— Tu sais que ça ne marche pas toujours.

— Si ça ne marche pas, nous accueillerons Junior avec joie.

— Arrête. »

Il leva les yeux. « Mais, Ifem, de toute façon nous allons nous marier.

— Tu crois ? Je pourrais rencontrer un bel homme très riche et te quitter.

– Impossible. Nous irons en Amérique quand nous aurons nos diplômes et nous y élèverons nos beaux enfants.

— Tu dis n'importe quoi en ce moment parce que tu as le cerveau entre les jambes.

— Mais mon cerveau est toujours là ! »

Ils riaient, puis leur rire cessa, céda la place à une étrange et nouvelle gravité, un enlacement hésitant. Pour Ifemelu une pâle copie, une imitation ratée de ce qu'elle avait anticipé. Après qu'il se fut retiré, brusquement, haletant, se retenant, un sentiment de gêne l'assaillit. Elle avait été tendue du début à la fin, incapable de se laisser aller. Elle avait imaginé que la mère d'Obinze les observait ; cette image s'était imposée à son esprit, et elle était devenue, encore plus bizarrement, une double image, sa mère et Onyeka Onwenu les contemplant ensemble d'un regard impassible. Elle savait qu'elle ne pourrait pas dire à la mère d'Obinze ce qui était arrivé, bien qu'elle s'y soit engagée, qu'elle se soit crue capable de tenir sa promesse. Mais comment le pourrait-elle désormais ? Que lui dire ? Quels mots utiliser ? La mère d'Obinze s'attendrait-elle à des détails ? Obinze et elle auraient dû être plus prévoyants ; ainsi, elle aurait su quoi raconter. Cette soudaineté l'avait laissée un peu déconcertée, voire un peu déçue. Elle avait l'impression que ça ne valait pas tellement la peine, au fond.

Quand, une semaine ou deux plus tard, elle se réveilla souffrante, une douleur aiguë lui transperçant le côté, prise d'une nausée écœurante, elle fut saisie de panique. Puis elle vomit et la panique s'accentua.

« C'est arrivé, dit-elle à Obinze. Je suis enceinte. » Ils s'étaient retrouvés, comme d'habitude, devant le réfectoire de l'Ekpo après la conférence du matin. Les étudiants allaient et venaient. Des garçons fumaient et riaient près d'eux et pendant un instant elle crut qu'elle était l'objet de leur rire.

Obinze plissa le front. Il parut ne pas comprendre ce qu'elle disait. « Mais, Ifem, c'est impossible. C'est trop tôt et, en plus, je me suis retiré.

— Je t'avais prévenu que ça ne marchait pas ! » dit-elle. Il semblait soudain très jeune, un petit garçon désorienté qui la regardait d'un air impuissant. Elle sentit sa panique grandir. Sans réfléchir, elle héla un *okada* de passage, sauta à l'arrière et dit au motocycliste de la conduire en ville.

« Ifem, que fais-tu ? demanda Obinze. Où vas-tu ?

— Téléphoner à Tante Uju », dit-elle.

Obinze prit l'*okada* suivant et partit à toute allure derrière elle, franchit les grilles de l'université, pour atteindre les bureaux du NITEL[1], où Ifemelu tendit à l'homme derrière le comptoir écaillé un bout de papier portant le numéro américain de Tante Uju. Au téléphone, elle parla en langage codé, qu'elle inventa au fur et à mesure, à cause des gens autour d'elle, dont les uns attendaient de passer leurs appels, les autres traînaient simplement, tous prêtant l'oreille avec un intérêt non dissimulé aux conversations d'autrui.

« Tante, je crois que ce qui t'est arrivé avant Dike m'est arrivé aussi, dit Ifemelu. Nous avons mangé cette nourriture il y a une semaine.

— Seulement une semaine ? Combien de fois ?

— Une fois.

— Ifem, calme-toi. Je ne pense pas que tu sois enceinte. Mais tu dois faire un test. Ne va pas au centre médical du campus. Va en ville, où personne ne te connaîtra. Mais d'abord calme-toi. Tout ira bien, *inugo* ? »

Plus tard, Ifemelu se retrouva assise sur une chaise branlante dans la salle d'attente du laboratoire, muette, impassible, ignorant

1. Télécommunications du Nigeria.

Obinze. Elle était en colère contre lui. C'était injuste, elle le savait, mais elle était en colère contre lui. Quand elle était entrée dans les toilettes sales avec le petit récipient que l'infirmière du laboratoire lui avait remis, il avait demandé, prêt à se lever : « Est-ce que je dois venir ? » et elle avait répliqué : « Venir pour quoi ? » Et elle aurait aimé gifler l'infirmière. Une grande perche au teint jaune qui avait ricané et secoué la tête quand Ifemelu avait dit : « Test de grossesse », comme si elle trouvait incroyable d'avoir affaire à un cas de plus de dévergondage. À présent, elle les observait avec un sourire narquois, fredonnant d'un air désinvolte.

« J'ai le résultat », dit-elle au bout d'un moment, tenant le papier décacheté, l'air déçu parce qu'il était négatif. Ifemelu fut trop stupéfaite, tout d'abord, pour se sentir soulagée, puis elle eut encore besoin d'uriner.

« Les gens devraient avoir du respect pour eux-mêmes et vivre en bons chrétiens pour éviter les ennuis », dit l'infirmière quand ils partirent.

Ce soir-là, Ifemelu vomit à nouveau. Elle lisait, allongée dans la chambre d'Obinze, toujours aussi distante envers lui, quand un flot de salive mousseuse emplit sa bouche. Elle bondit en bas du lit et courut aux toilettes.

« C'est sans doute quelque chose que j'ai mangé, dit-elle. La bouillie d'igname que j'ai achetée chez Mama Owerre. »

Obinze alla dans la maison principale et revint en disant que sa mère allait l'emmener chez le médecin. Il était tard dans la soirée, sa mère n'aimait pas le jeune docteur qui était de garde le soir au centre médical, et elle la conduisit chez le Dr Achufusi. En passant devant l'école primaire avec ses haies bien taillées de pins siffleurs, Ifemelu se figura qu'elle était réellement enceinte, et que la fille avait utilisé des produits périmés pour le test dans ce laboratoire minable. Elle dit soudain : « Nous avons fait l'amour, Tante, une fois. » Elle sentit Obinze se raidir. Sa mère la regarda dans le rétroviseur. « Voyons d'abord le docteur », dit-elle. Le Dr Achufusi, un homme plaisant à l'attitude paternelle, appuya sur le côté d'Ifemelu et annonça : « C'est votre appendice qui est très enflammé. Il faudrait l'ôter au plus vite. » Il se tourna vers la mère d'Obinze. « Je peux lui donner un rendez-vous demain après-midi.

— Merci infiniment, docteur », dit la mère d'Obinze.

Dans la voiture, Ifemelu dit : « Je n'ai jamais subi d'opération, Tante.

— Ce n'est rien, dit vivement la mère d'Obinze. Nos médecins sont excellents. Préviens tes parents et dis-leur de ne pas s'inquiéter. Nous nous occuperons de toi. Lorsque tu seras sortie de l'hôpital, tu pourras rester à la maison jusqu'à ce que tu aies repris des forces. »

Ifemelu appela la collègue de sa mère, Tante Bunmi, et lui laissa un message ainsi que le numéro de téléphone de la maison d'Obinze pour qu'elle les communique à sa mère. Le soir même, sa mère appela ; elle paraissait essoufflée.

« Dieu a les choses en main, ma précieuse. Je remercie Dieu pour ce que fait ton amie. Dieu la bénira ainsi que sa mère.

— C'est "le". Un garçon.

— Oh. » Sa mère se tut. « Remercie-les, je te prie. Dieu les bénisse. Nous prendrons le premier bus demain pour Nsukka. »

Ifemelu se souvint qu'une infirmière lui avait rasé le pubis, du grattement désagréable du rasoir, de l'odeur de l'antiseptique. Puis il y eut un blanc, son esprit oblitéré, et quand elle émergea, sonnée, vacillant encore à la lisière du souvenir, elle entendit ses parents qui parlaient à la mère d'Obinze. Sa mère lui tenait la main. Plus tard, la mère d'Obinze invita ses parents à habiter chez elle, il était inutile de gaspiller de l'argent en descendant à l'hôtel. « Ifemelu est comme une fille pour moi », dit-elle.

Avant qu'ils retournent à Lagos, son père dit, avec cette timide admiration qu'il éprouvait face à ceux qui avaient fait de longues études : « Elle a une licence de l'université de Londres. » Et sa mère ajouta : « Un garçon très respectueux, cet Obinze. Il a été bien éduqué par ses parents. Et leur ville d'origine n'est pas loin de chez nous. »

*

La mère d'Obinze attendit quelques jours, peut-être pour qu'Ifemelu reprenne des forces, avant de les faire venir, de leur demander de s'asseoir et d'éteindre la télévision.

« Obinze et Ifemelu, tout le monde fait des erreurs, mais on peut en éviter certaines. »

Obinze garda le silence, Ifemelu dit : « Oui, Tante.

— Vous devez toujours utiliser un préservatif. Si vous voulez vous montrer irresponsables, attendez de ne plus être sous ma garde. » Son ton s'était durci, était devenu plus sévère. « Si vous choisissez de faire l'amour, alors vous devez choisir de vous protéger. Obinze, tu devrais utiliser ton argent de poche pour acheter des préservatifs. Toi aussi, Ifemelu. Peu m'importe que tu sois gênée. Tu dois aller les acheter dans une pharmacie. Tu ne dois jamais laisser au garçon la responsabilité de ta propre protection. S'il ne veut pas les utiliser, c'est qu'il ne se soucie pas assez de toi et que tu ne devrais pas être là. Obinze, ce n'est peut-être pas toi qui porteras l'enfant mais si cela arrive, toute ta vie en sera changée et tu ne pourras rien y faire. Et s'il vous plaît, vous deux, pas d'infidélité. Les maladies sont partout. Le sida est une réalité. »

Ils gardèrent le silence.

« M'avez-vous comprise ? demanda la mère d'Obinze.

— Oui, Tante, dit Ifemelu.

— Obinze ? demanda sa mère.

— J'ai compris, maman », dit Obinze, avant d'ajouter d'un ton sec : « Je ne suis pas un petit garçon ! » Puis il se leva et sortit rapidement de la pièce.

CHAPITRE 8

Les grèves étaient désormais fréquentes. Dans les journaux, les maîtres de conférences étalaient leurs revendications, les accords qui étaient foulés aux pieds par les membres du gouvernement dont les enfants faisaient leurs études à l'étranger. Les campus se vidaient, il n'y avait plus aucune animation dans les classes. Ne pouvant compter sur l'absence de grève, les étudiants espéraient seulement qu'elles seraient de courte durée. Tout le monde parlait de s'en aller. Même Emenike était parti en Angleterre. Personne ne savait comment il était parvenu à obtenir un visa. « Il ne te l'a même pas dit ? » demanda Ifemelu à Obinze. Et il avait répondu : « Tu connais Emenike. » Ranyinudo, qui avait un cousin en Amérique, fit une demande de visa mais dit qu'elle avait été refoulée à l'ambassade par un Noir américain enrhumé qui avait passé plus de temps à se moucher qu'à examiner ses papiers. Sœur Ibinabo organisa une Veillée miraculeuse des Visas le vendredi, une réunion de jeunes gens qui brandissaient une enveloppe contenant un formulaire de demande, que sœur Ibinabo bénissait de sa main. Une fille, en dernière année à l'université d'Ife, obtint son visa américain à la première tentative, et vint en larmes rendre un témoignage vibrant à l'église. « Même si je dois recommencer depuis le début en Amérique, au moins je saurai quand je serai diplômée », dit-elle.

Un jour, Tante Uju téléphona. Elle le faisait moins souvent ; avant, elle téléphonait chez Ranyinudo si Ifemelu était à Lagos, ou chez Obinze quand Ifemelu était en cours. Mais ses appels s'étaient faits rares. Elle avait trois emplois, et n'était pas encore qualifiée pour exercer la médecine en Amérique. Elle parla des examens qu'elle devait passer, de diverses étapes dont Ifemelu ne comprenait pas les diverses implications. Chaque fois que la mère d'Ifemelu suggérait de demander à Tante Uju de leur envoyer quelque chose d'Amérique – des vitamines, des chaussures –, le père d'Ifemelu disait non, il fallait laisser à Uju le temps de trouver ses marques, et la mère d'Ifemelu répliquait alors, avec un sourire un brin moqueur, que quatre années suffisaient largement pour trouver ses marques.

« Ifem, *kedu* ? demanda Tante Uju. Je pensais que tu étais à Nsukka. Je viens d'appeler chez Obinze.

— Il y a la grève.

— Ahn-ahn ! La grève n'est pas finie ?

— Non, quand la dernière a été terminée, nous sommes retournés en cours, et ils en ont entamé une autre.

— C'est quoi ces idioties ? dit Tante Uju. Vraiment, tu devrais venir étudier ici. Je suis sûre que tu obtiendrais facilement une bourse. Et tu pourrais m'aider à m'occuper de Dike. Je te le dis, le peu d'argent que je gagne va à la baby-sitter. Et si Dieu le veut, quand tu arriveras, j'aurai passé tous mes examens et commencé mon internat. » Tante Uju semblait enthousiaste, mais vague ; jusqu'à ce qu'elle l'ait exprimée, elle n'avait pas beaucoup réfléchi à cette idée.

Ifemelu aurait pu en rester là, une perspective incertaine lancée en l'air avant de retomber, s'il n'y avait pas eu Obinze. « Tu devrais tenter le coup, Ifem, dit-il. Tu n'as rien à perdre. Passe le SAT[1] et essaye d'avoir une bourse. Ginika peut t'aider pour les demandes d'inscription. Tante Uju étant sur place, tu auras au moins une base pour débuter. J'aimerais bien pouvoir en faire autant, mais je ne peux pas partir juste comme ça. Il vaut mieux que je finisse ma licence, puis que j'aille en Amérique pour passer mon doctorat. Les étudiants étrangers peuvent obtenir des aides pour le troisième cycle. »

Ifemelu ne comprit pas tout à fait ce que signifiaient ses propos, mais ils lui semblèrent raisonnables puisqu'ils étaient tenus par Obinze, le spécialiste de l'Amérique, qui parlait si facilement de deuxième ou de troisième cycle. C'est ainsi qu'elle se mit à rêver. Elle se vit dans une maison sortie du *Cosby Show*, dans une université où les étudiants tenaient des carnets miraculeusement

1. Examen standard d'entrée à l'université.

dépourvus de marques d'usure et de plis. Elle passa le SAT dans un centre de Lagos, bondé de milliers de gens, tous débordants de leurs propres ambitions américaines. Ginika, fraîchement diplômée, se chargea pour elle des inscriptions, et lui dit au téléphone : « Je voulais seulement te faire savoir que je me concentre sur la région de Philadelphie parce que c'est là que je suis allée », comme si Ifemelu savait où se trouvait Philadelphie. Pour elle, l'Amérique était l'Amérique.

La grève prit fin. Ifemelu retourna à Nsukka, reprit facilement la vie du campus et, de temps en temps, rêva de l'Amérique. Quand Tante Uju appela pour annoncer qu'elle avait obtenu des lettres d'acceptation et une proposition pour une bourse, elle cessa de rêver. Elle était trop effrayée pour espérer, maintenant que cela semblait possible.

« Fais des tresses petites-petites qui dureront longtemps. C'est très cher de se faire coiffer ici, dit Tante Uju.

— Tante, laisse-moi d'abord obtenir mon visa ! » dit Ifemelu.

Elle fit une demande de visa, convaincue qu'un Américain grossier allait la rejeter, ce qui arrivait si souvent, après tout, mais la femme aux cheveux gris qui portait une broche de saint Vincent de Paul au revers de sa veste lui sourit et dit : « Revenez prendre votre visa dans deux jours. Bonne chance pour vos études. »

L'après-midi où elle retira son passeport, avec le visa aux couleurs pâles apposé sur la deuxième page, elle organisa le rituel triomphant qui marquait le début d'une nouvelle vie à l'étranger : la division de ses effets personnels entre les amies. Ranyinudo, Priye et Tochi buvaient du Coca-Cola dans sa chambre, ses vêtements étaient empilés sur le lit, et elles se ruèrent d'abord sur sa robe orange, sa robe préférée, un cadeau de Tante Uju ; quand elle l'enfilait, avec sa forme trapèze, la fermeture à glissière qui allait du col à l'ourlet, elle se sentait à la fois séduisante et dangereuse. « Ça me facilite la vie », avait coutume de dire Obinze, avant de commencer à la faire glisser lentement. Elle aurait aimé garder la robe, mais Ranyinudo dit : « Ifem, tu sais que tu auras toutes les robes que tu voudras en Amérique et la prochaine fois que nous te verrons, tu seras une vraie Americanah. »

Sa mère lui raconta que Jésus lui avait dit en rêve qu'Ifemelu deviendrait prospère en Amérique. Son père lui glissa une mince enveloppe dans la main, « J'aurais voulu pouvoir faire plus », et elle se rendit compte avec tristesse qu'il avait dû emprunter l'argent.

Devant l'enthousiasme des autres, elle se sentit soudain amorphe et effrayée.

« Je devrais peut-être rester et finir mes études ici, dit-elle à Obinze.

— Non, Ifem, tu dois partir. De toute façon tu n'aimes même pas la géologie. Tu pourras étudier autre chose en Amérique.

— Mais la bourse est partielle. Où vais-je trouver l'argent pour payer le reste ? Je ne peux pas travailler avec un visa d'étudiant.

— Tu peux travailler à l'université dans les programmes réservés aux étudiants dans le besoin. Tu trouveras un moyen. Soixante-quinze pour cent des frais sont payés, c'est un gros morceau. »

Elle hocha la tête, emportée par la conviction d'Obinze. Elle rendit visite à sa mère pour lui dire au revoir.

« Le Nigeria chasse ses meilleures ressources, dit celle-ci en la serrant dans ses bras.

— Tante, vous allez me manquer. Un grand merci pour tout.

— Porte-toi bien, ma chérie, et réussis. Écris-nous. Promets de garder le contact. »

Ifemelu hocha la tête, les larmes aux yeux. Au moment où elle partait, écartant le rideau de la porte d'entrée, la mère d'Obinze dit : « Faites des projets d'avenir, Obinze et toi. Pensez à l'avenir. » Ses mots, tellement inattendus et tellement justes, lui remontèrent le moral. Leur projet fut le suivant : il irait en Amérique dès l'instant où il aurait son diplôme. Il se débrouillerait pour obtenir un visa. Peut-être, alors, serait-elle en position de l'aider à l'obtenir.

Au fil des années qui suivirent, même après avoir perdu le contact avec lui, elle se souviendrait souvent des mots de sa mère : *pensez à l'avenir, Obinze et toi* – et elle se sentirait réconfortée.

CHAPITRE 9

Mariama rapporta du restaurant chinois des sacs de papier brun tachés d'huile, avec dans son sillage des odeurs de graisse et d'épices dans la chaleur du salon de coiffure.

« Le film est fini ? » Elle jeta un coup d'œil à l'écran blanc de la télévision, puis fouilla dans la pile de DVD pour en choisir un autre.

« Excuse-moi si je mange », dit Aisha à Ifemelu. Elle se percha sur une chaise dans le fond de la pièce et grignota des ailes de poulet frites avec ses doigts, les yeux rivés sur l'écran. Le nouveau film commença par des bandes-annonces, des scènes prises à la va-vite entrecoupées de flashes lumineux. À la fin s'élevait une voix masculine nigériane qui disait d'un ton solennel : « Procurez-vous votre copie sans tarder. » Mariama mangeait debout. Elle dit quelque chose à Halima.

« Je finis d'abord et je mange, répondit Halima en anglais.

— Tu peux aller manger tout de suite, si tu veux », dit aimablement la cliente d'Halima, une jeune femme à la voix claire.

« Non, je finis. Juste un peu », dit Halima. Sa cliente n'avait plus qu'une touffe de cheveux dressée sur le devant de sa tête comme la fourrure d'un animal, tandis que le reste était coiffé en microtresses bien régulières qui lui tombaient sur les épaules.

« J'ai une heure avant d'aller chercher mes filles à l'école, dit la cliente.

— Combien tu en as ? demanda Halima.

— Deux », dit la cliente. On lui donnait à peine dix-sept ans. « Deux jolies petites filles. »

Le nouveau film venait de commencer. Le visage au large sourire d'une actrice d'âge mûr emplit l'écran.

« Oh-oh, oui ! Je l'aime bien ! dit Halima. Patience ! Elle se laisse pas faire !

— Vous la connaissez ? » demanda Mariama à Ifemelu, pointant son doigt vers l'écran.

« Non », répondit Ifemelu. Pourquoi lui demandait-on toujours si elle connaissait les acteurs de Nollywood ?

Toute la pièce était envahie de forts effluves de nourriture. L'air étouffant empestait l'huile, pourtant l'odeur lui donna légèrement faim. Elle mangea une ou deux de ses carottes.

La cliente d'Halima inclina la tête d'un côté puis de l'autre devant le miroir et dit : « Merci beaucoup, c'est superbe ! »

Lorsqu'elle fut partie, Mariama dit : « Si jeune et elle a déjà deux enfants.

— Oh, oh, oh, ces gens-là, à treize ans elle connaît déjà toutes les positions. Jamais en Afrique !

— Jamais », reconnut Mariama.

Elles se tournèrent vers Ifemelu pour avoir son accord, son approbation. Elles l'escomptaient, dans ce petit espace commun de leur africanité, mais Ifemelu ne dit rien, et tourna une page de son roman. Bien sûr, elles allaient parler d'elle après son départ. Cette fille nigériane, elle se croit importante à cause de Princeton. Regardez sa barre protéinée, elle ne mange plus de vraie nourriture. Elles se moqueraient, mais modérément, parce qu'elle était leur sœur africaine, même si elle avait brièvement perdu tout sens commun. Une nouvelle bouffée d'odeur huileuse se répandit dans la pièce quand Halima ouvrit sa gamelle de plastique. Elle mangeait en s'adressant à l'écran de télévision. « Oh, crétin ! Elle va prendre ton argent ! »

Ifemelu écarta quelques cheveux collés sur son cou. On étouffait dans la pièce. « Peut-on laisser la porte ouverte ? » demanda-t-elle.

Mariama ouvrit la porte, la cala avec une chaise. « Cette chaleur est terrible. »

*

Chaque vague de chaleur rappelait à Ifemelu la première, celle de l'été de son arrivée. C'était l'été en Amérique, elle le savait, mais elle avait toujours cru que « l'étranger » était un endroit froid avec des manteaux de laine et de la neige, et l'Amérique étant un pays « étranger », et ses illusions si tenaces qu'elles ne pouvaient céder à la raison, elle acheta en vue de son voyage le pull le plus épais qu'elle pût trouver au marché de Tejuosho. Elle le porta durant tout le trajet, remontant jusqu'au cou la fermeture Éclair dans la cabine bourdonnante de l'avion, puis l'ouvrit quand elle quitta l'aéroport avec Tante Uju. La chaleur torride l'inquiéta, ainsi que la vieille Toyota à hayon de Tante Uju, avec une tache de rouille sur le côté et le tissu des sièges effiloché. Elle regarda les maisons, les voitures et les affiches, tous de couleur terne, désespérément terne ; dans le paysage qu'elle avait imaginé, tous les objets d'usage courant en Amérique étaient peints de couleurs éclatantes. Elle s'étonna, surtout, à la vue d'un adolescent coiffé d'une casquette de base-ball, debout près d'un mur de brique, le visage incliné, le corps penché en avant, les mains entre ses jambes. Elle se retourna pour regarder à nouveau.

« Tu as vu ce garçon ? dit-elle. Je ne savais pas que les gens faisaient des choses pareilles en Amérique.

— Tu ne savais pas que les gens pissaient en Amérique ? » demanda Tante Uju, regardant à peine le garçon avant de porter son attention sur un feu de circulation.

« Ahn-ahn, Tante ! Je veux dire qu'ils le font dehors, comme ça.

— Ils ne le font pas habituellement. Ce n'est pas comme chez nous où tout le monde le fait. Il pourrait être arrêté, mais ce n'est pas un quartier bien fréquenté de toute façon », dit Tante Uju d'un ton sec. Il y avait quelque chose de différent chez elle. Ifemelu l'avait remarqué tout de suite à l'aéroport, ses cheveux tressés n'importe comment, ses oreilles sans pendentifs, son étreinte rapide, sans élan, comme si quelques semaines et non des années s'étaient écoulées depuis la dernière fois qu'elles s'étaient vues.

« Je suis censée être plongée dans mes livres en ce moment, dit Tante Uju, les yeux fixés sur la route. Tu sais que mon examen approche. »

Ifemelu n'avait pas compris qu'il restait encore un examen, elle croyait que Tante Uju attendait ses résultats. Mais elle dit : « Oui, je sais. »

Un silence de plomb s'installa entre elles. Ifemelu avait envie de s'excuser, bien qu'elle ignorât de quoi. Tante Uju regrettait peut-être sa présence, maintenant qu'elle était là, dans sa voiture poussive.

Le téléphone portable de Tante Uju sonna. « Oui, c'est Uju. » Elle prononçait *you-jou*, au lieu d'*ou-jou*.

« C'est comme ça que tu prononces ton nom maintenant ? demanda ensuite Ifemelu.

— C'est comme ça qu'on m'appelle. »

Ifemelu se retint de dire : « Eh bien, ce n'est pas ton nom. » Au lieu de quoi elle fit remarquer en igbo : « Je ne savais pas qu'il ferait si chaud ici.

— C'est la première vague de chaleur de l'été », dit Tante Uju, comme si Ifemelu était supposée comprendre les mots *vague de chaleur*. Elle n'avait jamais connu une chaleur aussi *torride*. Une chaleur qui vous enveloppait, sans merci. La poignée de la porte de Tante Uju, quand elles arrivèrent à son petit appartement, était brûlante. Dans le salon, Dike se leva d'un bond du sol recouvert d'une moquette, parsemé de petites voitures et de figurines, et il l'embrassa comme s'il se souvenait d'elle. « Alma, c'est ma cousine ! » dit-il à sa baby-sitter, une femme au visage las et à la peau claire dont les cheveux noirs étaient retenus en une queue-de-cheval graisseuse. Si Ifemelu avait rencontré Alma à Lagos, elle aurait pensé qu'elle était blanche, mais elle apprit qu'elle était hispanique, une catégorie américaine qui était, étrangement, à la fois une ethnicité et une race, et elle se souviendrait d'Alma quand, des années plus tard, elle écrirait un post dans son blog intitulé « Comprendre l'Amérique pour les Noirs non américains : Ce que signifie hispanique ».

> Hispanique signifie être fréquemment associé aux Noirs américains dans les statistiques de la pauvreté, hispanique signifie être légèrement au-dessus des Noirs américains dans l'échelle des races américaines. Hispanique signifie une femme péruvienne à la peau couleur chocolat. Hispanique signifie population indigène du Mexique. Hispanique signifie habitants à l'apparence biraciale de la république Dominicaine. Hispanique signifie habitants à la peau plus claire de Porto Rico. Hispanique signifie aussi les Argentins blonds aux yeux bleus. Il suffit de parler espagnol mais sans venir d'Espagne, et voilà, vous faites partie d'une race appelée hispanique.

Mais cet après-midi-là, elle remarqua à peine Alma, ou le salon uniquement meublé d'un canapé et d'une télévision, ou la bicyclette posée dans un coin, car toute son attention se concentra sur

Dike. La dernière fois qu'elle l'avait vu, le jour du départ précipité de Lagos de Tante Uju, il avait un an et pleurait sans arrêt à l'aéroport comme s'il comprenait le bouleversement qui venait de transformer sa vie, et aujourd'hui elle avait devant elle un écolier à l'accent parfaitement américain, qui rayonnait de bonheur : le genre d'enfant qui ne peut jamais rester tranquille et n'a jamais l'air triste.

« Pourquoi as-tu un pull ? Il fait beaucoup trop chaud pour porter un pull ! » dit-il avec un rire moqueur, sans la lâcher, prolongeant son étreinte. Elle rit. Il était si petit, si innocent, et cependant il y avait quelque chose de précoce chez lui, mais une précocité joyeuse ; il ne nourrissait pas de sombres intentions envers les adultes qui l'entouraient. Le soir, lorsque Tante Uju et lui furent couchés et qu'Ifemelu se fut installée sur une couverture à même le sol, il dit : « Pourquoi elle doit coucher par terre, maman ? Nous pouvons tenir dans le lit tous les trois », comme s'il se rendait compte des sentiments d'Ifemelu. Il n'y avait *rien* à redire à cet arrangement – après tout, elle dormait sur des nattes quand elle allait voir sa grand-mère au village – mais elle était en Amérique, la glorieuse Amérique, et elle ne s'était pas attendue à devoir dormir par terre.

« Je suis très bien, Dike », dit-elle.

Il se leva et lui apporta son oreiller. « Tiens. Il est doux et confortable. »

Tante Uju dit : « Dike, reviens te coucher. Laisse dormir ta tante. »

Ifemelu n'arrivait pas à dormir, son esprit était trop occupé par la nouveauté de ce qui l'entourait, et elle attendit d'entendre Tante Uju ronfler pour se glisser hors de la chambre et allumer la lumière dans la cuisine. Il y avait un gros cafard sur le mur près des placards, se déplaçant de haut en bas et de bas en haut très lentement comme s'il respirait profondément. Dans leur cuisine à Lagos elle aurait trouvé un balai et l'aurait tué, mais ici elle laissa le cafard américain tranquille et alla se poster devant la fenêtre du salon. Cette partie de Brooklyn s'appelait Flatlands, avait dit Tante Uju. La rue en contrebas était mal éclairée, bordée non pas d'arbres verdoyants mais de voitures garées les unes derrière les autres, rien de semblable aux jolies rues du *Cosby Show*. Ifemelu s'attarda un long moment, se balançant d'un pied sur l'autre, submergée par la nouveauté. Mais elle était aussi traversée par un frisson d'espérance, par l'impatience de découvrir l'Amérique.

*

« Je pense qu'il est préférable que tu t'occupes de Dike pendant l'été et m'évites de payer des baby-sitters, et que tu commences ensuite à chercher un job quand tu seras à Philadelphie », dit Tante Uju le lendemain matin. Elle avait réveillé Ifemelu, lui avait donné rapidement des instructions concernant Dike, disant qu'elle se rendrait à la bibliothèque après le travail. C'était un vrai moulin à paroles. Ifemelu aurait bien aimé qu'elle parle un peu plus lentement.

« Tu ne peux pas travailler avec un visa d'étudiant, et la formule travail-étude de l'université, c'est n'importe quoi, ça ne rapporte rien, et il faut que tu puisses payer ton loyer et le reste de tes frais de scolarité. Moi, comme tu peux voir, j'ai trois jobs et pourtant ce n'est pas facile. J'ai parlé à une de mes amies, je ne sais pas si tu te souviens de Ngozi Okonkwo ? Elle est maintenant citoyenne américaine, et elle est rentrée au Nigeria pour quelque temps, pour monter une affaire. Je l'ai suppliée et elle est d'accord pour te laisser travailler avec sa carte de Sécurité sociale.

— Comment ça ? J'utiliserai son nom ?

— Bien sûr que tu utiliseras son nom », dit Tante Uju en haussant les sourcils, presque sur le point de traiter Ifemelu d'idiote. Tante Uju avait une tache de crème blanche dans les cheveux, à la racine d'une de ses tresses, et Ifemelu faillit lui dire de l'essuyer mais elle changea d'avis, ne dit rien, et regarda Tante Uju se hâter vers la porte. Elle se sentait mortifiée par le reproche de Tante Uju. On eût dit qu'entre elles une intimité de longue date avait disparu. L'impatience de Tante Uju, cette nouvelle irritabilité chez elle, donnaient à Ifemelu l'impression qu'il y avait des choses qu'elle aurait déjà dû savoir, et que c'était sa faute si elle ne les connaissait pas. « Il y a du corned-beef, tu peux faire des sandwichs pour le déjeuner », avait dit Tante Uju, comme si ces mots étaient parfaitement normaux et ne demandaient pas un préambule ironique concernant le fait que les Américains mangeaient du pain au déjeuner. Mais Dike ne voulut pas de sandwich. Après avoir montré à Ifemelu tous ses jouets et regardé avec elle plusieurs épisodes de *Tom et Jerry*, riant aux éclats parce qu'elle les avait tous déjà vus au Nigeria et lui racontait à l'avance ce qui allait arriver, il ouvrit le réfrigérateur et lui montra ce qu'il désirait qu'elle lui prépare. « Hot dogs. » Ifemelu examina ces curieuses saucisses allongées puis ouvrit les placards à la recherche d'huile.

« Maman dit que je dois t'appeler Tante Ifem. Mais tu n'es pas ma tante. Tu es ma cousine.

— Alors appelle-moi Cousine.

— OK, Coz », dit Dike en riant. Son rire était si chaleureux, si franc. Elle avait trouvé de l'huile végétale.

« Tu n'as pas besoin d'huile, dit Dike. On les cuit simplement dans l'eau.

— Dans l'eau ? Comment peut-on cuire une saucisse dans de l'eau ?

— C'est un hot dog, pas une saucisse. »

Bien sûr que c'était une saucisse, même s'ils lui donnaient ce nom ridicule de « hot dog ». Elle en fit donc frire deux dans un peu d'huile comme elle le faisait avec les saucisses Satis roulées dans de la pâte. Dike la contempla, horrifié. Elle ferma le gaz. Il se recula et dit « berk ». Ils restèrent à se regarder, avec entre eux une assiette contenant un petit pain et deux hot dogs racornis. Elle comprit alors qu'elle aurait dû l'écouter.

« Est-ce que je peux avoir à la place un sandwich au beurre de cacahuète et à la confiture ? » demanda Dike. Elle suivit ses instructions pour le sandwich, découpa la croûte du pain, étala d'abord le beurre de cacahuète, réfrénant son envie de rire en voyant avec quelle attention il l'observait, comme si elle pouvait subitement décider de faire frire le sandwich.

Quand, ce soir-là, Ifemelu lui raconta l'histoire du sandwich, Tante Uju dit sans la moindre trace de l'amusement qu'elle escomptait : « Ce ne sont pas des saucisses, ce sont des hot dogs.

— C'est comme dire qu'un bikini n'est pas la même chose que des sous-vêtements. Un extraterrestre verrait-il la différence ? »

Tante Uju haussa les épaules ; assise à la table, un ouvrage de médecine ouvert devant elle, elle mangeait un hamburger sorti d'un sachet de papier froissé. Elle avait la peau desséchée, les yeux cernés, l'air morose. Elle semblait fixer le livre sans le lire.

*

À l'épicerie, Tante Uju n'achetait jamais ce dont elle avait besoin. Elle achetait ce qui était en promotion et se persuadait qu'elle en avait besoin. Elle prenait le prospectus coloré à l'entrée du Key Food et partait à la recherche des articles en promotion, rayon après rayon, pendant qu'Ifemelu poussait le caddie et que Dike marchait à côté d'elles.

« Maman, je n'aime pas celui-là. Prends le bleu, dit Dike en voyant Tante Uju mettre des boîtes de céréales dans le caddie.

— J'en achète une et l'autre est gratuite.

— Elles n'ont pas bon goût.

— Elles ont exactement le même goût que tes céréales habituelles, Dike.

— Non. » Dike s'empara d'une boîte bleue dans le rayon et partit en courant vers la caisse.

« Bonjour, petit bonhomme ! » La caissière était une grande femme à l'air enjoué, avec des joues rouges qui pelaient à la suite d'un coup de soleil. « Tu donnes un coup de main à ta maman ?

— Dike, remets ça à sa place », dit Tante Uju, avec l'accent traînant et nasal qu'elle affectait quand elle parlait à des Américains blancs, en la présence d'Américains blancs, à portée de voix d'Américains blancs. Et avec cet accent se révélait une nouvelle personnalité, prête à s'excuser et à se rabaisser. Elle était trop empressée envers la caissière. « Désolée, désolée », dit-elle en cherchant sa carte de crédit dans son portefeuille. Voyant la caissière l'observer, Tante Uju laissa Dike garder les céréales mais dans la voiture elle lui saisit l'oreille gauche et la tira en la tordant.

« Je t'ai déjà dit de ne jamais rien prendre à l'épicerie ! Tu comprends ? Ou tu veux une gifle pour t'aider à comprendre ? »

Dike porta sa paume à son oreille.

Tante Uju se tourna vers Ifemelu. « Voilà comment les gamins se comportent dans ce pays. Jane m'a même dit que sa fille l'a menacée d'appeler la police quand elle la frappe. Tu imagines ! Je ne blâme pas la fille, elle est venue en Amérique et a appris qu'on peut appeler la police. »

Ifemelu pressa le genou de Dike. Il ne la regarda pas. Tante Uju conduisait un peu trop vite.

*

Dike appela depuis la salle de bains où on l'avait envoyé se brosser les dents avant d'aller au lit.

« Dike, *I mechago* ? demanda Ifemelu.

— S'il te plaît, ne lui parle pas igbo, dit Tante Uju. Parler deux langues risque de le perturber.

— Qu'est-ce que tu racontes, Tante ? Nous parlions deux langues quand nous étions enfants.

— Nous sommes en Amérique. C'est différent. »

Ifemelu se retint de répondre. Tante Uju referma son livre de médecine, et regarda dans le vide devant elle. La télévision était éteinte et un bruit d'eau leur parvenait de la salle de bains.

« Tante, que se passe-t-il ? Qu'est-ce qui ne va pas ?

— Que veux-tu dire ? Il n'y a rien. » Tante Uju poussa un soupir. « J'ai raté mon dernier examen. J'ai eu les résultats juste avant ton arrivée.

— Oh ! » Ifemelu la regardait attentivement.

« Je n'ai jamais raté un examen de ma vie. Mais ils ne contrôlaient pas de véritables connaissances, ils contrôlaient ta capacité à répondre rapidement à un questionnaire à choix multiple qui n'avait rien à voir avec les connaissances médicales. » Elle se leva et alla à la cuisine. « Je suis fatiguée. Je suis tellement fatiguée. Je croyais que dorénavant tout s'arrangerait pour moi et pour Dike. Ce n'est pas comme si quelqu'un m'aidait et que je ne voyais pas l'argent filer. J'étudie et j'ai trois emplois. Je travaille comme vendeuse au centre commercial, assistante de recherche, et j'ai même fait quelques heures au Burger King.

— Les choses vont s'améliorer », dit Ifemelu en désespoir de cause. Elle se rendait compte que ses paroles sonnaient creux. Rien ne lui était familier. Elle était incapable de réconforter Tante Uju faute de savoir comment faire. Quand Tante Uju parlait de ses amies qui étaient arrivées avant elle en Amérique et avaient réussi leurs examens – Nkechi dans le Maryland lui avait envoyé le service de table, Kemi dans l'Indiana lui avait acheté le lit, Ozavisa avait envoyé de la vaisselle et des vêtements depuis Hartford –, Ifemelu disait : « Que Dieu les bénisse », et les mots paraissaient maladroits et vains dans sa bouche.

D'après les coups de téléphone que Tante Uju passait à la maison, elle avait supposé que les choses n'allaient pas trop mal, encore qu'elle se rendît compte à présent qu'elle était toujours restée vague, mentionnant le « travail » et les « examens » sans donner de détails. Peut-être était-ce parce qu'elle n'avait pas demandé de détails, n'avait pas voulu entendre les détails. Et elle songeait, en l'observant, que la Tante Uju d'avant n'aurait jamais porté des tresses aussi mal finies. Elle n'aurait jamais toléré les poils incarnés qui poussaient comme des raisins secs sur son menton, ni le pantalon usagé qui faisait de gros plis entre ses jambes. L'Amérique l'avait domptée.

CHAPITRE 10

Le premier été se passa dans l'attente pour Ifemelu ; la véritable Amérique, se disait-elle, était juste au détour du chemin. Même les jours, se glissant l'un dans l'autre, limpides et langoureux, le soleil s'attardant tard dans la journée, semblaient attendre. Sa vie avait un aspect dépouillé, une austérité exacerbée, sans parents, sans amis et sans foyer, sans les repères qui faisaient ce qu'elle était. Ainsi elle attendait, écrivait de longues lettres détaillées à Obinze, l'appelait au téléphone de temps en temps – des appels brefs car Tante Uju disait qu'il fallait économiser la carte de téléphone –, passait son temps avec Dike. Ce n'était qu'un enfant mais elle avait avec lui une affinité proche de l'amitié ; ils regardaient ensemble ses dessins animés préférés, *Les Razmoket* et *Franklin*, ils lisaient des livres, et elle l'emmenait jouer avec les enfants de Jane. Jane habitait l'appartement voisin. Elle et son mari, Marlon, étaient originaires de la Grenade et parlaient avec un accent mélodieux presque chantant. « Ils sont comme nous ; il a un bon travail et de l'ambition, et ils donnent des fessées à leurs enfants », disait Tante Uju d'un air approbateur.

Ifemelu et Jane rirent quand elles découvrirent à quel point leurs enfances avaient été similaires à la Grenade et au Nigeria, avec les romans d'Enid Blyton, des professeurs et des pères anglophiles qui adoraient le World Service de la BBC. Jane n'avait que quelques années de plus qu'Ifemelu. « Je me suis mariée très jeune. Tout le monde voulait Marlon, comment aurais-je pu dire non ? », dit-elle, riant à moitié. Elles s'asseyaient sur le perron de l'immeuble et regardaient Dike et les enfants de Jane, Elizabeth et Junior, pédaler sur leurs vélos jusqu'au bout de la rue et revenir. Ifemelu criait souvent à Dike de ne pas aller plus loin, les enfants poussaient des cris, les trottoirs de ciment luisaient sous le soleil brûlant, et la quiétude de l'été était parfois rompue par les flots de musique tonitruante qui enflaient puis retombaient au passage des voitures.

« Tout doit te paraître encore très étrange », dit Jane.

Ifemelu hocha la tête. « Oui. »

Un marchand de glaces dans sa camionnette fit son apparition dans la rue, accompagné d'une mélodie tintinnabulante.

« Tu sais, c'est ma dixième année ici, et j'ai l'impression d'être encore en train de m'adapter, dit Jane. Le plus dur est d'élever mes enfants. Regarde Elizabeth. Je dois faire très attention avec elle. Si tu ne fais pas attention dans ce pays, tes enfants deviennent on ne sait quoi. C'est différent chez nous parce qu'on peut les contrôler. Ici, non. » Jane avait un air inoffensif, avec son visage ordinaire et ses petits bras courts, mais sous son sourire avenant perçait une inflexible vigilance.

« Quel âge a-t-elle ? Dix ans ? demanda Ifemelu.

— Neuf et c'est déjà une sacrée comédienne. Nous dépensons beaucoup d'argent pour qu'elle aille dans une école privée parce que ici les écoles publiques sont nulles. Marlon dit que nous allons bientôt nous installer en banlieue pour qu'ils puissent aller dans de meilleures écoles. Sinon elle va commencer à se comporter comme les Noirs américains.

— Que veux-tu dire ?

— Ne cherche pas, tu comprendras avec le temps », dit Jane, et elle se leva pour aller acheter des glaces aux enfants.

Ifemelu attendait avec impatience le moment de s'asseoir avec Jane dehors, jusqu'au soir où Marlon revint du travail et lui dit dans un murmure rapide, pendant que Jane était partie chercher de la citronnade pour les enfants : « Je pense souvent à toi. Il faut que je te parle. » Elle ne dit rien à Jane. Jane ne le tiendrait jamais pour responsable de quoi que ce soit, son Marlon à la peau noisette que tout le monde voulait, et Ifemelu commença à les éviter tous les deux, inventant des jeux de société compliqués auxquels Dike et elle pouvaient jouer à l'intérieur.

Un jour, elle demanda à Dike ce qu'il avait fait à l'école avant l'été, et il répondit : « Des cercles. » Ils s'asseyaient par terre en rond et échangeaient leurs objets favoris.

Elle fut atterrée. « Tu sais faire une division ? »

Il la regarda d'un air bizarre. « Je suis seulement en cours préparatoire, Coz.

— Quand j'avais ton âge, je savais faire une division simple. »

Elle finit par se convaincre que les enfants américains n'apprenaient rien à l'école primaire, conviction qui se renforça quand il lui dit que sa maîtresse distribuait parfois des coupons de devoirs ; si vous obteniez un coupon de devoirs, vous aviez droit à un jour sans devoirs. Des cercles, des coupons de devoirs, quelle serait la prochaine ineptie ? Elle se mit donc à lui enseigner les mathématiques. Elle disait maths comme en anglais, et il disait math comme en américain, si bien qu'ils convinrent de ne pas abréger le mot. Aujourd'hui, elle ne pouvait se rappeler cet été sans penser aux longues divisions, au front de Dike plissé par l'incompréhension, à la façon dont elle hésitait chaque fois entre le chantage ou l'engueulade. Bon, essaye une fois encore et tu pourras avoir une glace. Tu n'iras pas jouer tant qu'elles ne seront pas justes. Plus tard, quand il fut plus grand, il disait qu'il avait trouvé les mathématiques faciles à cause de cet été de torture – « Tu veux sans doute dire cet été de tutorat », une réplique devenue une plaisanterie familière, qu'ils resservaient de temps en temps, comme une nourriture réconfortante.

Ce fut, aussi, son été culinaire. Elle aimait ce qui ne lui était pas familier – les hamburgers de McDonald's et le goût acide des cornichons quand on les croquait, une nouvelle saveur qu'elle appréciait un jour et détestait le lendemain, les burritos que rapportait Tante Uju à la maison, imbibés de sauce pimentée, et le salami épicé qui lui laissait un voile de sel dans la bouche. Elle était déconcertée par la fadeur des fruits, comme si la nature avait oublié de donner du goût aux oranges et aux bananes, mais elle aimait les regarder et les toucher, parce que les bananes étaient si grosses, d'un jaune si régulier qu'elle leur pardonnait leur peu de saveur. Un jour, Dike dit : « Pourquoi tu fais ça ? Manger une banane avec des cacahuètes ?

— C'est comme ça qu'on fait au Nigeria. Tu veux essayer ?

— Non, dit-il d'un ton ferme. Je ne crois pas que j'aime le Nigeria, Coz. »

Les glaces, heureusement, avaient le goût qu'elle connaissait. Elle piochait directement dans les boîtes en plastique géantes du congélateur – deux pour le prix d'une –, en retirait des boules de vanille et de chocolat, tout en regardant la télévision. Elle suivait les séries qu'elle avait regardées au Nigeria, *Le prince de Bel-Air*, *Campus Show*, et en découvrait de nouvelles qu'elle ne connaissait pas, *Friends*, *Les Simpson*, mais c'était la publicité qui la fascinait. Elle enviait les existences qu'elle dépeignait, des vies baignant dans la félicité, où tous les problèmes étaient brillamment résolus grâce aux shampoings, aux voitures et aux plats cuisinés, et dans son esprit elles se confondaient avec la véritable Amérique, l'Amérique qu'elle découvrirait seulement à l'automne, quand elle irait à l'université. Au début, les nouvelles du soir la laissèrent perplexe, avec leur litanie d'incendies et de fusillades, car elle était habituée à la télévision officielle nigériane où des officiers de l'armée gonflés d'importance inauguraient des routes ou faisaient des discours. Mais en regardant jour après jour des images d'hommes qu'on emmenait menottes aux poignets, de familles éplorées devant les restes calcinés de leurs maisons, d'épaves de voitures accidentées après une poursuite de la police, des vidéos floues de vols commis dans des boutiques, sa perplexité se transforma en inquiétude. Elle était prise de panique quand elle entendait un bruit près de la fenêtre, quand Dike allait trop loin à bicyclette dans la rue. Elle cessa de sortir la poubelle à la nuit tombée, parce qu'un homme armé pouvait se cacher dehors. Tante Uju dit en riant : « Si tu continues à regarder la télévision, tu vas croire que ces choses-là arrivent tout le temps. Sais-tu à quel point les crimes sont nombreux au Nigeria ? N'est-ce pas parce qu'ils ne sont pas comptabilisés comme ils le sont ici ? »

CHAPITRE 11

Tante Uju rentrait à la maison les traits tirés, tendue, à la tombée de la nuit, Dike déjà au lit, et demandait : « Est-ce que j'ai du courrier ? Est-ce que j'ai du courrier ? », le répétant cent fois, flageolante, comme sur le point de s'écrouler. Certains soirs, elle s'entretenait longuement au téléphone, d'une voix étouffée, comme si elle protégeait quelque chose des regards indiscrets du monde. Elle finit par parler à Ifemelu de Bartholomew. « Il est comptable, divorcé, et il cherche à se fixer. Il vient d'Eziowelle, tout près de chez nous. »

Abasourdie par les mots de Tante Uju, Ifemelu ne put dire que : « Oh, très bien », et rien d'autre. « Que fait-il ? » et « Où habite-t-il ? » étaient les questions que sa mère aurait posées, mais depuis quand était-il devenu important pour Tante Uju qu'un homme soit originaire d'une ville proche de la leur ?

Un samedi, Bartholomew vint leur rendre visite depuis le Massachusetts. Tante Uju prépara des gésiers au poivre, se poudra le nez et se tint devant la fenêtre du salon, attendant de voir sa voiture s'arrêter. Dike l'observait, jouant sans conviction avec ses figurines, troublé mais tout excité parce qu'il devinait son impatience. Quand la sonnerie retentit, elle intima à Dike : « Sois sage ! »

Bartholomew portait un pantalon kaki remonté haut sur son ventre, il parlait avec un accent américain traînant, mangeait ses mots jusqu'à les rendre inintelligibles. Pour Ifemelu, son comportement trahissait une enfance campagnarde défavorisée qu'il tentait de compenser par un langage affecté, une profusion d'américanismes.

Il lança un coup d'œil à Dike et dit, presque négligemment : « Ah oui, voilà ton fils. Comment ça se passe pour toi ?

— Bien », marmonna Dike.

Ifemelu s'irrita de l'indifférence de Bartholomew envers le fils de la femme qu'il courtisait, et qu'il soit incapable de feindre le moindre intérêt. Il n'était absolument pas fait pour Tante Uju et indigne d'elle. Un homme plus intelligent s'en serait rendu compte, et se serait modéré, mais pas Bartholomew. Il affichait un air important, comme s'il était un prix spécial que Tante Uju avait la chance d'avoir gagné, et Tante Uju se pliait à son jeu. Avant de goûter les gésiers, il dit : « Voyons un peu si c'est bon. »

Tante Uju rit et son rire trahissait un consentement tacite, car ses mots : « Voyons un peu si c'est bon » laissaient entendre qu'il voulait vérifier si elle était bonne cuisinière, et par conséquent si elle ferait une bonne épouse. Elle se coulait dans les rituels, offrait un sourire qui promettait d'être docile avec lui mais avec lui seul, se précipitait pour rattraper sa fourchette qu'il laissait tomber, lui servait davantage de bière. Assis sans bouger à la table, Dike regardait, délaissant ses jouets. Bartholomew mangea les gésiers et but la bière. Il parla de la politique nigériane avec l'enthousiasme fervent d'une personne qui s'y intéressait de loin, lisait et relisait des articles sur Internet. « La mort de Kudirat n'aura pas été vaine, elle va galvaniser le mouvement démocratique comme lui n'a pas réussi à le faire même de son vivant ! Je viens d'écrire un article sur ce sujet dans l'édition en ligne du *Nigerian Village*. » Tante Uju hochait la tête pendant qu'il parlait, approuvant tout ce qu'il disait. Le silence s'installait par moments entre eux. Ils regardèrent la télévision, une comédie dramatique à l'intrigue prévisible et emplie de scènes enlevées dans une desquelles apparaissait une jeune fille court vêtue.

« Au Nigeria, une fille ne porterait jamais ce genre de tenue, dit Bartholomew. Regardez-moi ça. Ce pays n'a aucun sens moral. »

Ifemelu aurait dû se taire mais il y avait quelque chose chez Bartholomew qui l'empêcha de garder le silence, cette caricature outrée qu'il personnifiait, avec sa mèche sur le côté, une coiffure inchangée depuis son arrivée en Amérique trente ans plus tôt, et ses sentences moralisatrices fallacieuses, excessives. C'était quelqu'un dont, dans son village, on dirait qu'il est « perdu ». *Il est parti en Amérique et s'est perdu*, diraient ses proches. *Il est parti en Amérique et n'a plus voulu revenir.*

« Les filles au Nigeria portent des robes bien plus courtes que ça *o*, dit Ifemelu. Au lycée, certaines d'entre nous se changeaient dans la maison de leurs amies pour que les parents n'en sachent rien. »

Tante Uju se tourna vers elle, plissant les yeux pour la mettre en garde. Bartholomew la regarda et haussa les épaules, comme si elle ne valait pas la peine qu'on lui réponde. Un sentiment d'antipathie s'installa entre eux. Pendant le reste de l'après-midi, il l'ignora. À l'avenir, il l'ignorerait souvent. Plus tard, elle lut ses articles dans le *Nigerian Village*, tous acerbes et véhéments, signés « Comptable igbo du Massachusetts », et elle fut surprise par l'abondance de sa prose, et l'énergie qu'il déployait dans des débats vides de sens.

Il n'était pas retourné au Nigeria depuis des années et peut-être avait-il besoin du réconfort de ces groupes d'internautes, des petites remarques qui fusaient et explosaient en attaques personnelles, des insultes qui volaient de part et d'autre. Ifemelu en imaginait les auteurs, des Nigerians habitant de sinistres maisons en Amérique, leurs vies écrasées par le travail, économisant toute l'année afin de pouvoir passer une semaine au pays, en décembre, arriver avec des valises pleines de chaussures, de vêtements et de montres bon marché, et voir, dans le regard de leurs familles, une image exaltée d'eux-mêmes. Ensuite ils retournaient en Amérique pour défendre sur Internet les mythologies de leur pays, car leur pays était maintenant un endroit indistinct entre ici et là-bas et, sur le Net au moins, ils pouvaient ignorer à quel point ils étaient devenus insignifiants.

Les Nigérianes débarquaient en Amérique et perdaient toute retenue, écrivait le Comptable igbo du Massachusetts dans un post ; c'était une vérité déplaisante mais qu'on ne pouvait taire. Quelle autre cause existait-il au taux de divorce élevé parmi les Nigérians en Amérique comparé au faible taux au Nigeria ? La Sirène du Delta répondit que les femmes bénéficiaient tout simplement de lois protectrices en Amérique et que le taux serait aussi élevé si elles existaient au Nigeria. Réponse du Comptable igbo du Massachusetts : *Vous avez subi un lavage de cerveau à l'Ouest. Vous devriez avoir honte de vous considérer comme Nigériane*. En réponse à Eze Houston qui avait écrit que les hommes nigérians se comportaient avec cynisme quand ils retournaient au Nigeria pour y épouser des infirmières ou des docteurs, uniquement parce que leurs nouvelles épouses les entretiendraient à leur retour en Amérique, le Comptable igbo du Massachusetts écrivit : *Qu'y a-t-il de répréhen-*

sible à ce qu'un homme recherche la sécurité financière grâce à sa femme ? Les femmes n'en font-elles pas autant ?

Quand il fut parti ce samedi-là, Tante Uju demanda à Ifemelu : « Qu'en penses-tu ?

— Il utilise des crèmes éclaircissantes.

— Quoi ?

— Tu n'as donc rien vu ? Son visage est d'une couleur bizarre. Il doit utiliser des crèmes bon marché sans écran solaire. Quel genre d'homme est-il pour s'éclaircir la peau, *biko* ? »

Tante Uju haussa les épaules, comme si elle n'avait pas remarqué le teint jaunâtre du visage de l'homme, encore plus prononcé au niveau des tempes.

« Il n'est pas mal. Il a un bon job. » Elle s'interrompit un instant. « Je ne rajeunis pas. Je veux que Dike ait un frère ou une sœur.

— Au Nigeria, un homme pareil n'aurait même pas le culot de te parler.

— Nous ne sommes pas au Nigeria, Ifem. »

Avant d'aller dans sa chambre, vacillant sous le poids de ses nombreux soucis, Tante Uju dit : « S'il te plaît, prie pour que ça marche. »

Ifemelu ne pria pas. Elle ne pouvait pas supporter la pensée que Tante Uju puisse vivre avec Bartholomew. Elle trouvait triste que Tante Uju se contente de si peu.

*

À cause d'Obinze, Ifemelu fut impressionnée par Manhattan. La première fois qu'elle prit le métro de Brooklyn, les paumes moites, elle marcha dans les rues, observant, absorbant tout. Une femme à la silhouette de sylphide qui courait, perchée sur de hauts talons, sa robe courte flottant derrière elle, jusqu'à ce qu'elle trébuche et manque de tomber, un homme replet qui toussait et crachait au bord du trottoir, une fille tout en noir levant la main pour héler un taxi. Les tours interminables narguaient le ciel, mais les fenêtres des buildings étaient sales. L'imperfection éclatante de tout ce qu'elle voyait la calma. « C'est merveilleux mais ce n'est pas le paradis », dit-elle à Obinze. Elle était impatiente que lui, à son tour, découvre Manhattan. Elle s'imaginait avec lui, marchant main dans la main comme les couples américains qu'elle voyait, s'attardant devant la vitrine d'un magasin, s'arrêtant pour lire le menu affiché à la porte d'un restaurant ou devant un marchand ambulant pour acheter des bouteilles de thé glacé. « Bientôt », disait-il dans sa lettre. Ils se disaient souvent « bientôt », et « bientôt » donnait à leur projet le poids de la réalité.

*

Les résultats finaux de Tante Uju arrivèrent enfin. Ifemelu prit l'enveloppe dans la boîte aux lettres, si légère, si ordinaire, portant la mention *United States Medical Licensing Examination* imprimée en caractères réguliers et la garda dans sa main un long moment, priant qu'elle soit porteuse de bonnes nouvelles. Elle la brandit dès que Tante Uju entra dans la maison. Tante Uju étouffa un cri. « Est-ce qu'elle est épaisse ? Est-ce qu'elle est épaisse ?

— Quoi ? *Gini ?* demanda Ifemelu.

— Est-ce qu'elle est épaisse ? » répéta Tante Uju, laissant son sac glisser sur le sol avant de s'avancer, la main tendue, un espoir éperdu sur le visage. Elle s'empara de l'enveloppe et s'écria : « J'ai réussi ! » puis elle l'ouvrit pour s'en assurer, examinant la mince feuille de papier. « Si tu as échoué, ils t'envoient une enveloppe bourrée de documents pour que tu puisses te réinscrire.

— Tante ! J'en étais sûre ! Félicitations ! » dit Ifemelu.

Tante Uju la serra contre elle, et toutes deux restèrent accrochées l'une à l'autre, s'écoutant respirer, réveillant chez Ifemelu les souvenirs heureux de Lagos.

« Où est Dike ? » demanda Tante Uju, comme s'il n'était pas toujours couché quand elle rentrait de son deuxième travail. Elle alla dans la cuisine, se tint sous la lumière crue du plafond et regarda à nouveau ses résultats, les yeux humides. « Donc, je vais être médecin généraliste dans cette Amérique », dit-elle, presque dans un murmure. Elle ouvrit une canette de Coca-Cola, mais oublia de la boire.

Plus tard elle dit : « Il faut que je défasse mes tresses pour mes entretiens et que je défrise mes cheveux. Kemi m'a dit qu'il ne fallait pas avoir de tresses pour les entretiens. Sinon, ils pensent que tu n'es pas professionnelle.

— Il n'y a donc pas de médecin avec des tresses en Amérique ?

— Je te répète ce qu'on m'a dit. Tu es dans un pays qui n'est pas le tien. Agis comme il faut si tu veux réussir. »

La revoilà, l'étrange naïveté dont Tante Uju s'était revêtue comme d'une couverture. Parfois, au cours d'une conversation, Ifemelu en venait à penser que Tante Uju avait délibérément laissé une partie d'elle-même, quelque chose d'essentiel, dans un lieu lointain et oublié. Obinze disait que c'était l'excès de gratitude qui accompagnait l'insécurité de l'immigrant. Obinze, qui avait toujours une explication. Obinze, qui l'avait soutenue tout au long de ces mois d'attente – sa voix calme au téléphone, ses longues lettres dans les enveloppes bleues par avion – et qui comprenait, comme les vacances touchaient à leur fin, ce qui la rongeait. Elle voulait commencer l'université, découvrir la véritable Amérique, cependant il y avait ce nœud à l'estomac, une appréhension et une nostalgie nouvelle, douloureuse, de l'été à Brooklyn qui lui était devenu familier : les enfants à bicyclette, les Noirs musclés en débardeurs blancs, les carrioles des vendeurs de glaces qui tintinnabulaient, la musique bruyante jaillissant des voitures décapotables, le soleil qui brillait jusqu'à la nuit et les choses qui pourrissaient et empestaient dans la chaleur humide. Elle n'avait pas envie de quitter Dike – cette simple pensée lui donnait le sentiment d'un trésor déjà perdu – et pourtant elle voulait quitter l'appartement de Tante Uju et entamer une vie dont elle seule déterminerait les limites.

Dike lui avait parlé un jour, avec mélancolie, de cet ami qui était allé à Coney Island et était revenu avec une photo prise dans un manège vertigineux. Elle décida de lui faire une surprise. Le weekend avant son départ, elle lui dit : « Nous allons à Coney Island ! » Jane lui avait expliqué quel train prendre, ce qu'il fallait faire, ce que cela coûterait. Tante Uju dit que c'était une bonne idée mais ne lui donna pas d'argent en plus. En regardant Dike dans le manège, hurlant, terrifié mais fou de joie, un petit bonhomme entièrement ouvert au monde, elle ne regretta pas ce qu'elle avait dépensé. Ils se régalèrent de hot dogs, de milk-shakes et de barbes à papa. Il lui dit : « J'ai hâte de ne plus être obligé d'aller aux toilettes des filles avec toi », et elle éclata de rire. Dans le train du retour, il était fatigué et somnolait. « Coz, c'est le meilleur des meilleurs jours que j'aie jamais passés avec toi », dit-il en se blottissant contre elle.

La douceur amère d'une période incertaine qui prenait fin l'envahit quelques jours plus tard, quand elle embrassa Dike pour lui dire au revoir – une fois, deux fois, trois fois – tandis qu'il pleurait, lui, un enfant qui ne pleurait jamais, et elle refoula ses propres larmes tandis que Tante Uju répétait et répétait que Philadelphie n'était pas très loin. Ifemelu fit rouler sa valise jusqu'au métro, le prit jusqu'à la gare routière de la 42e Rue, et monta dans un bus pour Philadelphie. Elle s'assit près de la fenêtre – quelqu'un avait collé un bout de chewing-gum sur la vitre – et resta de longues minutes à examiner la carte de Sécurité sociale et le permis de conduire qui appartenaient à Ngozi Okonkwo. Elle avait au moins dix ans de plus qu'Ifemelu, un visage étroit, des sourcils qui commençaient par des sortes de petites boules avant de s'arrondir en arc et une mâchoire en forme de V.

« Je ne lui ressemble pas du tout, avait dit Ifemelu quand Tante Uju lui avait donné la carte.

— Pour les Blancs, nous nous ressemblons tous, avait répliqué Tante Uju.

— Ahn-ahn, Tante !

— Je ne plaisante pas. La cousine d'Amara est venue l'année dernière et elle n'a pas encore ses papiers, si bien qu'elle travaille avec ceux d'Amara. Tu te souviens d'Amara ? Sa cousine est très belle et mince. Elles ne se ressemblent absolument pas. Personne ne l'a remarqué. Elle travaille dans une maison de santé en Virginie. Assure-toi seulement de ne jamais oublier ton nouveau nom. J'ai une amie qui avait oublié le sien et une de ses collègues l'a appelée à plusieurs reprises et elle est restée sans réagir. Ils sont alors devenus soupçonneux et l'ont dénoncée aux services de l'immigration. »

CHAPITRE 12

Ginika l'attendait dans la petite gare routière bondée, vêtue d'une minijupe et d'un bustier qui lui couvrait la poitrine mais pas le ventre, prête à l'accueillir et à lui faire connaître la véritable Amérique. Elle avait maigri, elle était deux fois plus mince qu'autrefois et sa tête paraissait plus grosse, perchée sur un long cou qui rappelait vaguement un animal exotique. Elle tendit les bras, comme pour encourager un enfant à s'y précipiter, riant, criant « Ifemsco ! Ifemsco ! » et Ifemelu se retrouva brusquement ramenée en arrière, au lycée : une image de filles bavardant dans leurs uniformes bleu et blanc, des bérets de feutre sur leurs têtes, agglutinées dans le couloir de l'école. Elle serra Ginika dans ses bras. La façon presque théâtrale dont elles s'étreignirent, s'écartèrent l'une de l'autre pour s'étreindre à nouveau, lui amena, étonnamment, les larmes aux yeux.

« C'est donc toi ! » dit Ginika en gesticulant, faisant tinter les nombreux bracelets en argent autour de son poignet. « C'est donc bien toi ?

— Et *toi*, quand as-tu cessé de manger pour ressembler à un hareng saur ? » demanda Ifemelu.

Ginika partit d'un éclat de rire, saisit la valise et se dirigea vers la porte. « Allons-y. Je suis mal garée. »

La Volvo verte était à l'angle d'une rue étroite. Une femme en uniforme à l'air rébarbatif, carnet de contraventions à la main, s'avançait à grands pas dans leur direction, quand Ginika sauta dans la voiture et démarra. « Pile à temps ! » dit-elle en riant. Un sans-abri vêtu d'un T-shirt malpropre, poussant un caddie chargé de paquets, s'était arrêté près de la voiture, comme pour se reposer un instant, l'œil fixé dans le vide, et Ginika lui jeta un regard en s'engageant lentement dans la rue. Elles roulèrent avec les vitres baissées, Philadelphie avait l'odeur du soleil d'été, de l'asphalte brûlant, de la viande qui grillait dans les camions-cuisine garés au coin des rues, des étrangers et étrangères à la peau brune tassés à l'intérieur. Ifemelu finirait par aimer les sandwichs grecs que vendaient ces camions, les galettes, l'agneau et la sauce qui en dégoulinait, comme elle en viendrait à aimer Philadelphie elle-même. La ville était bien moins intimidante que Manhattan ; elle était intime sans être provinciale, une ville qui pourrait encore vous paraître aimable. Ifemelu vit des femmes sur les trottoirs à la sortie de leur travail qui allaient déjeuner chaussées de baskets – preuve de la préférence typiquement américaine pour le confort plutôt que pour l'élégance – et elle vit des jeunes couples qui se tenaient par la main, s'embrassant de temps en temps comme s'ils craignaient, en dénouant leurs mains, de voir leur amour se dissoudre, se fondre dans le néant.

« J'ai emprunté la voiture de mon propriétaire. Je ne voulais pas venir te chercher dans mon épave roulante. Je n'arrive pas à y croire, Ifemsco, tu es en Amérique ! » dit Ginika. Elle avait une beauté étrange, métallique avec sa silhouette émaciée, sa peau olivâtre, sa courte jupe qui s'était relevée, couvrant à peine son entrejambe, ses cheveux archiraides qu'elle ramenait sans cesse derrière ses oreilles, avec des mèches blondes brillant au soleil.

« Nous entrons dans University City. C'est là que se trouve le campus de Wellson, possiblement tu sais. Nous pouvons d'abord aller visiter l'université et puis nous irons chez moi, en banlieue, et ensuite chez une amie. Elle organise une petite soirée de filles. » Ginika s'était remise à parler l'anglais du Nigeria, une version datée, dépassée, voulant prouver qu'elle n'avait pas changé. Elle était restée en contact au cours des années, avec une loyauté sans faille, téléphonant et écrivant des lettres, envoyant des livres et des pantalons informes qu'elle appelait des *slacks*. Et maintenant elle disait « possiblement tu sais » et Ifemelu n'avait pas le cœur de lui dire que personne ne disait plus « possiblement » de nos jours.

Ginika racontait des anecdotes à propos de ses premières expériences en Amérique, comme si elles étaient pleines d'une sagesse subtile dont Ifemelu pourrait profiter.

« Si tu les avais vus rire de moi au lycée quand j'ai dit que quelqu'un m'avait baisée. Parce que baiser veut dire faire l'amour. Et j'ai dû expliquer qu'au Nigeria ça signifie se faire avoir. Et peux-tu croire que "métis" est péjoratif dans ce pays ? Quand j'étais en première année à l'université, je racontais à un groupe d'amis que j'avais été élue la plus jolie fille à l'école au Nigeria. Tu te souviens ? Je n'aurais jamais dû gagner. C'est Zainab qui aurait dû gagner. C'était uniquement parce que j'étais métisse. C'est encore pire ici. Il y a des trucs que vous disent les Blancs que je ne supporte pas. Mais quoi qu'il en soit, comme je leur disais que chez moi tous les garçons me couraient après parce que j'étais métisse, ils ont répliqué que je me dévalorisais. Alors maintenant je dis biraciale, et je suis censée me sentir insultée quand quelqu'un dit métisse. J'ai rencontré ici une quantité de gens qui ont des mères blanches, et ils ont plein de problèmes, eh. Je ne savais même pas que j'étais supposée avoir des problèmes avant de venir en Amérique. Franchement, si quelqu'un veut avoir des enfants biraciaux, qu'il le fasse au Nigeria.

— Bien sûr. Là où tous les garçons courent après les métisses.

— Pas *tous* les garçons, soit dit en passant. » Ginika fit la moue. « Obinze ferait mieux de se grouiller et de venir aux États-Unis avant que quelqu'un t'embarque. Tu sais que tu as le genre de corps qu'ils aiment par ici.

— Quoi ?

— Tu es maigre avec de gros seins.

— S'il te plaît. Je ne suis pas maigre. Je suis mince.

— Les Américains disent "maigre". Ici "maigre" n'est pas péjoratif.

— C'est pour ça que tu t'es arrêtée de manger ? Tout ton cul a disparu. J'ai toujours voulu avoir un cul comme le tien, dit Ifemelu.

— Tu sais, j'ai commencé à perdre du poids juste après mon arrivée. J'étais presque anorexique. Les gosses dans mon lycée m'appelaient la grosse. Quand quelqu'un chez nous dit "tu as maigri", c'est une critique. Ici, quelqu'un te dit que tu as maigri et tu dis merci. C'est différent, voilà tout », dit Ginika, avec un peu de nostalgie comme si elle aussi était une nouvelle venue en Amérique.

Dans la soirée, Ifemelu regarda Ginika dans l'appartement de son amie Stephanie porter une bouteille de bière à ses lèvres, un flot de paroles jaillissant de sa bouche avec un fort accent américain, et elle s'étonna qu'elle soit devenue si semblable à ses amies américaines. Jessica, l'Américano-Japonaise, une jolie fille pleine de vie, qui jouait avec la clé ornée de l'emblème de sa Mercedes. Teresa à la peau claire, qui riait aux éclats et portait un diamant à l'oreille et des chaussures minables et usées. Stephanie, sino-américaine, aux cheveux vaporeux coiffés en un carré qui s'incurvait vers le menton, qui de temps en temps sortait un paquet de cigarettes de son sac monogrammé et allait fumer dehors. Hari, couleur café, les cheveux bruns, vêtue d'un T-shirt moulant, qui rectifia : « Je suis indienne, pas indienne-américaine », quand Ginika lui présenta Ifemelu. Elles riaient toutes des mêmes choses et s'exclamaient « Génial ! » en chœur. Leur numéro était parfaitement au point. Stephanie annonça qu'elle avait de la bière de fabrication maison dans le réfrigérateur et tout le monde entonna : « Génial ! » Puis Teresa dit : « Puis-je avoir de la bière normale, Steph ? » avec la petite voix de quelqu'un qui craint d'être grossier. Ifemelu resta assise dans un fauteuil isolé au fond de la pièce, à boire un jus d'orange et à les écouter parler. *Cette société est une horreur. Oh mon Dieu ! Je ne peux pas croire qu'il y a tellement de sucre là-dedans. Internet va totalement changer le monde*. Elle entendit Ginika dire : « Saviez-vous qu'ils utilisent des os d'animaux pour faire des pastilles à la menthe ? » et les autres s'insurgèrent. Il y avait des codes que Ginika connaissait, des règles de conduite qu'elle maîtrisait. Contrairement à Tante Uju, Ginika était arrivée en Amérique avec la facilité d'adaptation et l'aisance de la jeunesse, les règles culturelles s'étaient infiltrées sous sa peau, et désormais elle allait au bowling, savait tout sur Tobey Maguire et trouvait répugnant de tremper deux fois de suite son bâtonnet de légume dans la sauce. Les bouteilles et les canettes de bière s'empilaient. Elles se prélassaient toutes langoureusement sur le canapé et le tapis, tandis que de la chaîne hi-fi jaillissait du heavy rock qui n'était pour Ifemelu rien de plus qu'une cacophonie. De toutes, Teresa était celle qui buvait le plus vite ; elle faisait rouler chaque canette de bière vide sur le plancher, et les autres riaient avec un enthousiasme qui étonnait Ifemelu, car elle n'y trouvait rien de drôle. Comment savaient-elles quand il fallait rire, et rire de quoi ?

*

Ginika achetait une robe pour une réception, donnée par les avocats chez lesquels elle faisait un stage.

« Tu as besoin d'acheter certaines choses, Ifem.

— Je ne dépenserai pas dix kobos de mon argent à moins d'y être obligée.

— Dix cents.

— Dix cents.

— Je peux te donner une veste, des draps et des couvertures, mais au minimum tu as besoin de collants. Le froid arrive.

— Je me débrouillerai », dit Ifemelu. Et elle y arriverait. Si besoin était, elle porterait tous ses vêtements à la fois, plusieurs épaisseurs, jusqu'à ce qu'elle trouve du travail. Elle était terrifiée à l'idée de dépenser.

« Ifem, je paierai pour toi.

— Tu ne gagnes pas beaucoup d'argent.

— J'en gagne quand même un peu.

— J'espère vraiment trouver un emploi bientôt.

— Tu vas en trouver un, ne t'en fais pas.

— Je ne comprends pas comment quelqu'un pourra croire que je suis Ngozi Okonkwo.

— Ne leur montre pas le permis de conduire quand tu te présentes à un entretien. Seulement la carte de Sécurité sociale. Peut-être ne la demanderont-ils même pas. Parfois ils ne réclament rien pour des petits boulots. »

Ginika la précéda dans une boutique de vêtements dont l'ambiance lui parut trop fébrile ; on eût dit une boîte de nuit avec sa musique disco, l'intérieur plongé dans la pénombre, et les vendeuses, deux jeunes femmes aux bras maigres, entièrement vêtues de noir qui parcouraient le magasin d'un pas rapide. L'une avait la peau couleur chocolat, de longs cheveux noirs aux reflets auburn, l'autre était blanche, ses cheveux d'encre flottant derrière elle tandis qu'elle s'avançait vers elles.

« Bonjour, mesdames, comment allez-vous ? Puis-je vous aider ? » demanda-t-elle d'une voix claire et chantante. Elle retira des vêtements de leurs cintres et déplia ceux qui étaient sur des rayons pour les montrer à Ginika. Ifemelu regardait les prix sur les étiquettes, les convertissant en nairas, et s'exclamait : « Ahn-ahn ! Comment cela peut-il coûter aussi cher ? » Elle prit certains vêtements et les examina avec attention, pour les identifier, car elle n'était pas toujours certaine qu'il s'agisse d'un sous-vêtement, d'un chemisier ou d'une robe.

« Celle-ci vient de rentrer », dit la vendeuse en désignant une robe scintillante, comme si elle dévoilait un grand secret, et

Ginika s'exclama, tout excitée : « Oh mon Dieu, c'est vrai ? » Sous la lumière trop crue de la cabine, Ginika essaya la robe, marchant sur la pointe des pieds. « Je l'adore.

— Mais elle n'a pas de forme », dit Ifemelu. À ses yeux, la robe ressemblait à une housse sur laquelle quelqu'un aurait collé des paillettes au hasard.

« Elle est postmoderne », dit Ginika.

En voyant Ginika se pavaner devant le miroir, Ifemelu se demanda si elle aussi en arriverait à partager le goût de son amie pour les robes sans forme, si telle était l'influence de l'Amérique.

À la sortie, la caissière blonde demanda : « Quelqu'un s'est occupé de vous ?

— Oui, dit Ginika.

— Chelcy ou Jennifer ?

— Désolée, je ne me souviens pas de son nom. » Ginika regarda autour d'elle à la recherche de sa vendeuse, mais les deux jeunes femmes avaient disparu dans les cabines d'essayage à l'arrière.

« Était-ce celle qui a des cheveux longs ?

— Toutes les deux avaient des cheveux longs.

— Celle qui a des cheveux bruns ? »

Toutes les deux étaient brunes.

Ginika sourit, regarda la caissière et la caissière sourit, regarda l'écran de son ordinateur et deux longues secondes s'écoulèrent, avant qu'elle dise d'un ton enjoué : « C'est OK. Je trouverai plus tard et ferai en sorte qu'elle touche sa commission. »

Comme elles sortaient du magasin, Ifemelu dit : « J'attendais qu'elle demande si c'était celle qui avait deux yeux ou celle qui avait deux jambes. Pourquoi n'a-t-elle pas simplement demandé : "Était-ce la fille noire ou la blanche ?" »

Ginika rit. « Parce que nous sommes en Amérique. On est supposé ne pas remarquer certaines choses. »

*

Ginika proposa à Ifemelu d'habiter chez elle, pour économiser le loyer, mais son appartement était trop éloigné, au bout de la Main Line, et le train qu'elle aurait dû prendre tous les jours pour se rendre à Philadelphie aurait été trop coûteux. Elles visitèrent ensemble des appartements dans West Philadelphia et Ifemelu s'étonna à la vue des placards pourris de la cuisine, de la souris qui leur fila entre les jambes dans une chambre vide.

« Mon foyer à Nsukka était sale mais il n'y avait pas de rats.

— C'est une souris », dit Ginika.

Ifemelu était prête à signer un bail – si vivre avec des souris lui permettait de faire des économies, pourquoi pas – quand une amie de Ginika leur parla d'une chambre à louer, une excellente affaire pour une étudiante. Elle faisait partie d'un appartement de quatre chambres à la moquette moisie, au-dessus d'une pizzéria dans Powelton Avenue, à l'angle de la rue où les drogués jetaient parfois des pipes à crack, de misérables morceaux de métal tordu qui brillaient au soleil. La chambre d'Ifemelu était la moins chère, la plus petite, face aux murs de brique décrépits de l'immeuble voisin. Des poils de chien traînaient partout. Ses colocataires, Jackie, Elena et Allison, semblaient presque interchangeables, toutes les trois menues, étroites de hanches, avec des cheveux châtains lisses et plats comme s'ils avaient été repassés, leurs cannes de crosse entassées dans le petit couloir. Le chien d'Elena se promenait où bon lui semblait, un grand chien noir semblable à un âne à longs poils ; de temps en temps, une crotte apparaissait en bas de l'escalier et Elena hurlait : « Tu vas avoir de sérieux ennuis, mon coco ! » comme si elle jouait la comédie à l'intention de ses camarades, récitant un texte dont tout le monde connaissait chaque ligne. Ifemelu aurait préféré que le chien restât à l'extérieur, où sont censés demeurer les chiens. Quand Elena, au bout d'une semaine, lui demanda pourquoi elle n'avait pas caressé le chien ni même gratté sa tête depuis son arrivée, elle répondit : « Je n'aime pas les chiens.

— C'est une question de culture ?

— Que veux-tu dire ?

— Je veux dire, par exemple, que les Chinois mangent du chat et du chien.

— Mon petit ami au pays aime beaucoup les chiens. Pas moi.

— Oh », dit Elena, et elle regarda Ifemelu, le front plissé, comme l'avaient dévisagée Jackie et Allison le jour où elle avait dit qu'elle n'était jamais allée dans un bowling, se demandant sans doute comment un être humain normal pouvait n'avoir jamais mis les pieds dans un bowling. Ifemelu se trouvait à la périphérie de sa propre vie, partageant un réfrigérateur et des toilettes, une intimité superficielle avec des personnes qu'elle ne connaissait pas. Qui vivaient dans l'exclamation perpétuelle. « Génial ! » disaient-elles.

« Super-génial ! » Qui ne se frottaient pas sous la douche : leurs shampoings, leurs gels et leurs démêlants traînaient partout dans la salle de bains mais il n'y avait pas une seule éponge, et c'est à cause de ça, de l'absence d'éponge, qu'elle se sentait si éloignée d'elles. (Un de ses souvenirs les plus anciens était l'image de sa mère, un seau d'eau entre elles dans la salle de bains, disant : « *Ngwa*, frotte bien entre tes jambes, bien fort... » et Ifemelu avait utilisé avec un peu trop de vigueur le gant de toilette pour montrer à sa mère qu'elle savait bien se nettoyer, et pendant quelques jours ensuite elle avait marché les jambes écartées.) Il y avait quelque chose d'inconditionnel dans l'existence de ses colocataires, une certitude préétablie qui la fascinait ; elles disaient : « Allons en acheter », s'agissant de tout ce dont elles avaient besoin – bière, pizza, ailes de poulet frites, alcool – comme si cette décision ne nécessitait pas d'argent. Elle était habituée, chez elle, à ce que les gens demandent d'abord : « Avez-vous de l'argent ? » avant de prendre cette initiative. Elles laissaient les cartons de pizza sur la table, ne rangeaient pas la cuisine pendant des jours, et durant les week-ends leurs amis se réunissaient dans le living-room et il y avait des packs de bière entreposés dans le réfrigérateur et des traces d'urine sur le siège des toilettes.

« Nous allons à une fête. Viens avec nous, ça va être amusant ! » dit Jackie, et Ifemelu enfila son pantalon étroit et un haut dos nu emprunté à Ginika.

« Vous ne vous habillez pas ? » demanda-t-elle à ses camarades en les voyant partir vêtues de jeans informes, et Jackie répondit : « Nous *sommes* habillées. Qu'est-ce que tu racontes ? » avec un rire suggérant qu'elle se conduisait une fois de plus comme une étrangère. Elles se rendirent dans une association d'étudiants dans Chestnut Street, où tout le monde buvait du punch-vodka dans des gobelets en plastique, jusqu'au moment où Ifemelu comprit qu'on ne danserait pas : faire une fête dans ce pays consistait à rester debout et à boire. Tous en fringues élimées, polos avachis, les étudiants avaient l'air de porter des vêtements volontairement usés. (Des années plus tard, on lirait dans un post de son blog : *S'agissant de l'habillement, la culture américaine est à ce point satisfaite d'elle-même qu'elle ne se contente pas de négliger la bienséance de l'apparence, mais a transformé cette négligence en qualité. « Nous sommes trop supérieurs/occupés/sympas/sans complexes pour nous préoccuper de l'apparence que nous offrons aux autres, et c'est pourquoi nous pouvons porter un pyjama à l'école ou des sous-vêtements dans un supermarché.* ») De plus en plus ivres, certains s'affalèrent sur le sol, et d'autres s'armèrent de feutres et se mirent à écrire à même la peau de ceux qui étaient par terre. *Suce-moi. Vive les Sixers.*

« Jackie dit que tu viens d'Afrique ? lui demanda un garçon coiffé d'une casquette de base-ball.

— Oui.

— C'est vraiment cool ! » dit-il, et Ifemelu se promit de raconter la scène à Obinze, se figurant la manière dont elle imiterait le garçon. Obinze extrayait d'elle la moindre bribe d'histoire, réclamait des détails, posait des questions, et il riait parfois, son rire résonnant dans le téléphone. Elle lui avait raconté comment Allison lui avait dit : « Hé, nous allons manger un morceau. Viens avec nous ! » et elle avait cru qu'il s'agissait d'une invitation et que, comme chez eux, Allison ou l'une des autres filles lui paierait son repas. Mais quand la serveuse apporta l'addition, Allison s'était mise à calculer avec soin combien chacune d'entre elles avait commandé de boissons, qui avait pris la salade de poulpe en hors-d'œuvre, pour s'assurer que personne ne paierait la part de l'autre. Obinze avait trouvé cela très drôle et conclu : « Tu commences à comprendre l'Amérique ! »

Mais ce n'est que rétrospectivement qu'elle avait trouvé ça drôle. Elle s'était efforcée de dissimuler sa stupéfaction devant les limites de l'hospitalité et son étonnement devant toutes ces histoires de pourboires – payer en plus quinze ou vingt pour cent de l'addition à la serveuse – qui ressemblaient fortement à de la corruption, un système très efficace de corruption forcée.

CHAPITRE 13

Au début, Ifemelu oublia qu'elle était quelqu'un d'autre. Dans un appartement de South Philadelphia, une femme aux traits tirés ouvrit la porte et la conduisit à l'intérieur où régnait une forte odeur d'urine. Le séjour était sombre, mal aéré. Elle imagina que tout l'immeuble macérait depuis des mois, voire des années, dans des vapeurs d'urine accumulée et se vit travaillant tous les jours dans cette atmosphère de pisse. Quelque part dans l'appartement, un homme geignait, des plaintes profondes, lugubres ; c'étaient les gémissements d'une personne pour laquelle geindre était le seul choix possible, et ils l'effrayèrent.

« C'est mon père, dit la femme, la jaugeant froidement du regard. Vous êtes robuste ? »

L'annonce dans le *City Paper* avait souligné le mot « robuste ». *Aide-soignante robuste. Paiement comptant.*

« Assez pour faire ce travail, dit Ifemelu, luttant contre l'envie de sortir en courant.

— Vous avez un joli accent. D'où êtes-vous ?

— Du Nigeria.

— Le Nigeria. N'y a-t-il pas la guerre là-bas ?

— Non.

— Puis-je voir vos papiers ? » demanda la femme, puis, regardant le permis de conduire, elle ajouta : « Comment prononcez-vous votre nom déjà ?

— Ifemelu.

— Comment ? »

Ifemelu faillit s'étrangler. « Ngozi. On aspire le *N*.

— Ah. » L'air exténué, la femme n'avait visiblement pas la force de se poser des questions sur les deux prononciations différentes. « Pouvez-vous habiter ici ?

— Habiter ?

— Oui. Habiter ici avec mon père. Il y a une chambre d'amis. Vous feriez trois nuits par semaine. Vous devrez lui faire sa toilette le matin. » La femme marqua une pause. « Vous n'avez pas l'air très costaud. Écoutez, j'ai encore deux personnes à voir. Je vous recontacterai.

— Très bien. Merci. » Ifemelu comprit qu'elle n'aurait pas cette place et s'en réjouit.

Elle répéta « Je suis Ngozi Okonkwo » devant la glace avant son entretien suivant, au restaurant Seaview. « Est-ce que je peux vous appeler Goz ? » lui demanda le gérant après lui avoir serré la main, mais avant de répondre oui, elle eut une petite, minuscule hésitation, néanmoins une hésitation. Et elle se demanda si c'était pour cette raison qu'elle n'avait pas eu le job.

Par la suite Ginika lui dit : « Tu aurais pu simplement dire que Ngozi est ton nom tribal, Ifemelu ton nom de jungle et en proposer un de plus comme nom spirituel. Ils avalent n'importe quoi dès qu'il s'agit de l'Afrique. »

Ginika éclata d'un rire guttural. Ifemelu l'imita bien qu'elle n'eût pas tout à fait compris la plaisanterie. Une sorte de brouillard l'envahit soudain, la sensation d'être prise dans une toile d'araignée laiteuse qu'elle tentait de percer. Ainsi commença pour elle un automne de demi-désarroi, un automne rempli d'étonnements, d'expériences qu'elle vivait en sachant qu'elle n'en saisissait pas toutes les significations.

*

Le monde était enrobé de brume ; elle voyait la forme des choses mais pas assez clairement, jamais assez. Elle dit à Obinze qu'il y avait des choses qu'elle aurait dû savoir faire, des détails qu'elle aurait dû savoir cerner. Et il lui répondit qu'elle s'adaptait très vite, d'un ton toujours calme, toujours réconfortant. Elle posa sa candidature pour être serveuse, hôtesse, barmaid, caissière, puis attendit des offres qui ne vinrent jamais, ce qu'elle se reprocha. Il y avait sûrement quelque chose qu'elle ne faisait pas correctement ; mais elle ne savait pas quoi. L'automne était là, humide, sous un ciel gris.

L'argent sur son maigre compte bancaire s'épuisait. Les pulls les moins chers de chez Ross lui paraissaient encore trop coûteux, les billets de bus et de train s'additionnaient et les produits d'épicerie crevaient son budget, bien qu'elle surveillât le compteur électronique à la caisse en disant : « S'il vous plaît, arrêtez. Je ne vais pas prendre le reste », quand il atteignait trente dollars. Elle craignait tous les jours de trouver une lettre à son intention sur la table de la cuisine, un relevé de frais de scolarité avec des mots inscrits en lettres capitales : VOTRE INSCRIPTION SERA SUSPENDUE SI LE PAIEMENT N'EST PAS EXÉCUTÉ À LA DATE INDIQUÉE AU BAS DE CE DOCUMENT.

C'était la fermeté des lettres capitales plus que les mots qui l'effrayaient. Elle s'inquiéta des conséquences possibles, une peur vague mais constante. Elle n'imaginait pas que la police puisse l'arrêter parce qu'elle n'avait pas payé ses frais de scolarité, mais que se passait-il en Amérique si vous ne les payiez pas ? Obinze lui dit qu'il ne se passerait rien, lui suggéra de demander à l'intendant s'il était possible d'étaler ses paiements, afin de manifester au moins sa bonne volonté. Elle appelait souvent Obinze, avec des cartes téléphone bon marché achetées dans la boutique bondée d'une station-service de Lancaster Avenue, et le simple fait de gratter la poussière métallique pour faire apparaître le numéro la remplissait d'un sentiment d'impatience : entendre le son de la voix d'Obinze. Il la calmait. Avec lui, elle pouvait ressentir ce qu'elle éprouvait vraiment, sans avoir à mettre un accent de gaieté forcée dans sa voix, comme elle le faisait avec ses parents, en leur disant que tout allait bien, qu'elle avait bon espoir d'avoir bientôt une place de serveuse, qu'elle s'était très bien adaptée à son université.

Un des moments préférés de sa journée étaient ses conversations avec Dike. Elle aimait l'entendre, sa voix plus aiguë au téléphone, lui raconter ce qu'il avait vu dans son émission de télévision ou qu'il venait de battre un nouveau record à la Game Boy. « Quand viens-tu nous voir, Coz ? demandait-il souvent. Je voudrais que ce soit toi qui me gardes. Je n'aime pas aller chez Miss Brown. Sa salle de bains sent mauvais. »

Il lui manquait. Parfois elle lui racontait des choses qu'il ne comprendrait pas, elle le savait, mais elle les lui disait quand même. Elle lui parlait de son professeur qui s'asseyait sur l'herbe à l'heure du déjeuner pour manger un sandwich, de celui qui lui avait demandé de l'appeler par son prénom, Al, de celui qui portait un blouson de cuir clouté et avait une moto. La première fois où elle reçut un prospectus par la poste, elle lui dit : « Devine. J'ai reçu une lettre aujourd'hui. » Cette offre de gratuité pour une carte de crédit, avec son nom correctement orthographié et écrite élégamment en italique, lui avait remonté le moral ; elle s'était sentie un peu moins invisible, un peu plus présente. Quelqu'un la connaissait.

CHAPITRE 14

Puis il y eut Cristina Tomas. Cristina Tomas avec ses traits fades, ses yeux d'un bleu délavé, ses cheveux décolorés et sa peau pâle, Cristina Tomas assise au comptoir d'accueil avec un sourire, Cristina Tomas dont les collants blanchâtres donnaient à ses jambes un aspect macabre. Il faisait chaud. Ifemelu était passée devant des étudiants allongés sur les pelouses vertes. Une grappe de joyeux ballons était attachée sous une banderole BIENVENUE AUX NOUVEAUX.

« Bonjour. Est-ce ici que l'on s'inscrit ? » demanda Ifemelu à Cristina Tomas, dont elle ne connaissait pas encore le nom.

« Oui. Maintenant. Êtes. Vous. Une. Étudiante. Internationale ?

— Oui.

— Vous. Devez. D'abord. Avoir. Une. Lettre. Du. Bureau. Des. Étudiants. Internationaux. »

Ifemelu esquissa un sourire de sympathie car Cristina Tomas devait souffrir d'un genre de maladie qui l'obligeait à ralentir son élocution, à contracter et avancer les lèvres, pendant qu'elle lui indiquait la direction du bureau des étudiants internationaux. Mais quand Ifemelu revint avec la lettre, Cristina Tomas dit : « J'ai. Besoin. Que. Vous. Remplissiez. Deux. Formulaires. Vous. Savez. Comment. Les. Remplir ? » et elle comprit que Cristina Tomas parlait ainsi à cause d'*elle*, de son accent étranger, et elle se sentit un instant pareille à une enfant, ralentie et balbutiante.

« Je parle anglais, dit-elle.

— J'en suis sûre, dit Cristina Tomas. Mais j'ignore simplement si vous le parlez bien. »

Ifemelu se contracta. Dans cet instant tendu où ses yeux croisèrent ceux de Cristina Tomas avant de prendre les formulaires, elle se contracta. Elle se replia sur elle-même comme une feuille morte. Elle avait parlé anglais toute sa vie, animé le club de débat au lycée, et toujours pensé que l'accent nasal américain était fruste ; elle n'aurait pas dû se raidir ainsi, mais c'est ce qu'elle fit. Et dans les semaines qui suivirent, tandis que tombait peu à peu la fraîcheur de l'automne, elle s'entraîna à prendre un accent américain.

*

Les études en Amérique étaient faciles. Le travail à la maison était envoyé par e-mail, les professeurs prêts à faire passer des tests de rattrapage. Mais Ifemelu n'était pas à son aise avec ce que les professeurs appelaient « participation » et ne comprenait pas pourquoi ce devait être pris en compte pour la note finale. C'était une simple incitation pour les étudiants à parler et parler, du temps perdu en classe à discuter de mots évidents, de mots creux, parfois de mots dépourvus de sens. Cela venait sans doute du fait que les Américains étaient formés, depuis l'école primaire, à toujours *dire quelque chose* en classe, peu importait quoi. Elle restait donc bouche cousue parmi les étudiants, tous confortablement affalés sur leurs sièges, tous débordants de savoir, non sur le sujet du cours, mais sur la façon de se comporter durant le cours. Ils ne disaient jamais : « Je ne sais pas. » Ils disaient : « Je n'en suis pas sûr », ce qui ne fournissait aucune information mais suggérait une possibilité. Et ils marchaient d'un pas tranquille, ces Américains, ils marchaient sans rythme. Ils évitaient de donner directement des instructions. Ils ne disaient pas : « Allez demander à quelqu'un en haut » ; ils disaient : « Vous pourriez demander à quelqu'un en haut. » Si vous trébuchiez et tombiez, si vous vous étrangliez, s'il vous arrivait malheur, ils ne disaient pas : « Désolé. » Ils disaient : « Ça va ? » alors qu'il était évident que ça n'allait pas. Et si vous leur disiez : « Désolé » quand ils s'étranglaient ou trébuchaient, ou qu'ils jouaient de malchance, ils répondaient, les yeux écarquillés de surprise : « Oh, ce n'est pas votre faute. » Et ils faisaient un usage inconsidéré du mot « excité ». Un professeur était excité par un nouvel ouvrage, un étudiant était excité par un cours, un homme politique à la télévision était excité par une loi ; cela faisait au total bien trop d'excitation. Certaines expressions qu'elle entendait tous les jours la stupéfiaient, la choquaient, et elle se demandait ce que la mère d'Obinze en aurait pensé. *Tu dois pas faire ça. Qu'est-ce tu manges ? Un jour plus. Faut que tu arrêtes.* « Ces Américains ne savent pas parler *o* », dit-elle à Obinze. Le premier jour, elle était allée au dispensaire et avait contemplé un peu trop longtemps le casier rempli de préservatifs gratuits dans un angle de la pièce. Après l'examen médical, la réceptionniste lui avait dit : « Vous êtes fin prête ! » et elle, muette, se demanda ce que voulait dire « fin prête » puis présuma que cela signifiait qu'elle avait fait tout ce qu'il fallait.

Elle se réveillait tous les matins craignant d'être à court d'argent. Si elle achetait tous les livres dont elle avait besoin, il ne lui en resterait pas suffisamment pour payer son loyer, donc elle empruntait les manuels pendant les cours et prenait fiévreusement des notes, qui, quand elle les relisait par la suite, lui paraissaient parfois confuses. Sa nouvelle camarade de classe, Samantha, une jeune femme mince qui évitait le soleil en disant : « Je brûle facilement », lui permettait, de temps en temps, d'emporter un livre chez elle. « Garde-le jusqu'à demain, et prends des notes si tu en as besoin, disait-elle. Je sais que ce n'est pas toujours facile. C'est pour ça que j'ai abandonné l'université pour travailler il y a des années. » Samantha était plus âgée et l'avoir pour amie réconfortait Ifemelu car elle était différente de toutes ces filles de dix-huit ans à l'air stupide qui préparaient comme elle une maîtrise de communication. Pourtant, Ifemelu ne gardait jamais les livres plus d'un jour et refusait parfois de les emporter chez elle. Devoir demander la mortifiait. Après les cours, elle s'asseyait sur un banc dans le square du campus et regardait les étudiants passer devant la grande sculpture grise érigée au milieu ; ils semblaient tous avoir la vie qu'ils désiraient, ils pouvaient avoir un job s'ils voulaient avoir un job, et au-dessus d'eux flottaient tranquillement des petits drapeaux accrochés aux réverbères.

*

Elle était avide de tout connaître de l'Amérique, d'entrer au plus vite dans sa nouvelle peau : savoir quelle équipe encourager au Super Bowl, savoir ce qu'était un Twinkie, ce que « lockouts » signifiaient dans le sport, être capable de mesurer en onces et en pieds carrés, commander un « muffin » sans croire qu'il s'agissait d'un gâteau, et dire « j'ai mégoté » sans avoir l'air stupide.

Obinze lui suggéra de lire des livres américains, des romans, des ouvrages historiques et des biographies. Dans le premier e-mail qu'il lui envoya – un cybercafé venait juste d'ouvrir à Nsukka –, il lui donna une liste de livres. *La prochaine fois, le feu* de James Baldwin était le premier. Elle s'attarda devant les rayonnages de la bibliothèque et feuilleta le premier chapitre, s'attendant à s'ennuyer, mais elle se dirigea lentement vers un canapé, s'assit et continua à lire jusqu'aux trois quarts du livre, puis elle s'arrêta et prit tous les James Baldwin qui étaient en rayon. Elle passait ses heures de loisir à la bibliothèque, si parfaitement éclairée. Les rangées d'ordinateurs, les espaces de lecture vastes, clairs et propres, le lustre chaleureux de l'ensemble étaient signe à ses yeux d'une décadence coupable. Elle était habituée, il est vrai, à lire des livres où il manquait des pages à force d'être passés de main en main. Et elle se promenait aujourd'hui parmi une multitude de livres aux dos robustes. Elle envoya à Obinze ses commentaires sur les romans qu'elle lisait, de belles lettres soigneusement écrites qui ouvraient entre eux une nouvelle intimité. Son désir d'intégrer l'université d'Ibadan à cause d'« Ibadan » l'avait intriguée ; comment un mot pouvait-il donner à quelqu'un l'envie d'aller dans un endroit qu'il ne connaissait pas ? Mais au cours des semaines où elle découvrit tous ces livres avec leur odeur de cuir et leur promesse de plaisirs inconnus, quand elle s'asseyait, les genoux ramenés sous elle, dans un fauteuil du niveau inférieur ou à une table du haut, la lumière du néon se reflétant sur les pages, elle comprit. Elle lut ceux de la liste d'Obinze mais aussi, au hasard, sortit des livres des rayonnages, l'un après l'autre, parcourant un chapitre avant de choisir celui qu'elle lirait rapidement sur place et celui qu'elle emprunterait. Et, au fur et à mesure de ses lectures, les mythologies américaines commencèrent à avoir un sens. Les tribalismes américains – race, idéologie et région – se clarifièrent. Et sa nouvelle compréhension des choses la réconforta.

*

« Tu sais que tu as dit "excité" ? lui fit remarquer Obinze un jour, d'un ton amusé. Tu as dit que tu étais excitée par ton cours sur les médias.

— Vraiment ? »

Des mots nouveaux sortaient de sa bouche. Des colonnes de brouillard se dissipaient. Au pays, elle lavait ses sous-vêtements tous les soirs et les suspendaient dans un endroit discret. Maintenant qu'elle les entassait dans un panier et les fourrait dans la machine à laver le vendredi soir, elle en était venue à trouver normales ces piles de linge sale. Elle prenait la parole en classe, confortée par ses lectures, ravie de pouvoir être d'un avis contraire à celui de ses professeurs et d'obtenir en retour, non pas une remontrance parce qu'elle s'était montrée irrespectueuse, mais un hochement de tête encourageant.

« Nous regardons des films en classe, dit-elle à Obinze. Ici les films sont considérés comme aussi importants que les livres. Nous voyons des films et ensuite nous écrivons un compte rendu, et presque tout le monde obtient un A. Tu imagines ? Ces Américains ne sont pas sérieux *o*. »

Dans son cours d'histoire, la professeur Moore, une petite femme timide à l'air dépourvu d'émotion de ceux qui n'ont pas d'amis, projeta quelques scènes de *Racines*, dans l'obscurité. Quand elle éteignit le projecteur, une tache blanche fantomatique flotta sur le mur pendant un moment avant de disparaître. Ifemelu avait déjà vu *Racines* en vidéo avec Obinze et sa mère, affalés sur les canapés de leur salon à Nsukka. Au moment où Kunta Kinte est fouetté jusqu'à ce qu'il accepte son nom d'esclave, la mère d'Obinze s'était levée si brusquement qu'elle avait failli trébucher sur un pouf en cuir, et elle avait quitté la pièce, non sans qu'Ifemelu ait vu qu'elle avait les yeux rouges. Elle s'était étonnée que la mère d'Obinze, qui se contraignait à toujours rester maîtresse d'elle-même, à préserver son intimité, puisse pleurer en regardant un film. À présent, au moment où on relevait les rideaux et où la classe était à nouveau plongée dans la lumière, Ifemelu se souvint de ce samedi après-midi, elle se rappela combien elle s'était sentie déconcertée à la vue de la mère d'Obinze, et qu'elle aurait souhaité pouvoir pleurer, elle aussi.

« Parlons de la représentation historique au cinéma », disait la professeur Moore.

Une voix féminine décidée s'éleva du fond de la classe, avec un accent qui n'était pas américain, et demanda : « Pourquoi le mot "nègre" a-t-il été occulté par un bip ? »

Un soupir collectif, telle une légère brise, traversa la salle.

« Écoutez, c'est un enregistrement effectué lors d'une diffusion du film à la télévision et l'une des choses dont je voulais discuter avec vous est la représentation de l'histoire dans la culture populaire, et l'utilisation du mot *n*... est un aspect important de ce sujet, dit la professeur Moore.

— Ça n'a aucun sens pour moi », dit la voix décidée. Ifemelu se retourna. La fille qui parlait avait des cheveux naturels, coupés aussi court que ceux d'un garçon, et son joli visage émacié, au grand front, rappela à Ifemelu les Africains de l'Est qui gagnaient toujours les courses de longue distance à la télévision.

« Pour moi, "nègre" est un mot qui existe. Les gens l'utilisent. Il fait partie de l'Amérique. Il a causé beaucoup de souffrance et je pense que c'est insultant de l'occulter.

— Bien », dit la professeur Moore, regardant autour d'elle comme si elle cherchait de l'aide.

Elle vint d'une voix rocailleuse au milieu de la salle. « Bon, c'est à cause de la souffrance que ce mot a provoquée que vous ne *devriez pas* l'utiliser ! » Le *devriez pas* claqua dans l'air ; l'auteur de ces paroles était une Afro-Américaine qui portait de grands anneaux de bambou aux oreilles.

« Le problème, c'est que chaque fois qu'il est utilisé le mot blesse les Afro-Américains », dit un garçon pâle aux cheveux hirsutes.

Ifemelu leva la main ; *Lumière d'août*, de William Faulkner, qu'elle venait de lire, était présent à son esprit. « Je ne pense pas qu'il soit toujours blessant. Je pense que cela dépend de l'intention et de la personne qui l'utilise. »

Une fille près d'elle, soudain toute rouge, s'écria : « Non ! Le mot est le même quel que soit celui qui le prononce.

— C'est absurde. » La voix décidée à nouveau. Une voix sans peur. « Que ma mère me frappe avec un bâton ou qu'un étranger me frappe avec un bâton, ce n'est pas pareil. »

Ifemelu regarda la professeur Moore pour voir comment elle avait réagi au mot « absurde ». Elle ne semblait pas l'avoir remarqué ; mais une vague terreur figeait ses traits en un petit sourire satisfait.

« D'accord, ce n'est pas la même chose dans la bouche des Afro-Américains, mais je crois qu'il ne faudrait pas l'utiliser dans des films, car des gens qui ne devraient pas l'employer peuvent le prononcer et heurter les sentiments d'autres personnes », dit une autre fille, la dernière des quatre Noirs de la classe, une Afro-Américaine qui arborait un pull d'une déconcertante couleur fuchsia.

« Mais c'est s'enfermer dans un déni. Si on l'a utilisé comme ça, alors il faut le représenter comme ça. Le cacher ne le fera pas disparaître. » La voix décidée.

« Bon, si vous autres ne nous aviez pas vendus, nous ne serions pas en train de parler de tout ça », dit l'Afro-Américaine à la voix rocailleuse, d'un ton plus bas mais néanmoins perceptible.

Le silence plana dans la salle de cours. Puis la même voix s'éleva à nouveau. « Désolée, mais même si aucun Africain n'avait été vendu par d'autres Africains, le commerce des esclaves à travers l'Atlantique se serait quand même développé. C'était une entreprise européenne. Il s'agissait pour les Européens de trouver des travailleurs pour leurs plantations. »

La professeur Moore les interrompit d'une petite voix. « Très bien. Parlons maintenant de la manière dont l'histoire peut être sacrifiée au profit du divertissement. »

Après le cours, Ifemelu et la voix décidée se dirigèrent l'une vers l'autre.

« Salut. Je m'appelle Wambui. Je suis originaire du Kenya. Tu es nigériane, n'est-ce pas ? » Elle avait un aspect imposant, l'air de quelqu'un chargé de remettre de l'ordre dans le monde, les personnes et les choses.

« Oui. Je m'appelle Ifemelu. »

Elles se serrèrent la main. Elles allaient, au fil des semaines suivantes, nouer une amitié durable. Wambui était la présidente de l'Association des étudiants africains.

« Tu ne connais pas l'AEA ? Il faut que tu viennes à la prochaine réunion jeudi », dit-elle.

Les réunions se tenaient dans le sous-sol du Wharton Hall, une salle mal éclairée, sans fenêtres, où boîtes de pizzas, assiettes en carton et bouteilles de soda s'empilaient sur une table métallique autour de laquelle des chaises pliantes étaient placées en un vague demi-cercle. Il y avait des Nigérians, des Ougandais, des Kényans, des Ghanéens, des Sud-Africains, des Tanzaniens, des Zimbabwéens, un Congolais et une Guinéenne ; tous assis autour de la table, ils mangeaient, bavardaient, entretenaient la bonne humeur, et leurs différents accents formaient un tohu-bohu rassurant. Ils parodiaient ce que leur disaient les Américains : *Vous parlez un si bon anglais. Est-ce que vous avez un grave problème de sida dans votre pays ? C'est telle-*

ment triste que des gens vivent avec moins d'un dollar par jour en Afrique. Et eux-mêmes se moquaient de l'Afrique, échangeant des histoires d'absurdité, de stupidité, et ils se sentaient libres de se moquer, parce que leur dérision était née du regret et du désir désespéré de retrouver un endroit qui leur appartienne. Ici, Ifemelu éprouvait une agréable, pénétrante impression de renouveau. Ici, elle n'avait pas besoin de se justifier.

*

Wambui avait dit à la ronde qu'Ifemelu cherchait du travail. Dorothy, l'affriolante Ougandaise aux longues tresses qui était serveuse au Center City, dit que son restaurant embauchait. Mais d'abord, Mwombeki, un étudiant tanzanien qui suivait un double cursus d'ingénieur et en sciences politiques, jeta un coup d'œil au curriculum vitae d'Ifemelu et lui demanda d'éliminer les trois années d'université au Nigeria. Les employeurs américains n'aimaient pas que leur personnel soit trop éduqué. Mwombeki lui rappelait Obinze, son aisance, sa force tranquille. Dans les réunions, il faisait rire tout le monde. « J'ai pu aller dans une bonne école primaire grâce au socialisme de Nyerere, disait-il souvent. Sinon je serais à Dar en ce moment, en train de sculpter des girafes pour les touristes. » Quand deux nouveaux étudiants se présentèrent pour la première fois, l'un venant du Ghana et l'autre du Nigeria, Mwombeki leur adressa ce qu'il appelait le discours de bienvenue.

« Je vous en prie, n'allez pas au Kmart acheter vingt jeans sous prétexte qu'ils ne coûtent que cinq dollars. Les jeans ne vont pas se sauver. Ils seront encore là demain à un prix encore plus bas. Vous êtes en Amérique, ne vous attendez pas à manger chaud au déjeuner. Cette habitude africaine doit être abolie. Quand vous rendez visite à un Américain qui a un peu d'argent, il vous proposera de visiter sa maison. Oubliez que chez vous en Afrique votre père ferait une attaque si quelqu'un s'approchait de sa chambre à coucher. Nous savons tous que la visite s'arrêtait au salon, éventuellement aux toilettes. Mais, je vous en supplie, souriez et suivez l'Américain, visitez sa maison et n'oubliez pas de dire que tout vous plaît. Et ne soyez pas choqués de voir les couples américains passer leur temps à se toucher. Dans la queue à la cafétéria la fille prendra le bras du garçon, le garçon passera son bras autour des épaules de la fille et ils se tiendront épaule contre épaule, et se frotteront, frotteront, frotteront l'un contre l'autre, mais par pitié, ne les imitez pas. »

Ils se tordaient de rire. Wambui cria quelque chose en swahili.

« Vous allez très vite adopter l'accent américain, parce que vous ne voulez pas que les gens du service clients au téléphone vous demandent sans arrêt : "Quoi ? Quoi ?" Vous commencerez à admirer les Africains qui ont un accent américain parfait, comme notre frère Kofi ici. Les parents de Kofi sont arrivés du Ghana quand il avait deux ans, mais ne vous laissez pas tromper. Si vous allez chez lui, ils mangent tous les jours du *kenkey*[1]. Son père l'a giflé quand il a eu un C en classe. On ne plaisante pas dans cette maison. Il retourne au Ghana chaque année. Nous appelons les gens comme Kofi des Américains-Africains, et non des Afro-Américains, comme nos frères et sœurs dont les ancêtres étaient des esclaves.

— C'était un B moins, pas un C, rectifia Kofi.

— Tâchez de vous lier avec nos frères et sœurs afro-américains dans un véritable esprit de panafricanisme. Mais assurez-vous de rester amis avec vos camarades africains, ce qui vous aidera à garder les choses en perspective. Continuez d'assister aux réunions de l'Association des étudiants africains, mais s'il le faut vous pouvez essayer le Syndicat des étudiants noirs. Notez qu'en général les Afro-Américains adhèrent au Syndicat des étudiants noirs, et les Africains à l'Association des étudiants africains. Les deux se recoupent parfois, mais pas beaucoup. Les Africains qui sont membres du SEN manquent d'assurance et vous disent presque aussitôt : "Je suis au départ *originaire* du Kenya" même si le Kenya déboule à la minute où ils ouvrent la bouche. Les Afro-Américains qui viennent à nos réunions écrivent des poèmes à notre mère l'Afrique et pensent que chaque Africaine est une reine de Nubie. Si un Afro-Américain vous appelle Mandingo[2] ou vous traite de peau de fesses, il vous insulte parce que vous êtes africain. Certains vous poseront des questions dérangeantes à propos de l'Afrique, mais d'autres s'entendront avec vous. Vous découvrirez aussi que vous pouvez vous lier plus facilement avec d'autres expatriés, Coréens, Indiens, Brésiliens, peu importe, qu'avec des Américains noirs ou blancs. Beaucoup d'expatriés comprennent toute la difficulté

1. Sorte de boulettes de maïs.
2. Acteur noir de films porno.

d'essayer d'obtenir un visa américain et c'est une bonne façon de se lier d'amitié. »

Les rires redoublèrent. Mwombeki riait lui-même de bon cœur, comme s'il entendait pour la première fois ses propres plaisanteries.

Plus tard, en quittant la réunion, Ifemelu pensa à Dike, se demandant à quelle association il adhérerait quand il serait à l'université, SEN ou AEA, et s'il serait considéré comme un Américain-Africain ou un Afro-Américain. Il aurait à choisir ce qu'il était ou, plutôt, on ferait le choix pour lui.

*

Ifemelu pensa que l'entretien au restaurant où travaillait Dorothy s'était bien passé. C'était une place d'hôtesse, et elle avait mis son joli chemisier, souri d'un air engageant, serré fermement la main. La gérante, une femme au rire facile, manifestant une irrépressible joie de vivre, lui dit : « Formidable ! C'était merveilleux de m'entretenir avec vous ! Je vous donnerai rapidement des nouvelles. » Si bien que, lorsque le téléphone sonna, elle décrocha aussitôt, espérant qu'il s'agissait d'une proposition d'engagement.

« Ifem, *kedu* ? » dit Tante Uju.

Tante Uju appelait trop souvent pour demander si elle avait trouvé du travail. « Tante, tu seras la première avertie quand j'aurai trouvé », avait dit Ifemelu lors de son dernier appel, la veille, et voilà que Tante Uju appelait à nouveau.

« Très bien », dit Ifemelu, et elle était sur le point d'ajouter : « Je n'ai encore rien trouvé », quand Tante Uju dit : « Il s'est passé quelque chose avec Dike.

— Quoi ?

— Miss Brown m'a dit qu'elle l'avait trouvé dans un placard avec une gamine qui est en CE1. Apparemment ils se montraient leurs parties intimes. »

Suivit un silence.

« C'est tout ?

— Comment ça, c'est tout ? Il n'a pas encore sept ans ! Qu'est-ce que ça veut dire ? Est-ce pour cela que je suis venue en Amérique ?

— Nous avons lu quelque chose à ce sujet à un de mes cours l'autre jour. C'est normal. Les enfants sont curieux de ces choses-là quand ils sont très jeunes, mais ils ne comprennent pas vraiment.

— Normal *kwa* ? Ce n'est pas du tout normal.

— Tante, nous étions tous curieux quand nous étions petits.

— Pas à sept ans ! *Tufiakwa !*Qui lui a appris ça ? C'est cette garderie où il va. Depuis qu'Alma est partie et qu'il est chez Miss Brown, il a changé. Avec tous ces enfants infernaux qui n'ont reçu aucune éducation chez eux, il apprend tout et n'importe quoi. J'ai décidé de m'installer dans le Massachusetts à la fin de ce semestre.

— Ahn-ahn !

— Je vais terminer mon internat là-bas et Dike ira dans une meilleure école et une meilleure garderie. Bartholomew va quitter Boston pour une petite ville, Warrington, et y créer son affaire. Ce sera un nouveau départ pour nous deux. Il y a une très bonne école primaire là-bas. Et le docteur du coin cherche un associé parce que sa clientèle s'accroît. Je lui ai parlé et il est intéressé par ma proposition de travailler avec lui quand j'aurai terminé.

— Tu quittes New York pour aller vivre dans un village du Massachusetts ? Tu peux quitter l'internat juste comme ça ?

— Bien sûr. Mon amie Olga, celle qui vient de Russie, s'en va aussi, mais elle sera obligée de redoubler une année. Elle veut se spécialiser en dermatologie et la plupart de nos patients ici sont noirs, et elle dit que les maladies de peau ont un aspect différent sur une peau noire. Et comme elle sait qu'elle ne pratiquera pas dans un secteur noir, elle veut aller dans un endroit où les patients sont blancs. Elle n'a pas tort. C'est vrai que mon cursus donne une qualification plus élevée, mais parfois il y a plus d'opportunités dans des endroits plus petits. En outre, je ne veux pas que Bartholomew pense que je ne suis pas sérieuse. Je ne rajeunis pas. Je veux tenter un nouveau départ.

— Tu vas vraiment l'épouser ? »

Tante Uju feignit d'être exaspérée : « Ifem, je croyais que nous avions dépassé ce stade. Une fois que j'aurai déménagé, nous irons devant le juge et nous nous marierons, ce qui lui permettra d'être tuteur légal de Dike. »

Ifemelu entendit le bip-bip d'un appel entrant. « Tante, je te rappelle plus tard », dit-elle, et elle prit la communication. C'était la gérante du restaurant.

« Je regrette, Ngozi, dit-elle, mais nous avons décidé d'engager quelqu'un de plus qualifié. Bonne chance ! »

Ifemelu raccrocha et pensa à sa mère, qui s'en prenait souvent au diable. *Le diable est un menteur. Le diable veut nous empêcher d'avancer*. Elle contempla le téléphone, puis les factures sur la table, sentant l'angoisse oppresser sa poitrine.

CHAPITRE 15

L'homme était de petite taille, avec un corps tout en muscles, des cheveux rares et décolorés par le soleil. Quand il ouvrit la porte, il l'examina de la tête aux pieds, la jaugeant sans merci, puis il sourit et dit : « Entrez. Mon bureau est au sous-sol. » Elle sentit sa peau se hérisser, un sentiment de gêne l'envahir. Il y avait quelque chose de vénal dans ce visage aux lèvres minces ; il avait l'air d'un homme aux goûts dépravés.

« Je suis un type débordé de boulot », lui dit-il, indiquant d'un geste une chaise dans son bureau encombré qui dégageait une odeur d'humidité.

« C'est ce que j'ai compris en lisant l'annonce », dit Ifemelu. *Assistante personnelle pour entraîneur sportif très occupé, compétences en communication et relations personnelles requises*. Elle s'assit sur la chaise, s'y percha plutôt, songeant soudain qu'après avoir lu une annonce dans le *City Paper* elle se retrouvait seule en présence d'un inconnu dans le sous-sol d'une maison inconnue en Amérique. Les mains enfoncées dans les poches de son jean, il allait et venait à courtes enjambées rapides, disait qu'il était un entraîneur de tennis extrêmement demandé, et Ifemelu se dit qu'il risquait de trébucher sur les piles de magazines sportifs entassés sur le sol. Le regarder lui donnait le tournis. Il parlait aussi vite qu'il bougeait, l'air bizarrement sur le qui-vive ; ses yeux restaient grands ouverts et sans ciller pendant trop longtemps.

« Voilà la proposition. Il y a deux jobs, l'un de secrétaire, l'autre d'assistante de relaxation. Le secrétariat est déjà pourvu. La secrétaire a commencé hier, elle étudie à Bryn Mawr, et elle passera la semaine à mettre de l'ordre dans tout le retard qui s'est accumulé. Je suis sûr que j'ai des chèques qui traînent quelque part. » Il fit un geste vers le désordre de son bureau. « Maintenant ce qu'il me faut c'est quelqu'un qui m'aide à me relaxer. Je vous paierai cent dollars par jour, avec la possibilité d'une augmentation, et vous travaillerez à la demande, sans horaire fixe. »

Cent dollars, presque suffisant pour payer son loyer mensuel. Elle se déplaça un peu sur sa chaise. « Qu'entendez-vous exactement par "aider à me relaxer" ? »

Elle l'observait, attendant ses explications. Elle commençait à s'impatienter à la pensée de l'argent qu'elle avait dépensé pour le billet du train de banlieue.

« Écoutez, vous n'êtes pas une gamine, dit-il. Je travaille tellement que je n'arrive pas à dormir, je ne prends pas de médicament, c'est pourquoi je me suis dit que j'avais besoin d'aide pour me détendre. Vous pouvez me faire un massage, vous comprenez, m'aider à me décontracter. J'avais quelqu'un qui le faisait, mais elle vient de partir à Pittsburgh. C'est un super job, en tout cas c'est ce qu'elle pensait. Ça l'a aidée à rembourser une bonne partie de son prêt pour ses études. » Il l'avait dit à beaucoup d'autres filles, c'était évident, vu la désinvolture avec laquelle il prononça ces mots. Il n'était pas sympathique. Elle ne savait pas exactement ce qu'il voulait dire, mais de toute façon elle regrettait d'être venue.

Elle se leva. « Puis-je réfléchir et vous téléphoner ?

— Bien sûr. » Il eut un haussement d'épaules, empreint d'une brusque impatience, comme s'il n'arrivait pas à croire qu'elle ne saisisse pas la chance qui s'offrait à elle. Quand il la raccompagna, il ferma rapidement la porte, sans répondre à son « merci » final. Elle regagna la gare à pied, regrettant le prix du billet. Les arbres resplendissaient, leur feuillage rouge et jaune teintait l'air d'une lumière dorée, et elle se rappela ces mots qu'elle avait récemment lus quelque part : *Le premier vert de la nature est d'or*. L'air vif, parfumé et sec, éveilla en elle le souvenir de Nsukka durant la saison de l'harmattan, déclenchant une nostalgie si soudaine et si profonde que ses yeux s'emplirent de larmes.

*

Chaque fois qu'elle se rendait à un entretien d'embauche, ou passait un coup de téléphone pour un emploi, elle se disait que cela finirait par être son jour ; cette fois, cette place de serveuse, hôtesse, baby-sitter serait pour elle, pourtant à peine avait-elle formulé ce vœu que le découragement s'accumulait déjà dans un recoin reculé de son esprit. « Qu'est-ce que je fais de travers ? » demandait-elle à Ginika, et Ginika lui disait d'être patiente, d'espérer. Elle tapait et retapait son curriculum vitae, s'inventait une expérience passée de serveuse à Lagos, inscrivait le nom de Ginika comme employeur dont elle avait été la baby-sitter des enfants, donnait le nom de la propriétaire de Wambui comme référence, et à chaque rendez-vous, elle souriait chaleureusement, serrait les mains avec fermeté, toutes choses suggérées dans un livre qu'elle avait lu à propos des entretiens d'embauche en Amérique. Mais il n'y avait pas de job. Était-ce son accent étranger ? Son manque d'expérience ? Pourtant ses amies africaines avaient toutes du travail, et les étudiants décrochaient sans cesse des boulots sans avoir d'expérience. Un jour, elle alla dans une station-service près de Chestnut Street et un grand Mexicain lui dit, les yeux rivés sur sa poitrine : « Vous venez pour le job de pompiste ? Vous pourriez travailler pour moi d'une autre façon. » Puis, avec un sourire, le regard toujours concupiscent, il lui dit que la place était prise. Elle commença à penser de plus en plus au diable de sa mère, à imaginer que le diable se mêlait de tout ici. Elle faisait des additions et des soustractions, évaluant ce qui lui était nécessaire ou pas, cuisait du riz et des haricots chaque semaine, qu'elle faisait réchauffer par petites portions dans le four à micro-ondes pour le déjeuner et le dîner. Obinze proposa de lui envoyer de l'argent. Son cousin était venu le voir de Londres et lui avait donné quelques livres. Il les changerait en dollars à Enugu.

« Comment pourrais-tu m'envoyer de l'argent depuis le Nigeria ? Ce devrait être l'inverse », dit-elle. Mais il le lui envoya quand même, un peu plus de cent dollars soigneusement enfermés dans un morceau de carton.

*

Ginika était très occupée, elle passait de longues heures à travailler dans le cadre de son stage et à réviser pour ses examens de droit, mais elle appelait souvent Ifemelu pour s'enquérir de ses recherches, gardant toujours un ton optimiste, comme pour l'inciter à ne pas perdre espoir. « Cette femme avec laquelle j'ai fait un stage dans son organisation caritative, Kimberly, m'a appelée pour me dire que sa baby-sitter partait et qu'elle cherchait à la remplacer. Je lui ai parlé de toi et elle aimerait te rencontrer. Si elle t'engage, elle te paiera en liquide et tu n'auras pas besoin d'utiliser un faux nom. À quelle heure termines-tu demain ? Je peux passer et t'emmener chez elle pour un entretien.

— Si j'obtiens ce job, je te donnerai mon premier mois de salaire », dit Ifemelu, et Ginika rit.

Ginika gara sa voiture dans l'allée circulaire d'une maison qui affichait son opulence, avec sa façade de pierre massive et imposante et ses quatre colonnes se dressant solennellement à l'entrée. Kimberly ouvrit la porte. Elle était mince et élancée, levait les bras pour ramener en arrière ses lourds cheveux dorés à deux mains comme si une seule n'aurait pu parvenir à apprivoiser une telle masse.

« Ravie de vous rencontrer », dit-elle à Ifemelu avec un sourire tout en lui tendant une petite main osseuse, frêle. Dans son pull doré ceinturé sur une taille incroyablement fine, avec ses cheveux dorés, ses ballerines dorées, elle semblait irréelle, comme la lumière du soleil.

« Voici ma sœur Laura, qui est venue me rendre visite. En réalité, nous nous voyons presque tous les jours. Laura habite pratiquement à côté. Les enfants sont dans les Poconos jusqu'à demain, avec ma mère. J'ai pensé qu'il valait mieux nous rencontrer quand ils n'étaient pas là, de toute façon.

— Bonjour », dit Laura. Elle était aussi mince, élancée et blonde que Kimberly. Pour les décrire à Obinze, Ifemelu dirait que Kimberly ressemblait à un petit oiseau à l'ossature légère, facile à briser, tandis que Laura faisait penser à un faucon, au bec recourbé et à l'humeur sombre.

« Bonjour, je m'appelle Ifemelu.

— Quel beau nom, dit Kimberly. Est-ce qu'il signifie quelque chose de particulier ? J'adore les noms multiculturels parce qu'ils ont des significations merveilleuses, venant de cultures merveilleusement riches. » Kimberly avait le sourire bienveillant des gens qui voyaient dans la « culture » l'univers inhabituel et coloré des gens de couleur, un mot qui devait toujours être accompagné de « riche ». Elle ne pensait pas que la Norvège ait une « culture riche ».

« J'ignore ce qu'il signifie », répondit Ifemelu, et elle devina plutôt qu'elle ne vit un petit air amusé sur le visage de Ginika.

« Voulez-vous un peu de thé ? » demanda Kimberly en les introduisant dans une cuisine rutilante, toute de chrome et de granit, avec un grand espace vide au milieu. « Nous sommes des buveurs de thé, mais vous pouvez choisir autre chose, naturellement.

— Du thé sera parfait pour moi, dit Ginika.

— Et vous, Ifemelu ? Je sais que j'écorche votre nom, mais c'est un beau nom. Vraiment beau.

— Non, vous l'avez prononcé correctement. Je veux bien de l'eau ou du jus d'orange, s'il vous plaît. » Ifemelu se rendrait compte plus tard que Kimberly utilisait le mot « beau » d'une manière particulière. « Je vais voir ma belle amie avec laquelle j'étais à l'université », disait-elle par exemple, ou : « Nous travaillons avec une très belle femme au projet du centre-ville », et les femmes en question se révélaient tout à fait ordinaires, mais toujours noires. Un jour, plus tard dans l'hiver, alors qu'elle était assise avec Kimberly à l'énorme table de la cuisine, à boire du thé en attendant que les enfants reviennent d'une promenade avec leur grand-mère, Kimberly dit : « Oh, regardez cette belle femme », et elle désigna un simple mannequin dans un magazine, dont la seule particularité était d'avoir la peau très sombre. « N'est-elle pas étonnante ?

— Non, pas vraiment. » Ifemelu marqua une pause. « Vous savez, vous pouvez simplement dire "noire". Tous les Noirs ne sont pas beaux. »

Kimberly fut décontenancée, quelque chose d'indistinct se répandit sur son visage, puis elle sourit, et Ifemelu penserait par la suite que c'est à ce moment-là qu'elles étaient devenues amies. Mais dès ce premier jour, Kimberly lui plut, avec sa beauté fragile, ses yeux violets emplis de cette expression qu'Obinze utilisait souvent pour décrire les gens qu'il aimait : *obi ocha*. Un cœur clair. Kimberly questionna Ifemelu sur son expérience des enfants, l'écoutant attentivement, comme si ce qu'elle voulait entendre était peut-être ce qui n'était pas dit.

« Elle n'a pas de brevet de secouriste, Kim », dit Laura. Elle se tourna vers Ifemelu. « Acceptez-vous de le passer ? C'est très important si vous devez vous occuper d'enfants.

— Je le passerai.

— Ginika a dit que vous avez quitté le Nigeria parce que les professeurs de l'université étaient constamment en grève, c'est vrai ? demanda Kimberly.

— Oui. »

Laura hocha la tête d'un air entendu. « C'est affreux, ce qui se passe dans les pays africains.

— Comment trouvez-vous les États-Unis jusqu'à présent ? » demanda Kimberly.

Ifemelu lui raconta le vertige qui l'avait saisie la première fois qu'elle était allée au supermarché ; au rayon des céréales, elle avait voulu acheter des corn flakes, qu'elle avait l'habitude de manger en Afrique, mais soudain confrontée à une centaine d'emballages différents, dans un tourbillon de couleurs et d'images, elle s'était sentie mal. Elle racontait cette histoire parce qu'elle la trouvait drôle ; elle flattait innocemment l'ego américain.

Laura rit. « Je comprends que vous ayez pu avoir le tournis !

— Oui, nous sommes adeptes de l'excès dans ce pays, dit Kimberly. Je suis certaine que vous mangiez de merveilleux produits biologiques et des légumes chez vous, mais vous vous apercevrez que c'est différent ici.

— Kim, si elle mangeait toute cette merveilleuse nourriture biologique au Nigeria, pourquoi serait-elle venue en Amérique ? » demanda Laura. Dans leur enfance, Laura avait probablement joué le rôle de la grande sœur qui soulignait la sottise de la petite, toujours avec gentillesse et bonne humeur, et de préférence devant des parents adultes.

« Bon, même s'ils n'avaient que peu de nourriture, je dis qu'il s'agissait sans doute de légumes bio, pas de ces cochonneries que nous avons ici », dit Kimberly. Ifemelu sentit flotter, entre elles, quelques épines acérées.

« Tu ne lui as pas parlé de la télévision », dit Laura. Elle se tourna vers Ifemelu. « Les enfants de Kim ne regardent que les programmes pour les enfants, et seulement sur la chaîne publique. Si elle vous engage, il faudra donc que vous soyez toujours présente et que vous contrôliez tout ce qui se passe, notamment avec Morgan.

— Très bien.

— Je n'ai pas de baby-sitter », continua Laura, son « je » empreint d'autosatisfaction. « Je suis une maman à plein temps, qui met la main à la pâte. J'ai songé à reprendre mon activité quand Athena a eu deux ans, mais je n'ai pas supporté de l'abandonner. Kim s'implique, elle aussi, mais elle est parfois très prise, elle accomplit une tâche formidable avec son organisation caritative, c'est pourquoi je me soucie des baby-sitters. La dernière, Martha, était merveilleuse, mais nous nous sommes demandé si celle qui était là avant elle, j'ai oublié son nom, ne laissait pas Morgan regarder des émissions qui n'étaient pas pour elle. Ma fille ne regarde jamais la télévision. Il y a trop de violence, à mon avis. Je la laisserai peut-être regarder quelques dessins animés quand elle sera plus grande.

— Mais il y a aussi de la violence dans les dessins animés », dit Ifemelu.

Laura eut l'air agacé. « Ce sont des dessins animés. C'est la réalité qui traumatise les enfants. »

Ginika lança un bref regard à Ifemelu, avec un froncement de sourcils qui signifiait : « N'insiste pas. » Quand elle était à l'école primaire, Ifemelu avait vu le peloton d'exécution fusiller Lawrence Anini [1], elle était fascinée par la mythologie qui entourait ses attaques à main armée, les lettres qu'il écrivait aux journaux, la façon dont il nourrissait les pauvres avec ses butins, disparaissait comme par miracle quand la police arrivait. Sa mère avait dit : « Rentre à la maison, ce n'est pas pour les enfants », mais elle l'avait dit sans conviction alors qu'Ifemelu avait déjà vu la plus grande partie de l'exécution. Le corps d'Anini sommairement attaché à un poteau, tressautant au moment où les balles l'atteignaient, avant de s'affaisser contre les cordes entrecroisées. Elle y repensait en ce moment, vision obsédante et pourtant ordinaire.

« Je vais vous montrer la maison, Ifemelu, dit Kimberly. Ai-je prononcé votre nom correctement ? »

Elles passèrent d'une pièce à l'autre – la chambre de la fille avec des murs roses et un couvre-lit à franges, celle du fils avec une batterie, le bureau où trônait un piano, dont le couvercle de bois verni était encombré de photos de famille.

« Nous avons pris celle-ci en Inde », dit Kimberly. Ils se tenaient à côté d'un rickshaw vide, en T-shirts, Kimberly avec sa chevelure dorée attachée en queue-de-cheval, son mari grand et maigre, leur petit garçon blond et leur fille plus âgée aux cheveux roux, tous avec une bouteille d'eau à la main, le sourire aux lèvres. Ils souriaient toujours sur les photos, qu'ils fassent de la voile ou de la randonnée, visitent des lieux touristiques, se tenant ensemble, silhouettes souples et dents blanches. Ils évoquaient pour Ifemelu l'image de ces publicités à la télévision, de gens dont la vie appa-

1. Bandit nigérian dont l'exécution fut retransmise à la télévision.

raissait toujours sous un jour flatteur, dont même le désordre restait esthétiquement plaisant.

« Certaines des personnes que nous avons rencontrées n'avaient rien, littéralement rien, mais elles étaient si joyeuses », dit Kimberly. Elle prit une photo sur le piano, de sa fille en compagnie de deux Indiennes à la peau sombre et tannée, leurs sourires découvrant des dents manquantes. « Ces femmes étaient si merveilleuses », dit-elle.

Ifemelu apprendrait également que pour Kimberly les pauvres étaient irréprochables. La pauvreté avait un éclat particulier. Elle ne concevait pas qu'un pauvre puisse être brutal ou méchant, parce que leur pauvreté les canonisait, et les plus grands saints étaient des pauvres.

« Morgan l'adore, c'est amérindien. Mais Taylor dit qu'elle fait peur ! » Elle montrait une petite sculpture au milieu des photos.

« Oh ! » Soudain Ifemelu ne se rappela plus qui était le garçon et qui était la fille ; pour elle, Morgan et Taylor ressemblaient à des noms de famille.

Le mari de Kimberly rentra peu avant le départ d'Ifemelu.

« Bonjour ! Bonjour ! » dit-il en pénétrant dans la cuisine sans bruit, grand, bronzé, empressé. Ses cheveux mi-longs dont les parfaites ondulations frôlaient son col dénotaient aux yeux d'Ifemelu le soin extrême qu'il en prenait.

« Vous devez être l'amie nigériane de Ginika », dit-il en souriant, débordant de confiance en son propre charme. Il regardait les gens dans les yeux non parce qu'il s'intéressait à eux, mais parce que c'était une façon de le leur faire croire.

Après son arrivée, Kimberly devint légèrement fébrile. Sa voix changea, elle parlait à présent avec les inflexions aiguës d'une femme manquant d'assurance. « Don, chéri, tu es en avance », dit-elle quand ils s'embrassèrent.

Don regarda fixement Ifemelu et lui dit qu'il avait failli aller au Nigeria, après l'élection de Shagari, quand il était consultant pour une agence internationale d'aide au développement. Mais le voyage avait été annulé au dernier moment, à sa grande déception, parce qu'il avait espéré pouvoir écouter Fela Kuti dans son club, le Shrine. Il mentionna Fela naturellement, d'un ton familier, comme s'il s'agissait de quelque chose qu'ils avaient en commun, un secret qu'ils partageaient. Il y avait dans son discours une tentative de séduction. Ifemelu le regarda, sans dire grand-chose, refusant d'être prise au piège, se sentant étrangement triste pour Kimberly. Avoir sur les bras une sœur comme Laura et un mari comme lui.

« Don et moi sommes impliqués dans une très bonne organisation humanitaire au Malawi, en réalité Don est beaucoup plus impliqué que moi. »

Kimberly se tourna vers Don, qui fit une moue moqueuse et dit : « Bon, nous faisons ce que nous pouvons mais nous savons très bien que nous ne sommes pas le messie.

— Nous devrions vraiment organiser un voyage pour leur rendre visite. C'est un orphelinat. Nous ne sommes jamais allés en Afrique. J'adorerais faire quelque chose avec mon organisation caritative en Afrique. »

Le visage de Kimberly s'était adouci, ses yeux s'embuèrent, et pendant un instant Ifemelu regretta d'être originaire d'Afrique, qu'à cause d'elle cette belle femme, avec ses dents si blanches et son abondante chevelure, soit obligée de chercher loin au fond d'elle-même une telle pitié, une telle impuissance. Elle lui sourit avec chaleur, espérant que Kimberly se sentirait réconfortée.

« Je vais recevoir encore une personne et je vous donnerai ma réponse, mais je pense vraiment que vous correspondez à ce que nous cherchons, dit Kimberly en reconduisant Ginika et Ifemelu à la porte d'entrée.

— Merci, dit Ifemelu. Je serais très heureuse de travailler pour vous. »

Le lendemain, Ginika appela et laissa un message d'une voix abattue. « Ifem, je suis vraiment désolée. Kimberly a engagé quelqu'un d'autre mais elle a dit qu'elle te gardait en tête. Quelque chose va bientôt marcher, ne t'inquiète pas trop. Je t'appellerai plus tard. »

Ifemelu aurait voulu jeter le téléphone par la fenêtre. *Gardait en tête.* Pourquoi Ginika prenait-elle la peine de répéter une expression aussi vide, « garder en tête » ?

*

L'automne était avancé, les ramures des arbres avaient des formes d'andouillers, les feuilles mortes entraient dans l'appartement et elle était en retard pour son loyer. Les chèques de ses colocataires étaient posés sur la table de la cuisine, l'un sur l'autre, tous roses et festonnés de fleurs. Il lui semblait inutilement décoratif d'avoir des chèques fleuris en Amérique : cela ôtait son caractère sérieux à un chèque. Il y avait une note à côté des chèques : *Ifemelu, nous avons presque une semaine de retard pour le loyer.* Remplir un chèque viderait son compte en banque. Sa mère lui avait donné un petit pot de Mentholatum la veille de son départ de Lagos en lui disant : « Mets-le dans tes bagages, tu l'auras quand il fera froid. » Elle le chercha dans sa valise, l'ouvrit et le renifla, en frotta un peu sous son nez. L'odeur lui donna envie de pleurer. Le répondeur clignotait, mais elle ne s'en occupa pas, sachant qu'elle entendrait une nouvelle variante du message de Tante Uju : « Est-ce que tu as des réponses ? As-tu essayé le McDonald's et le Burger King à côté de chez toi ? Ils ne passent pas d'annonces mais peut-être embauchent-ils. Je ne peux rien t'envoyer avant le mois prochain. Mon compte en banque est vide lui aussi, franchement être interne en médecine est un boulot d'esclave. »

Des journaux étaient étalés sur le sol, des offres d'emploi cerclées de rouge. Elle en ramassa un et le feuilleta, examinant des annonces qu'elle avait déjà lues. Le mot ESCORTES accrocha encore une fois son regard. Ginika lui avait dit : « Oublie cette histoire d'escortes. Ils disent que ce n'est pas de la prostitution, mais c'en est, et le pire est que tu ne touches qu'un quart de ce que tu gagnes parce que l'agence garde le reste. Je connais une fille qui l'a fait en première année. » Ifemelu lut l'annonce et faillit à nouveau appeler, mais elle n'en fit rien, parce qu'elle espérait que le dernier entretien auquel elle s'était rendue, pour une place de serveuse dans un petit restaurant qui ne payait pas de salaire, seulement des pourboires, serait positif. Ils avaient dit qu'ils l'appelleraient en fin de journée s'ils l'engageaient, elle attendit jusque très tard dans la soirée mais ils n'appelèrent pas.

*

Puis le chien d'Elena mangea son bacon. Elle avait tenu une tranche de bacon au chaud dans une serviette en papier, l'avait posée sur la table et s'était tournée pour ouvrir le réfrigérateur. Le chien avala le bacon et la serviette. Elle contempla l'endroit où s'était trouvé son bacon, puis regarda le chien à l'air satisfait, et toutes les frustrations de sa vie bouillonnèrent dans sa tête. Un chien avait mangé son bacon, un chien avait mangé son bacon alors qu'elle était sans travail.

« Ton chien vient de manger mon bacon », dit-elle à Elena à l'autre bout de la table, qui découpait une banane en rondelles qu'elle laissait tomber dans son bol de céréales.

« Tu détestes mon chien.

— Tu devrais mieux le dresser. Il ne devrait pas manger la nourriture posée sur la table de cuisine.

— Ne t'avise pas de tuer mon chien avec ton vaudou.

— Quoi ?

— Je plaisante ! » dit Elena. Elle avait un petit sourire narquois, son chien remuait la queue, et Ifemelu sentit de l'acide couler dans ses veines : elle s'avança vers Elena, la main levée, prête à l'abattre sur le visage d'Elena, puis se reprit, s'arrêta, fit demi-tour et monta dans sa chambre. Elle s'assit sur son lit et ramena ses genoux contre sa poitrine, bouleversée par sa propre réaction, par la rapidité avec laquelle sa fureur s'était déclenchée. En bas, Elena hurlait au téléphone : « Je te jure, la salope vient d'essayer de me frapper ! » Ifemelu avait eu envie de gifler sa colocataire non parce qu'un chien baveux avait mangé son bacon, mais parce qu'elle était en conflit avec le monde entier, et se réveillait tous les matins meurtrie, imaginant une troupe de gens sans visage et hostiles. Elle était terrifiée à la pensée d'être incapable d'envisager le lendemain. Lorsque ses parents appelèrent et laissèrent un message, elle le conserva, craignant d'entendre leurs voix pour la dernière fois. Être là, à l'étranger, sans savoir quand elle pourrait revenir chez elle, c'était regarder l'amour se transformer en angoisse. Si elle appelait l'amie de sa mère, Tante Bunmi, et que le téléphone sonnait indéfiniment sans réponse, elle était prise de panique, redoutant que son père soit mort et que Tante Bunmi n'ose pas le lui annoncer.

*

Un peu plus tard, Allison frappa à sa porte. « Ifemelu, je voulais juste te rappeler que ton chèque n'est pas sur la table. Nous sommes vraiment en retard.

— Je sais. Je suis en train de le faire. » Elle était couchée à plat ventre sur son lit. Elle ne voulait pas être la colocataire qui avait des problèmes de loyer. Elle ne supportait pas que ce soit Ginika qui ait payé sa note d'épicerie la semaine précédente. Elle entendait la voix furieuse de Jackie en bas. « Qu'est-ce qu'elle attend de nous ? Nous ne sommes pas ses foutus parents. »

Elle sortit son chéquier. Avant de remplir le chèque, elle appela Tante Uju et demanda à parler à Dike. Puis, réconfortée par sa candeur, elle téléphona à l'entraîneur de tennis.

« Quand puis-je commencer à travailler ? dit-elle.

— Vous voulez venir tout de suite ?

— D'accord », dit-elle.

Elle se rasa les aisselles, retrouva le rouge à lèvres qu'elle n'avait pas utilisé depuis le jour où elle avait quitté Lagos, dont la plus grande partie avait barbouillé le cou d'Obinze à l'aéroport. Que se passerait-il avec l'entraîneur de tennis ? Il avait dit « massage » mais son attitude, son ton, étaient profondément suggestifs. Peut-être était-il un de ces Blancs dont elle avait entendu parler, avec des manies bizarres, qui voulaient que les femmes promènent une plume sur leur dos, ou urinent sur eux. Elle pouvait certainement faire ça, uriner sur un homme pour cent dollars. L'idée l'amusa, et elle eut un petit sourire ironique. Quoi qu'il arrive, elle allait se présenter sous son meilleur jour, elle lui signifierait clairement qu'il y avait des limites qu'elle ne franchirait pas. Elle dirait, dès le début : « Si vous espérez coucher avec moi, je ne peux rien pour vous. » Ou peut-être le dirait-elle avec plus de délicatesse, de manière plus suggestive : « Je ne voudrais pas aller trop loin. » Mais peut-être se laissait-elle entraîner par son imagination, peut-être avait-il seulement envie d'un massage.

Quand elle arriva chez lui, il l'accueillit avec brusquerie. « Montez », dit-il, et il la conduisit dans sa chambre, dépourvue de meubles à l'exception d'un lit et d'un grand tableau au mur représentant une boîte de soupe. Il lui proposa quelque chose à boire, d'un ton indifférent qui laissait entendre qu'il s'attendait à la voir refuser, puis il retira sa chemise et s'allongea sur le lit. N'y avait-il aucun préliminaire ? Elle aurait voulu qu'il fasse les choses un peu plus lentement. Elle-même ne dit rien.

« Venez ici, dit-il. J'ai besoin qu'on me réchauffe. »

Elle aurait dû partir sur-le-champ. L'équilibre des forces penchait en faveur de l'homme, et cela depuis qu'elle avait franchi le seuil de sa maison. Elle devait partir. Elle se leva.

« Je ne peux pas faire l'amour, dit-elle d'une voix perçante, tremblante. Je ne peux pas faire l'amour avec vous, répéta-t-elle.

— Oh non, ce n'est pas ce que j'attends de vous », dit-il, trop rapidement.

Elle se dirigea lentement vers la porte, se demandant s'il l'avait fermée à clé, puis elle se demanda s'il avait une arme.

« Venez ici et allongez-vous, dit-il. Réchauffez-moi. Je vous toucherai à peine, rien qui puisse vous embarrasser. J'ai seulement besoin d'un peu de contact humain pour me détendre. »

Il y avait, dans son ton et son attitude, une totale assurance ; elle s'avoua vaincue. Tout était tellement sordide, qu'elle soit là avec un inconnu qui savait déjà qu'elle resterait. Il savait qu'elle resterait parce qu'elle était venue. Elle était là, déjà salie. Elle ôta ses chaussures et grimpa dans son lit. Elle ne voulait pas être là, elle ne voulait pas que son doigt s'affaire entre ses jambes, elle ne voulait pas entendre ses grognements et ses soupirs dans son oreille, et pourtant elle sentit son corps réagir, envahi d'une écœurante humidité. Ensuite, elle resta immobile, lovée, anéantie. Il ne l'avait pas forcée. Elle était venue de son plein gré. Elle était restée couchée sur le lit, et quand il lui avait pris la main pour la placer entre ses jambes, elle avait courbé et bougé ses doigts. À présent, même après s'être lavé les mains, serrant le mince billet de cent dollars qu'il lui avait donné, ses doigts lui semblaient encore poisseux : ils ne lui appartenaient plus.

« Peux-tu venir deux fois par semaine ? Je paierai le billet de train », dit-il en s'étirant, la congédiant. Il voulait la voir partir.

Elle ne dit rien.

« Ferme la porte », dit-il, et il lui tourna le dos.

Elle marcha jusqu'à la gare, le pas lourd et lent, l'esprit embourbé, et, assise près de la fenêtre, elle se mit à pleurer. Elle avait l'impression d'être une petite balle perdue, seule et abandonnée. Le monde était si vaste et elle était tellement minuscule, tellement insignifiante, à se débattre sans but. De retour dans son appartement, elle se lava les mains avec de l'eau si chaude qu'elle se brûla les doigts, et qu'une petite ampoule apparut sur son pouce. Elle ôta tous ses vêtements et les roula en une boule qu'elle jeta dans un coin, restant un moment à les fixer. Elle ne les porterait plus jamais, elle n'y toucherait jamais plus. Elle resta assise nue sur son lit, et contempla sa vie dans cette petite chambre à la moquette moisie, le billet de cent dollars sur la table, son corps soulevé de dégoût. Elle n'aurait jamais dû aller là-bas. Elle aurait dû se sauver. Elle avait envie de prendre une douche, de se nettoyer à la brosse, mais la seule pensée d'effleurer son corps lui était insupportable et elle enfila avec précaution sa chemise de nuit, s'efforçant de se toucher le moins possible. Elle imagina qu'elle faisait ses valises, trouvait le moyen d'acheter un billet d'avion et retournait à Lagos. Elle se pelotonna sur son lit et pleura, elle aurait aimé plonger en elle-même pour arracher le souvenir de ce qui était arrivé. Son répondeur clignotait. C'était sans doute Obinze. Elle ne pouvait supporter de penser à lui. Elle songea à appeler Ginika. Finalement, elle appela Tante Uju.

« Je suis allée travailler pour un homme en banlieue aujourd'hui. Il m'a payé cent dollars.

— Hein ? C'est très bien. Mais il faut que tu continues à chercher quelque chose de permanent. Je viens de me rendre compte que je dois souscrire une assurance santé pour Dike parce que celle que propose ce nouvel hôpital dans le Massachusetts est ridicule, elle ne le couvre pas. Je n'en reviens pas de la somme à payer.

— Tu ne me demandes pas ce que j'ai fait, Tante ? Tu ne me demandes pas ce que j'ai fait avant que cet homme me paye cent dollars ? » dit Ifemelu. Elle était submergée par la colère, une rage qui s'infiltrait jusque dans ses doigts, qui se mirent à trembler.

« Qu'est-ce que tu as fait ? » demanda Tante Uju calmement.

Ifemelu raccrocha. Elle appuya sur le bouton du répondeur. Le premier message était de sa mère, qui parlait vite pour réduire le coût de l'appel. « Ifem, comment vas-tu ? Nous appelons pour avoir de tes nouvelles. Nous n'en avons pas eu depuis longtemps. S'il te plaît, envoie un message. Nous allons bien. Que Dieu te bénisse. »

Puis la voix d'Obinze, ses mots flottant dans l'air, dans sa tête. « Je t'aime, Ifem », disait-il, de cette voix qui subitement était si lointaine, appartenait à un autre temps et à un autre lieu. Elle resta allongée sur le lit, figée. Elle ne pouvait pas dormir, elle ne pouvait pas détourner ses pensées. Elle se mit à envisager de tuer l'entraîneur de tennis. Elle lui frapperait la tête à coups répétés avec une hache. Elle plongerait un couteau dans sa poitrine musclée. Il vivait seul, il y avait probablement d'autres femmes qui venaient dans sa chambre écarter leurs jambes sous son gros doigt court à l'ongle rongé. Personne ne saurait laquelle d'entre elles l'avait fait. Elle laisserait le couteau enfoncé dans sa poitrine et chercherait dans ses tiroirs son rouleau de billets de cent dollars, pour payer son loyer et ses frais de scolarité.

Il neigea cette nuit-là, sa première neige, et le matin elle contempla le monde à travers sa fenêtre, les voitures en stationnement, informes, bosselées sous la couche de neige. Elle était vidée, apathique, elle flottait dans un univers où l'obscurité descendait trop tôt et où les passants marchaient engoncés dans leurs manteaux, estompés par l'absence de lumière. Les jours s'écoulaient les uns à la suite des autres, l'air vif devenait glacial, douloureux à respirer. Obinze appelait souvent mais elle ne décrochait pas le téléphone. Elle effaçait ses messages sans écouter sa voix, ne lisait pas ses e-mails, sentant qu'elle s'enfonçait, de plus en plus vite, incapable de se ressaisir.

*

Le matin elle se réveillait dans un état de torpeur, accablée de tristesse, effrayée par la longueur de la journée qui l'attendait. Tout s'était épaissi. Elle était engloutie, perdue dans un brouillard visqueux, enveloppée de néant. Entre elle et ce qu'elle aurait dû ressentir, il y avait une faille. Rien ne la touchait. Elle aurait voulu éprouver quelque chose, mais elle ne savait plus comment faire, elle en avait perdu le souvenir, la capacité. Elle se réveillait parfois en battant l'air, impuissante, et devant elle, derrière elle, autour d'elle, tout n'était que désespoir. Elle savait qu'il ne servait à rien d'être encore là, de rester en vie, mais elle n'avait pas l'énergie suffisante pour réfléchir concrètement à une manière de se tuer. Elle restait couchée et lisait des livres sans penser à rien. Elle oubliait de manger, ou attendait jusqu'à minuit, lorsque ses colocataires étaient dans leurs chambres, avant de réchauffer sa nourriture, et elle laissait les assiettes sales sous son lit, jusqu'à ce que la moisissure envahisse les restes de riz et de haricots. Souvent, au milieu de son repas ou de sa lecture, elle était submergée par une envie de pleurer et les larmes venaient, les sanglots lui arrachaient la gorge. Elle avait débranché son téléphone. Elle n'allait plus en cours. Ses journées s'étaient figées dans le silence et la neige.

*

Allison tapait à grands coups à sa porte. « Tu es là ? Le téléphone ! Elle dit que c'est urgent, putain ! Je sais que tu es là, je t'ai entendue tirer la chasse d'eau il y a une minute ! »

Le bruit sourd des coups, comme si Allison tapait du plat de la main plutôt qu'avec son poing, déconcerta Ifemelu. « Elle ne veut pas ouvrir », disait Allison, et au moment où Ifemelu pensait qu'elle était partie les coups reprirent. Elle se leva de son lit où elle était restée couchée, lisant deux livres à la fois chapitre par chapitre, et se dirigea d'un pas pesant vers la porte. Elle aurait voulu marcher rapidement, normalement, mais elle en était incapable. Ses pieds étaient devenus des escargots. Elle tira le verrou. L'air furieux, Allison lui fourra brutalement le téléphone dans la main.

« Merci », dit-elle mollement, et dans un murmure elle ajouta : « Désolée. » Même parler, extraire des mots de sa gorge, ouvrir la bouche, l'épuisait.

« Allô, dit-elle.

— Ifem ! Que se passe-t-il ? Que t'arrive-t-il ? demanda Ginika.

— Rien, dit-elle.

— Je me suis fait un sang d'encre. Heureusement j'ai trouvé le numéro de ta colocataire ! Obinze m'a appelée. Il est fou d'inquiétude, dit Ginika. Même Tante Uju a téléphoné pour savoir si je t'avais vue.

— J'étais occupée », dit vaguement Ifemelu.

Il y eut un silence. Le ton de Ginika s'adoucit. « Ifem, je suis là, tu le sais, hein ? »

Ifemelu eut envie de raccrocher et de regagner son lit. « Oui.

— J'ai de bonnes nouvelles. Kimberly a appelé pour me demander ton numéro de téléphone. La baby-sitter qu'elle avait choisie vient de partir. Elle veut t'engager. Elle voudrait que tu commences lundi. Elle a dit que c'est toi qu'elle voulait depuis le début mais que Laura l'avait persuadée d'engager l'autre personne. Ça y est, Ifem, tu as du travail ! Payé en liquide, sous la table ! Ifemsco, c'est formidable. Elle te paye deux cent cinquante dollars par semaine, plus que l'ancienne baby-sitter. Et au noir. Kimberly est une femme merveilleuse. Je viendrai te chercher demain pour t'emmener chez elle. »

Ifemelu resta muette, s'efforçant de comprendre. Les mots mettaient si longtemps à prendre un sens.

Le lendemain, Ginika frappa à coups redoublés à la porte avant qu'Ifemelu finisse par ouvrir et aperçoive Allison sur le palier, qui la regardait d'un air curieux.

« Nous sommes déjà en retard, habille-toi », dit Ginika d'un ton ferme et autoritaire, sans laisser place à la contestation. Ifemelu enfila un jean. Elle sentait le regard de Ginika posé sur elle. Dans la voiture, la musique rock préférée de Ginika remplit le silence qui régnait entre elles. Elles roulaient dans Lancaster Avenue, s'apprêtant à quitter West Philadelphia, avec ses bâtiments aux fenêtres condamnées et ses papiers gras éparpillés, pour pénétrer dans l'impeccable banlieue aux avenues bordées d'arbres de la Main Line, quand Ginika dit : « Je crois que tu souffres de dépression. »

Ifemelu secoua la tête et se tourna vers la vitre. La dépression était ce qui arrivait aux Américains, avec leur besoin d'autojustification qui transformait tout en maladie. Elle ne souffrait pas de dépression, elle était simplement un peu fatiguée, un peu apathique. « Je ne suis pas déprimée », dit-elle. Des années plus tard, elle écrirait un post dans son blog là-dessus. « Au sujet des Noirs non américains qui souffrent de maladies dont ils refusent de connaître le nom. » Une Congolaise écrivit un long commentaire en réponse. Elle avait quitté Kinshasa pour la Virginie, et quelques mois après le début de son premier semestre à l'université elle avait commencé à avoir des étourdissements le matin, le cœur battant la chamade, l'estomac retourné par des nausées, des fourmillements dans les doigts. Elle était allée consulter un médecin. Et, bien qu'elle ait coché « oui » à tous les symptômes inscrits sur la carte que le médecin lui avait donnée, elle avait refusé le diagnostic de crise de panique parce que seuls les Américains étaient sujets à des crises de panique. Personne à Kinshasa n'avait de crises de panique. Non parce qu'on les appelait autrement, mais parce qu'on ne les appelait pas du tout. Les choses existaient-elles uniquement quand elles avaient un nom ?

« Ifem, c'est quelque chose que beaucoup de gens traversent, et je sais qu'il n'a pas été facile pour toi de t'accoutumer à un nouveau pays tout en restant sans travail. Nous ne parlons pas de choses comme la dépression au Nigeria, mais cela existe. Tu devrais consulter quelqu'un au centre médical. Il y a toujours des thérapeutes. »

Ifemelu garda le visage appuyé contre la vitre. Elle était à nouveau envahie par cette envie irrépressible de pleurer et elle prit une longue aspiration, espérant que ça passerait. Elle aurait dû parler à Ginika de l'entraîneur de tennis, elle aurait dû prendre le train jusqu'à l'appartement de Ginika ce jour-là, mais il était trop tard maintenant, son dégoût d'elle-même s'était ancré en elle. Elle ne parviendrait jamais à formuler les mots permettant de raconter son histoire.

« Ginika, dit-elle. Merci. » Sa voix était rauque. Les larmes lui montèrent aux yeux, incontrôlables. Ginika s'arrêta dans une station-service, lui tendit un kleenex et attendit que ses sanglots s'apaisent avant de redémarrer et de reprendre le chemin de la maison de Kimberly.

CHAPITRE 16

Kimberly dit qu'il s'agissait d'une prime d'engagement. « Ginika m'a dit que vous aviez passé des moments difficiles. Je vous en prie, ne refusez pas », dit-elle.

Il ne serait pas venu à l'esprit d'Ifemelu de refuser le chèque ; à présent elle allait pouvoir payer certaines factures et faire un envoi à ses parents. Sa mère aimait les chaussures qu'elle lui avait expédiées, pointues, ornée de pompons, le genre qu'elle pouvait porter à l'église. « Merci », dit-elle au téléphone avec un profond soupir, et elle ajouta : « Obinze est venu me voir. »

Ifemelu resta muette.

« Quel que soit ton problème, je t'en prie, discutes-en avec lui. »

Ifemelu dit : « D'accord », et parla d'autre chose. Quand sa mère lui raconta qu'ils avaient été privés d'électricité pendant deux semaines, elle se sentit soudain étrangère, et la maison lui parut lointaine. Elle n'arrivait plus à se souvenir de ce qu'était une soirée passée à la lueur des bougies. Elle ne lisait plus les nouvelles sur Nigeria.com parce que chaque titre, même le plus improbable, lui rappelait Obinze.

Au début, elle se donna un mois. Un mois pour permettre à son dégoût d'elle-même de se dissiper, ensuite elle l'appellerait. Mais un mois passa et elle continua à laisser Obinze derrière un mur de silence, se forçant à penser à lui aussi peu que possible. Elle supprimait ses e-mails sans les lire. Elle commençait à lui écrire, elle s'appliquait à rédiger un e-mail, puis s'interrompait et l'effaçait. Elle aurait dû lui raconter ce qui était arrivé, et cette pensée lui était insupportable. Elle avait honte ; elle avait fauté. Ginika lui demandait sans cesse ce qui n'allait pas, pourquoi elle avait chassé Obinze de sa vie, et elle répondait que ce n'était rien, qu'elle avait seulement besoin d'un peu de temps, et Ginika lui lançait un regard stupéfait. *Tu as seulement besoin d'un peu de temps ?*

Au début du printemps, une lettre d'Obinze arriva. Un seul clic suffisait pour supprimer ses e-mails, et après le premier elle n'avait aucun mal à effacer les autres car il lui semblait impossible de lire le second si elle n'avait pas lu le premier. Mais une lettre était autre chose. Elle lui causa le plus grand chagrin qu'elle eût jamais éprouvé. Elle s'écroula sur son lit, tenant l'enveloppe à la main ; elle la huma, contempla l'écriture familière. Elle l'imaginait à son bureau dans le quartier des garçons, près de son petit réfrigérateur ronronnant, écrivant avec son calme habituel. Elle aurait voulu lire la lettre, mais elle ne pouvait se décider à l'ouvrir. Elle la posa sur sa table. Elle la lirait dans une semaine ; elle avait besoin d'une semaine pour rassembler son courage. Et elle lui répondrait, se promit-elle. Elle lui dirait tout. Mais une semaine plus tard, la lettre était toujours à la même place. Elle posa un livre par-dessus, puis un autre, et un jour elle disparut sous les dossiers et les livres. Elle ne la lirait jamais.

*

Taylor était un enfant sage, puéril, un gamin espiègle, parfois si naïf qu'Ifemelu l'accusait à tort d'être niais. Mais Morgan, de trois ans seulement son aînée, arborait déjà l'attitude boudeuse d'une adolescente. Elle était d'un niveau supérieur à son âge, abreuvée de cours de perfectionnement, et prenait les adultes de haut, comme si elle était au courant des sombres secrets de leurs vies. Au début, Ifemelu ne l'aima pas, troublée par ce qu'elle prenait pour une antipathie avérée à son égard. Elle se montra réservée, parfois même froide envers Morgan durant les premières semaines, décidée à ne pas céder aux caprices de cette gracieuse enfant gâtée au nez constellé de taches de rousseur. Avec le temps elle se prit d'affection pour elle, mais s'appliqua à n'en rien laisser paraître. Au contraire, elle se montrait ferme et impartiale, lui rendant son regard quand Morgan la dévisageait. Ce qui expliquait peut-être pourquoi Morgan lui obéissait. Elle le faisait avec froideur, indifférence, à contrecœur, mais elle l'écoutait. Elle avait pris l'habitude d'ignorer sa mère. Et avec son père, ses regards mornes étaient pleins d'une curiosité perfide. Don rentrait à la maison et se dirigeait aussitôt vers le bureau, s'attendant à ce que tout s'arrête à cause de lui. Et tout s'arrêtait, sauf ce que Morgan était en train de faire. Kimberly virevoltait, s'empressait, demandait comment s'était passée sa journée, se mettait en quatre pour lui plaire, comme si elle n'arrivait pas à croire qu'il soit revenu la retrouver. Taylor se précipitait dans les bras de Don. Et Morgan levait les yeux d'un livre, d'un jeu ou de la télévision pour l'observer, comme si elle voyait à travers lui, tandis que Don ne manifestait aucun embarras sous son regard pénétrant. Parfois Ifemelu s'interrogeait. S'agissait-il de Don ? Trompait-il Kimberly et Morgan l'aurait-elle découvert ? L'infidélité était la première chose à laquelle on pensait s'agissant d'un homme tel que Don, qui dégageait une telle sensualité. Mais peut-être se satisfaisait-il de simples provocations ; il flirtait outrageusement, sans aller plus loin, parce qu'une liaison demandait un certain effort et qu'il était le genre d'homme qui prenait sans donner.

Ifemelu repensa souvent à cet après-midi peu après son arrivée alors que Kimberly était sortie. Taylor jouait et Morgan lisait dans le bureau. Soudain, Morgan avait posé son livre, était montée calmement à l'étage et avait arraché le papier peint de sa chambre, renversant sa commode, ôtant brutalement le couvre-lit, déchirant les rideaux. Elle était à genoux et tirait de toutes ses forces sur la moquette collée quand Ifemelu était accourue et l'avait arrêtée. On eût dit un petit robot d'acier, se débattant pour se libérer, doté d'une force qui effraya Ifemelu. Peut-être cette enfant deviendrait-elle une tueuse en série, comme ces femmes dans les reportages criminels à la télévision, que l'on voyait à moitié nues au bord des routes sombres pour attirer les conducteurs de camions avant de les étrangler. Quand Ifemelu finit par la relâcher, desserrant lentement son étreinte, Morgan ayant recouvré son calme, elle descendit au rez-de-chaussée et reprit sa lecture.

Par la suite, Kimberly, en larmes, lui demanda : « Ma chérie, je t'en prie, dis-moi ce qui ne va pas. »

Et Morgan lui répondit : « Je suis trop vieille pour tous ces trucs roses dans ma chambre. »

Désormais Kimberly emmenait Morgan deux fois par semaine chez un psychothérapeute à Bala Cynwyd. Don et elle se montraient plus hésitants devant elle, plus timides sous son regard accusateur.

Quand Morgan gagna un concours de dissertation à l'école, Don rentra à la maison avec un cadeau pour sa fille. Kimberly se tint anxieuse au pied de l'escalier tandis qu'il montait lui remettre le cadeau, enveloppé de papier brillant. Il redescendit quelques instants plus tard.

« Elle n'a même pas voulu le regarder. Elle s'est levée, est allée dans la salle de bains, et n'en est pas ressortie, dit-il. Je l'ai laissé sur le lit.

— Ne t'inquiète pas, chéri, elle va se calmer », dit Kimberly, le serrant contre elle en lui massant le dos.

Plus tard, Kimberly dit à mi-voix à Ifemelu : « Morgan est vraiment dure avec lui. Il fait tellement d'efforts, et elle refuse d'aller vers lui. Elle refuse catégoriquement.

— Morgan ne va vers personne », dit Ifemelu. Don aurait dû se souvenir que c'était Morgan, et pas lui, qui était l'enfant.

« Elle vous écoute, vous », dit Kimberly un peu tristement.

Ifemelu aurait voulu dire : « Je ne lui laisse pas le choix », elle aurait voulu que Kimberly ne se montre pas toujours aussi prête à céder ; peut-être Morgan avait-elle seulement besoin de sentir que sa mère était capable de résister. Mais elle dit : « C'est parce que je ne suis pas de la famille. Elle n'a pas d'affection particulière pour moi, elle n'éprouve pas ces sentiments compliqués à mon égard. Au mieux, je suis juste quelqu'un qui l'embête.

— Je ne sais pas ce que je fais de travers, dit Kimberly.

— C'est une phase. Cela passera, vous verrez. » Elle éprouvait un sentiment protecteur envers Kimberly, elle avait envie de la défendre.

« La seule personne qui l'intéresse est mon cousin Curt. Elle l'adore. Quand nous avons des réunions de famille, elle reste dans son coin jusqu'à son arrivée. Je vais voir s'il peut passer lui parler. »

*

Laura avait apporté un magazine.

« Regardez ça, Ifemelu, dit-elle. Ce n'est pas le Nigeria, mais presque. Je sais que les célébrités peuvent être frivoles, mais celle-ci semble faire du bon travail. »

Ifemelu et Kimberly jetèrent un coup d'œil sur la photo : une femme blanche mince, souriant à l'appareil, tenait un bébé noir africain dans ses bras, entourée d'autres bébés noirs étalés autour d'elle comme un tapis. Kimberly fit « hum », comme si elle ne savait pas quoi en penser.

« Qui plus est, elle est ravissante, dit Laura.

— Oui, c'est vrai, dit Ifemelu. Et elle est aussi maigre que les enfants, à la différence que sa maigreur est voulue et la leur involontaire. »

Laura éclata d'un rire bref. « Vous êtes vraiment drôle. J'adore vos manières culottées ! »

Kimberly ne rit pas. Plus tard, seule avec Ifemelu, elle confia : « Je regrette ce que Laura vous a dit. Je n'ai jamais aimé ce mot "culotté". C'est le genre de mot qu'on emploie avec certaines personnes et pas avec d'autres. » Ifemelu sourit, haussa les épaules et changea de sujet. Elle ne comprenait pas pourquoi Laura était tellement avide d'informations sur le Nigeria ; elle l'interrogeait sur la fraude au 419, lui rappelait combien d'argent les Nigérians d'Amérique envoyaient au pays chaque année. Une curiosité agressive, sans bienveillance ; c'était étrange en vérité, de montrer tant d'intérêt pour quelque chose qu'on n'aimait pas. La destinataire en était peut-être Kimberly, Laura visait peut-être sa sœur en faisant des remarques qui l'obligeaient à se répandre en excuses. Mais cela semblait beaucoup d'efforts pour peu de résultats. Au début, Ifemelu apprécia les excuses de Kimberly, même si elles n'étaient pas nécessaires, puis elle commença à ressentir des éclairs d'impatience, car les regrets répétés de Kimberly étaient teintés de complaisance, comme si elle croyait pouvoir ainsi aplanir toutes les aspérités de la planète.

*

Au bout de quelques mois, Kimberly demanda à Ifemelu : « Pourriez-vous envisager d'habiter ici ? Le sous-sol est en réalité un appartement d'une chambre avec une entrée privée. Il n'y aurait pas de loyer à payer, bien entendu. »

Ifemelu était en train de chercher un studio, impatiente de quitter ses colocataires maintenant qu'elle en avait les moyens, et elle n'avait pas envie d'être davantage impliquée dans la vie des Turner, pourtant elle faillit accepter, car elle avait perçu une prière dans la voix de Kimberly. Elle décida finalement qu'elle ne pourrait pas vivre avec eux. Quand elle refusa, Kimberly lui proposa d'utiliser leur deuxième voiture. « Cela vous sera beaucoup plus pratique pour venir ici après vos cours. C'est une antiquité. Nous nous apprêtions à la donner. J'espère qu'elle ne vous laissera pas en plan au bord de la route », dit-elle, comme si la Honda, vieille de quelques années à peine, sa carrosserie intacte, risquait de la laisser en rade.

« Vous ne devriez pas me confier votre voiture pour aller chez moi. Et si un jour je ne revenais pas ? »

Kimberly se mit à rire. « Elle ne vaut pas grand-chose. »

« Vous avez un permis américain, je suppose ? demanda Laura. Je veux dire, vous pouvez conduire légalement dans ce pays ?

— Bien sûr qu'elle le peut, Laura, dit Kimberly. Pourquoi accepterait-elle la voiture si elle ne le pouvait pas ?

— Je vérifiais seulement », dit Laura, comme si on ne pouvait pas faire confiance à Kimberly pour poser les questions épineuses obligatoires à des non-Américains. Ifemelu les regardait, toutes les deux si semblables en apparence, et toutes les deux malheureuses. Mais la détresse de Kimberly était intérieure, inavouée, masquée par son désir que les choses soient comme elles devaient être, atténuée par l'espoir : elle croyait dans le bonheur des autres car cela signifiait qu'elle aussi pourrait un jour l'atteindre. La détresse de Laura était différente : aigrie, elle souhaitait que tout le monde autour d'elle soit malheureux parce qu'elle s'était convaincue qu'elle le serait toujours.

« Oui, j'ai un permis américain », dit Ifemelu, et elle leur parla du cours de conduite qu'elle avait suivi à Brooklyn avant de passer son permis, et raconta comment le moniteur, un Blanc maigrichon aux cheveux couleur paille, avait délibérément triché. Dans une pièce en sous-sol mal éclairée pleine d'étrangers, à laquelle on accédait par un escalier étroit encore plus sombre, le moniteur avait ramassé tous les paiements en liquide avant de projeter un film sur les règles de sécurité au volant. De temps à autre, il faisait des plaisanteries que personne ne comprenait et riait tout seul. Ifemelu avait des doutes sur le film : comment une voiture roulant si lentement pouvait avoir provoqué de tels dégâts dans un accident, dont le cou brisé du conducteur ? Il avait ensuite distribué les questions du test. Ifemelu les avait trouvées faciles, cochant rapidement les réponses au crayon. Un petit homme originaire d'Asie du Sud-Est était assis à côté d'elle ; âgé d'une cinquantaine d'années, il lui lançait des regards suppliants tandis qu'elle feignait de ne pas comprendre qu'il lui demandait de l'aider. Le moniteur avait commencé à ramasser les copies, pris une gomme couleur argile, et s'était mis à effacer une partie des réponses et à cocher les autres. Tout le monde avait été reçu. Beaucoup lui serrèrent la main en disant : « Merci, merci » avec les accents les plus variés avant de sortir à tour de rôle de la pièce. Ils pouvaient maintenant faire la demande de leur permis américain. Ifemelu raconta l'histoire avec une feinte ingénuité, comme s'il s'agissait simplement d'une attitude curieuse à ses yeux, et non d'un fait qu'elle avait délibérément choisi pour provoquer Laura.

« Ce fut une expérience surprenante pour moi, parce que je croyais que personne ne trichait en Amérique », dit-elle.

Kimberly s'exclama : « Oh mon Dieu !

— Cela se passait à Brooklyn ? demanda Laura.

— Oui. »

Laura haussa les épaules, comme pour dire que c'était quelque chose qui pouvait arriver à Brooklyn, naturellement, mais pas dans l'Amérique dans laquelle elle vivait.

*

Ce n'était qu'une simple orange. Une orange bien ronde, couleur de feu, qu'Ifemelu avait apportée avec son déjeuner, épluchée et divisée en quartiers, à l'abri dans un sac en plastique. Elle la mangeait à la table de la cuisine pendant que Taylor faisait ses devoirs assis près d'elle.

« Tu veux goûter, Taylor ? » demanda-t-elle, et elle lui en offrit un quartier.

« Merci », dit-il. Il le mit dans sa bouche. Son visage se crispa. « Elle n'est pas bonne ! Il y a des trucs dedans !

— Ce sont les pépins », dit-elle, regardant ce qu'il avait craché dans sa main.

« Les pépins ?

— Oui, des pépins d'orange.

— Les oranges n'ont pas de trucs à l'intérieur.

— Si, elles en ont. Jette ça à la poubelle, Taylor. Je vais te passer la vidéo de ton cours.

— Les oranges n'ont pas de trucs à l'intérieur », répéta-t-il.

Toute sa vie, il avait mangé des oranges sans pépins, des oranges cultivées pour ressembler à une orange parfaite, avoir une peau sans défaut et aucun pépin, si bien qu'à huit ans il ne savait pas qu'il existait cette chose curieuse, une orange avec des pépins. Il courut jusqu'au bureau pour annoncer la nouvelle à Morgan. Elle leva les yeux de son livre, souleva lentement une main lasse et coinça une mèche rousse derrière son oreille.

« Bien sûr que les oranges ont des pépins. Maman achète la variété qui n'en a pas. Ifemelu n'a pas acheté la bonne sorte. » Elle jeta à Ifemelu un de ses habituels regards accusateurs.

« Cette orange me convient parfaitement, Morgan. J'ai toujours été habituée à manger des oranges qui ont des pépins, dit Ifemelu, lançant la vidéo.

— OK. » Morgan haussa les épaules. En présence de Kimberly elle n'aurait rien dit, lui aurait seulement jeté un regard noir.

La sonnette de la porte retentit. C'était sans doute le nettoyeur de tapis. Kimberly et Don donnaient un cocktail le lendemain pour collecter des fonds au profit d'un de leurs amis au sujet duquel Don avait dit : « Il veut se présenter au Congrès uniquement pour satisfaire son ego, il n'a pas la moindre chance d'être élu », et Ifemelu s'était étonnée qu'il fût sensible à l'ego d'autrui alors qu'un brouillard épais semblait l'aveugler lorsqu'il s'agissait du sien. Elle alla à la porte. Un homme de forte carrure, au teint rougeaud, se tenait sur le seuil, chargé d'appareils de nettoyage, une partie suspendue à son épaule, un engin qui ressemblait à une tondeuse à gazon posé à ses pieds.

Il se raidit quand il la vit. La surprise envahit d'abord son visage, avant de se charger d'hostilité.

« Vous avez une moquette à faire nettoyer ? » demanda-t-il comme si ça ne l'intéressait pas, comme si elle pouvait changer d'avis, comme s'il souhaitait qu'elle change d'avis. Elle le regarda, d'un air un peu moqueur, prolongeant un moment lourd de suppositions : il pensait qu'elle était la propriétaire de la maison, et elle n'était pas la personne qu'il s'était attendu à trouver dans cette grande maison de pierre encadrée de colonnes blanches.

« Oui, dit-elle enfin, soudain lasse. Mme Turner m'a prévenue de votre passage. »

Comme par magie, toute hostilité quitta l'homme. Son visage se liquéfia dans un sourire. Elle aussi était employée. L'univers était à nouveau organisé comme il devait l'être.

« Salut. Vous savez par où elle veut que je commence ?

— Par le haut », dit-elle en le faisant entrer, se demandant comment toute cette jovialité avait pu exister auparavant chez cet homme. Elle ne l'oublierait jamais, avec ses bouts de peau morte qui se détachaient de ses lèvres gercées, et elle commencerait le post de son blog « Parfois en Amérique, la race est la classe » avec le récit de ce changement spectaculaire, et le conclurait ainsi : *Peu lui importait combien je gagnais. Pour lui, je ne correspondais pas à l'image de la propriétaire de cette maison majestueuse, à cause de mon apparence. Dans le discours officiel américain, les « Noirs » en tant que groupe sont souvent mis dans la même catégorie que les « Blancs pauvres ». Pas les Noirs pauvres avec les Blancs pauvres. Mais les Noirs et les Blancs pauvres. C'est curieux en vérité.*

Taylor était tout excité. « Est-ce que je peux t'aider ? Est-ce que je peux t'aider ? demanda-t-il.

— Non merci, fiston, dit l'homme. J'ai la situation en main.

— J'espère qu'il ne va pas commencer par ma chambre, dit Morgan.

— Pourquoi ? demanda Ifemelu.

— Je n'en ai pas envie, c'est tout. »

*

Ifemelu voulait raconter l'histoire du nettoyeur de tapis à Kimberly, mais celle-ci aurait pu se troubler, s'excuser de quelque chose dont elle n'était pas responsable, comme elle s'excusait souvent, trop souvent, pour Laura.

C'était déconcertant de la voir tergiverser, toujours avide de bien faire sans savoir comment. Si Ifemelu lui parlait du nettoyeur de tapis, il était impossible de prévoir comment elle réagirait – en riant, en s'excusant, en s'emparant du téléphone pour appeler la société et se plaindre.

Elle préféra donc parler de Taylor et de l'orange.

« Il a vraiment cru que les pépins signifiaient qu'elle était mauvaise ? C'est drôle.

— Morgan, naturellement, l'a vite détrompé.

— Oh, c'est tout à fait elle.

— Quand j'étais petite, ma mère me disait qu'une orange me pousserait sur la tête si j'avalais un pépin. J'ai passé des matins entiers à m'inquiéter et à aller vérifier dans la glace. Au moins Taylor aura évité ce traumatisme d'enfance. »

Kimberly se mit à rire.

« Bonjour ! » C'était Laura, qui entrait par la porte de derrière avec Athena, une petite chose avec des cheveux si fins qu'on voyait la peau pâle de son crâne à travers. Les légumes passés au mixer et les strictes règles diététiques de Laura en avaient peut-être fait une fillette souffrant de malnutrition.

Laura posa un vase de fleurs sur la table. « Elles seront superbes demain.

— C'est ravissant », dit Kimberly en se penchant pour déposer un baiser sur la tête d'Athena. « Voilà le menu du traiteur. Don pense que le choix de hors-d'œuvre est trop simple. Je n'en suis pas sûre.

— Il veut que tu en rajoutes ? demanda Laura, parcourant rapidement le menu.

— Il a seulement jugé que c'était trop simple, il l'a dit très gentiment. »

Dans le petit salon, Athena se mit à pleurer. Laura alla la voir, et bientôt une série de négociations s'ensuivit : « Tu veux celui-ci, ma chérie ? Le jaune, le bleu ou le rouge ? Lequel veux-tu ? »

Donnez-lui-en un et qu'on n'en parle plus, pensa Ifemelu. Accabler de choix une enfant de quatre ans, lui imposer l'obligation de prendre une décision revenait à la priver du bonheur d'être enfant. L'âge adulte, de toute façon, pointait déjà à l'horizon, moment où elle aurait à prendre des décisions de plus en plus pénibles.

« Elle est de mauvaise humeur aujourd'hui », dit Laura en regagnant la cuisine, les pleurs d'Athena apaisés. « Je l'ai emmenée faire une visite de contrôle pour son infection de l'oreille et elle a été infernale toute la journée. À propos, j'ai rencontré le plus exquis des hommes aujourd'hui, un Nigérian. Nous arrivons là-bas et il se trouve qu'un nouveau médecin fait depuis peu partie du cabinet et qu'il est nigérian ; il est passé nous dire bonjour. Il m'a fait penser à vous, Ifemelu. J'ai lu sur Internet que les Nigérians étaient le groupe d'immigrants le plus instruit des États-Unis. Bien sûr, on ne parle pas des millions qui vivent avec moins d'un dollar par jour dans votre pays, mais quand j'ai rencontré ce docteur j'ai pensé à cet article et à vous et aux autres Africains privilégiés qui vivent ici en Amérique. » Laura s'interrompit et Ifemelu, comme souvent, eut l'impression qu'elle avait d'autres choses à dire mais les gardait pour elle. Il lui sembla étrange d'être considérée comme une privilégiée. Les privilégiés étaient des gens comme Kayode DaSilva, dont le passeport débordait de timbres de visas, qui passait l'été à Londres et allait nager au Ikoyi Club, qui pouvait se lever et dire avec un parfait naturel : « Allons prendre une glace chez Frenchies. »

« On ne m'a jamais traitée de privilégiée de ma vie ! dit Ifemelu. C'est amusant.

— Je crois que je vais changer et le prendre comme médecin pour Athena. Je l'ai trouvé merveilleux, très bien habillé, et il s'exprime parfaitement. De toute façon, je ne suis pas véritablement satisfaite du Dr Bingham depuis que le Dr Hoffman est parti. » Laura reprit le menu. « À l'université, j'ai connu une Africaine qui ressemblait beaucoup à ce médecin. Elle était originaire de l'Ouganda. Elle était merveilleuse, mais ne s'entendait pas du tout avec l'Afro-Américaine qui était dans notre classe. Elle n'avait pas tous ces problèmes.

— Peut-être que lorsque le père de l'Afro-Américaine était interdit de vote parce qu'il était noir, le père de l'Ougandaise se présentait au Parlement ou était étudiant à Oxford », dit Ifemelu.

Laura la regarda, fit mine d'être troublée : « Excusez-moi, y a-t-il quelque chose qui m'aurait échappé ?

— Je pense seulement que c'est une comparaison simpliste. Vous devriez connaître un peu mieux l'histoire. »

Les coins de la bouche de Laura s'abaissèrent. D'abord sidérée, elle se reprit.

« Bon, je vais chercher ma fille et emprunter quelques livres d'histoire à la bibliothèque, si je suis capable d'imaginer à quoi ils ressemblent ! » dit Laura, et elle quitta la pièce.

Ifemelu pouvait presque entendre battre le cœur de Kimberly. « Je suis désolée », dit-elle.

Kimberly secoua la tête et murmura : « Je sais que Laura peut se montrer provocante », sans quitter des yeux la salade qu'elle était en train de remuer.

Ifemelu monta rejoindre Laura.

« Je regrette. J'ai été grossière tout à l'heure et je m'en excuse. » Mais elle ne s'excusait qu'à cause de Kimberly, de la façon dont elle s'était mise à remuer la salade comme si elle voulait la réduire en purée.

« Ce n'est pas grave », dit Laura en reniflant, sans cesser de lisser les cheveux de sa fille, et Ifemelu comprit qu'elle resterait longtemps drapée dans le pashmina des offensés.

*

Hormis un « bonjour » sec, Laura ne lui adressa pas la parole à la réception du lendemain. La maison s'emplit d'un brouhaha assourdi, d'invités qui portaient leurs verres de vin à leurs lèvres. Ils se ressemblaient tous dans leurs tenues plaisantes et correctes, avec leur sens de l'humour plaisant et correct et, comme tant d'autres Américains de la classe bourgeoise supérieure, ils utilisaient trop souvent le mot « merveilleux ». « J'espère que vous viendrez nous aider pour le cocktail, n'est-ce pas ? » avait demandé Kimberly à Ifemelu, comme elle le faisait toujours à l'occasion de ce genre d'événements. Ifemelu ne saisissait pas très clairement en quoi elle se rendait utile, car ces réunions étaient confiées à un traiteur et les enfants montaient se coucher tôt, mais elle percevait dans le ton léger de l'invitation de Kimberly quelque chose qui dénotait un besoin. Pour une raison qui lui échappait en partie, sa présence semblait rassurer la jeune femme. Si Kimberly voulait qu'elle soit là, alors elle serait là.

« Voici Ifemelu, notre baby-sitter et mon amie », disait Kimberly en la présentant à ses invités.

« Vous êtes ravissante, lui dit en souriant un homme aux dents d'un blanc éclatant. Les Africaines sont superbes, particulièrement les Éthiopiennes. »

Un couple racontait son safari en Tanzanie. « Nous avions un guide merveilleux et nous avons pris en charge les frais d'éducation de sa première fille. » Deux femmes parlaient de leurs dons à un merveilleux organisme humanitaire au Malawi qui forait des puits, à un merveilleux orphelinat au Botswana, à une merveilleuse banque coopérative au Kenya. Ifemelu les observait. Il y avait une certaine notion de luxe attachée à la charité à laquelle elle ne pouvait s'identifier et qu'elle ne partageait pas. Considérer la « charité » comme allant de soi, savourer cette bienfaisance envers des gens qu'on ne connaissait pas – cela tenait peut-être au fait d'avoir possédé hier, de posséder aujourd'hui, et de s'attendre à posséder demain. Elle les enviait.

Une petite femme en veste rose stricte disait : « Je suis présidente du conseil d'administration d'un organisme humanitaire au Ghana. Nous travaillons avec les femmes en milieu rural. Nous sommes toujours attentifs à engager des employés africains, nous ne sommes pas le genre d'ONG qui n'utilise pas les travailleurs locaux.

Si jamais vous cherchez du travail après votre diplôme et que voulez retourner en Afrique, faites-moi signe.

— Merci. » Ifemelu eut soudain envie, désespérément, d'appartenir à un pays qui donnait et non à un pays qui recevait, de faire partie de ceux qui possédaient et de baigner dans le bonheur d'avoir donné, de se compter parmi ceux qui pouvaient faire étalage de pitié et d'empathie généreuses. Elle sortit sur la terrasse à la recherche d'air frais. De l'autre côté de la haie, elle vit dans l'allée de la maison voisine la nounou jamaïcaine des enfants, celle qui évitait son regard et n'aimait pas lui dire bonjour. Puis elle remarqua un mouvement à l'autre extrémité de la terrasse. C'était Don. Il y avait quelque chose de furtif dans son attitude et elle devina, plutôt qu'elle ne vit, qu'il venait de terminer une conversation au téléphone.

« La fête est une réussite, lui dit-il. Juste une excuse pour inviter quelques amis. Roger n'est absolument pas de taille et je lui ai dit qu'il n'avait pas l'ombre d'une chance... »

Il continuait à parler, d'une voix trop affable, tandis que l'antipathie saisissait Ifemelu à la gorge. Don ne s'adressait pas ainsi à elle en général. Il donnait trop d'explications, parlait trop. Elle aurait voulu lui dire qu'elle n'avait rien entendu de sa conversation au téléphone, s'il y avait eu quelque chose à entendre, qu'elle ne savait rien et ne voulait rien savoir.

« Ils doivent se demander où vous êtes, dit-elle.

— Oui, il faut rentrer », dit-il, comme s'ils étaient sortis ensemble. De retour à l'intérieur, Ifemelu vit Kimberly au milieu du salon, un peu à l'écart de son cercle d'amis ; elle avait cherché Don et, quand elle le vit, son regard se posa sur lui et son visage s'adoucit, libéré de son inquiétude.

*

Ifemelu quitta tôt la réception ; elle avait envie de parler à Dike avant qu'il soit couché. Tante Uju décrocha.

« Est-ce que Dike dort déjà ? lui demanda Ifemelu.

— Il se lave les dents », répondit-elle. Puis elle ajouta en baissant la voix : « Il m'a encore interrogée à propos de son nom.

— Que lui as-tu dit ?

— La même chose. Tu sais, il ne m'a jamais posé cette question avant notre déménagement.

— C'est peut-être à cause de la présence de Bartholomew, et du nouvel environnement. Il avait l'habitude de t'avoir pour lui tout seul.

— Cette fois, il n'a pas demandé pourquoi il portait mon nom, il a demandé s'il portait mon nom parce que son père ne l'aimait pas.

— Tante, peut-être est-il temps de lui dire que tu n'étais pas une seconde épouse.

— J'étais pratiquement une seconde épouse. » Tante Uju avait pris un ton de défi, presque exaspéré, décidée à préserver le secret de son histoire personnelle. Elle avait dit à Dike que son père faisait partie du gouvernement militaire, qu'elle était sa seconde épouse, et qu'ils lui avaient donné son nom à elle pour le protéger, parce qu'il y avait des gens au gouvernement, pas son père, qui avaient commis de mauvaises actions.

« Bon, je te passe Dike, dit-elle d'une voix normale.

— Salut, Coz ! Tu aurais dû voir comment j'ai joué au foot aujourd'hui !

— Comment peux-tu marquer tous ces buts quand je ne suis pas là ? Est-ce que tu les as marqués en rêve ? » demanda Ifemelu.

Il rit. Il riait toujours facilement, son sens de l'humour inchangé, mais il avait perdu sa candeur depuis leur installation dans le Massachusetts. Un voile l'enveloppait, il était devenu plus secret, la tête perpétuellement penchée sur sa Game Boy, levant les yeux de temps en temps pour regarder sa mère et le monde, avec une lassitude trop lourde pour un enfant. Ses notes en classe déclinaient. Tante Uju le menaçait plus fréquemment. À sa dernière visite, Ifemelu l'avait entendue lui dire : « Si tu recommences, je te renvoie au Nigeria ! » en lui parlant igbo, ce qu'elle faisait seulement quand elle était en colère, et Ifemelu craignait que cela devienne pour lui le langage des conflits.

Tante Uju, elle aussi, avait changé. Au début, elle avait paru pleine de curiosité, d'espoir concernant sa nouvelle existence. « Tout est si *blanc* dans cette ville, avait-elle dit. Sais-tu que je suis allée au drugstore pour acheter en vitesse du rouge à lèvres, parce que le centre commercial est à une demi-heure d'ici, et toutes les teintes étaient trop pâles ! Ils ne peuvent pas avoir en stock ce qu'ils ne peuvent pas vendre. Au moins l'endroit est calme et reposant, et je ne crains pas de boire l'eau du robinet, ce que je n'aurais jamais osé faire à Brooklyn. »

Lentement, au fil des mois, son ton s'aigrit.

« L'institutrice de Dike prétend qu'il est agressif », dit-elle un jour à Ifemelu, après avoir été convoquée par le directeur. « Agressif, tu te rends compte. Elle veut qu'on le mette dans ce qu'ils appellent une classe spéciale d'éducation, où il sera seul et où ils feront venir quelqu'un qui est formé pour s'occuper d'enfants à problèmes. J'ai dit à cette femme que ce n'est pas mon fils qui est agressif, que c'est son père à elle. "Regardez-le, juste parce qu'il est différent, quand il se conduit comme tous les autres petits garçons on le juge agressif." Alors le directeur m'a dit : "Dike est comme nous tous, nous ne voyons aucune différence." Qu'est-ce que ça veut dire ? Je lui ai dit de regarder mon fils. Il n'y a que deux enfants comme lui dans toute l'école, et encore l'autre est métis, si clair que de loin on ne voit même pas qu'il est noir. Mon fils tranche complètement avec les autres, alors comment peuvent-ils dire qu'ils ne voient aucune différence ? J'ai refusé catégoriquement qu'on le mette dans une classe spéciale. Il est plus intelligent que tous les élèves réunis. Ils voudraient déjà lui coller une étiquette. Kemi m'a mise en garde à ce sujet. Elle dit qu'ils ont essayé de faire la même chose pour son fils dans l'Indiana. »

Par la suite, les critiques de Tante Uju s'appliquèrent à son programme d'internat, qu'elle trouvait limité et archaïque, avec des dossiers médicaux encore tenus à la main et rangés dans des classeurs poussiéreux ; quand elle eut terminé son internat, elle se plaignit alors des patients qui pensaient lui faire une faveur en venant la consulter. Elle mentionnait à peine Bartholomew ; on eût dit qu'elle vivait seule avec Dike dans la maison du Massachusetts au bord du lac.

CHAPITRE 17

Ifemelu décida de cesser de prendre l'accent américain un jour ensoleillé de juillet, le jour où elle rencontra Blaine. Un accent convaincant. Elle l'avait perfectionné en écoutant avec attention ses amis ou les présentateurs des informations, avec les *t* voilés, le roulement crémeux des *r*, les phrases qui commençaient par « donc » et la réponse susurrée « Oh, vraiment », mais c'était un acte conscient, un acte de volonté. Il demandait un effort particulier, une distorsion de la lèvre, un enroulement de la langue. Si elle était prise de panique, ou terrifiée, ou réveillée en sursaut durant un incendie, elle serait incapable de se rappeler comment articuler ces sons américains. Aussi décida-t-elle d'arrêter, en ce jour d'été, le week-end de l'anniversaire de Dike. Elle y fut incitée par un télémarketeur. Elle se trouvait dans son appartement de Spring Garden Street, le premier qui était vraiment à elle en Amérique, à elle seule, un studio avec un robinet qui fuyait et un chauffage bruyant. Dans les semaines qui avaient suivi son installation, elle s'était sentie légère, enveloppée d'une sensation de bien-être, parce qu'elle ouvrait le réfrigérateur en sachant que tout ce qu'il contenait était à elle, et qu'elle pouvait nettoyer la baignoire en sachant qu'elle n'aurait pas la désagréable surprise d'y trouver des touffes de cheveux de ses colocataires. « Officiellement, il est situé à deux blocs du vrai quartier chaud. » C'était ce que lui avait expliqué le gardien de l'immeuble, Jamal, en lui disant de s'attendre à entendre de temps à autre des coups de feu la nuit ; mais elle avait beau ouvrir la fenêtre le soir, prêter l'oreille, elle n'entendait rien de plus que les bruits de la fin de l'été, la musique qui s'échappait des voitures, les rires joyeux des enfants qui jouaient en bas, les appels de leurs mères.

Ce matin de juillet, son sac de week-end déjà bouclé pour le Massachusetts, elle préparait des œufs brouillés quand le téléphone sonna. L'écran du téléphone affichait « inconnu » et elle pensa qu'il s'agissait peut-être de ses parents qui l'appelaient du Nigeria. Mais c'était un télémarketeur, un jeune Américain qui proposait de meilleurs tarifs pour les appels interurbains et internationaux. Elle raccrochait toujours avec les télémarketeurs, mais il y avait quelque chose dans cette voix qui la poussa à éteindre la cuisinière et à rester en ligne, quelque chose d'émouvant, de jeune, de nouveau, d'inexpérimenté, un imperceptible tremblement, une insistante gentillesse de vendeur qui n'avait rien d'insistant au fond : comme s'il débitait ce qu'il avait été entraîné à dire tout en craignant terriblement de l'importuner.

Il demanda comment elle allait, quel temps il faisait dans sa ville, et dit qu'il faisait très chaud à Phoenix. C'était peut-être son premier jour de télémarketing, le petit récepteur du téléphone enfoncé désagréablement dans l'oreille, espérant à moitié que les gens qu'il appelait ne répondraient pas. Pleine de pitié pour lui, elle lui demanda s'il avait un tarif meilleur que cinquante-sept cents la minute pour le Nigeria.

« Restez en ligne pendant que je cherche le Nigeria », dit-il, et elle retourna à ses œufs.

Il revint en disant que son tarif était le même, mais ne lui arrivait-il pas d'appeler un autre pays, le Mexique, le Canada ?

« Eh bien, je téléphone parfois à Londres », dit-elle. Ginika y était partie pour l'été.

« Bon, ne quittez pas pendant que je regarde la France. »

Elle éclata de rire.

« Qu'y a-t-il de drôle ? » demanda-t-il.

Son rire redoubla. Elle était sur le point de lui dire, sans ménagement, qu'elle s'étonnait de le voir vendre des tarifs téléphoniques internationaux sans savoir où se trouvait Londres, mais quelque chose la retint, l'image qu'elle se faisait de lui, dix-huit ou dix-neuf ans peut-être, trop gros, le teint rose, embarrassé avec les filles, fan de jeux vidéo, et ignorant tout des bouleversements contradictoires qui étaient l'essence de ce monde. « Il y a une vieille comédie hilarante à la télévision.

— Oh, vraiment ? » Il rit à son tour. Une telle naïveté lui brisa le cœur, et quand il revint lui donner les tarifs pour la France, elle le remercia et lui dit qu'ils étaient meilleurs que ceux qu'elle avait et qu'elle réfléchirait à la possibilité de changer d'opérateur.

« Quel serait le meilleur moment pour vous rappeler ? Si vous êtes d'accord... » Elle se demanda s'ils étaient payés à la commission. Son chèque de fin de mois serait-il plus gros si elle changeait de compagnie de téléphone ? Parce qu'elle le ferait, tant que cela ne lui coûtait rien.

« Le soir, dit-elle.

— Puis-je vous demander à qui je m'adresse ?

— Je m'appelle Ifemelu. »

Il répéta son nom avec une application exagérée. « C'est un nom français ?

— Non, nigérian.

— Votre famille est originaire du Nigeria ?

— Oui. » Elle versa les œufs dans une assiette. « J'ai été élevée là-bas.

— Oh, vraiment ? Depuis combien de temps êtes-vous aux États-Unis ?

— Trois ans.

— Waou. Cool. Vous parlez exactement comme une Américaine.

— Merci. »

C'est seulement après avoir raccroché qu'elle sentit se répandre en elle les premiers signes d'un remords naissant, pour l'avoir remercié, avoir fait de ses mots « Vous parlez comme une Américaine » une guirlande de fleurs autour de son cou. En quoi était-ce un haut fait, une réussite, de parler comme une Américaine ? Elle avait gagné ; la pâle Cristina Tomas sous le regard de qui elle s'était recroquevillée comme un petit animal vaincu lui parlerait normalement à présent. Elle avait gagné, certes, mais son triomphe était vide. Sa fugace victoire laissait derrière elle un vaste espace, empli de résonances, parce qu'elle avait emprunté, trop longtemps, une intonation et un comportement qui n'étaient pas les siens. Elle finit de manger ses œufs et décida de cesser de prendre l'accent américain. Elle parla pour la première fois sans l'accent américain à la gare de la 30e Rue, penchée vers la femme qui était derrière le comptoir de l'Amtrak.

« Pourrais-je avoir un aller-retour pour Haverhill, s'il vous plaît ? Le retour dimanche après-midi. J'ai une carte de réduction d'étudiant », dit-elle, et une vague de plaisir la parcourut lorsqu'elle donna tout son poids au *ré* de « réduction », en ne roulant pas le *r* d'« Haverhill ». Elle était enfin elle ; c'était la voix qu'elle aurait si elle se réveillait d'un sommeil profond durant un tremblement de terre. Cependant, elle décida que si l'employée de l'Amtrak réagissait à son accent en parlant trop lentement comme si elle s'adressait à une idiote, elle prendrait alors la Voix de M. Agbo, la prononciation affectée, maniérée qu'elle avait apprise dans les rencontres-débats de l'école secondaire, quand M. Agbo, leur professeur barbu, tirant sur sa cravate élimée, leur passait ses cassettes d'enregistrements de la BBC et faisait répéter et répéter les mots à ses élèves jusqu'à ce que, ravi, il s'exclame : « Correct ! » Elle adopterait également, en plus de la Voix de M. Agbo, un léger haussement de sourcils, imitant l'attitude hautaine d'une étrangère. Mais tout cela se révéla inutile parce que l'employée derrière le guichet répondit normalement : « Puis-je avoir une pièce d'identité, Miss ? »

Et donc elle n'utilisa pas la Voix de M. Agbo jusqu'à sa rencontre avec Blaine.

Le train était bondé. La place à côté de Blaine était la seule libre dans la voiture, autant qu'elle puisse le voir, et le journal et la bouteille de jus de fruit posés sur le siège semblaient lui appartenir. Elle s'immobilisa, fit un geste en direction du siège, mais il garda les yeux fixés devant lui. Derrière elle, une femme traînait une lourde valise ; le contrôleur fit une annonce demandant que tous les effets personnels soient retirés des sièges libres. Blaine la vit attendant devant lui – comment aurait-il pu ne pas la voir ? – mais il ne fit aucun mouvement. Aussi sa Voix de M. Agbo se fit entendre : « Excusez-moi. Ces affaires sont-elles à vous ? Pourriez-vous les retirer ? »

Elle mit son sac dans le filet et s'installa sur le siège, droite comme un i, son magazine à la main, son corps orienté vers le couloir.

Ses excuses la surprirent, son expression sérieuse et sincère, comme s'il avait commis quelque chose de beaucoup plus répréhensible. « Je vous en prie », dit-elle, et elle sourit.

« Bonjour, comment allez-vous ? » demanda-t-il.

Elle avait appris à dire : « Bien. Et vous, comment allez-vous ? » avec ce ton chantant propre aux Américains, mais elle dit : « Je vais bien, merci.

— Je m'appelle Blaine », dit-il, et il lui tendit la main.

Il paraissait grand. Il avait la peau couleur pain d'épice et le genre de corps élancé et bien proportionné qui convient à un uniforme, n'importe quel uniforme. Elle sut tout de suite qu'il était afro-américain, pas caribéen ni africain, ni un enfant d'immigrants originaires d'un de ces pays. Elle n'avait pas toujours été capable de le deviner aussi facilement. Un jour elle avait demandé à un chauffeur de taxi : « Et vous, d'où êtes-vous ? » d'un ton dégagé, assuré, certaine qu'il était ghanéen, et il avait dit : « Detroit » en haussant les épaules. Au fil du temps, elle était devenue capable de distinguer, parfois simplement d'après l'apparence et la démarche, mais le plus souvent d'après l'allure et le comportement, cette subtile empreinte que la culture appose sur chacun. Elle n'avait aucune hésitation concernant Blaine : c'était un descendant des Noirs, hommes et femmes, qui étaient établis en Amérique depuis des siècles.

« Je m'appelle Ifemelu, enchantée de vous connaître.

— Vous êtes nigériane ?

— Oui, exactement.

— Une bourgeoise nigériane », dit-il, et il sourit. Il y avait une familiarité surprenante et immédiate dans sa façon de la taquiner, de la traiter de privilégiée.

« Pas plus bourgeoise que vous », répliqua-t-elle. Ils se trouvaient sur le solide terrain du flirt à présent. Elle l'examina tranquillement, son pantalon de toile claire et sa chemise bleu marine, le genre de tenue choisie, en y consacrant la réflexion nécessaire, par un homme qui se regardait dans une glace mais sans y passer trop de temps. Il possédait une certaine connaissance des Nigérians, lui dit-il, il était professeur assistant à Yale, et bien que son centre d'intérêt soit surtout l'Afrique méridionale, comment n'aurait-il pas connu les Nigérians, ils étaient partout.

« Grosso modo, un Africain sur cinq est nigérian, non ? » demanda-t-il, sans cesser de sourire. Il y avait quelque chose de gentiment ironique dans son attitude. Comme s'ils partageaient une collection de plaisanteries personnelles qu'ils n'avaient pas besoin d'exprimer.

« Oui, nous autres Nigérians circulons beaucoup. Il le faut. Nous sommes trop nombreux et manquons d'espace », dit-elle, et elle fut frappée de voir à quel point ils étaient proches, séparés seulement par un accoudoir. Il parlait le genre d'anglais américain qu'elle venait juste d'abandonner, celui qui fait croire aux enquêteurs dans les sondages téléphoniques sur la race que vous êtes blanc et instruit.

« Ainsi l'Afrique méridionale est votre spécialité ?

— Non. La politique comparée. On ne peut pas se cantonner à l'Afrique dans les programmes universitaires de science politique dans ce pays. Vous pouvez comparer l'Afrique à la Pologne ou à Israël, mais se concentrer sur l'Afrique seule ? Ils ne vous en donnent pas la possibilité. »

Son utilisation du « vous » suggérait un « nous », qui les englobait tous les deux. Ses ongles étaient propres. Il ne portait pas d'alliance. Elle se mit à envisager une liaison avec lui, à imaginer qu'ils se réveillaient en hiver, tous deux blottis dans la blancheur crue de la lumière matinale, buvant du thé English Breakfast ; elle espérait qu'il faisait partie de ces Américains qui aimaient le thé. Son jus de fruit, dont la bouteille était glissée dans la poche du siège en face de lui, était du jus de grenade bio. Une simple bouteille brune avec une simple étiquette brune, toutes deux élégantes et bénéfiques. Pas de produits chimiques dans le jus, et pas d'encre gaspillée pour une étiquette fantaisie. Où l'avait-il acheté ? Ce n'était pas ce qu'on trouvait dans les gares. Peut-être était-il végétalien et se méfiait-il des grandes sociétés, ne faisant ses achats que dans les marchés de producteurs, emportant son jus bio avec lui. Elle était agacée par les amis de Ginika, dont la plupart avaient le même comportement, leur côté vertueux l'irritait, mais elle était prête à pardonner à Blaine ses convictions. Il tenait un livre relié dont elle ne pouvait pas voir le titre, et il avait coincé le *New York Times* près de sa bouteille. Quand il jeta un coup d'œil à son magazine, elle regretta de ne pas avoir sorti le livre de poèmes d'Esiaba Irobi qu'elle avait l'intention de lire dans le train au retour. Il allait penser qu'elle ne lisait que des revues de mode sans intérêt. Elle éprouva l'envie subite de lui dire combien elle aimait la poésie de Yusef Komunyakaa, pour se racheter. D'abord, elle masqua de la paume de sa main le rouge à lèvres éclatant du mannequin qui apparaissait sur la couverture. Puis elle se pencha pour glisser le magazine dans la poche du siège devant elle, et déclara, avec un léger mépris, qu'elle trouvait absurde la façon dont les magazines féminins mettaient en avant des images de femmes blanches de petite corpulence et de petite poitrine, et incitaient les autres, toute ethnie et toute corpulence confondues, à leur ressembler.

« Mais je continue à les lire, dit-elle, c'est comme fumer, c'est mauvais pour la santé mais vous le faites quand même.

— Toute ethnie et toute corpulence confondues », répéta-t-il, amusé, la fixant de son regard chaleureux avec un intérêt non dissimulé ; elle apprécia qu'il ne soit pas le genre d'homme qui, lorsqu'il est attiré par une femme, affiche une certaine froideur, une indifférence feinte.

« Vous êtes étudiante en maîtrise ?

— Je suis en première année à Wellson. »

Imagina-t-elle ou vit-elle son visage se fermer, de déception, ou de surprise ? « Vraiment ? Vous paraissez plus mûre.

— C'est vrai, j'ai fréquenté l'université au Nigeria avant de venir ici. » Elle changea de position sur son siège, décidée à revenir sur le terrain du flirt. « Vous, en revanche, vous avez l'air trop jeune pour être enseignant. Vos étudiants doivent avoir du mal à savoir qui est le professeur.

— Je pense qu'ils ont probablement du mal à comprendre un tas de choses. C'est ma deuxième année d'enseignement. » Il se tut. « Avez-vous l'intention de vous inscrire en troisième cycle ?

— Oui, mais je crains qu'une fois mon diplôme obtenu je ne sois plus capable de parler anglais. Je connais une fille en maîtrise, l'amie d'une amie, et l'entendre parler est terrifiant. La dialectique sémiotique de la modernité intertextuelle. Ce qui n'a aucun sens. J'ai parfois l'impression que ces gens vivent dans un univers académique parallèle et parlent l'académien au lieu de l'anglais, sans aucune idée de ce qui se passe dans le monde réel.

— Voilà une opinion bien tranchée.

— Je ne vois pas comment je pourrais en avoir une autre. »

Il rit, et elle fut contente de l'avoir fait rire.

« Mais je vous comprends, ajouta-t-il. Mes sujets de recherche incluent les mouvements sociaux, l'économie politique des dictatures, les droits de vote et de représentation en Amérique, la race et l'ethnicité en politique, et le financement des campagnes. C'est mon boniment habituel. Dont une grande partie est de la foutaise de toute façon. Je fais mes cours et me demande si une seule de ces matières intéresse les gosses.

— Oh, je suis sûre que oui. J'aimerais beaucoup suivre un de vos cours. » Elle avait parlé trop spontanément. Elle ne s'était pas exprimée comme elle l'aurait voulu. Elle s'était donné, sans en avoir l'intention, le rôle d'une étudiante potentielle. Il parut vouloir changer de conversation ; peut-être n'avait-il pas envie d'être son professeur. Il lui dit qu'il regagnait New Haven après avoir rendu visite à des amis à Washington. « Et vous, où allez-vous ? demanda-t-il.

— À Warrington. Près de Boston. C'est là que vit ma tante.

— Vous êtes déjà venue dans le Connecticut ?

— Pas souvent. Je ne suis jamais allée à New Haven. Mais je connais les centres commerciaux de Stamford et de Clinton.

— Ah oui, les centres commerciaux. » Un pli se forma à la commissure de ses lèvres.

« Vous n'aimez pas les centres commerciaux ?

— Hormis le fait qu'ils sont sans âme et aseptisés, ils sont parfaits. »

Elle n'avait jamais compris la mauvaise querelle faite aux centres commerciaux, le reproche d'y trouver partout exactement les mêmes choses ; les centres commerciaux lui paraissaient très rassurants dans leur uniformité. Quant à ses vêtements soigneusement choisis, il avait bien dû les acheter quelque part.

« Donc vous cultivez votre propre coton et fabriquez vos propres vêtements ? » dit-elle.

Il s'esclaffa, et elle rit à son tour. Elle s'imagina avec lui, main dans la main, se rendant dans le centre commercial de Stamford : elle le taquinait, lui rappelait cette conversation le jour de leur rencontre, et levait son visage vers lui pour l'embrasser. Ce n'était pas dans sa nature de parler à des inconnus dans les transports en commun – elle le ferait plus souvent quand elle commencerait son blog quelques années plus tard – mais ce jour-là elle ne cessa de parler, peut-être à cause de la nouvelle intonation de sa voix. Plus ils bavardaient, plus elle se persuadait qu'il ne s'agissait pas d'une coïncidence ; il y avait un véritable sens à cette rencontre, le jour même où elle avait retrouvé sa véritable voix. Elle lui raconta, avec le rire contenu de quelqu'un qui a hâte d'arriver à la chute de la blague, l'histoire du garçon qui faisait de la prospection téléphonique et qui croyait que Londres se trouvait en France. Il ne rit pas, mais secoua la tête.

« Ils ne les forment pas correctement. Je parie qu'il a un contrat à durée déterminée, pas d'assurance et pas d'indemnités.

— Oui, dit-elle, refroidie par sa remarque. Je me suis sentie un peu triste pour lui.

— Mon département a déménagé dans un nouveau bâtiment il y a quelques semaines. Yale a engagé des déménageurs professionnels et leur a dit de mettre tout ce qui était dans l'ancien bureau de chaque personne précisément à la même place dans le nouveau. Ce qu'ils ont fait. Tous mes livres ont été remis sur les rayons à l'emplacement exact où ils devaient être. Mais savez-vous ce que j'ai remarqué plus tard ? Beaucoup de ces livres étaient rangés la tête en bas. » Il la regardait comme pour constater l'effet de cette révélation, et elle resta un moment déconcertée, sans comprendre où il voulait en venir avec cette histoire.

« Oh ! Les déménageurs ne savaient pas lire », dit-elle enfin.

Il hocha la tête. « Ça m'a laissé anéanti… » Sa voix se voila.

Elle se mit à l'imaginer au lit : un amant doux, attentionné, pour qui la satisfaction émotionnelle compterait autant que le plaisir physique, il ne trouverait pas sa chair flasque, il se réveillerait chaque matin d'humeur égale. Elle détourna rapidement les yeux, craignant qu'il ait pu lire dans ses pensées, tant les images étaient claires.

« Avez-vous envie d'une bière ? demanda-t-il.

— Une bière ?

— Oui. Il y en a dans la voiture-bar. En voulez-vous une ? Je vais en chercher pour moi.

— Oui. Merci. »

Elle se leva, embarrassée, pour le laisser passer et espéra sentir quelque chose sur lui, mais en vain. Il n'utilisait pas d'eau de Cologne. Peut-être boycottait-il le parfum parce que les fabricants traitaient mal leurs employés. Elle le regarda parcourir le couloir, sachant qu'il était conscient qu'elle l'observait. L'offre d'une bière lui avait plu. Elle avait craint qu'il ne boive que du jus de grenade bio, mais elle ne s'en inquiétait plus s'il buvait également de la bière. Lorsqu'il revint avec les bières et des gobelets de plastique, il remplit le sien avec un geste généreux qui, à ses yeux, débordait de romantisme. Elle n'avait jamais aimé la bière. Quand elle était jeune, c'était une boisson d'homme, rude et vulgaire. À présent, assise à côté de Blaine, riant en l'écoutant raconter comment il s'était soûlé pour la première fois durant sa première année de fac, elle se rendit compte qu'elle pourrait se mettre à aimer la bière. La riche âpreté de la bière.

Il parla de ses débuts à l'université : l'obligation imbécile de manger un sandwich au sperme durant son bizutage, s'entendre constamment appeler Michael Jordan durant un voyage en Chine l'été de sa première année d'université, la mort de sa mère d'un cancer une semaine après qu'il eut obtenu son diplôme.

« Un sandwich au sperme ?

— Ils se masturbaient dans un petit pain et il fallait en prendre une bouchée, sans être obligé d'avaler.

— Oh mon Dieu !

— Bon, avec un peu de chance, on fait des trucs stupides quand on est jeune que l'on ne fera pas adulte. »

Quand le contrôleur annonça que le prochain arrêt était New Haven, Ifemelu sentit un pincement de regret. Elle déchira une page de son magazine et y inscrivit son numéro de téléphone.

« Avez-vous une carte ? » demanda-t-elle.

Il palpa ses poches. « Je n'en ai pas sur moi. »

Il y eut un silence pendant qu'il rassemblait ses affaires. Puis le grincement des freins du train. Elle eut l'impression, espérant se tromper, qu'il ne voulait pas lui donner son numéro.

« Eh bien, voulez-vous l'écrire ici, si vous vous en souvenez ? » dit-elle. Piètre plaisanterie. La bière avait fait jaillir les mots hors de sa bouche.

Il inscrivit son numéro sur son magazine. « Bonne chance », dit-il. Il lui effleura l'épaule en partant et il y avait une lueur dans ses yeux, tendre et triste à la fois, qui suggérait qu'elle avait eu tort d'imaginer une hésitation de sa part. Elle lui manquait déjà. Elle s'installa sur son siège, s'imprégnant de la chaleur laissée par son corps après son départ, et le regarda par la fenêtre s'éloigner le long du quai.

Quand elle arriva chez Tante Uju, elle eut envie de lui téléphoner aussitôt. Mais elle pensa qu'il valait mieux attendre un peu. Au bout d'une heure, elle se dit merde et appela. Il ne répondit pas et elle laissa un message. Elle rappela plus tard. Pas de réponse. Elle appela et appela. Elle rappela à minuit. Elle ne laissa pas de message. Pendant tout le week-end elle appela sans discontinuer et il ne décrocha jamais le téléphone.

*

Warrington était une petite ville endormie, une ville satisfaite d'elle-même ; des routes sinueuses s'enfonçaient dans des bois touffus – même la route principale, que les résidents refusaient de faire élargir, de peur d'amener un afflux d'étrangers venus de la métropole, était étroite et sinueuse –, des bosquets d'arbres masquaient des maisons endormies, et pendant les week-ends le lac bleu était constellé de bateaux. De la fenêtre de la salle à manger de Tante Uju, le lac miroitant était d'un azur tranquille qui retenait le regard. Ifemelu resta en contemplation jusqu'à ce que Tante Uju s'asseye à la table, buvant du jus d'orange et exposant ses doléances comme des bijoux. C'était devenu une habitude durant les visites d'Ifemelu : elle rassemblait tous ses griefs dans une bourse de soie, les entretenait, les polissait, et quand Ifemelu venait en visite le samedi, Bartholomew absent et Dike à l'étage, elle les étalait sur la table, les retournait chacun dans un sens puis dans l'autre, pour les mettre en lumière.

Il lui arrivait de répéter deux fois de suite la même histoire. Comme celle du jour où elle était allée à la bibliothèque municipale, avait oublié de sortir de son sac le livre qu'elle n'avait pas rendu, et que le garde lui avait dit : « Vous autres ne faites jamais rien comme il faut. » Ou du jour où elle était entrée dans une salle d'examen et qu'une patiente avait demandé : « Est-ce que le docteur va arriver ? », elle avait répondu qu'elle était le docteur, et le visage de la patiente s'était soudain changé en pierre.

« Et tu sais, l'après-midi même elle a téléphoné pour faire transférer son dossier à un autre médecin ! Tu imagines !

— Qu'est-ce que Bartholomew pense de tout ça ? » Ifemelu fit un geste qui englobait la pièce, la vue du lac, la ville.

« Cet homme est trop occupé à décrocher de nouvelles affaires. Il part le matin tôt et rentre toujours tard. Parfois Dike ne le voit même pas de toute la semaine.

— Je m'étonne que tu sois encore ici, Tante », dit Ifemelu calmement, et « ici », comme elles le savaient toutes les deux, n'indiquait pas seulement Warrington.

« Je veux avoir un autre enfant. Nous avons essayé. » Tante Uju s'approcha et se tint près d'elle à la fenêtre.

Un bruit de pas résonna sur les marches en bois de l'escalier, et Dike entra dans la cuisine, vêtu d'un short et d'un T-shirt délavé, sa Game Boy à la main. Chaque fois qu'Ifemelu le revoyait, il lui paraissait plus grand et plus renfermé.

« Tu comptes porter ce T-shirt au camp ? lui demanda Tante Uju.

— Oui, maman », répondit-il, les yeux rivés sur l'écran qui clignotait dans sa main.

Tante Uju se leva pour vérifier le four. Ce matin, pour son

premier jour de camp d'été, elle avait accepté de lui faire des croquettes de poulet pour le petit déjeuner.

« Coz, on va toujours jouer au football tout à l'heure, hein ? demanda-t-il.

— Oui », dit Ifemelu. Elle lui piqua une croquette dans son assiette et la porta à sa bouche. « Des croquettes de poulet au petit déjeuner c'est déjà bizarre, mais est-ce du poulet ou du plastique ?

— Du plastique épicé », dit-il.

Elle l'accompagna jusqu'au bus et le regarda s'en aller, les visages des autres enfants pressés contre la vitre, le chauffeur la saluant gaiement. Elle l'attendait au même endroit quand le bus le ramena dans l'après-midi. Il y avait une sorte de retenue sur son visage, presque de la tristesse.

« Qu'est-ce qui ne va pas ? demanda-t-elle, un bras passé autour de ses épaules.

— Rien, dit-il. Est-ce qu'on peut jouer au foot maintenant ?

— Quand tu m'auras dit ce qui est arrivé.

— Il n'est rien arrivé.

— Je crois que tu as besoin d'un peu de sucre. Tu en auras sans doute trop demain, avec ton gâteau d'anniversaire, mais pour l'instant viens prendre un biscuit.

— Est-ce que tu apprivoises les enfants que tu gardes avec des sucreries ? Dis donc, ils ont de la veine. »

Elle rit. Elle sortit le paquet d'Oreo du réfrigérateur.

« Est-ce que tu joues au foot avec les enfants que tu gardes ?

— Non », dit-elle, bien qu'il lui arrivât de jouer avec Taylor, envoyant et renvoyant le ballon dans le grand jardin planté d'arbres à l'arrière de la maison. Parfois, quand Dike l'interrogeait sur les enfants dont elle s'occupait, elle satisfaisait son intérêt enfantin, lui parlait de leurs jouets et de leurs occupations, mais veillait à ce qu'ils ne paraissent pas avoir trop d'importance pour elle.

« Alors comment s'est passée ta journée au camp ?

— Bien. » Un silence. « La monitrice de mon groupe, Haley, elle a filé de la crème solaire à tout le monde mais elle n'a pas voulu m'en donner. Elle a dit que je n'en avais pas besoin. »

Elle regarda son visage, étrangement dépourvu d'expression, inquiétant. Elle ne sut quoi dire.

« Elle a pensé que parce que tu as la peau sombre tu n'as pas besoin de crème solaire. Mais tu en as besoin. On ignore souvent que les gens de couleur ont besoin de protection contre le soleil.

Je vais t'en apporter, ne t'inquiète pas. » Elle parlait trop vite, elle n'était pas sûre de dire ce qu'il fallait, ni même de savoir ce qu'il fallait dire, et inquiète parce qu'il était troublé au point qu'elle l'avait vu sur son visage.

« Ne t'en fais pas, dit-il. C'était plutôt drôle. Ça a fait rire mon ami Danny.

— Pourquoi a-t-il trouvé que c'était drôle ?

— Parce que ça l'était !

— Tu aurais voulu qu'elle te donne aussi de la crème solaire, c'est ça ?

— Ouais, dit-il avec un haussement d'épaules. Je veux seulement être comme les autres. »

Elle le serra contre elle. Un peu plus tard, elle alla au magasin et lui acheta un grand flacon de crème solaire, et quand elle revint la fois suivante, elle le vit posé à plat sur sa commode, oublié et inutilisé.

Comprendre l'Amérique pour les Noirs non américains :
Le tribalisme américain

En Amérique, le tribalisme se porte bien, merci. Il en existe quatre types – classe, idéologie, région et race. D'abord la classe. Plutôt facile. Les riches et les pauvres.

Deuxièmement, l'idéologie. Les libéraux et les conservateurs. Leurs désaccords ne sont pas seulement politiques, chaque bord voit dans l'autre le mal absolu. Les mariages mixtes sont découragés et, dans les rares cas où ils sont conclus, ils sont considérés comme exceptionnels. Troisièmement, la région. Le Nord et le Sud. Les deux côtés ont mené une guerre civile et il en subsiste des traces douloureuses. Le Nord prend le Sud de haut tandis que le Sud n'aime pas le Nord. En dernier lieu, la race. Il existe une échelle hiérarchique des races en Amérique. Les Blancs sont toujours au sommet, en particulier les Blancs anglo-saxons protestants (les WASP), et les Noirs américains tout en bas ; ce qui est au milieu dépend de l'époque et du lieu. (Comme dit la chanson, si vous êtes blanc, épatant ; si vous êtes brun, c'est moyen ; si vous êtes noir, allez vous faire voir.) Les Américains présument que chacun comprendra leur tribalisme. Mais il faut un bout de temps pour arriver à tout démêler. Par exemple, en première année de fac, nous avons eu la visite d'un conférencier et une étudiante a dit tout bas à une autre : « Oh mon Dieu, il a l'air tellement juif », en frissonnant. Comme si être juif était une chose épouvantable. Je n'ai pas compris. Autant que je sache, l'homme était blanc, pas vraiment différent de l'étudiante. Juif pour moi était quelque chose de vague, quelque chose de biblique. Mais j'ai vite appris. Voyez-vous, dans l'échelle des races en Amérique, un Juif est blanc mais quelques échelons au-dessous du Blanc. Un peu déconcertant, parce que je connaissais une fille aux cheveux couleur de paille, couverte de taches de rousseur, qui disait qu'elle était juive. Comment les Américains peuvent-ils deviner qui est juif ? Comment l'étudiante savait-elle que l'homme était juif ? J'ai lu quelque part que des universités américaines demandaient aux candidats le nom de famille de leur mère, pour s'assurer qu'ils n'étaient pas juifs parce qu'elles n'admettaient pas de Juifs dans leur établissement. Peut-être est-ce une façon de savoir ? D'après le nom des gens ? Plus vous séjournez dans ce pays, plus vous commencez à comprendre.

CHAPITRE 18

La nouvelle cliente de Mariama portait un short en jean dont le tissu collait à ses fesses et des baskets du même rose vif que son T-shirt. Une paire de créoles frôlaient son visage. Elle se tenait devant le miroir, décrivant le genre de tresses collées qu'elle désirait.

« En zigzag avec une raie sur le côté juste ici, mais n'ajoutez pas les cheveux au début, vous les ajoutez quand vous arrivez à la queue-de-cheval, dit-elle, parlant lentement, articulant exagérément. Vous me comprenez ? » ajouta-t-elle, déjà convaincue, semblait-il, qu'il n'en était rien.

« Je comprends, dit Mariama calmement. Voulez-vous voir une photo ? J'ai ce style dans mon album. »

Elles feuilletèrent l'album, et la cliente fut enfin satisfaite et s'installa, une feuille de plastique élimé autour du cou, son fauteuil ajusté à la bonne hauteur, tandis que Mariama, pendant tout ce temps, affichait un sourire qui en disait long.

« Cette coiffeuse chez qui je suis allée l'autre jour, dit la cliente, elle était africaine elle aussi, et elle voulait me brûler les cheveux ! Elle a sorti un briquet, et je me suis dit, Shontay White, ne laisse pas cette fille approcher ce truc de tes cheveux. Alors je lui demande : C'est pour quoi faire ? Elle dit : Je veux nettoyer vos tresses, et je dis : Quoi ? Alors elle a essayé de me montrer, de passer le briquet au-dessus d'une tresse, et je me suis mise hors de moi. »

Mariama secoua la tête. « Oh, mais c'est mal. C'est pas normal de brûler. On ne fait pas ça chez nous. »

Une cliente entra, la tête couverte d'un foulard jaune vif.

« Bonjour, dit-elle. Je voudrais me faire faire des tresses.

— Quel genre de tresses voulez-vous ? demanda Mariama.
— Juste des box braids classiques, taille moyenne.
— Vous les voulez longues ?
— Pas trop longues, peut-être sur les épaules.
— Très bien. Asseyez-vous. Elle va vous les faire », dit Mariama, désignant Halima, qui était assise dans le fond du salon, les yeux rivés sur la télévision. Halima se leva et s'étira, un peu trop longuement, comme si elle voulait marquer son manque d'enthousiasme.

La femme s'assit et montra la pile de DVD. « Vous vendez des films nigérians ?

— J'en vendais avant, mais mon fournisseur a mis la clé sous la porte. Vous voulez en acheter ?

— Non. C'est juste que vous avez l'air d'en avoir beaucoup.

— Certains sont vraiment bons, dit Mariama.

— Je ne supporte pas de regarder ces trucs-là. Je suppose que j'ai un préjugé. Chez moi, en Afrique du Sud, les Nigérians sont connus pour voler les cartes de crédit, faire du trafic de drogue et tremper dans toutes sortes de choses bizarres. Je pense que les films sont aussi un peu comme ça.

— Vous êtes d'Afrique du Sud ? Vous n'avez pas d'accent ! » s'exclama Mariama.

La femme haussa les épaules. « Je suis ici depuis longtemps. Ça ne se remarque plus beaucoup.

— Non, dit Halima, qui s'anima soudain derrière sa cliente. Quand j'arrive ici avec mon fils, ils le battent à l'école à cause de son accent africain. À Newark. Si vous voyez son visage ! Violet comme un oignon. Ils l'ont battu, battu, battu. Des garçons noirs l'ont battu. Maintenant l'accent est parti et no problème.

— Je suis désolée d'entendre ça, dit la femme.

— Merci. » Halima sourit, séduite par cette femme à cause de cet exploit extraordinaire, son accent américain. « Oui, le Nigeria très corrompu. Le pays le plus corrompu d'Afrique. Moi, je regarde le film, mais non, je vais pas au Nigeria ! » Elle fit un geste vague de la main.

« Je ne peux pas épouser un Nigérian et je ne laisserai personne de ma famille épouser un Nigérian, dit Mariama, jetant à Ifemelu un regard d'excuse. Pas tous, mais beaucoup d'entre eux agissent mal. Ils tuent même pour de l'argent.

— Ah bon, je ne suis pas au courant », dit la cliente d'un ton à moitié convaincu.

Aisha les regardait en douce, sans rien dire. Un peu plus tard, elle glissa à Ifemelu, l'air soupçonneux : « Tu es ici quinze ans, mais tu as pas l'accent américain. Pourquoi ? »

Ifemelu l'ignora et, de nouveau, ouvrit *Cane* de Jean Toomer. Elle fixa les mots sans les voir et tout à coup souhaita pouvoir revenir en arrière, et remettre à plus tard sa décision de rentrer au pays. Peut-être était-ce trop précipité. Elle n'aurait pas dû vendre son appartement. Elle aurait dû accepter l'offre du magazine *Letterly* d'acheter son blog et de la garder comme salariée. Que se passerait-il si une fois rentrée à Lagos elle se rendait compte qu'elle s'était trompée ? Même la pensée qu'elle pourrait toujours revenir aux États-Unis ne la réconfortait pas autant qu'elle l'aurait voulu.

Le film se termina et, dans le silence revenu, la cliente de Mariama dit : « Celle-ci est mal faite », en touchant une des minces tresses qui zigzaguaient sur son crâne. Elle parlait d'une voix plus haute que nécessaire.

« Pas de problème. Je vais la refaire », dit Mariama. Elle restait aimable, gardait un ton égal, mais Ifemelu voyait bien qu'elle considérait sa cliente comme une emmerdeuse, qu'il n'y avait rien à reprocher à sa tresse, mais cela faisait partie de sa nouvelle personnalité américaine, cette dévotion au client, ce faux brillant des apparences, et elle l'avait acceptée, épousée. Quand la cliente serait partie, elle reviendrait peut-être à son ancien moi et dirait quelque chose à Halima et à Aisha sur les Américains, qu'ils étaient gâtés, infantiles, croyaient avoir tous les droits, mais quand la cliente suivante se présenterait, elle retrouverait à nouveau la version parfaite de son moi américain.

Sa cliente dit : « C'est très joli », en payant Mariama, et peu après son départ une jeune femme blanche entra, silhouette décontractée, bronzée, les cheveux attachés en une souple queue-de-cheval.

« Bonjour ! » fit-elle.

Mariama dit « Bonjour » puis attendit, s'essuyant les mains avec insistance sur le devant de son short.

« Je voudrais me faire tresser les cheveux. Vous pouvez le faire, je suppose ? »

Mariama sourit avec un empressement exagéré. « Oui. Nous faisons toutes sortes de coiffures. Vous voulez des tresses simples ou des tresses collées ? » Elle nettoyait furieusement le fauteuil. « Asseyez-vous, s'il vous plaît. »

La femme s'assit et dit qu'elle voulait des tresses collées. « Comme celles de Bo Derek dans *10*. Vous voyez ?

— Oui », dit Mariama. Ifemelu en douta.

« Je m'appelle Kelsey », annonça la femme comme si elle s'adressait à toute la pièce. Elle était excessivement amicale. Elle demanda à Mariama d'où elle venait, depuis combien de temps elle était en Amérique, si elle avait des enfants, comment marchaient les affaires.

« Il y a des hauts et des bas mais nous faisons notre possible.

— Vous ne pourriez même pas avoir ce genre d'affaire dans votre pays, je pense ? C'est merveilleux que vous ayez pu venir en Amérique et que vos enfants puissent avoir une vie meilleure, n'est-ce pas ? »

Mariama eut l'air surpris. « Oui.

— Les femmes ont-elles le droit de vote dans votre pays ? » demanda Kelsey.

Un silence plus long. « Oui, répondit Mariama.

— Que lisez-vous ? » Kelsey s'était tournée vers Ifemelu.

Ifemelu lui montra la couverture du roman. Elle n'avait pas envie d'engager une conversation. Surtout avec Kelsey. Elle reconnaissait chez elle le nationalisme des Américains libéraux qui critiquaient copieusement l'Amérique mais n'aimaient pas que vous en fassiez autant ; ils s'attendaient à ce que vous gardiez le silence, soyez reconnaissant, et vous rappelaient en permanence à quel point l'Amérique était supérieure à l'endroit, quel qu'il soit, d'où vous veniez.

« C'est bien ?

— Oui.

— C'est un roman, n'est-ce pas ? De quoi parle-t-il ? »

Pourquoi les gens demandaient-ils « De quoi parle-t-il ? » comme si un roman devait parler d'une seule chose. La question déplut à Ifemelu ; elle lui aurait déplu même si elle n'avait pas ressenti, outre cette décourageante incertitude, un début de migraine. « Ce n'est peut-être pas le genre de livre que vous aimeriez si vous avez des goûts particuliers. C'est un mélange de prose et de poésie.

— Vous avez un accent merveilleux. D'où êtes-vous ?

— Du Nigeria.

— Oh, génial. » Kelsey avait des doigts fins ; ils auraient été parfaits dans une publicité pour des bagues. « J'ai l'intention de me rendre en Afrique cet automne. Au Congo et au Kenya, j'essayerai peut-être de visiter la Tanzanie.

— C'est bien.

— J'ai lu des livres pour me préparer. Tout le monde m'a recommandé *Le monde s'effondre*, que j'avais lu au lycée. C'est un très bon livre mais un peu désuet, non ? Je veux dire, il ne m'a pas aidée à comprendre l'Afrique moderne. Je viens de lire ce livre formidable, *À la courbe du fleuve*. Il m'a permis de vraiment comprendre comment l'Afrique d'aujourd'hui fonctionne. »

Ifemelu émit un son, à mi-chemin entre un grognement et un bourdonnement, mais ne dit rien.

« Il est tellement honnête, le livre le plus honnête que j'aie lu à propos de l'Afrique. »

Ifemelu s'agita sur son siège. Le ton affirmatif de Kelsey lui tapait sur les nerfs. Sa migraine empirait. Elle ne pensait pas que le sujet du roman fût l'Afrique. Il concernait l'Europe, ou le regret de l'Europe, l'image meurtrie qu'avait de lui-même un Indien né en Afrique, qui se sentait blessé, diminué de ne pas être né européen, membre d'une race qu'il avait élevée au pinacle pour sa capacité créatrice, et transformait ses prétendues incapacités personnelles en une impatience méprisante pour l'Afrique ; en affichant une attitude hautaine envers l'Africain, il pouvait devenir, même fugitivement, un Européen. Elle s'inclina en arrière dans son siège et exprima cette idée sur un ton mesuré. Kelsey eut l'air stupéfait ; elle ne s'était pas attendue à une mini-conférence. Puis elle dit aimablement : « Oh, bon, je vois pourquoi vous interprétez le roman de cette façon.

— Et je vois pourquoi *vous* l'interprétez comme vous le faites », répliqua Ifemelu.

Kelsey haussa les sourcils, comme si Ifemelu était une de ces personnes un peu dérangées qu'il valait mieux éviter. Ifemelu ferma les yeux. Il lui semblait que des nuages s'amoncelaient au-dessus de sa tête. Elle se sentait faible. Peut-être était-ce la chaleur. Elle avait mis fin à une relation qui ne la rendait pas malheureuse, fermé un blog qui lui donnait satisfaction, et maintenant elle partait à la recherche de quelque chose qu'elle ne pouvait définir avec précision, même en son for intérieur. Elle aurait pu écrire un post à propos de Kelsey, cette femme qui se croyait miraculeusement neutre dans sa lecture des livres, alors que les autres laissaient parler leurs sentiments.

« Voulez-vous qu'on ajoute des cheveux ? demanda Mariama.
— Des cheveux ? »

Mariama désigna un paquet d'extensions enveloppées dans du plastique transparent. Les yeux de Kelsey s'agrandirent, et elle regarda rapidement autour d'elle, examinant le paquet dans lequel Aisha prenait de petites longueurs pour chaque tresse, et celui qu'Halima était en train d'ouvrir.

« Oh mon Dieu ! C'est donc comme ça que vous faites. Je croyais que les Afro-Américaines avec des tresses avaient une énorme quantité de cheveux !

— Non, nous utilisons des extensions, dit Mariama en souriant.

— Peut-être la prochaine fois. Je pense que je vais utiliser mes propres cheveux aujourd'hui. »

Il ne fallut pas longtemps pour la coiffer, sept tresses collées, avec des cheveux trop fins prompts à se desserrer. « C'est parfait, dit-elle à la fin.

— Merci, dit Mariama. Revenez nous voir si vous voulez. Je peux vous faire une coiffure différente la prochaine fois.

— Merveilleux ! »

Ifemelu observa Mariama dans la glace, songeant à son propre nouveau moi américain. C'était avec Curt qu'elle s'était pour la première fois regardée dans la glace et, avec une bouffée d'orgueil, y avait vu quelqu'un d'autre.

*

Curt aimait dire que l'amour avait jailli au premier rire. Chaque fois qu'on les questionnait sur les circonstances de leur rencontre, il racontait, même à des gens qu'ils connaissaient à peine, comment Kimberly les avait présentés, lui le cousin débarquant du Maryland, elle la baby-sitter nigériane dont Kimberly parlait tant, et qu'il avait été séduit par sa voix grave, par la tresse qui s'était échappée de son bandeau. Mais c'est quand Taylor s'était précipité dans le salon, portant une cape bleue et coiffé d'une culotte, criant : « Je suis le Capitaine Culotte ! » et qu'elle avait renversé la tête en arrière et éclaté de rire, qu'il était tombé amoureux. Son rire était si vibrant, ses épaules se secouaient, sa poitrine se soulevait : c'était le rire d'une femme qui, lorsqu'elle riait, riait pour de bon. Parfois, quand ils étaient seuls et qu'elle riait, il disait d'un air moqueur : « C'est ça qui m'a séduit. Et tu sais ce que j'ai pensé ? Si elle rit de cette façon, je me demande comment elle fait *le reste*. » Il lui disait aussi qu'elle s'était rendu compte qu'il était sous le charme – comment aurait-elle pu l'ignorer ? – mais prétendait le contraire parce qu'elle ne voulait pas d'un Blanc. En réalité, elle ne s'était aperçue de rien. Elle avait toujours su sentir le désir des hommes, mais pas dans le cas de Curt, pas au début. Elle pensait encore à Blaine, le revoyait s'éloignant sur le quai de la gare à New Haven, image qui l'avait emplie d'un désir condamné à l'avance. Elle n'avait pas simplement été attirée par Blaine, elle avait été bouleversée par lui, et dans son esprit il était devenu le compagnon américain idéal qu'elle n'aurait jamais. Pourtant, elle avait eu d'autres béguins depuis, mineurs comparés à la rencontre du train, et elle venait de faire une croix sur Abe, un étudiant de son cours d'éthique, Abe qui était blanc, Abe qui l'aimait bien, qui la trouvait intelligente et drôle, mais ne la considérait pas comme une femme. Abe éveillait sa curiosité, l'intéressait, mais les avances qu'elle lui faisait n'étaient pour lui que des signes de gentillesse. Abe la présenterait à son ami noir, s'il avait un ami noir. Elle était invisible pour lui. Cela coupa court à son coup de cœur, et lui fit peut-être négliger Curt. Jusqu'à cet après-midi où elle jouait au ballon avec Taylor, qui le lança très haut, trop haut, et où il atterrit dans les buissons près du cerisier du voisin.

« Celui-là, je crois qu'on l'a perdu », dit Ifemelu. La semaine précédente un Frisbee avait disparu au même endroit. Curt se leva de la chaise du patio (d'où il épiait tous ses mouvements, lui avoua-t-il plus tard) et plongea dans le fourré, comme dans une piscine, pour en ressortir avec le ballon jaune.

« Ouais ! Oncle Curt ! » dit Taylor. Mais Curt ne lui donna pas le ballon ; il le tendit à Ifemelu. Elle vit dans ses yeux ce qu'il voulait qu'elle y voie. Elle sourit et dit : « Merci. » Plus tard, dans la cuisine où elle buvait un verre d'eau après avoir mis Taylor devant un film, il dit : « C'est le moment de vous inviter à dîner, mais au point où j'en suis, tout m'ira très bien. Puis-je vous offrir un verre, une glace, un repas, une séance de cinéma ? Ce soir ? Ce week-end avant que je retourne dans le Maryland ? »

Il la regardait avec émerveillement, la tête un peu penchée, et elle sentit quelque chose se libérer en elle. C'était fantastique de se sentir désirée à ce point par cet homme qui avait une montre élégante au poignet, beau comme les modèles des catalogues de grands magasins avec sa fossette au menton. Il commença à lui plaire parce qu'elle sentait qu'elle lui plaisait. « Vous mangez si délicatement », lui dit-il lors de leur premier rendez-vous, dans un restaurant italien de la vieille ville. Il n'y avait rien de particulièrement délicat dans la manière dont elle portait sa fourchette à sa bouche, mais elle fut heureuse qu'il le pense.

« Donc, je suis un Blanc riche qui vient de Potomac, mais je ne suis pas aussi idiot qu'on pourrait le supposer », dit-il d'une façon telle qu'elle pensa qu'il avait déjà prononcé ces mots auparavant, et qu'ils avaient été bien accueillis. « Laura dit toujours que ma mère est plus riche que Dieu, mais je n'en suis pas certain. »

Il parlait volontiers de lui-même, comme s'il voulait lui communiquer tout ce qu'il y avait à connaître en une seule fois. Sa famille était propriétaire d'hôtels depuis un siècle. Pour lui échapper, il était parti étudier en Californie. Diplômé, il avait voyagé en Amérique latine et en Asie. Peu à peu, quelque chose l'avait incité à rentrer, peut-être la mort de son père, peut-être une histoire d'amour malheureuse. Il était alors revenu, un an plus tôt, dans le Maryland, avait créé une société de logiciels afin d'être indépendant des affaires familiales, acheté un appartement à Baltimore, et il allait tous les dimanches déjeuner avec sa mère à Potomac. Il parlait de lui-même avec une sobre simplicité, présumant que ses histoires la divertissaient tout simplement parce qu'elles le divertissaient lui-même. Son enthousiasme juvénile la fascinait. Son corps était ferme lorsqu'il la prit dans ses bras au moment de lui dire bonsoir devant son appartement.

« Je vais me risquer à vous embrasser dans précisément trois secondes, dit-il. Un vrai baiser peut nous entraîner loin, aussi si vous n'en voulez pas, vous préférerez peut-être renoncer tout de suite. »

Elle ne renonça pas. Le baiser fut excitant dans la mesure où une plongée dans l'inconnu est excitante. Après, il dit précipitamment : « Il faut que nous le disions à Kimberly.

— Dire quoi à Kimberly ?

— Que nous sortons ensemble.

— C'est ce que nous faisons ? »

Il rit et elle l'imita, cependant elle n'avait pas voulu plaisanter. Il était franc et bouillonnant : il n'y avait pas une once de cynisme en lui. Elle se sentait charmée et presque sans défense face à ça, emportée par lui ; peut-être en effet « sortaient-ils ensemble » après un seul baiser puisqu'il en était si sûr.

Les premiers mots de Kimberly le lendemain matin furent : « Bonjour, tourterelle.

— Alors vous pardonnez à votre cousin d'avoir invité la baby-sitter à sortir ? »

Kimberly rit puis, sur une impulsion qui surprit et émut Ifemelu, elle la serra dans ses bras. Elles s'écartèrent l'une de l'autre, embarrassées. Oprah était à la télé dans le salon et elle entendit l'assistance applaudir à tout rompre.

« Bon », dit Kimberly, elle-même un peu surprise par cette étreinte. « Je voulais juste dire que je suis vraiment... heureuse pour vous deux.

— Merci. Mais nous n'avons eu qu'un seul rendez-vous et il n'y a pas eu consommation. »

Kimberly pouffa et il leur sembla un instant être des copines de lycée échangeant des potins sur les garçons. Ifemelu percevait parfois, sous les séquences bien ordonnées de l'existence de Kimberly, un éclair de regret non seulement pour des choses dont elle avait envie aujourd'hui, mais aussi pour celles dont elle avait eu envie dans le passé.

« Vous auriez dû voir Curt ce matin, dit Kimberly. Je ne l'ai jamais vu comme ça ! Complètement surexcité.

— À cause de quoi ? » demanda Morgan. Elle se tenait à la porte de la cuisine, son corps juvénile raidi par l'hostilité. Derrière elle, Taylor tentait de redresser les jambes d'un petit robot en plastique.

« Eh bien, chérie, il faudra le demander à Oncle Curt. »

Curt entra alors dans la cuisine, avec un sourire timide, les cheveux encore un peu humides, portant un parfum léger et frais. « Salut », dit-il. Il l'avait appelée la veille au soir pour lui dire qu'il n'arrivait pas à dormir. « C'est ridicule, je sais, mais je suis si plein de toi, c'est comme si je te respirais, tu comprends ? » avait-il dit, et elle avait pensé que les romanciers avaient tort, que c'était les hommes, et non les femmes, qui étaient les vrais romantiques.

« Morgan demande pourquoi tu as l'air si excité, dit Kimberly.

— Eh bien, Morg, je suis excité parce que j'ai une nouvelle petite amie, quelqu'un d'extraordinaire que tu connais peut-être. »

Ifemelu aurait aimé que Curt enlève le bras qu'il avait passé autour de ses épaules ; pour l'amour du ciel, ils n'étaient pas en train d'annoncer leurs fiançailles. Morgan les regardait fixement. Ifemelu vit Curt à travers ses yeux : l'oncle fringant qui avait parcouru le monde et raconté toutes ces histoires drôles au dîner de

Thanksgiving, le type cool assez jeune pour la comprendre, mais assez vieux pour faire en sorte que sa mère la comprenne.

« Ifemelu est ta petite amie ?

— Oui, dit Curt.

— C'est dégoûtant, dit Morgan, l'air vraiment dégoûté.

— Morgan ! » dit Kimberly.

Morgan tourna les talons et monta quatre à quatre à l'étage.

« Elle a le béguin pour Oncle Curt, et voilà que la baby-sitter vient marcher sur ses plates-bandes. Ce n'est pas facile pour elle », dit Ifemelu.

Taylor, visiblement heureux d'avoir appris la nouvelle et d'avoir réparé les jambes du robot, demanda : « Est-ce qu'Ifemelu et toi vous allez vous marier et avoir un bébé, Oncle Curt ?

— Eh bien, mon grand, pour l'instant nous allons seulement passer beaucoup de temps ensemble, pour apprendre à nous connaître.

— Ah, d'accord », dit Taylor, un peu déçu, mais quand Don rentra à la maison, Taylor se jeta dans ses bras en criant : « Ifemelu et Oncle Curt vont se marier et avoir un bébé.

— Oh », dit Don.

Sa surprise rappela à Ifemelu l'attitude d'Abe dans son cours d'éthique : Don la trouvait séduisante et intéressante, il trouvait Curt séduisant et intéressant, mais il ne lui venait pas à l'esprit de les imaginer tous deux ensemble, pris dans les rets compliqués d'une idylle.

*

Curt n'avait jamais eu de liaison avec une Noire, lui dit-il après la première fois dans son penthouse de Baltimore, avec un petit mouvement ironique de la tête, comme si c'était une chose qu'il aurait dû faire depuis longtemps, mais avait en quelque sorte négligée.

« Buvons à un événement historique, dans ce cas », dit-elle en feignant de lever un verre.

Wambui avait décrété un jour, après que Dorothy leur avait présenté son nouveau petit ami hollandais à une réunion de l'AEA : « Je ne pourrais pas coucher avec un Blanc, j'aurais peur de le voir nu, toute cette pâleur. À moins, peut-être, qu'il s'agisse d'un Italien bien bronzé, ou d'un Juif, un Juif très foncé. » Ifemelu regardait les cheveux clairs et la peau pâle de Curt, les grains de beauté roux sur son dos, la fine toison dorée sur sa poitrine, et elle pensait aujourd'hui qu'elle n'était pas du tout d'accord avec Wambui.

« Tu es très sexy, dit-elle.

— Tu es encore plus sexy », dit-il.

Il lui avoua qu'il n'avait jamais été attiré à ce point par une femme, qu'il n'avait jamais vu un corps aussi beau, avec ses seins parfaits, ses fesses parfaites. Elle s'amusa de l'entendre qualifier de fesses parfaites ce qu'Obinze appelait un cul plat, et elle pensa que ses seins étaient de gros seins ordinaires, déjà un peu tombants. Mais les mots qu'il prononçait lui faisaient plaisir, comme un cadeau inutilement généreux. Il voulait sucer son doigt, lécher du miel à la pointe de ses seins, étaler une crème glacée sur son ventre, comme s'il ne suffisait pas d'être étendus peau nue contre peau nue.

Plus tard, quand il voulut jouer à faire des imitations – « Et si tu faisais Foxy Brown, la rappeuse », dit-il –, elle apprécia son talent pour la comédie, sa capacité à se fondre complètement dans ses rôles, et elle joua le jeu, pour lui faire plaisir, ravie de le ravir, même si elle ne comprenait pas qu'il puisse trouver cela excitant. Souvent, nue à côté de lui, elle pensait à Obinze. Elle s'efforçait de ne pas comparer les caresses de Curt aux siennes. Elle avait parlé à Curt de Mofe, son petit ami du lycée, mais n'avait jamais dit un mot d'Obinze. C'était pour elle un sacrilège de mentionner Obinze, d'en parler comme d'un « ex », ce terme désinvolte qui ne disait ni ne signifiait rien. Plus le silence s'installait entre eux, mois après mois, plus il lui semblait que le silence lui-même se solidifiait, devenait une statue massive et dure, impossible à abattre. Il lui arrivait encore de commencer à lui écrire, mais elle s'arrêtait toujours, renonçait toujours à envoyer ses e-mails.

*

Avec Curt, elle devint en esprit une femme libre de toutes attaches et préoccupations, une femme courant sous la pluie la bouche pleine d'un goût de fraises chauffées au soleil. « Prendre un verre » devint une composante de sa vie, mojitos et martinis, blancs secs et rouges fruités. Elle partit faire des randonnées avec Curt, du kayak, camper près de la maison de vacances de sa famille, toutes choses dont elle n'aurait jamais rêvé auparavant. Elle était plus légère et plus mince, elle était la Petite Amie de Curt, un rôle dans lequel elle se glissa comme dans une robe flatteuse. Elle riait davantage parce qu'il riait beaucoup. Son optimisme l'étourdissait. Il débordait de projets. « J'ai une idée ! » disait-il souvent. Elle l'imaginait enfant entouré de trop de jouets aux couleurs vives, toujours encouragé à entreprendre des « projets », toujours félicité pour ses idées les plus banales.

« Partons demain à Paris ! dit-il un week-end. Je sais que cela n'a rien d'original, mais tu n'y es jamais allée et j'aimerais tant te montrer Paris !

— Je ne peux pas décider de partir comme ça à Paris. J'ai un passeport nigérian. Je dois demander un visa, avec un relevé bancaire, une carte d'assurance, et toutes sortes de preuves que je ne resterai pas, que je ne deviendrai pas un fardeau pour l'Europe.

— Ouais, j'avais oublié ça. Très bien, nous irons le week-end prochain. Nous nous occuperons du visa cette semaine. Je demanderai une copie de mon relevé bancaire demain.

— Curtis », dit-elle, d'un ton légèrement sévère, pour le forcer à se montrer raisonnable, mais debout à côté de lui, contemplant la ville de si haut, elle était déjà prise dans le tourbillon de son excitation. Il était optimiste, incorrigiblement, comme seul un Américain de son espèce pouvait l'être, et il y avait chez lui un aspect infantile qu'elle trouvait admirable et détestable à la fois. Un jour, ils allèrent se promener dans South Street, qu'elle ne connaissait pas et qui était selon lui la partie la plus intéressante de Philadelphie ; il la prit par la main et ils déambulèrent au milieu des échoppes de tatouage et de garçons aux cheveux roses. Près de Condom Kingdom, il s'engouffra dans une minuscule boutique de tarots, l'entraînant derrière lui. Une femme portant un voile noir leur dit : « Je vois la lumière et de longues années de bonheur qui vous attendent tous les deux. » Curt dit : « Nous aussi ! » et il lui donna dix dollars de plus. Par la suite, quand l'exubérance de Curt devint une source d'exaspération pour Ifemelu, une constante joie de vivre qu'elle avait envie de cogner, d'anéantir, ce serait l'un des meilleurs souvenirs qu'elle garderait de lui, tel qu'il était dans la boutique de tarots de South Street un jour que comblait la promesse de l'été : si beau, si heureux, un vrai croyant. Il croyait dans les présages favorables, les idées positives et les films qui finissent bien, sans se poser de questions, parce qu'il ne les avait pas considérés en profondeur avant de choisir de croire ; il croyait, un point c'est tout.

CHAPITRE 19

La mère de Curt avait une élégance froide, une chevelure brillante, un teint parfaitement préservé. Ses vêtements étaient de bon goût et coûteux, choisis pour paraître de bon goût et coûteux ; elle semblait faire partie de ces personnes riches qui laissent de maigres pourboires. Curt l'appelait « Mère » avec une certaine solennité, un soupçon d'archaïsme. Le dimanche, ils prenaient un brunch avec elle. Ifemelu appréciait le rituel dominical de ces repas qui avaient lieu dans la salle à manger au décor chargé de l'hôtel, emplie de gens élégants, de couples aux cheveux argentés accompagnés de leurs petits-enfants, de femmes d'un certain âge avec des broches épinglées au revers de leur veste. Le seul autre Noir était un serveur en uniforme. Elle mangeait des œufs mimosa, de minces tranches de saumon, des parts de melon, observant Curt et sa mère, tous deux d'un blond éblouissant. Curt parlait et sa mère écoutait, captivée. Elle adorait son fils – l'enfant né sur le tard quand elle n'était plus sûre de pouvoir encore en avoir, le charmeur, auquel elle cédait toujours. Il était son aventurier qui ramenait des femmes d'origine exotique – une Japonaise, une Vénézuélienne – mais il finirait, avec le temps, par se ranger. Elle tolérait toute personne qui plaisait à Curt, sans se sentir obligée de lui montrer de l'affection.

« Je suis républicaine, toute notre famille l'est. Nous sommes contre l'aide sociale mais nous avons soutenu les mouvements en faveur des droits civiques. Je veux juste que vous sachiez quel genre de républicains nous sommes », avait-elle dit à Ifemelu à leur première rencontre, comme s'il s'agissait de quelque chose d'essentiel à régler une fois pour toutes.

« Et voudriez-vous savoir quel genre de républicaine je suis ? » avait demandé Ifemelu.

La mère de Curt avait d'abord eu l'air surpris, puis son visage s'était éclairé d'un sourire hésitant. « Vous êtes drôle », avait-elle dit.

Un jour, elle dit à Ifemelu : « Vous avez de très beaux cils », des paroles soudaines, inattendues, puis elle but tranquillement son Bellini comme si elle n'avait pas entendu le « merci » étonné d'Ifemelu.

Sur le trajet du retour en voiture à Baltimore, Ifemelu dit : « Mes cils ? Elle a dû se donner du mal pour trouver quoi complimenter. »

Curt rit. « Laura dit que ma mère n'aime pas les jolies femmes. »

*

Un week-end, Morgan vint les voir.

Kimberly et Don voulaient emmener les enfants en Floride, mais Morgan avait refusé d'y aller. Curt lui proposa donc de passer le week-end à Baltimore. Il avait prévu une sortie en bateau et Ifemelu s'était dit qu'il serait bon qu'il passe un peu de temps seul avec Morgan. « Tu ne viens pas, Ifemelu ? demanda Morgan, l'air déçu. Je croyais que nous y allions *ensemble* », le mot « ensemble » prononcé avec plus de chaleur qu'Ifemelu n'en avait jamais entendu de la part de Morgan. « Bien sûr que je viens », dit-elle. Elle appliqua son mascara et son rouge à lèvres, sentant Morgan l'observer.

« Viens ici, Morg », dit-elle, et elle lui mit une touche de brillant sur les lèvres. « Presse-les. Bien. Maintenant pourquoi êtes-vous si jolie, miss Morgan ? » Morgan rit. Sur la jetée, Ifemelu et Curt marchèrent en tenant Morgan par la main. Morgan était heureuse qu'on lui tienne la main et Ifemelu se représenta, comme elle le faisait parfois un bref instant, mariée à Curt, vivant dans le confort, lui s'entendant avec sa famille et ses amis et elle avec les siens, excepté avec sa mère. Ils plaisantaient au sujet du mariage. Depuis qu'elle lui avait décrit la cérémonie du prix de la mariée, que les Igbos accomplissaient avant l'offrande du vin de palme et le mariage à l'église, il disait en riant qu'il irait au Nigeria pour payer le prix de la mariée, se présenterait à sa maison ancestrale, prendrait place avec son père et ses oncles, et insisterait pour l'avoir gratuitement. Et elle plaisantait à son tour, imaginant qu'elle s'avançait vers l'autel d'une église en Virginie, au son de la Marche nuptiale, tandis que la famille de Curt, horrifiée, se demandait pourquoi la bonne portait la robe de la mariée.

*

Ils étaient blottis sur le canapé, elle plongée dans un livre, lui regardant un match. Elle aimait le voir tellement immergé dans le jeu, les yeux plissés, le regard concentré. Pendant les annonces publicitaires, elle le taquina : pourquoi le football américain n'avait-il pas de logique propre et se réduisait-il à des hommes trop lourds se jetant les uns sur les autres ? Et pourquoi les joueurs de base-ball passaient-ils tant de temps à cracher jusqu'au moment où ils se mettaient à courir comme des dératés ? Il rit et tenta d'expliquer, une fois de plus, la signification des *home runs* et des *touchdowns*, mais elle ne l'écouta pas, parce que comprendre signifierait qu'elle ne pourrait plus le taquiner, et elle reprit la lecture de son roman, prête à le taquiner de nouveau à la prochaine pub.

Le canapé était moelleux. Elle rayonnait. À l'université, elle avait obtenu des points supplémentaires et amélioré sa moyenne. Derrière les hautes fenêtres du salon, l'Inner Harbor s'étendait à leurs pieds, l'eau miroitait, les lumières scintillaient. Une sensation de contentement la submergea. C'était ce que Curt lui avait apporté, ce don du contentement, du bien-être. Avec quelle rapidité s'était-elle accoutumée à leur mode vie, à son passeport tamponné de multiples visas, à l'attention du personnel de première classe dans les avions, aux draps soyeux dans les hôtels où ils descendaient et aux petites choses qu'elle chapardait : les confitures du petit déjeuner, les flacons d'après-shampoing, les pantoufles, même les gants de toilette s'ils étaient particulièrement doux. Elle avait quitté son ancienne peau. Elle aimait presque l'hiver, le givre étincelant sur le toit des voitures, la riche chaleur des pulls en cachemire que Curt lui offrait. Dans les magasins, il ne regardait pas le prix des choses. Il lui achetait des provisions et des manuels scolaires, lui envoyait des bons d'achat valables dans les grands magasins. Il lui avait demandé d'abandonner le baby-sitting ; ils passeraient plus de temps ensemble si elle n'avait pas à travailler tous les jours. Mais elle avait refusé. « Il faut que j'aie un emploi », avait-elle dit.

Elle mettait de l'argent de côté, en envoyait davantage chez elle. Elle voulait que ses parents s'installent dans un nouvel appartement. Il y avait eu un vol à main armée dans l'immeuble voisin.

« Quelque chose de plus grand dans un meilleur quartier, dit-elle.

— Nous sommes bien ici, dit sa mère. Ce n'est pas si mal. Ils ont construit une nouvelle barrière dans la rue et interdit les *okada* après six heures du soir, ainsi nous sommes en sécurité.

— Une barrière ?

— Oui, près du kiosque.

— Quel kiosque ?

— Tu ne te souviens pas du kiosque ? » demanda sa mère. Ifemelu resta muette pendant un moment. Un voile sépia sur ses souvenirs. Elle n'arrivait pas à se rappeler le kiosque.

Son père avait finalement trouvé du travail comme sous-directeur des ressources humaines dans une des nouvelles banques. Il avait acheté un téléphone portable. Il avait acheté des pneus neufs pour la voiture de la mère d'Ifemelu. Peu à peu, il reprenait ses monologues sur le Nigeria.

« On ne peut pas dire qu'Obasanjo soit quelqu'un de bien, mais il faut concéder qu'il a fait certaines bonnes choses pour le pays ; l'esprit d'entreprise est florissant », disait-il.

Cela paraissait étrange de les appeler directement, d'entendre le « Allô ! » de son père dès la deuxième sonnerie, et quand il entendait sa voix, il élevait la sienne, criait presque, comme il le faisait toujours pour les communications internationales. Sa mère emportait le téléphone sur la véranda pour être sûre que les voisins l'entendent : « *Ifem, quel temps fait-il en Amérique ?* »

Sa mère posait des questions d'un ton enjoué, et acceptait des réponses du même style. « Tout va bien pour toi ? » et Ifemelu n'avait d'autre choix que de répondre oui. Son père se souvenait des cours qu'elle avait mentionnés et demandait des détails. Elle choisissait ses mots, soucieuse de ne rien dire au sujet de Curt. C'était plus facile de ne pas mentionner l'existence de Curt.

« Quelles sont tes prévisions en matière d'emploi ? » demandait son père. Elle serait bientôt diplômée, son visa d'étudiante était près d'expirer.

« On m'a attribué une conseillère d'orientation professionnelle, et je vais la voir la semaine prochaine.

— Tous les étudiants se voient attribuer un conseiller d'orientation ?

— Oui. »

Son père poussa une exclamation, pleine de respect admiratif.

« L'Amérique est un pays vraiment organisé, et les opportunités d'emploi sont considérables là-bas.

— Oui. Beaucoup d'étudiants ont obtenu de bons jobs par leur intermédiaire », dit Ifemelu. Ce n'était pas vrai, mais c'était ce que son père souhaitait entendre. Le bureau d'orientation professionnelle, un endroit sans ventilation, des piles de dossiers délaissés entassées sur les bureaux, était réputé pour être plein de conseillers qui étudiaient les CV, vous demandaient d'en changer la police de caractères ou la présentation, et vous proposaient des contacts périmés de gens qui ne vous rappelaient jamais. La première fois qu'elle s'y était rendue, la conseillère, Ruth, une Afro-Américaine à la peau caramel, lui avait demandé : « Que voulez-vous faire exactement ?

— Je voudrais trouver un emploi.

— Oui, mais de quelle sorte ? » avait demandé Ruth, légèrement incrédule.

Ifemelu avait regardé son CV sur la table. « J'ai un master en communication, donc quelque chose dans la communication, les médias.

— Avez-vous une passion, un rêve ? »

Ifemelu avait secoué la tête. Elle se sentait désarmée, elle n'avait aucune passion, ne savait pas exactement ce qu'elle voulait faire. Ses intérêts étaient imprécis et variés, la presse magazine, la mode, la politique, la télévision ; aucun n'était affirmé. Elle avait parcouru le salon de l'emploi, où des étudiants engoncés dans leurs vêtements, l'air sérieux, s'efforçaient de ressembler à des adultes dignes d'obtenir un emploi véritable. Les recruteurs, qui eux-mêmes avaient quitté l'université depuis peu, des jeunes dépêchés pour attirer d'autres jeunes, lui parlèrent d'« opportunité de développement », d'« adéquation » et d'« avantages », mais devinrent évasifs quand ils se rendirent compte qu'elle n'était pas citoyenne américaine, qu'ils devraient, s'ils l'engageaient, se perdre dans le tunnel obscur des documents d'immigration.

« J'aurais dû passer un diplôme d'ingénieur ou quelque chose de ce genre, dit-elle à Curt. Il y a foule de diplômés en communication.

— Je connais des gens avec qui travaillait mon père, ils pourraient t'être utiles », dit Curt. Et peu après, il lui dit qu'elle avait un entretien dans un bureau du centre de Baltimore, concernant un emploi dans les relations publiques. « Tout ce que tu as à faire est de cartonner et le job est à toi, dit-il. Je connais aussi des gens dans une affaire plus importante, mais l'intérêt de celle-ci est qu'ils t'obtiendront un visa de travail et s'occuperont de ta demande de carte verte.

— Quoi ? Comment as-tu fait ? »

Il haussa les épaules. « J'ai passé quelques coups de fil.

— Curt. Vraiment. Je ne sais pas comment te remercier.

— J'ai quelques idées sur la question », dit-il, heureux comme un gosse.

C'était une bonne nouvelle, cependant elle se sentit gagnée par une certaine retenue. Wambui avait trois boulots afin de réunir les cinq mille dollars dont elle aurait besoin pour payer un Afro-Américain pour un mariage blanc, Mwombeki essayait désespérément de trouver une entreprise qui l'embaucherait avec son visa temporaire, et elle, tout à coup, tel un ballon rose, légère comme l'air, était portée jusqu'aux sommets, propulsée par des influences extérieures. Elle éprouva, au milieu de sa gratitude, un léger ressentiment : Curt pouvait, en quelques coups de fil, réorganiser le monde et donner aux choses la place qu'il souhaitait leur voir occuper.

Quand elle parla à Ruth de sa prochaine entrevue à Baltimore, celle-ci lui dit : « Mon seul conseil ? Défaites vos tresses et défrisez vos cheveux. Personne n'en parle jamais, mais c'est important. Il faut que vous obteniez ce boulot. »

Tante Uju avait dit quelque chose de similaire dans le passé, et Ifemelu en avait ri sur le moment. Maintenant, elle était assez avisée pour le prendre sérieusement. « Merci », dit-elle à Ruth.

Depuis son arrivée en Amérique, elle avait toujours tressé ses cheveux avec de longues extensions, toujours préoccupée par leur prix. Elle gardait chaque coiffure pendant trois mois, voire quatre, jusqu'à ce que la peau du crâne la démange trop et que les tresses poussent au milieu d'un duvet de cheveux. Défriser ses cheveux fut donc une nouvelle expérience. Elle défit ses tresses, prenant soin de ne pas frotter sa peau, pour laisser intacte la saleté censée la protéger. Il y avait pléthore de défrisants disponibles, des boîtes et des boîtes dans le rayon « coiffure ethnique » des drugstores, des visages souriants de femmes noires avec des cheveux incroyablement lisses et brillants, des mots comme « végétal » et « aloès » prometteurs de douceur. Elle en acheta une de couleur verte. Dans sa salle de bains, elle étala soigneusement le gel protecteur sur son front à la naissance des cheveux avant d'appliquer la crème défrisante, une mèche après l'autre, ses doigts dans des gants en plastique. L'odeur lui rappela le laboratoire de chimie du lycée, et elle força la fenêtre de la salle de bains, qui restait souvent coincée. Elle chronométra l'opération avec soin, rinçant le défrisant au bout de vingt minutes exactement, mais ses cheveux restaient crépus, toujours aussi épais. Le défrisant n'avait pas pris. C'était le mot – « prendre » – qu'utilisa la coiffeuse de West Philadelphia. « Ma fille, vous avez besoin d'une bonne professionnelle, dit-elle en appliquant un défrisant différent. Les gens croient faire des économies en le faisant chez eux mais ça ne marche pas. »

Ifemelu sentit seulement une légère brûlure, au début, mais quand la coiffeuse lui inclina la tête en arrière contre le bassin de plastique pour rincer le défrisant, elle eut l'impression que des aiguilles douloureuses lui jaillissaient du crâne, pénétrant dans tout son corps pour remonter ensuite à la tête.

« À peine une petite brûlure, dit la coiffeuse. Mais regardez comme c'est joli. Waou, ma fille, vous avez l'allure d'une Blanche ! »

Ses cheveux retombaient au lieu de se dresser sur sa tête, lisses et lustrés, avec une raie de côté, s'incurvant délicatement de chaque côté de son menton. Son enthousiasme l'avait quittée. Elle ne se reconnaissait plus. Elle quitta le salon presque tristement ; quand la coiffeuse avait passé au fer les extrémités des mèches, l'odeur de brûlé, de la mort de quelque chose d'organique qui n'était pas destiné à mourir, lui avait laissé une sensation de deuil. Curt sembla hésitant quand il la vit.

« Est-ce que ça te plaît, chérie ? demanda-t-il.

— Pas à toi, à ce que je vois », dit-elle.

Il ne dit rien. Il tendit la main pour lui caresser les cheveux, comme si le geste l'aiderait à aimer sa coiffure.

Elle le repoussa. « Aïe. Attention, le défrisant m'a un peu brûlée.

— Quoi ?

— Ce n'est pas grave. C'était la même chose au Nigeria. Regarde. »

Elle lui montra une cicatrice derrière l'oreille, une petite grosseur enflammée, qui s'était formée après que Tante Uju lui avait défrisé les cheveux avec un fer chaud quand elle était au lycée. « Rabats ton oreille », lui disait Tante Uju, et Ifemelu tirait sur son oreille, crispée, retenant sa respiration, mourant de peur d'être brûlée à l'approche du fer chauffé au rouge sur le fourneau, mais excitée à la pensée d'avoir ensuite des cheveux lisses et souples. Et un jour le fer la brûla, elle avait légèrement bougé, la main de Tante Uju aussi et le fer l'avait à peine effleurée derrière l'oreille.

« Oh mon Dieu ! » s'exclama Curt, écarquillant les yeux. Il insista pour examiner délicatement son crâne et voir l'étendue de la brûlure. « Oh mon Dieu ! »

Son horreur l'inquiéta plus qu'elle ne l'aurait dû. Elle ne s'était jamais sentie aussi proche de lui qu'à ce moment, assise immobile sur le lit, son visage enfoui dans sa chemise, humant le parfum de l'adoucissant, tandis qu'il écartait doucement ses cheveux défrisés.

« Pourquoi avais-tu besoin de faire ça ? Tes cheveux tressés étaient splendides. Et quand tu as défait tes tresses la dernière fois, et que tu les as laissés libres, ils étaient encore plus beaux, épais et naturels.

— Mes cheveux épais et naturels feraient leur effet si j'avais un entretien pour être chanteuse dans un orchestre de jazz, mais il faut que j'aie l'air professionnel pour cet entretien, et professionnel signifie avoir les cheveux raides. S'ils devaient être bouclés, il faudrait que ce soit des boucles de Blanche, souples, ou au pire des anglaises, mais jamais des cheveux crépus.

— C'est complètement *con* que tu sois obligée de faire ça. »

Le soir, elle eut du mal à trouver une position confortable sur l'oreiller. Deux jours après, elle avait des croûtes sur la peau du crâne. Trois jours après, elles suppuraient. Curt voulut qu'elle aille voir un médecin, mais elle se moqua de lui. Elles cicatriseraient, lui dit-elle, et c'est ce qu'elles firent. Ensuite, après avoir passé les doigts dans le nez l'épreuve de l'entretien, et que son interlocutrice lui eut serré la main en disant qu'elle « correspondait merveilleusement » au poste, elle se demanda si cette femme aurait eu la même réaction si elle était entrée dans son bureau auréolée de ses cheveux épais, crépus, de ce céleste halo afro.

Elle ne dit pas à ses parents comment elle avait décroché ce job ; son père déclara : « Je suis certain que tu vas faire des étincelles. L'Amérique offre toutes les opportunités de prospérer. Le Nigeria devrait la prendre pour modèle », et sa mère se mit à chanter quand Ifemelu annonça que dans quelques années elle pourrait devenir citoyenne américaine.

Comprendre l'Amérique pour les Noirs non américains : À quoi aspirent les WASP ?

Le professeur Hunk a un collègue professeur invité, un Juif avec un accent prononcé de ces pays d'Europe où la plupart des gens boivent un verre d'antisémitisme au petit déjeuner. Donc le professeur Hunk parlait des droits civiques et le professeur juif dit : « Les Noirs n'ont pas souffert comme les Juifs. » À quoi le professeur Hunk répond : « Allons, sommes-nous aux Jeux olympiques de l'oppression ? »

Le professeur juif n'était pas au courant de l'expression, mais « Jeux olympiques de l'oppression » est celle qu'emploient les libéraux américains intelligents pour vous donner l'impression d'être stupide et vous obliger à la boucler. Mais, en réalité, les Jeux olympiques de l'oppression se déroulent sous nos yeux. Les minorités raciales en Amérique – Noirs, Latinos, Asiatiques et Juifs – sont toutes couvertes de merde par les Blancs, des merdes différentes, mais de la merde quand même. Chacune croit secrètement recevoir la pire. Non, il n'existe pas une Ligue unie des opprimés. Cependant, tous les autres croient être supérieurs aux Noirs parce que, eh bien, parce qu'ils ne sont pas noirs. Prenez Lili, par exemple, la femme qui faisait le ménage chez ma tante dans une ville de la Nouvelle-Angleterre – peau de couleur café, cheveux noirs, parlant espagnol. Elle était hautaine. Elle manquait de respect, faisait mal le ménage, avait des exigences. Ma tante croyait que Lili n'aimait pas travailler pour des Noirs. Avant de finir par la renvoyer, elle dit : « Cette idiote, elle se prend pour une Blanche. » Donc être blanc est la situation à laquelle on aspire. Pas tout le monde, bien sûr (commentateurs, s'il vous plaît, inutile d'enfoncer des portes ouvertes), mais de nombreuses minorités ont une attirance conflictuelle pour la blancheur WASP ou, plus précisément, pour les privilèges de la blancheur WASP. Ils n'aiment probablement pas vraiment la peau blanche mais ils aiment certainement pouvoir entrer dans un magasin sans être suivis par un type de la sécurité. *Bouffer du goy et en brouter aussi*, comme dit le grand Philip Roth. Alors si tout le monde en Amérique aspire à être WASP, à quoi aspirent les WASP ? Quelqu'un le sait-il ?

CHAPITRE 20

Ifemelu finit par aimer Baltimore – pour son charme déglingué, la splendeur passée de ses rues, le marché des petits producteurs qui se tenait le week-end sous le pont, débordant de légumes, de fruits rebondis et d'âmes vertueuses – mais jamais autant que son premier amour, Philadelphie, cette ville qui tenait l'histoire dans son aimable étreinte. Cependant, quand elle arriva à Baltimore sachant qu'elle allait y vivre, et pas simplement retrouver Curt, la ville lui parut désolée et rébarbative. Les immeubles se serraient en rangées disparates incolores et, aux coins des rues miteuses, les gens marchaient la tête dans les épaules dans de gros blousons, des Noirs, des gens à l'air sombre qui attendaient le bus, une brume de tristesse flottant dans l'air autour d'eux. Beaucoup de chauffeurs devant la gare étaient des Éthiopiens ou des Penjabis.

Son chauffeur de taxi éthiopien lui dit : « Je n'arrive pas à situer votre accent. D'où êtes-vous ?

— Du Nigeria.

— Du Nigeria ? Vous n'avez pas l'air d'une Africaine.

— Pourquoi n'ai-je pas l'air d'une Africaine ?

— Parce que votre chemisier est trop serré.

— Il n'est pas serré.

— J'ai cru que vous étiez de Trinidad ou d'un de ces endroits. » Il regardait dans le rétroviseur d'un air désapprobateur et inquiet. « Vous devez faire très attention, sinon l'Amérique vous corrompra. » Quand, des années plus tard, elle écrivit ce post dans son blog : « Sur les divisions au sein de la communauté des Noirs non américains en Amérique », elle cita ce chauffeur de taxi comme si cette histoire était arrivée à quelqu'un d'autre, sans révéler si elle était africaine ou caribéenne, parce que ses lecteurs ne savaient pas ce qu'elle était.

Elle raconta l'histoire du chauffeur de taxi à Curt, et que son franc-parler l'avait rendue furieuse, et qu'elle avait été dans les toilettes de la gare vérifier si son chemiser rose à manches longues était vraiment trop serré. Curt rit encore et encore. L'histoire fit partie de celles qu'il aimait raconter à ses amis. *Elle est vraiment allée aux toilettes pour vérifier son chemisier !* Ses amis étaient comme lui, des gens chaleureux et riches qui passaient leur existence à la surface miroitante des choses. Ils lui plaisaient et elle sentait qu'elle leur plaisait. Pour eux, elle était intéressante, inhabituelle par sa façon de dire franchement ce qu'elle pensait. Ils s'attendaient à certaines choses de sa part, et lui en pardonnaient d'autres parce qu'elle était étrangère. Un jour, assise avec eux dans un bar, elle entendit Curt parler à Brad, et Curt employa le mot « hâbleur ». Le mot la frappa par son côté fondamentalement américain. Hâbleur. Un mot qui ne lui serait jamais venu à l'esprit. En prendre conscience était se rendre compte que Curt et ses amis ne seraient jamais, à un certain degré, jamais totalement compris d'elle.

Elle loua un appartement dans Charles Village, un appartement d'une chambre avec un vieux parquet, bien qu'elle eût pu tout aussi bien habiter chez Curt. La plupart de ses vêtements étaient restés chez lui, dans sa grande penderie aux multiples miroirs. À présent qu'elle le voyait tous les jours, pas seulement le week-end, elle découvrait de nouveaux traits de sa personnalité : il avait du mal à rester tranquille, simplement tranquille sans penser à ce qu'il allait faire ensuite, il avait l'habitude d'ôter son pantalon et de le laisser traîner par terre pendant des jours jusqu'à l'arrivée de la femme de ménage. Il remplissait leur existence de projets – une nuit à Cozumel, un long week-end à Londres – et elle prenait quelquefois un taxi le vendredi soir après son travail pour le retrouver à l'aéroport.

« N'est-ce pas fantastique ? » lui demandait-il souvent. Et elle répondait que oui, c'était fantastique. Il se demandait toujours quoi *faire* ensuite, et elle lui disait qu'elle y pensait rarement, parce qu'elle n'avait pas grandi dans le *faire,* mais dans l'*être*. Mais elle ajoutait aussitôt que tout lui plaisait, parce que c'était vrai et parce qu'elle savait à quel point il avait besoin de l'entendre le lui dire. Au lit, il était inquiet.

« Est-ce que tu es satisfaite ? Est-ce que je te donne du plaisir ? » demandait-il souvent. Et elle disait oui, ce qui était vrai, mais elle sentait qu'il ne la croyait pas toujours, ou qu'il n'en était convaincu qu'un moment, avant d'avoir besoin de l'entendre à nouveau l'affirmer. Il y avait quelque chose en lui de plus léger que l'amour-propre, mais de plus profond que l'insécurité, qu'il fallait constamment décaper, polir, faire briller.

*

Puis ses cheveux commencèrent à se dégarnir aux tempes. Elle les inonda d'après-shampoing riche et onctueux, et resta assise sous des casques vapeur jusqu'à ce que des gouttes d'eau lui coulent dans le cou. Mais elle eut beau faire, la naissance de ses cheveux reculait davantage chaque jour.

« Ce sont les produits chimiques, lui dit Wambui. Sais-tu ce qu'il y a dans un défrisant ? C'est un truc qui pourrait te tuer. Il faut que tu te coupes les cheveux et les laisses naturels. »

Wambui était maintenant coiffée avec des locks courtes, une coiffure qu'Ifemelu n'aimait pas ; elle les trouvait peu fournies, quelconques, peu flatteuses pour le joli visage de Wambui.

« Je ne veux pas de dreadlocks, dit-elle.

— Il n'est pas nécessaire que ce soit des dreads. Tu peux porter une coiffure afro, ou des tresses comme celles que tu avais avant. On peut faire un tas de choses avec des cheveux naturels.

— Je ne peux pas juste me couper les cheveux.

— Défriser ses cheveux c'est comme être en prison. Tu es en cage. Tes cheveux font la loi. Tu n'es pas allée courir avec Curt aujourd'hui parce que tu ne voulais pas que la sueur abîme tes cheveux lisses. Sur la photo que tu m'as envoyée, tu avais protégé tes cheveux sur le bateau. Tu te bats toujours pour qu'ils fassent ce qu'ils ne sont pas censés faire. Si tu choisis la coiffure naturelle, et entretiens bien tes cheveux, ils ne tomberont plus comme ils le font maintenant. Je peux t'aider à les couper tout de suite. Pas besoin d'y réfléchir. »

Wambui était si sûre d'elle, si convaincante. Ifemelu trouva une paire de ciseaux. Wambui lui coupa les cheveux, ne laissant que cinq centimètres, ce qui avait poussé depuis la dernière application de défrisant. Ifemelu se regarda dans la glace. Elle n'était plus que de gros yeux et une grosse tête. Au mieux, elle ressemblait à un garçon ; au pire, à un insecte.

« Je suis tellement laide que je me fais peur.

— Tu es belle. La structure de ton visage est bien distincte à présent. Tu n'as pas l'habitude de te voir comme ça, c'est tout. Tu vas t'y habituer. »

Ifemelu continuait à se contempler. Qu'avait-elle fait ? Elle avait un air inachevé, comme si ses cheveux eux-mêmes, courts et épais, demandaient qu'on s'occupe d'eux, qu'on leur fasse quelque chose, quelque chose de *plus*. Après le départ de Wambui, elle alla au drugstore, la casquette de base-ball de Curt enfoncée sur la tête. Elle acheta des onguents et des pommades, les appliqua les uns après les autres, sur ses cheveux humides puis sur ses cheveux secs, souhaitant qu'un miracle se produise. Quelque chose, n'importe quoi qui lui fasse aimer ses cheveux. Elle pensa à une perruque, mais les perruques étaient source d'anxiété, il y avait le risque permanent qu'elles s'envolent de votre tête. Elle songea à un texturizer pour détendre ses boucles élastiques, en discipliner un peu l'enchevêtrement, mais un texturizer était en réalité un défrisant, un peu moins actif, et elle serait toujours obligée d'éviter la pluie.

Curt lui dit : « Arrête de t'inquiéter, chérie. C'est chouette, une coiffure de guerrière.

— Je ne veux pas être coiffée comme une guerrière.

— Je veux dire chic, classe.

— J'ai l'air d'un garçon. »

Curt garda le silence. Il y avait, dans son expression, une note d'amusement, comme s'il ne comprenait pas pourquoi elle était tellement bouleversée mais préférait n'en rien dire.

Le lendemain, elle appela le bureau pour dire qu'elle était malade et retourna se coucher.

« Tu as refusé de le faire pour que nous puissions rester un jour de plus aux Bermudes, mais tu le fais aujourd'hui à cause de tes cheveux ? » s'étonna Curt, adossé aux oreillers, résistant à son envie de rire.

« Je ne peux pas sortir dans cet état. » Elle s'enfouissait sous les couvertures pour se cacher.

« Ce n'est pas aussi raté que tu le crois.

— Enfin tu reconnais que c'est raté. »

Curt rit. « Tu sais ce que je veux dire. Viens ici. »

Il la prit dans ses bras, l'embrassa, puis se glissa plus bas et se mit à lui masser les pieds : elle aimait cette chaude pression, le contact de ses doigts. Pourtant elle n'arrivait pas à se détendre. Dans le miroir de la salle de bains, la vue de ses cheveux l'avait épouvantée, ils étaient ternes, aplatis par le sommeil, semblables à une boule de laine posée sur sa tête. Elle s'empara de son téléphone et envoya un texto à Wambui : *Je déteste mes cheveux. Je n'ai pas pu aller travailler aujourd'hui.*

La réponse de Wambui arriva quelques minutes plus tard : *Va sur le Net. HappilyKinkyNappy.com. C'est la communauté du cheveu naturel. Tu y trouveras l'inspiration.*

Elle montra le texto à Curt. « Quel nom ridicule pour un site.

— Je sais, mais c'est peut-être une bonne idée. Tu devrais essayer un jour ou l'autre.

— Pourquoi pas tout de suite », dit Ifemelu en se levant. L'ordinateur de Curt était ouvert sur le bureau. Au moment où elle s'en approchait, elle remarqua un changement chez Curt. Une soudaine tension. Son air livide, paniqué, en se tournant vers le portable.

« Qu'est-ce qui ne va pas ? demanda-t-elle.

— Ils ne veulent rien dire. Ces e-mails ne veulent rien dire. »

Elle le regarda fixement, forçant son esprit à réfléchir. Il ne s'était pas attendu à ce qu'elle utilise son portable, parce qu'elle ne le faisait presque jamais. Il la trompait. C'était bizarre qu'elle n'y ait jamais pensé. Elle saisit l'ordinateur, le tint fermement, mais il n'essaya pas de s'en emparer. Il resta debout à regarder. La page mail Yahoo était réduite, accolée à une page sur le basket universitaire. Elle lut certains des e-mails. Elle regarda les photos qui les accompagnaient. Les messages de la femme – son adresse était SparklingPaola123 – étaient très suggestifs, tandis que ceux de Curt l'étaient juste assez pour la pousser à poursuivre. *Je vais te concocter un dîner en robe rouge moulante et talons échasses*, écrivait-elle, *n'apporte que toi-même et une bouteille de vin*. Curt avait répondu : *Le rouge t'ira à la perfection*. La femme avait à peu près l'âge de Curt, mais on percevait, sur les photos qu'elle envoyait, un désespoir profond, avec ses cheveux teints en blond cuivré, des yeux trop fardés de bleu, un corsage au décolleté trop profond. Ifemelu s'étonna que Curt la trouve attirante. Son ex-petite amie blanche avait un visage frais, bon chic bon genre.

« Je l'ai rencontrée dans le Delaware, dit Curt. Tu te souviens du congrès auquel je voulais que tu m'accompagnes ? Elle s'est précipitée sur moi dès le début. Elle ne me lâche plus depuis. Rien à faire pour qu'elle me fiche la paix. Elle sait que j'ai une petite amie. »

Ifemelu examina l'une des photos, un profil en noir et blanc, la tête de la femme renversée en arrière, ses longs cheveux répandus derrière elle. Une femme qui aimait ses cheveux et pensait que Curt les aimerait aussi.

« Il ne s'est rien passé, dit Curt. Absolument rien. Juste les e-mails. Je lui ai parlé de toi, mais elle ne veut pas s'arrêter. »

Elle le regarda, en T-shirt et caleçon, tellement sûr de ses justifications. Il était certain de son bon droit comme l'est un enfant : aveuglément.

« Tu lui as écrit toi aussi, dit-elle.

— Mais c'est parce qu'elle ne voulait pas s'arrêter.

— Non, c'est parce que tu en avais envie.

— Il ne s'est rien passé.

— Ce n'est pas la question.

— Je suis désolé. Je sais que tu es déjà bouleversée et je déteste aggraver les choses.

— Toutes tes petites amies avaient des cheveux longs et souples, dit-elle d'un ton accusateur.

— Quoi ? »

Elle se comportait de façon absurde, mais le savoir ne changeait rien. Les photos qu'elle avait vues de ses ex-petites amies la poursuivaient, la mince Japonaise aux cheveux teints en rouge, la Vénézuélienne au teint mat avec des anglaises qui lui tombaient sur les épaules, la Blanche et ses vagues interminables de cheveux roux. Et maintenant cette femme, qui ne lui plaisait guère, mais qui avait de longs cheveux raides. Elle ferma l'ordinateur. Elle se sentait petite et laide. Curt parlait : « Je lui dirai de ne plus jamais me contacter. Cela ne se reproduira pas, je te le promets, chérie », dit-il, et elle pensa qu'il parlait comme si, d'une certaine manière, c'était cette femme qui était responsable, plutôt que lui.

Elle se détourna, enfonça la casquette de base-ball sur sa tête, fourra quelques affaires dans un sac et s'en alla.

*

Curt vint la voir un peu plus tard, chargé de tant de fleurs qu'elle vit à peine son visage quand elle ouvrit la porte. Elle lui pardonnerait, elle le savait, parce qu'elle le croyait. Sparkling Paola n'était qu'une aventure sans importance parmi d'autres. Il n'aurait pas été plus loin avec elle, mais il aurait continué à l'encourager jusqu'à ce qu'elle l'ennuie. Sparkling Paola était comme les étoiles d'argent que ses professeurs collaient sur les pages de ses devoirs à l'école primaire, sources d'une satisfaction mineure et passagère.

Elle n'avait pas envie de sortir, mais elle ne voulait pas rester avec lui dans l'intimité de son appartement. Elle était encore trop à vif. Elle couvrit ses cheveux d'un foulard et ils partirent se promener, Curt empressé, plein de promesses, tous deux marchant côte à côte sans se toucher, jusqu'à l'angle de Charles et d'University Parkway, avant de rebrousser chemin.

*

Pendant trois jours, elle n'alla pas au bureau. Puis elle retourna travailler, avec sa nouvelle coiffure très courte, une afro trop peignée et trop huilée. « Tu as changé », lui dirent ses collègues, un peu hésitants.

« Est-ce que cela a une signification ? Par exemple politique ? » demanda Amy, Amy qui avait un poster de Che Guevara sur le mur de son espace de travail.

« Non », dit Ifemelu.

À la cafétéria, miss Margaret, l'Afro-Américaine à la poitrine généreuse qui officiait derrière le comptoir – et, hormis deux vigiles, la seule autre Noire de l'entreprise –, demanda : « Pourquoi tu t'es coupé les cheveux, chérie ? Tu es lesbienne ?

— Non, miss Margaret, du moins pas encore. »

Quelques années plus tard, le jour où Ifemelu donna sa démission, elle alla déjeuner une dernière fois à la cafétéria. « Tu nous quittes ? demanda miss Margaret, attristée. Je regrette, chérie. Ils devraient mieux traiter les gens dans ce pays. Tu crois que tes cheveux faisaient partie du problème ? »

*

HappilyKinkyNappy.com avait un fond jaune vif, des forums remplis de posts, des petites photos de femmes noires clignant des yeux en haut de la page. Elles avaient de longues dreadlocks, des petites coiffures afro, de volumineuses coiffures afro, des torsades, des tresses, des boucles et des rouleaux excentriques. Elles appelaient les défrisants « crème de crack ». Elles n'essayaient plus de prétendre que leurs cheveux étaient autre chose que ce qu'ils étaient, elles avaient cessé de fuir la pluie et d'avoir peur de transpirer. Elles se complimentaient mutuellement sur leurs photos et concluaient leurs commentaires par « bisous ». Elles se plaignaient des magazines pour les Noirs qui ne montraient jamais de femmes aux cheveux naturels, des produits de soins tellement bourrés d'huile minérale qu'ils ne pouvaient pas hydrater une coiffure afro. Elles échangeaient des recettes. Elles s'étaient fabriqué un monde virtuel où leurs cheveux bouclés, tirebouchonnés, frisés, crépus, laineux étaient la norme. Et Ifemelu plongea dans ce monde avec une gratitude éperdue. Les femmes qui avaient des cheveux aussi courts que les siens leur avaient donné un nom : TWA, Teeny Weeny Afro, afro minuscule. Elle apprit de celles qui postaient de longues instructions à éviter les shampoings au silicone, à utiliser un après-shampoing sans rinçage sur les cheveux mouillés, à dormir avec un foulard de satin sur la tête. Elle commanda des produits à des femmes qui les fabriquaient dans leur cuisine et les expédiaient avec un mode d'emploi bien précis : RÉFRIGÉRER IMMÉDIATEMENT SI POSSIBLE – NE CONTIENT PAS DE CONSERVATEUR. Curt ouvrait le réfrigérateur, en sortait une boîte étiquetée « beurre pour cheveux » et demandait : « C'est OK si je tartine ça sur mes toasts ? » Il était fasciné par toutes ces histoires. Il lisait les posts sur HappilyKinkyNappy.com. « C'est fabuleux ! disait-il. C'est comme cette *révolte* des femmes noires. »

Un jour, au marché paysan, comme Curt et elle se tenaient main dans la main devant un cageot de pommes, un Noir passa près d'eux et grommela : « On se demande franchement comment il peut vous aimer coiffée en pétard ? » Elle se figea, incertaine d'avoir entendu, puis se retourna pour regarder l'homme. Il marchait d'un pas trop cadencé, dénotant aux yeux d'Ifemelu un caractère légèrement déséquilibré. Un homme qui ne méritait pas qu'on lui prête attention. Pourtant ses paroles la tracassèrent, ouvrirent la porte à de nouveaux doutes.

« Tu as entendu ce qu'a dit ce type ? demanda-t-elle à Curt.

— Non, qu'a-t-il dit ? »

Elle secoua la tête. « Rien. »

Elle se sentit déprimée et le soir, pendant que Curt regardait un match, elle alla jusqu'à la parfumerie et effleura des doigts de petits paquets d'extensions lisses et soyeuses. Puis elle se souvint d'un post de Jamilah1977 – *J'adore les frangines qui adorent leurs extensions bien raides, mais je ne remettrai jamais plus de crin de cheval sur ma tête* – et elle sortit du magasin, impatiente de rentrer chez elle et de rédiger un post à ce sujet. Elle écrivit : *Les mots de Jamilah m'ont rappelé que rien n'est plus beau que ce que Dieu m'a donné.* D'autres répondirent, postant des pouces levés, lui disant combien elles avaient aimé la photo qu'elle avait affichée. Elle n'avait jamais autant parlé de Dieu. Un post sur le Web était l'équivalent d'un témoignage en public à l'église ; la clameur d'approbation qui lui parvint en retour la réconforta.

Par un jour ordinaire du début du printemps – la journée n'était pas éclairée d'une lumière particulière, rien de spécial ne s'était produit, c'était peut-être simplement que le temps, comme souvent, avait métamorphosé ses doutes – elle se regarda dans le miroir, passa ses doigts dans ses cheveux, denses, élastiques, magnifiques, et ne put les imaginer autrement. C'est simple, elle tomba amoureuse de ses cheveux.

Pourquoi les Noires à la peau foncée – américaines et non américaines – aiment Barack Obama

De nombreux Noirs américains disent avec fierté qu'ils ont du sang indien. Ce qui signifie, Dieu merci nous ne sommes pas cent pour cent nègres. Ce qui signifie aussi qu'ils ne sont pas trop foncés. (Pour être précis, quand les Blancs disent foncé, ils pensent aux Grecs ou aux Italiens, mais quand les Noirs disent foncé, ils pensent à Grace Jones.) Les Noirs américains aiment que leurs femmes aient une touche d'exotisme, soient à moitié chinoises ou possèdent une goutte de sang cherokee par exemple. Ils aiment les femmes claires. Mais méfiez-vous de ce que les Noirs américains qualifient de « clair ». Certaines de ces personnes « claires », dans un pays où il n'y aurait pas de Noirs américains, seraient simplement appelées blanches. (Oh, et les Noirs américains foncés n'aiment pas les hommes clairs, parce qu'ils trouvent qu'ils ont trop de succès avec les femmes.)

Camarades noirs non américains, ne prenez pas la grosse tête. Ces conneries existent aussi dans nos pays caraïbes et africains. Pas de manière aussi prononcée que chez les Noirs américains, dites-vous ? Peut-être. Mais elles existent. Au passage, que dire des Éthiopiens qui estiment qu'ils ne sont pas tellement noirs ? Et des habitants des Petites Antilles qui n'hésitent pas à dire que leurs ancêtres étaient « mélangés » ? Mais trêve de digressions. Donc une peau claire est appréciée dans la communauté des Noirs américains. Même si tout le monde prétend que ce n'est plus le cas. On dit que les jours du test du sac en papier (faites une recherche) ne sont plus et qu'il faut aller de l'avant. Mais aujourd'hui la plupart des artistes noirs qui réussissent, comme les hommes politiques, ont la peau claire. Spécialement les femmes. Beaucoup de Noirs américains qui ont réussi ont des épouses blanches. Ceux qui daignent avoir des épouses noires les choisissent au teint clair (qu'on appelle aussi cuivré). Et c'est la raison pour laquelle les femmes au teint foncé aiment Barack Obama. Il a brisé le moule ! Il a épousé une des leurs. Il sait ce que le monde semble ignorer : que les femmes noires à la peau foncée sont le top du top. Elles veulent qu'Obama gagne parce que quelqu'un finira peut-être par engager une bombe couleur chocolat dans une comédie romantique à gros budget qui passera dans tout le pays, pas seulement dans deux ou trois salles d'avant-garde à New York. Dans la culture pop américaine, les belles femmes à la peau foncée sont invisibles. (L'autre groupe tout aussi invisible est celui des mâles asiatiques. Mais eux, au moins, sont super-intelligents.) Dans les films, les Noires à peau foncée tiennent nécessairement le rôle de la grosse mamie gentille ou de la copine forte, délurée, parfois flippante, toujours fidèle et prête à écouter. Elles sont là pour répandre autour d'elles sagesse et fermeté pendant que la femme blanche trouve l'amour. Mais elles ne sont jamais la femme sexy, belle, désirée et tout le reste. Donc les Noires espèrent qu'Obama va changer tout cela. Oh, et les Noires à la peau foncée pensent aussi qu'il faut faire le ménage à Washington et se sortir de l'Irak et ainsi de suite.

CHAPITRE 21

C'était un dimanche matin, et Tante Uju téléphona, elle était nerveuse, tendue. « Regarde-moi ce garçon ! Viens voir ce qu'il veut se mettre sur le dos pour aller à l'église. Il refuse ce que je lui ai préparé. Tu sais que s'il ne s'habille pas correctement, ils trouveront à redire sur nous. Si eux sont mal fagotés, ce n'est pas un problème, mais pour nous, c'est différent. Je lui ai dit de mettre la pédale douce. L'autre jour, ils ont raconté qu'il parlait en classe et il a répondu qu'il parlait parce qu'il avait fini ses devoirs. Il faut qu'il se calme, parce qu'on le trouvera toujours différent, mais il ne comprend pas ça. S'il te plaît, parle à ton cousin ! »

Ifemelu demanda à Dike d'emporter le téléphone dans sa chambre.

« Maman veut que je porte cette chemise super-moche. » Son ton était neutre, dépourvu d'émotion.

« Je sais qu'elle n'est pas très chouette, Dike, mais mets-la pour lui faire plaisir, d'accord ? Uniquement à l'église. Juste pour aujourd'hui. »

Elle connaissait cette chemise, une chemise rayée sans fantaisie que Bartholomew avait achetée à Dike. C'était le genre de chemise que seul Bartholomew pouvait acheter. Elle lui faisait penser à ses amis qu'elle avait rencontrés un week-end, un couple nigérian qui venait du Maryland, avec leurs deux garçons assis près d'eux sur le canapé, raides comme des piquets et empruntés, asphyxiés par les rêves d'immigrants de leurs parents. Elle ne voulait pas que Dike devienne comme eux, mais elle comprenait les angoisses de Tante Uju, cherchant à se frayer un chemin dans un terrain inconnu.

« Tu ne rencontreras probablement personne que tu connaisses à l'église, continua Ifemelu, et je parlerai à ta mère pour qu'elle ne te demande plus de la porter. » Elle l'amadoua jusqu'à ce qu'il finisse par accepter, du moment qu'il pourrait porter des baskets, et non les souliers lacés choisis par sa mère.

« Je vais venir le week-end prochain, lui dit-elle. J'amènerai mon petit ami, Curt. Tu vas enfin faire sa connaissance. »

*

En présence de Tante Uju, Curt se montra attentionné et charmant, avec cette aisance qui embarrassait un peu Ifemelu. Quelques jours plus tôt, au cours d'un dîner avec Wambui et des amis, Curt avait rempli un verre de vin par-ci, un verre d'eau par-là. Charmant, avait dit une des filles ensuite : Ton ami est vraiment charmant. Et la pensée avait traversé Ifemelu qu'elle n'aimait pas ce genre de charme, avec ce besoin de séduire, d'éblouir. Elle aurait voulu qu'il se montre plus réservé, moins expansif. Quand il engageait la conversation avec des gens dans l'ascenseur, ou faisait des compliments exagérés à des inconnus, elle retenait sa respiration, certaine qu'ils voyaient à quel point il aimait attirer l'attention. Mais ils lui rendaient toujours son sourire, répondaient et se laissaient courtiser. Comme le fit Tante Uju. « Curt, voulez-vous goûter la soupe ? Ifemelu ne vous a donc jamais préparé cette soupe ? Avez-vous essayé le plantain frit ? »

Dike observa, parla peu, poliment et à propos, même quand Curt plaisanta avec lui et parla de sport, si avide de gagner son affection qu'Ifemelu craignit qu'il ne se mette à faire un saut périlleux. Finalement, Curt demanda : « Veux-tu faire quelques paniers ? »

Dike haussa les épaules. « D'accord. »

Tante Uju les regarda partir.

« À le voir avec toi, on dirait que tout ce que tu touches sent le parfum. Tu lui plais vraiment », dit Tante Uju, puis, fronçant les sourcils, elle ajouta : « Même coiffée comme tu l'es.

— Tante, *biko*, laisse mes cheveux tranquilles, dit Ifemelu.

— Ils ressemblent à du jute. » Tante Uju plongea une main dans la coiffure afro d'Ifemelu.

Ifemelu recula sa tête. « Et si dans tous les magazines que tu regardes, dans tous les films que tu vois, il n'y avait que des femmes superbes avec des cheveux comme du jute ? Tu serais en train d'admirer mes cheveux. »

Tante Uju se moqua. « Bon, tu peux toujours le dire en anglais si tu veux mais je dis seulement la vérité. Les cheveux naturels ont quelque chose de débraillé et de sale. » Elle se tut un instant. « Est-ce que tu as lu l'essai qu'a écrit ton cousin ?

— Oui.

— Comment peut-il dire qu'il ignore qui il est ? Depuis quand est-il en conflit avec lui-même ? Il va même jusqu'à dire qu'il a du mal avec son nom ?

— Tu devrais lui parler, Tante. Si c'est ce qu'il dit ressentir, alors c'est vraiment ce qu'il ressent.

— Je pense qu'il a écrit ça parce que c'est le genre de chose qu'on vous apprend ici. Tout le monde est confronté à des conflits intérieurs, l'identité par-ci, l'identité par-là. Quelqu'un commet un crime et déclare que c'est parce que sa mère ne le prenait pas dans ses bras quand il avait trois ans. Ou ils font un mauvais coup et disent que c'est une maladie dont ils essayent de guérir. » Tante Uju regarda par la fenêtre. Curt et Dike jouaient au basket dans la cour, et au-delà apparaissait la lisière des bois. La dernière fois qu'elle était venue, Ifemelu avait regardé par la fenêtre de la cuisine le matin et vu deux daims qui s'ébattaient gracieusement.

« Je suis fatiguée, dit Tante Uju d'une voix sourde.

— Fatiguée de quoi ? » demanda Ifemelu, s'attendant à entendre de nouvelles plaintes à propos de Bartholomew.

« Nous travaillons tous les deux. Nous rentrons à la maison tous les deux à la même heure et tu sais ce que fait Bartholomew ? Il s'installe dans le salon, allume la télévision et me demande ce qu'il y a pour le dîner. » Tante Uju se renfrogna et Ifemelu remarqua qu'elle avait grossi, elle commençait à avoir un double menton, son nez s'était épaissi. « Il voudrait que je lui donne mon salaire. Tu imagines ! Il dit que c'est la règle dans un mariage puisqu'il est chef de famille, et que je ne devrais pas envoyer d'argent à Frère sans sa permission, que nous devrions prendre les mensualités de l'emprunt de sa voiture sur mon salaire. Je veux chercher une école privée pour Dike, avec toutes ces histoires qui arrivent à l'école publique, mais Bartholomew dit qu'elles sont trop chères. Trop chères ! Pendant ce temps, ses enfants à lui sont allés dans des écoles privées en Californie. Il ne s'inquiète même pas des saloperies qui ont lieu dans l'école de Dike. J'y étais l'autre jour, et une assistante m'a interpellée en criant dans le couloir. Tu imagines. Elle était si malpolie. J'ai remarqué qu'elle n'interpellait pas les autres parents comme ça. Alors je suis allée jusqu'à elle et lui ai dit son fait. Ces gens-là, ils vous obligent à être agressifs juste pour garder votre dignité. » Tante Uju secoua la tête. « Bartholomew se fiche que Dike l'appelle toujours Oncle. Je lui ai dit de l'encourager à l'appeler papa mais il s'en fiche. Tout ce qui l'intéresse est que je lui donne mon salaire et lui prépare des gésiers au poivre le samedi quand il regarde les matchs de la Ligue d'Europe par le satellite. Pourquoi devrais-je lui donner mon salaire ? A-t-il jamais payé mes frais de scolarité à l'école de médecine ? Il veut monter une affaire mais ils refusent de lui consentir un prêt et il dit qu'il va les poursuivre pour discrimination parce qu'il a de bonnes garanties et qu'il connaît un homme qui fréquente notre église et a obtenu un prêt avec des garanties bien moindres. Est-ce ma faute s'il ne peut pas obtenir ce crédit ? Est-ce que quelqu'un l'a forcé à venir s'installer ici ? Ne savait-il pas qu'il serait le seul Noir ? N'est-il pas venu parce qu'il croyait que ce serait un avantage ? Tout n'est qu'argent, argent, argent. Il veut tout le temps prendre les décisions concernant mon travail à ma place. Qu'est-ce qu'un comptable connaît à la médecine ? Je veux simplement être à l'aise. Je veux pouvoir payer les études de mon fils. Je n'ai pas besoin de faire des journées plus longues juste pour accumuler de l'argent. Ce n'est pas comme si j'avais l'intention d'acheter un bateau comme le font les Américains. » Tante Uju quitta la fenêtre et vint s'asseoir à la table de la cuisine. « Je ne sais même pas pourquoi je suis venue m'installer dans cet endroit. L'autre jour, le pharmacien m'a dit que mon accent était incompréhensible. Tu imagines. J'appelle pour un médicament et on me dit que mon accent est incompréhensible. Et ce même jour, pour faire bonne mesure, un patient, un bon à rien couvert de tatouages, m'a dit de retourner d'où je venais. Tout ça parce qu'il se plaignait de douleurs et que je savais qu'il mentait et refusais de lui donner davantage de calmants. Pourquoi faut-il que je supporte toutes ces avanies ? C'est la faute de Buhari, de Babangida et d'Abacha, qui ont détruit le Nigeria. »

C'était étrange d'entendre Tante Uju parler souvent des anciens chefs d'État, d'en faire l'objet d'accusations venimeuses, sans jamais mentionner le Général.

Curt et Dike pénétrèrent dans la cuisine, Dike en nage, volubile, les yeux brillants ; il avait, sur le terrain de basket, volé la vedette à Curt.

« Est-ce que tu veux un verre d'eau, Curt ? demanda-t-il.

— Appelle-le Oncle Curt », dit Tante Uju.

Curt rit. « Ou Cousin Curt. Pourquoi pas Coz Curt ?

— Tu n'es pas mon cousin, dit Dike en souriant.

— Je le serais si j'épousais ta cousine.

— Ça dépend de ce que tu nous offres ! » dit Dike.

Ils éclatèrent tous de rire. Tante Uju semblait ravie.

« Tu veux bien boire ce verre d'eau et me retrouver dehors, Dike ? dit Curt. Nous avons une affaire à terminer ! »

Curt caressa l'épaule d'Ifemelu, lui demanda si elle allait bien avant de ressortir.

« *O na-eji gi ka akwa* », dit Tante Uju, d'un ton rempli d'admiration.

Ifemelu sourit. En effet, Curt se comportait avec elle comme s'il tenait un œuf. Avec lui, elle se sentait fragile, précieuse. Plus tard, quand ils partirent, elle glissa sa main dans la sienne et la pressa ; elle était fière – d'être avec lui, et fière de lui.

*

Un matin, Tante Uju se réveilla et entra dans la salle de bains. Bartholomew venait de se laver les dents. Tante Uju s'apprêtait à prendre sa brosse à dents et vit, à l'intérieur du lavabo, un gros pâté de dentifrice. Suffisamment épais pour un brossage de dents complet. Il était là, loin de la bonde de vidange, en train de fondre. Elle fut dégoûtée. Comment quelqu'un pouvait-il se brosser les dents et laisser tant de dentifrice dans le lavabo ? Ne s'en était-il pas aperçu ? Avait-il alors ajouté une autre couche sur sa brosse ? Ou continué comme si de rien n'était avec une brosse à moitié sèche ? Ce qui indiquait que ses dents n'étaient pas très propres. Mais ce n'était pas ses dents qui intéressaient Tante Uju. C'était le dentifrice dans le lavabo. Elle ne comptait plus les matins où elle l'avait ôté, nettoyé le lavabo. Mais pas ce matin-là. Ce matin-là, la coupe était pleine. Elle cria son nom, une, deux, trois fois. Il demanda ce qui n'allait pas. Elle lui dit que ce qui n'allait pas c'était le dentifrice dans le lavabo. Il la regarda et murmura qu'il était pressé, déjà en retard pour son travail, et elle lui dit qu'elle aussi devait partir travailler, et qu'elle gagnait plus que lui, au cas où il l'aurait oublié.

Elle payait les mensualités de sa voiture, finalement. Il sortit en trombe, descendit l'escalier. À ce point de son récit, Tante Uju s'interrompit, et Ifemelu imagina Bartholomew dans sa chemise de couleur à col blanc, son pantalon trop remonté sur ses chaussures, les plis inélégants sur le devant, ses jambes cagneuses courant à toute vitesse. La voix de Tante Uju était inhabituellement calme au téléphone.

« J'ai trouvé un appartement dans une petite ville appelée Willow. Une très jolie copropriété sécurisée près de l'université. Dike et moi y partons ce week-end.

— Ahn-ahn ! Tante, si vite ?

— J'ai fait des efforts. Ça suffit.

— Qu'en dit Dike ?

— Il dit qu'il n'a jamais aimé habiter dans les bois. Il n'a pas dit un seul mot sur Bartholomew. Willow sera tellement mieux pour lui. »

Le nom de la ville plaisait à Ifemelu : Willow. Il évoquait de nouveaux départs pleins de promesses.

À mes camarades noirs non américains :
En Amérique, tu es noir, chéri

Cher Noir non américain, quand tu fais le choix de venir en Amérique, tu deviens noir. Cesse de discuter. Cesse de dire je suis jamaïcain ou je suis ghanéen. L'Amérique s'en fiche. Quelle importance si tu n'es pas « noir » chez toi ? Tu es en Amérique à présent. Nous avons tous nos moments d'initiation dans la Société des anciens nègres. Le mien eut lieu en première année d'université quand on m'a demandé de donner le point de vue d'une Noire, alors que je n'avais pas la moindre idée de ce qu'était le point de vue d'une Noire. Alors j'ai inventé. Et avoue-le – tu dis « Je ne suis pas noir » uniquement parce que tu sais que le Noir se trouve tout en bas de l'échelle des races en Amérique. Et c'est ce que tu refuses. Ne le nie pas. Et si être noir te donnait tous les privilèges des Blancs ? Dirais-tu encore : « Ne me traitez pas de Noir, je suis originaire de Trinidad » ? Je ne le crois pas. Donc tu es noir, chéri. Et voilà à quoi t'expose le fait d'être noir : tu dois te montrer offensé quand on utilise des mots tels que « pastèque » ou « goudronné » à titre de plaisanterie, même si tu ne sais pas de quoi on parle – et puisque tu es un Noir non américain, il y a toutes les chances que tu ne le saches pas. (En première année d'université, un camarade blanc me demande si j'aime la pastèque, je dis oui, et un autre dit : « Oh mon Dieu mais c'est complètement raciste », et je ne sais que penser. « Comment ça ? ») Tu dois répondre par un signe de tête quand une personne noire te fait un signe de tête dans un environnement majoritairement blanc. Ça s'appelle le salut noir. C'est une façon pour les Noirs de dire : « Tu n'es pas seul, je suis là moi aussi. » Quand tu décris des femmes noires que tu admires, emploie toujours le mot « FORTE » parce que c'est ce que les Noires sont censées être en Amérique. Si tu es une femme, ne dis pas ce que tu penses comme tu le ferais dans ton pays. Parce que en Amérique les femmes noires qui réfléchissent font PEUR. Et si tu es un homme, sois super-détendu, ne t'excite jamais, sinon quelqu'un pourrait craindre que tu sortes un pistolet. Quand tu regardes la télévision et entends dire qu'une « injure raciste » a été proférée, tu dois te sentir immédiatement insulté. Même si tu penses : « Mais pourquoi ne rapportent-ils pas exactement ce qui a été dit ? » Bien que tu aimerais pouvoir décider toi-même jusqu'à quel point il s'agit d'une insulte ou non, tu dois néanmoins te sentir très insulté.

Quand on signale un crime, prie pour que l'auteur ne soit pas noir, et si c'est le cas, tiens-toi à l'écart de la zone du crime pendant des semaines, sinon on pourrait t'arrêter parce que tu corresponds au profil. Si un caissier noir ne sert pas correctement la personne non noire qui te précède, complimente cette personne à propos de ses chaussures ou d'autre chose, pour compenser la mauvaise attitude du caissier, parce que tu en es aussi responsable que lui. Si tu es étudiant dans une université de l'Ivy League, et qu'un Jeune Républicain affirme que tu es là uniquement à cause de la Discrimination Positive, ne brandis pas aussitôt les excellentes notes que tu as obtenues au lycée. Au contraire, fais aimablement remarquer que les premiers bénéficiaires de la Discrimination Positive sont les femmes blanches. Si tu vas au restaurant, laisse des pourboires généreux. Sinon le prochain Noir qui se présentera sera affreusement mal servi, car les serveurs rouspètent quand ils ont une table de Noirs. Vois-tu, les Noirs sont génétiquement peu enclins à donner des pourboires, alors, je t'en prie, fais mentir cette hérédité. Si tu racontes à un non-Noir l'incident raciste dont tu as été victime, ne montre aucune amertume. Ne te plains pas. Sois indulgent. Si possible, drôle. Avant tout, ne te mets pas en colère. Les Noirs ne sont pas supposés s'emporter sur des questions racistes. Sinon tu n'attires pas la sympathie. Ceci ne s'applique qu'aux libéraux blancs, soit dit en passant. Inutile de parler d'incidents racistes dont tu as souffert à des conservateurs blancs. Parce que le conservateur te dira que c'est TOI qui es le vrai raciste et tu en resteras bouche bée.

CHAPITRE 22

Un samedi au centre commercial de White Marsh, Ifemelu aperçut Kayode DaSilva. Il pleuvait. Elle était à l'intérieur, près de l'entrée, à attendre que Curt avance la voiture, et Kayode la heurta presque.

« Ifemsco ! s'écria-t-il.

— Oh mon Dieu ! Kayode ! »

Ils s'embrassèrent, se regardèrent, dirent tout ce que disent des gens qui ne se sont pas vus depuis des lustres, retrouvant leurs voix nigérianes, leur moi nigérian, plus volubiles, plus exaltés, ajoutant « *o* » à la fin de leurs phrases. Il était parti juste après le lycée pour étudier à l'université dans l'Indiana et était diplômé depuis des années.

« Je travaillais à Pittsburgh mais je viens de déménager à Silver Spring pour commencer un nouveau job. J'aime beaucoup le Maryland. Je rencontre des Nigérians à l'épicerie, au centre commercial, partout. On se croirait au pays. Mais je pense que tu sais déjà tout ça.

— Oui », dit-elle, bien qu'elle n'en sût rien. Son Maryland était un petit monde circonscrit aux amis américains de Curt.

« J'avais l'intention d'essayer de te retrouver, en fait. » Il la regardait, comme s'il la détaillait de la tête aux pieds, imprimait son image dans sa mémoire, pour l'utiliser quand il raconterait leur rencontre.

« Vraiment ?

— Je discutais l'autre jour avec mon pote le Zed, et ton nom est venu dans la conversation et il m'a dit que tu vivais à Baltimore ;

que, puisque j'étais dans le coin, je pouvais peut-être te retrouver, voir comment tu allais, et lui dire à quoi tu ressembles maintenant. »

Une étrange stupeur l'envahit tout à coup. Elle murmura : « Oh, vous vous voyez toujours ?

— Oui. Nous avons renoué quand il est parti en Angleterre, l'année passée. »

L'Angleterre ! Obinze était en Angleterre. Elle avait mis une distance entre eux, l'ignorant, changeant d'adresse e-mail et de numéro de téléphone, et malgré tout cette nouvelle lui fit l'effet d'une trahison. Des changements étaient intervenus dans sa vie qu'elle ignorait. Il était en Angleterre. À peine quelques mois auparavant, Curt et elle étaient allés en Angleterre au festival de Glastonbury, puis avaient passé deux jours à Londres. Obinze s'y trouvait peut-être. Elle aurait pu tomber sur lui en marchant dans Oxford Street.

« Dis-moi, qu'est-il arrivé ? Franchement, je n'y ai pas cru quand il m'a dit que vous n'aviez plus aucun contact. Ahn-ahn ! On attendait tous le faire-part de mariage *o* ! » dit Kayode.

Ifemelu haussa les épaules. Il y avait tant de choses éparpillées en elle qu'elle avait besoin de rassembler.

« Alors comment vas-tu ? Comment va la vie ?

— Très bien, dit-elle froidement. J'attends mon ami qui doit venir me chercher. D'ailleurs, je crois que c'est lui qui arrive. »

Kayode tressaillit, sa bonne humeur battit en retraite, car il sentait bien qu'elle avait choisi de lui fermer sa porte. Elle s'éloignait déjà. Par-dessus son épaule, elle lui dit : « Bonne chance. » Elle aurait dû lui parler plus longuement, lui donner son numéro de téléphone, se comporter avec naturel. Mais les émotions se déchaînaient en elle. Et elle reprochait à Kayode de connaître Obinze, d'avoir fait réapparaître Obinze.

« Je viens de rencontrer un vieil ami du Nigeria, dit-elle à Curt. Je ne l'avais pas revu depuis le lycée.

— Oh vraiment ? C'est sympa. Il habite par ici ?

— À Washington. »

Curt l'observait, attendant la suite. Il aurait voulu inviter Kayode à prendre un verre avec eux, connaître son ami, se montrer aussi courtois qu'à l'habitude. Et c'est ça, cet air empressé, qui l'irrita. Elle désirait le silence. Même la radio l'incommodait. Qu'est-ce que Kayode dirait à Obinze ? Qu'elle avait un ami, un beau Blanc dans un coupé BMW, qu'elle arborait une coiffure afro, une fleur rouge fichée derrière l'oreille. Qu'en penserait Obinze ? Que faisait-il en Angleterre ? Un souvenir précis lui revint, d'une journée ensoleillée – le soleil était toujours présent dans les souvenirs qu'elle avait de lui et elle s'en méfiait –, quand son ami Okwudiba avait apporté une cassette vidéo chez lui, et Obinze avait dit : « Un film anglais ? C'est une perte de temps. » Pour lui, seuls les films américains valaient la peine d'être vus. Et voilà qu'il était en Angleterre.

Curt la regardait. « Le revoir t'a troublée ?

— Non.

— C'est un ancien petit ami ou quelque chose comme ça ?

— Non », dit-elle en regardant par la vitre.

Plus tard dans la journée elle enverrait un e-mail à l'adresse Hotmail d'Obinze. *Ciel, je ne sais même pas par où commencer. Je suis tombée par hasard sur Kayode aujourd'hui au centre commercial. Dire que je regrette mon silence paraît stupide, même à moi, mais je le regrette et je me sens complètement stupide. Je te raconterai tout ce qui est arrivé. Tu m'as manqué et tu me manques*. Et il ne répondrait pas.

« Je t'ai réservé un massage suédois, dit Curt.

— Merci », dit-elle. Puis, d'une voix plus basse, elle ajouta, pour se faire pardonner sa mauvaise humeur : « Tu es un homme délicieux.

— Je ne veux pas être un homme délicieux. Je veux être le grand amour de ta vie », dit Curt avec une force qui la stupéfia.

TROISIÈME PARTIE

CHAPITRE 23

À Londres, la nuit tombait trop tôt, elle restait en suspens dans l'air du matin comme une menace, puis, dans l'après-midi, descendait un crépuscule bleu-gris, et les constructions victoriennes prenaient un aspect endeuillé. Durant les premières semaines, le froid surprit Obinze par son agression insidieuse ; il lui desséchait le nez, augmentait ses angoisses, le faisait uriner trop souvent. Il marchait vite sur les trottoirs, ramassé sur lui-même, les mains enfouies dans le manteau que son cousin lui avait prêté, un manteau gris en laine dont les manches avalaient presque ses doigts. Parfois il s'arrêtait à l'extérieur d'une station de métro, souvent près d'un marchand de fleurs ou de journaux, et il regardait les gens passer devant lui. Ils marchaient d'un pas rapide, tous ces gens, comme s'ils avaient une destination urgente, un but dans la vie, alors que lui n'en avait pas. Il les suivait des yeux avec un désir éperdu, et il pensait : *Vous avez du travail, vous avez des papiers, vous êtes visibles, et vous ne savez même pas la chance que vous avez.*

Ce fut à une station de métro qu'il rencontra les Angolais qui allaient arranger son mariage, exactement deux ans et trois jours après son arrivée en Angleterre ; il avait compté les jours.

« Nous parlerons dans la voiture », avait dit l'un d'eux au téléphone. Leur vieille Mercedes noire était impeccablement entretenue, les tapis de sol ondulés à force d'être passés à l'aspirateur, les sièges en cuir astiqués. Les deux hommes se ressemblaient, avec d'épais sourcils qui se rejoignaient presque, toutefois ils lui avaient affirmé qu'ils étaient seulement amis, et ils étaient vêtus de la même façon, blousons de cuir et longues chaînes en or. Il fut surpris par leurs cheveux taillés en brosse dressés sur leurs têtes comme de hauts chapeaux, mais cela faisait sans doute partie de leur image branchée, d'avoir une coiffure rétro. Ils lui parlèrent avec l'autorité de gens qui avaient déjà traité ce genre d'affaire, ainsi qu'avec une certaine condescendance ; son destin, après tout, était entre leurs mains.

« On a choisi Newcastle parce qu'on y connaît des gens, et Londres c'est trop chaud en ce moment, il y a trop de mariages à Londres, ouais, et on ne veut pas de pépins, dit l'un d'eux. Tout va se passer comme prévu. Reste seulement discret, OK ? N'attire pas l'attention, jusqu'à ce que le mariage soit conclu. Pas de bagarre au pub, OK ?

— Je n'ai jamais été bon pour la bagarre », dit Obinze, pince-sans-rire, mais les Angolais ne sourirent pas.

« Tu as l'argent ? » demanda l'autre.

Obinze leur tendit deux cents livres, en coupures de vingt, qu'il avait retirées dans un distributeur de billets en deux jours. C'était un acompte, pour montrer qu'il était sérieux. Ensuite, après avoir rencontré la fille, il verserait deux mille livres.

« Le reste doit être payé d'avance, OK ? Une partie pour couvrir les dépenses et l'autre pour la fille. Mec, tu sais qu'on gagne pas un centime sur cette affaire. On demande davantage d'habitude, mais on fait ça pour Iloba », dit le premier.

Obinze ne les crut pas, même alors. Il rencontra la fille, Cleotilde, quelques jours plus tard, dans un centre commercial, dans un McDonald's dont les fenêtres donnaient sur l'entrée froide et humide d'une station de métro de l'autre côté de la rue. Assis à une table avec les Angolais, il observait les passants qui marchaient d'un pas pressé, et se demandait si elle se trouvait parmi eux, tandis que les Angolais chuchotaient dans leurs téléphones, peut-être en train d'arranger d'autres mariages.

« Salut tout le monde ! » dit-elle.

Il fut surpris. Il s'attendait à voir quelqu'un avec des cicatrices de variole masquées par un épais maquillage, quelqu'un de dur et de rusé. Mais elle se tenait devant lui, fraîche comme la rosée, le teint olive, des lunettes sur le nez, presque enfantine, lui souriant timidement et buvant un milk-shake avec une paille. Elle ressemblait à une étudiante de première année, innocente ou stupide, ou peut-être les deux.

« Je voulais juste savoir si vous étiez vraiment décidée », lui dit-il, puis, craignant de l'avoir effrayée, il ajouta : « Je vous suis très reconnaissant et je ne vous encombrerai pas trop – dans un an j'aurai mes papiers et nous divorcerons. Mais je voulais vous rencontrer d'abord, et être certain que vous étiez tout à fait d'accord.

— Oui », dit-elle.

Il la regarda, attendant qu'elle en dise plus. Elle jouait avec sa paille, timidement, évitant son regard, et il lui fallut un moment pour réaliser qu'elle s'intéressait plus à lui qu'à la situation. Il lui plaisait.

« Je veux aider ma mère. Les choses sont difficiles à la maison », dit-elle, une pointe d'accent étranger soulignant ses paroles.

« Elle marche avec nous, ouais », dit un des Angolais avec impatience, comme si Obinze osait mettre en doute ce qu'ils lui avaient déjà dit.

« Montre-lui tes papiers, Cleo », dit l'autre.

Le fait de l'appeler Cleo sonnait faux : Obinze le perçut à la manière dont il le dit, et à la manière dont elle réagit, à la légère surprise qui apparut sur son visage. C'était une familiarité forcée, l'Angolais ne l'avait jamais appelée Cleo auparavant. Peut-être ne l'avait-il jamais appelée par aucun nom. Obinze se demanda comment les Angolais l'avaient connue. Avaient-ils une liste de jeunes femmes avec des passeports de l'Union européenne qui avaient besoin d'argent ? Cleotilde passa la main dans ses cheveux, une masse de boucles serrées, et ajusta ses lunettes, comme pour se préparer avant de présenter son passeport et son permis de conduire. Obinze les examina. Il aurait pensé qu'elle avait moins de vingt-trois ans.

« Puis-je avoir votre numéro de téléphone ? demanda-t-il.

— Appelle-nous si tu as besoin de quelque chose », dirent les Angolais presque de conserve. Mais Obinze écrivit son numéro sur une serviette qu'il poussa vers elle. Les Angolais lui jetèrent un regard torve. Plus tard, au téléphone, elle lui dit qu'elle vivait à Londres depuis six ans et économisait de l'argent pour s'inscrire dans une école de mode, alors que les Angolais lui avaient dit qu'elle vivait au Portugal.

« Voulez-vous que nous nous revoyions ? demanda-t-il. Ce serait beaucoup plus facile si nous pouvions faire un peu connaissance.

— Oui », dit-elle sans hésitation.

Ils mangèrent des *fish and chips* dans un pub, sur une table aux bords incrustés d'une mince couche de crasse, pendant qu'elle parlait de sa passion pour la mode et lui posait des questions sur les vêtements traditionnels nigérians. Elle paraissait un peu plus mûre ; il remarqua le fard de ses joues, les boucles impeccables de sa coiffure, et constata qu'elle avait soigné son apparence.

« Que ferez-vous lorsque vous aurez vos papiers ? lui demanda-t-elle. Est-ce que vous ferez venir votre fiancée du Nigeria ? »

Il fut touché par sa spontanéité. « Je n'ai pas de fiancée.

— Je n'ai jamais mis les pieds en Afrique. J'aimerais beaucoup y aller. » Elle prononçait « Afrique » avec nostalgie, comme une étrangère admirative, chargeant le mot d'un attrait exotique. Son père, un Noir angolais, avait abandonné sa mère, une Portugaise blanche, quand elle avait à peine trois ans, lui dit-elle, et elle ne l'avait jamais revu depuis, et n'était jamais allée en Angola. Elle le lui confia en haussant les épaules, levant les sourcils d'un air désabusé, comme si cela lui avait toujours été indifférent, mais de manière si peu naturelle, tellement forcée, qu'il sautait aux yeux qu'elle en était profondément affectée. Il y avait des problèmes dans sa vie qu'il aurait voulu mieux connaître, des parties de son corps harmonieux qu'il rêvait de toucher, mais il préférait ne pas compliquer les choses. Il attendrait jusqu'au mariage, que la question d'argent soit réglée. Elle sembla le comprendre sans qu'ils aient besoin d'en parler. Aussi quand ils se revirent les semaines suivantes, s'entraînant à répondre aux questions qui leur seraient posées durant l'entretien avec les agents de l'immigration ou parlant simplement de football, ils sentirent grandir en eux l'impatience d'un désir contenu. Il était palpable quand ils se tenaient près l'un de l'autre, sans se toucher, quand ils attendaient le métro, se taquinaient parce que Obinze supportait Arsenal et Cleotilde Manchester United, laissaient leur regard s'attarder l'un sur l'autre. Une fois qu'il eut payé aux Angolais les deux mille livres en liquide, elle lui dit qu'ils ne lui avaient donné que cinq cents livres.

« Je te le dis en passant. Je sais que tu n'as pas davantage d'argent. Je le fais pour toi », lui dit-elle.

Elle le regardait, les yeux brillants, emplis de tout ce qu'elle ne disait pas, et il se sentit revigoré, soudain conscient qu'il avait soif de quelque chose de simple et de pur. Il avait envie de l'embrasser, d'embrasser sa lèvre supérieure plus rose et plus brillante que l'autre, de la tenir dans ses bras, de lui dire qu'il lui était profondément, irrémédiablement reconnaissant. Elle ne remuerait jamais les angoisses qui l'habitaient, ne ferait jamais usage de son pouvoir sur lui. Une femme d'Europe de l'Est, lui avait raconté Iloba, avait demandé au Nigérian, une heure avant leur mariage devant le juge, de lui refiler mille livres de plus, sinon elle le laissait tomber. Paniqué, l'homme avait appelé tous ses amis pour recueillir l'argent.

« Mec, tu as fait une bonne affaire », répondit l'un des Angolais quand Obinze lui demanda combien ils avaient donné à Cleotilde. Il avait pris ce ton particulier, le ton des gens qui se savent indispensables. Ce furent eux, après tout, qui le conduisirent chez un avocat, un Nigérian à la voix basse, assis dans un fauteuil pivotant qu'il faisait glisser en arrière pour atteindre un classeur, et qui lui dit : « Vous pouvez encore vous marier bien que votre visa soit expiré. En réalité, vous n'avez pas d'autre choix que de vous marier. » Ce furent eux qui fournirent les factures d'eau et d'électricité, remontant à six mois en arrière, à son nom et portant une adresse à Newcastle, eux qui trouvèrent un homme qui allait « arranger » le problème de son permis de conduire, un dénommé Brown. Obinze rencontra Brown à la gare de Barking ; il se tenait à l'entrée du quai comme prévu, au milieu d'un flot de gens, regardant autour de lui, impatient d'entendre sonner son téléphone, parce que Brown avait refusé de lui communiquer un numéro.

« Vous attendez quelqu'un ? » Brown se tenait devant lui, un homme fluet, son bonnet enfoncé jusqu'aux yeux.

« Oui. C'est moi Obinze », dit-il, avec l'impression d'être un personnage de roman d'espionnage obligé d'employer un code ridicule. Brown l'entraîna dans un coin tranquille, lui remit une enveloppe, et, à l'intérieur, il y avait son permis orné de sa photo, offrant l'aspect authentique, un peu usagé, d'un document vieux d'un an. Une carte légère en plastique, mais qui pesait son poids dans sa poche. Quelques jours après, muni du document, il pénétrait dans un bâtiment qui, vu de l'extérieur, ressemblait à une austère église surmontée d'un clocher, mais dont l'intérieur était miteux, chaotique, bondé. Des inscriptions étaient griffonnées sur des tableaux blancs : BUREAU DES NAISSANCES ET DÉCÈS. BUREAU DES MARIAGES. Obinze, le visage volontairement inexpressif, remit son permis à l'officier d'état civil derrière le bureau.

Une femme se dirigeait vers la porte, s'adressant d'une voix forte à son compagnon : « Regarde tout ce monde. Rien que des mariages bidon, maintenant que Blunkett les a dans le collimateur. »

Peut-être était-elle venue déclarer un décès et que ses paroles ne reflétaient qu'une manifestation de chagrin, mais Obinze sentit un accès de panique familier lui serrer la poitrine. L'officier examinait son permis, prenait son temps. Les secondes s'éternisaient. *Rien que des mariages bidon,* les mots retentissaient dans sa tête. Enfin, l'officier leva les yeux et fit glisser vers lui un formulaire.

« Vous allez vous marier, hein ? Félicitations ! » Les mots jaillirent avec la jovialité machinale d'une longue habitude.

« Merci », dit Obinze, s'efforçant de prendre un air moins figé.

Derrière le bureau, un tableau blanc était appuyé contre un mur, les lieux et dates des futurs mariages inscrits en bleu ; un nom en bas du tableau attira son regard : *Okoli Okafor et Crystal Smith.* Okoli Okafor avait été un de ses camarades de classe au lycée et à l'université, un gentil garçon dont tout le monde se moquait parce qu'il avait un nom de famille comme prénom, et qui plus tard était entré dans une secte dangereuse à l'université, puis avait quitté le Nigeria durant une des longues grèves. Il était là aujourd'hui, le fantôme d'un nom, sur le point de se marier en Angleterre. Peut-être un mariage bidon, lui aussi. Okoli Okafor. Tout le monde l'appelait Okoli Paparazzi à l'université. Le jour de la mort de la princesse Diana, un groupe d'étudiants s'était rassemblé avant un cours, parlant de ce qu'ils avaient entendu à la radio le matin, répétant à l'envi le mot « paparazzi », l'air au courant et sûrs d'eux, jusqu'à ce que, dans un moment de calme, Okoli demande tranquillement : « Mais qui sont exactement les paparazzis ? Des motocyclistes ? », gagnant aussitôt le surnom d'Okoli Paparazzi.

Ce souvenir, clair comme un rayon de lumière, ramena Obinze à une époque où il croyait que l'univers se plierait à sa volonté. Un sentiment de mélancolie l'envahit tandis qu'il quittait le bâtiment. Une fois, durant sa dernière année à l'université, l'année où les gens dansaient dans les rues parce que le général Abacha était mort, sa mère avait dit : « Un jour, je lèverai les yeux et tous ceux que je connais seront morts ou partis à l'étranger. » Elle avait parlé d'un ton las ; assis dans le salon, ils mangeaient du maïs bouilli et de l'ube. Il avait perçu dans sa voix la tristesse de la défaite, comme si ses amis qui partaient pour des postes d'enseignants au Canada et en Amérique confirmaient ce qui était pour elle un immense échec personnel. Pendant un moment il avait eu le sentiment que lui aussi l'avait trahie en formant son propre projet : obtenir son diplôme de troisième cycle en Amérique, travailler en Amérique, vivre en Amérique. C'était un projet qui l'habitait depuis longtemps. Il savait bien sûr que l'ambassade américaine pouvait être absurde – le vice-chancelier, aussi incroyable que cela pût paraître, s'était vu refuser un visa pour assister à une conférence – mais il n'avait jamais douté de son plan. Il s'étonnerait, plus tard, d'en avoir été aussi sûr. Peut-être parce qu'il ne voulait pas simplement aller à l'*étranger*, comme tant d'autres ; désormais certains partaient en Afrique du Sud, ce qui le faisait sourire. Pour lui cela avait toujours été l'Amérique, seulement l'Amérique. Un désir entretenu et nourri pendant de longues années. Le film publicitaire, *Andrew Checking Out*, qu'il regardait dans son enfance sur la chaîne d'État NTA, avait donné forme à ce désir. « Les mecs, j'me tire », disait Andrew, fixant la caméra d'un air arrogant. « Pas une route correcte, pas d'éclairage, pas d'eau. Les mecs, on peut même pas avoir un soda ! » Tandis qu'Andrew se tirait, les soldats du général Buhari matraquaient les adultes dans les rues, les enseignants faisaient grève pour des augmentations de salaire, et sa mère avait décidé qu'il ne boirait plus de Fanta chaque fois qu'il en avait envie mais seulement le dimanche. C'est ainsi que l'Amérique devint un pays où l'on pouvait boire autant de Fanta qu'on le voulait, sans demander la permission. Il se tenait devant la glace et répétait les mots d'Andrew : « Les mecs, j'me tire ! » Par la suite, alimenté par quantité de revues, livres, films, récits sur l'Amérique, son désir prit une forme quasi mystique et l'Amérique devint le lieu où devait s'accomplir son destin. Il se vit arpentant les rues de Harlem, discutant des mérites de Mark Twain avec ses amis américains, contemplant le mont Rushmore. Quelques jours après avoir obtenu son diplôme à l'université, fort de ses connaissances sur l'Amérique, il fit une demande de visa à l'ambassade américaine de Lagos.

Il savait déjà que le meilleur interlocuteur était l'homme à la barbe blonde et, avançant dans la queue, il espéra ne pas être interrogé par l'horreur personnifiée, la jolie Blanche réputée pour hurler dans le micro et insulter même les grands-mères. Son tour vint enfin et le blond barbu dit : « Personne suivante ! » Obinze se dirigea vers lui et glissa ses papiers sous la vitre. L'employé les examina rapidement et dit, avec bienveillance : « Désolé, vous ne remplissez pas les conditions. Personne suivante. » Obinze fut abasourdi. Il fit trois autres tentatives au cours des mois suivants. Chaque fois on lui dit, sans même jeter un coup d'œil à ses papiers : « Désolé, vous ne remplissez pas les conditions », et chaque fois il sortit de la fraîcheur climatisée de l'ambassade et se retrouva sous le soleil brûlant, interdit, abasourdi.

« C'est la peur du terrorisme, lui dit sa mère. Les Américains se méfient aujourd'hui des jeunes étrangers. »

Elle lui conseilla de chercher un emploi et de réessayer un an plus tard. Ses demandes de travail n'aboutirent à rien. Il se rendit à Lagos, à Port Harcourt et à Abuja pour passer des tests d'évaluation qui lui parurent faciles, il fut convoqué à des entretiens, répondant aux questions sans hésiter, puis s'ensuivait un long silence. Certains de ses amis trouvaient du travail, des gens qui étaient moins diplômés et ne parlaient pas aussi bien que lui. Il se demandait si les employeurs ne sentaient pas trop fortement son désir d'Amérique dans son haleine, s'ils devinaient qu'il consultait frénétiquement les sites des universités américaines. Il vivait chez sa mère, utilisait sa voiture, couchait avec de jeunes étudiantes crédules, passait des nuits entières sur Internet dans des cybercafés qui offraient des promotions spéciales, et restait parfois la journée entière dans sa chambre à lire, évitant sa mère. Il détestait sa bonne humeur calme, son irréductible optimisme, l'entendre dire qu'avec le président Obasanjo au pouvoir les choses changeaient, que les sociétés de télécom et les banques se développaient et recrutaient, qu'elles accordaient même aux jeunes des prêts pour acheter une voiture. La plupart du temps, cependant, elle le laissait tranquille. Elle ne frappait pas à sa porte. Elle se contentait de demander à la femme de ménage, Agnes, de lui garder quelque chose à manger et de débarrasser les assiettes sales de sa chambre. Un jour, elle lui laissa une note sur le lavabo de la salle de bains. *Je suis invitée à un congrès d'enseignants à Londres. Nous devrions discuter*. Quand elle rentra de son cours, il l'attendait dans le salon.

« Maman, *nno* », dit-il.

Elle lui répondit par un signe de tête et posa son sac sur la table au centre de la pièce. « Je vais ajouter ton nom sur ma demande de visa anglais comme assistant de recherche, dit-elle calmement. Cela devrait te permettre d'obtenir un visa de six mois. Tu peux habiter chez Nicholas à Londres. Réfléchir à ce que tu veux faire de ton existence. De là, tu pourras peut-être aller en Amérique. Je sais que ton esprit n'est plus ici. »

Il la regarda fixement.

« Je comprends que c'est la mode de nos jours », dit-elle en s'asseyant à côté de lui sur le canapé, s'efforçant de paraître détachée, mais la brusquerie inhabituelle de son ton trahissait son malaise. Elle appartenait à la génération du désarroi qui ne comprenait pas ce qui était arrivé au Nigeria mais se laissait emporter par les événements. C'était une femme qui se tenait à l'écart, ne demandait pas de faveurs, ne mentait pas, n'acceptait même pas une carte de Noël de ses étudiants, craignant que cela la compromette, qui rendait compte de chaque kobo dépensé pour un des comités auxquels elle siégeait, et aujourd'hui elle se comportait comme si dire la vérité était devenu un luxe qu'elle ne pouvait plus se permettre. Une attitude à l'opposé de tout ce qu'elle lui avait enseigné, et pourtant il savait que la vérité, dans leur situation, était réellement devenue un luxe. C'est pour lui qu'elle mentait. Si quelqu'un d'autre avait menti pour lui, cela aurait eu moins d'importance, voire aucune, mais elle mentit pour lui et il obtint un permis de séjour de six mois en Angleterre et il eut l'impression, même avant son départ, d'être un raté. Il ne lui donna aucun signe de vie pendant des mois. Il resta silencieux parce qu'il n'y avait rien à lui dire et qu'il voulait attendre d'avoir quelque chose à lui raconter. Il était en Angleterre depuis trois ans et il lui avait parlé à de rares occasions, des conversations tendues pendant lesquelles il imaginait qu'elle se demandait pourquoi il n'avait rien fait de lui-même. Mais elle ne cherchait jamais à avoir des détails : elle attendait seulement d'entendre ce qu'il était prêt à dire. Plus tard, à son retour au pays, il se reprocherait son comportement, son aveuglement à son égard, et il passerait beaucoup de temps avec elle, décidé à se racheter, à retrouver leurs rapports d'autrefois, et avant tout à tenter de définir ce qui les avait éloignés l'un de l'autre.

CHAPITRE 24

Tout le monde se moquait de ceux qui partaient à l'étranger pour nettoyer les toilettes, Obinze accueillit donc son premier job avec humour : il était bel et bien à l'étranger, un seau à la main, ganté de caoutchouc, en train de nettoyer les toilettes des bureaux d'un agent immobilier au deuxième étage d'un immeuble londonien. Chaque fois qu'il ouvrait la porte battante d'une cabine, elle semblait soupirer. La très belle femme noire qui nettoyait les toilettes des femmes était ghanéenne, à peu près de son âge, avec la peau la plus brillante qu'il ait jamais vue. Il devina, à la façon dont elle parlait et se comportait, un passé semblable au sien, une enfance protégée, des repas réguliers, des rêves où le nettoyage des toilettes à Londres n'avait pas sa place. Elle ignorait ses gestes amicaux, lui adressait un « bonsoir » aussi formel que possible, mais se montrait amicale avec la femme blanche qui faisait le ménage dans les bureaux à l'étage, et il les vit un jour attablées dans la cafétéria déserte, devant un thé, conversant à voix basse. Il les observa pendant un moment, envahi par une énorme frustration. Ce n'était pas qu'elle refusait de se lier d'amitié, elle ne voulait simplement pas de la sienne. L'amitié dans leur cas lui paraissait peut-être impossible parce qu'elle était ghanéenne et que lui, Nigérian, était trop proche d'elle ; il savait qui elle était, alors qu'avec la Polonaise elle pouvait se réinventer et être celle qu'elle désirait être.

Les toilettes n'étaient pas épouvantables, un peu d'urine hors de l'urinoir, quelques chasses non tirées ; son travail était beaucoup plus facile que celui des agents d'entretien des toilettes du campus de Nsukka, avec les couches de merde étalées sur les murs à la vue desquelles il s'était toujours demandé pourquoi quelqu'un se donnait tant de mal. Aussi fut-il choqué, un soir, d'entrer dans une cabine et de découvrir un tas de merde sur le couvercle du siège, durci, pointu, centré comme s'il avait été soigneusement déposé à un endroit bien calculé. On eût dit un petit chien pelotonné sur son tapis. C'était une mise en scène. Il pensa au refoulement bien connu des Anglais. La femme de son cousin, Ojiugo, avait dit un jour : « Les Anglais peuvent vivre à côté de toi pendant des années, mais ils ne te diront jamais bonjour. C'est comme s'ils se boutonnaient jusqu'au cou. » Il y avait dans cette mise en scène quelque chose qui ressemblait à une envie de se déboutonner. Un employé mis à la porte ? Privé d'une promotion ? Obinze resta en contemplation devant ce tas de merde, se recroquevillant de plus en plus jusqu'à le considérer comme un affront personnel, un direct à la mâchoire. Et tout ça pour trois livres de l'heure. Il retira ses gants, les déposa près du tas de merde et sortit de l'immeuble. Ce soir-là, il reçut un e-mail d'Ifemelu. *Ciel, je ne sais même pas par où commencer. Je suis tombée par hasard sur Kayode aujourd'hui au centre commercial. Dire que je regrette mon silence paraît stupide, même à moi, mais je le regrette et je me sens complètement stupide. Je te raconterai tout ce qui est arrivé. Tu m'as manqué et tu me manques.*

Il fixa longuement l'e-mail. C'était ce qu'il attendait, depuis si longtemps. Avoir de ses nouvelles. Quand elle avait cessé de lui écrire, il s'était inquiété pendant de longues semaines d'insomnie, errant dans la maison au milieu de la nuit, se demandant ce qui lui était arrivé. Ils ne s'étaient pas disputés, leur amour était aussi vif que jamais, leur projet d'avenir inchangé, et soudain le silence, un silence brutal, total. Il avait appelé, appelé et rappelé jusqu'à ce qu'elle change son numéro de téléphone, il avait envoyé des e-mails, contacté sa mère, Tante Uju, Ginika. Le ton de Ginika, quand elle avait dit : « Ifem a besoin d'un peu de temps, je crois qu'elle est déprimée », lui avait fait l'effet d'une douche froide. Ifemelu n'était pas devenue invalide ou aveugle à la suite d'un accident, elle ne souffrait pas d'une amnésie subite. Elle avait gardé le contact avec des gens comme Ginika et d'autres, mais pas avec lui. Elle ne *voulait* pas garder le contact avec *lui*. Il lui écrivit des e-mails, demandant qu'au moins elle lui explique pourquoi, ce qui était arrivé. Bientôt ses e-mails lui revinrent, elle avait fermé sa boîte, adresse inconnue. Elle lui manquait, un manque qui le tenaillait au plus profond de lui. Il lui en voulait. Il se demandait encore et encore ce qui s'était passé. Il changea, se replia sur lui-même. Il était, tour à tour, fou de rage ou plongé dans le désarroi, le cœur desséché de tristesse.

Et elle lui écrivait aujourd'hui. Son ton était le même, comme si elle ne lui avait rien fait, comme si elle ne l'avait pas laissé agoniser pendant plus de cinq ans. Pourquoi lui écrivait-elle maintenant ? Et lui, que pouvait-il lui dire, qu'il nettoyait des toilettes et s'était aujourd'hui même trouvé face à une spirale de merde ? Comment savait-elle qu'il était encore en vie ? Il aurait pu mourir pendant tout ce temps et elle ne l'aurait pas su. Un sentiment furieux de trahison le submergea. Il cliqua sur Effacer et Corbeille.

*

Son cousin Nicholas avait la mâchoire carrée d'un bouledogue et parvenait néanmoins à être très séduisant, sans doute pas à cause de ses traits mais de son aura, de sa haute stature, de ses épaules larges, de ses grandes enjambées masculines. À Nsukka, il avait été l'étudiant le plus populaire du campus : sa vieille Coccinelle cabossée garée devant un bar à bière conférait immédiatement un intérêt particulier aux buveurs qui se trouvaient là. Il était de notoriété publique que deux nanas de la bande des Big Chicks s'étaient battues pour lui au Bello Hostel, jusqu'à s'arracher leurs chemisiers, mais il était resté obstinément solitaire jusqu'à sa rencontre avec Ojiugo. C'était l'étudiante préférée de la mère d'Obinze, la seule capable d'être assistante de recherche, et elle s'était arrêtée chez eux un dimanche pour discuter d'un livre. Nicholas passait aussi par là, un rituel hebdomadaire, pour manger le riz du dimanche. Ojiugo avait du rouge à lèvres orange, un jean déchiré, s'exprimait sans détour et fumait en public, ce qui lui valait les remarques perfides et l'animosité des autres filles, non parce qu'elle se comportait ainsi mais parce qu'elle l'osait sans avoir vécu dans un autre pays ni avoir un parent étranger, caractéristiques qui auraient excusé son absence de conformisme. Obinze se souvenait de l'indifférence qu'elle avait montrée envers Nicholas au début, l'ignorant alors que lui, peu habitué au dédain d'une fille, parlait de plus en plus fort. Mais au bout du compte, ils étaient partis dans sa Volkswagen. Et ils parcouraient le campus à toute vitesse dans cette même Volkswagen, Ojiugo au volant, Nicholas passant le bras par la fenêtre, musique à tue-tête, virages sur les chapeaux de roue, embarquant un jour un ami dans le coffre ouvert. Ils fumaient et buvaient en public. Ils étaient des stars. Un jour on les vit dans un bar à bière, Ojiugo vêtue d'une seule grande chemise blanche appartenant à Nicholas, lui sans rien d'autre qu'un jean. « Les temps sont difficiles, aussi partageons-nous une seule tenue », dirent-ils nonchalamment à leurs amis.

Que Nicholas ait perdu la démesure de sa jeunesse ne surprit pas Obinze ; l'étonnant pour lui était qu'il n'en ait pas gardé le moindre souvenir. Marié, père de famille, propriétaire d'une maison en Angleterre, Nicholas s'exprimait avec une sobriété tellement austère qu'elle en était presque comique. « Si tu arrives en Angleterre avec un visa qui ne t'autorise pas à travailler, lui dit-il, la première chose à rechercher n'est ni de quoi manger ou boire, mais un numéro de la National Insurance qui te permette de travailler. Prends tous les jobs qui s'offrent à toi. Ne dépense rien. Épouse une ressortissante de l'Union européenne et obtiens tes papiers. Alors ta vie pourra commencer. » Nicholas parut penser qu'il avait apporté sa contribution, prononcé des paroles de sagesse, et dans les mois qui suivirent, il donna à peine signe de vie à Obinze. On eût dit qu'il n'était plus le grand cousin qui lui avait offert, à l'âge de quinze ans, sa première cigarette, qui avait tracé des schémas sur un morceau de papier pour montrer à Obinze ce qu'il fallait faire quand on mettait ses doigts entre les jambes d'une fille. Le week-end, il déambulait dans la maison, enveloppé de silence, couvant ses soucis. Ce n'était que lors des matchs d'Arsenal qu'il se détendait, une canette de Stella à la main, en compagnie d'Ojiugo et de ses enfants, Nna et Nne, criant : « Allez, Arsenal ! » Après le match, son visage se figeait à nouveau. Il rentrait du bureau, embrassait Ojiugo et les enfants, et demandait : « Comment ça va ? Qu'est-ce que vous avez fait, vous tous ? » Ojiugo énumérait toutes leurs activités. Violoncelle. Piano. Violon. Devoirs. Kumon. « Nne fait des progrès en déchiffrage », ajoutait-elle. Ou : « Nna ne s'est pas appliqué en Kumon et a eu deux mauvaises réponses. » Nicholas félicitait ou réprimandait chaque enfant, Nna avec sa mâchoire carrée de bouledogue et Nne qui avait hérité le beau visage large de sa mère. Il leur parlait exclusivement en anglais, un anglais soigné, comme s'il craignait que l'igbo qu'il utilisait avec leur mère les contamine et leur fasse perdre leur précieux accent anglais. Puis il disait : « Ojiugo, bravo. J'ai faim.

— Oui, Nicholas. »

Elle lui servait son dîner, sur un plateau dans son bureau ou devant la télévision de la cuisine. Obinze se demandait parfois si elle se penchait respectueusement devant lui pour poser le plateau ou si cette inclinaison était due à son maintien, à ses épaules voûtées et à la courbe de son cou. Nicholas lui parlait du même ton qu'à ses enfants. Obinze l'avait entendu dire : « Vous mettez tous la pagaïe dans mon bureau. Filez d'ici tout de suite. »

Elle avait dit : « Oui, Nicholas », et elle avait fait sortir les enfants. « Oui, Nicholas » était sa réponse à presque tout ce qu'il disait. Parfois, dans le dos de Nicholas, elle croisait le regard d'Obinze et faisait une grimace, gonflait ses joues en deux petits ballons, ou tirait la langue de côté. Cela rappelait à Obinze les mimiques outrancières des comédiens dans les films de Nollywood.

« Je pense toujours à la façon dont Nicholas et toi vous vous comportiez à Nsukka, dit Obinze un après-midi pendant qu'il l'aidait à découper un poulet.

— Ahn-ahn ! Sais-tu que nous baisions en public ? Nous l'avons fait à l'Arts Theatre. Et même à l'école de mécanique un après-midi, dans un coin tranquille du couloir ! » Elle rit. « Le mariage change bien des choses. Mais ce pays n'est pas facile. J'ai obtenu mes papiers parce que j'avais fini mes études ici, et il a eu les siens il y a seulement deux ans. Il a longtemps vécu dans l'angoisse, travaillant sous des noms d'emprunt. C'est quelque chose qui peut faire des trucs terribles dans ta tête, *eziokwu*. Rien n'a été facile pour lui non plus. Il a un très bon job à présent, mais c'est un contrat à durée déterminée. Il ne sait jamais s'il sera renouvelé. Il a eu une proposition intéressante en Irlande, tu sais que l'Irlande est en pleine expansion à présent et les programmeurs informatiques y sont très demandés, mais il n'a pas envie que nous nous installions là-bas. Pour les enfants, les écoles sont bien meilleures ici. »

Obinze choisit quelques flacons d'épices dans le buffet, assaisonna le poulet et mit la cocotte sur le feu.

« Tu mets de la noix de muscade dans le poulet ? demanda Ojiugo.

— Oui. Pas toi ?

— Moi, qu'est-ce que j'en sais ? Celle qui t'épousera tirera le gros lot. Au fait, qu'est-ce qui vous est arrivé à Ifemelu et à toi ? Je l'aimais bien.

— Elle est partie en Amérique, ses yeux se sont ouverts et elle m'a oublié. »

Ojiugo rit.

Le téléphone sonna. Chaque fois qu'il l'entendait, Obinze, qui espérait toujours recevoir un appel du bureau de placement, sentait un accès de panique lui serrer la poitrine et Ojiugo disait : « Calme-toi, le Zed, les choses vont s'arranger pour toi. Regarde mon amie Bose. Figure-toi qu'elle a fait une demande d'asile, a été rejetée et a vécu un enfer avant de finalement obtenir ses papiers. Maintenant elle est propriétaire de deux pépinières et possède une maison de vacances en Espagne. Cela t'arrivera aussi, ne t'inquiète pas, *rapuba*. » Il y avait une certaine vacuité dans ses paroles de réconfort, une façon machinale d'exprimer son soutien, qui n'impliquait aucun effort concret pour l'aider. Il se demandait parfois, sans lui en vouloir, si elle souhaitait vraiment qu'il trouve du travail, car alors il ne pourrait plus garder les enfants pendant qu'elle faisait un saut chez Tesco pour acheter du lait, ni préparer leur petit déjeuner tandis qu'elle leur faisait répéter leurs exercices avant de partir à l'école, Nne au piano ou au violon, Nna au violoncelle. Longtemps après, Obinze regretterait ces moments où il beurrait des toasts dans la pâle lumière du matin, où la musique se répandait à travers la maison, interrompue de temps en temps par la voix d'Ojiugo qui dispensait compliments ou critiques, disant : « Bravo ! Essaye encore une fois » ou « Tu joues comme un pied ! »

Plus tard dans l'après-midi, après qu'elle fut revenue de l'école avec les enfants, Ojiugo dit à Nna : « C'est votre oncle Obinze qui a fait cuire le poulet.

— Merci d'aider maman, Oncle, mais je crois que je vais me passer de poulet. » Il avait l'esprit espiègle de sa mère.

« Écoute-moi ce garçon, dit Ojiugo. Ton oncle est meilleur cuisinier que moi. »

Nna écarquilla les yeux. « OK, maman, si tu le dis. Est-ce que je peux regarder la télévision ? Juste dix minutes ?

— D'accord, dix minutes. »

C'était la demi-heure de repos après leurs devoirs et avant l'arrivée de leur professeur de français, et Ojiugo préparait des sandwichs à la confiture, ôtant soigneusement la croûte du pain. Nna alluma la télévision et tomba sur le show d'un musicien qui portait de grandes chaînes brillantes autour du cou.

« Maman, j'ai bien réfléchi, dit Nna. Je veux être rappeur.

— Tu ne peux pas être rappeur, Nna !

— Mais c'est ce que je veux, maman.

— Tu ne seras pas rappeur, chéri. Nous ne sommes pas venus à Londres pour que tu fasses du rap. » Elle se tourna vers Obinze, retenant un rire. « Tu vois un peu ce garçon ? »

Nne entra dans la cuisine, un Capri-Sun à la main. « Maman, puis-je en avoir un, s'il te plaît ?

— Oui, Nne », et, se tournant vers Obinze, elle répéta les paroles de sa fille avec un accent anglais exagéré. « Maman, puis-je en avoir un, s'il te plaît ? Tu entends cet accent super-chic ? Ha ! Ma fille ira loin. C'est pour ça que tout notre argent passe dans leur école, Brentwood. » Ojiugo déposa un baiser sonore sur le front de sa fille, et Obinze comprit, la voyant arranger machinalement une tresse sur la tête de Nne, qu'Ojiugo était parfaitement satisfaite de son sort. Un autre baiser sur le front de Nne. « Comment te sens-tu, Oyinneya ? demanda-t-elle.

— Très bien, maman.

— Demain, ne te contente pas de déchiffrer ce qu'ils te demandent. Continue plus loin, d'accord ?

— D'accord, maman. » Nne avait l'air grave d'une enfant décidée à faire plaisir aux adultes qui l'entouraient.

« C'est demain qu'elle passe son épreuve de violon, tu sais, et elle a du mal à déchiffrer », dit Ojiugo, comme si Obinze pouvait l'avoir oublié, comme s'il était possible de l'oublier alors qu'elle en parlait depuis des jours. Le week-end précédent, il était allé avec elle et les enfants à une fête d'anniversaire dans une salle de location sonore, où des petits Indiens et des petits Nigérians couraient de tous côtés, et Ojiugo lui avait parlé à l'oreille de certains enfants, celui qui était bon en maths mais ne savait pas écrire correctement, et celle qui était la grande rivale de Nne. Elle connaissait les résultats des tests récents de tous les enfants intelligents. Comme elle ne se souvenait pas des notes d'une petite Indienne, une amie proche de Nne, elle avait appelé sa fille pour le lui demander.

« Ahn-ahn, Ojiugo, laisse-la jouer », avait dit Obinze.

Ojiugo déposa un troisième baiser sur le front de Nne. « Mon trésor. Il va falloir trouver une robe pour la fête.

— Oui, maman. Quelque chose de rouge, non, bordeaux.

— Son amie donne une fête, une petite Russe, elles sont devenues amies parce qu'elles ont le même professeur de violon. La première fois que j'ai rencontré la mère de cette fille, je crois qu'elle avait sur le dos quelque chose d'illégal, comme la fourrure d'un animal protégé, et elle prétendait ne pas avoir l'accent russe, être plus britannique que les Britanniques.

— Elle est gentille, maman, dit Nne.

— Je n'ai pas dit qu'elle n'était pas gentille, mon trésor. »

Nna avait augmenté le volume de la télévision.

« Baisse le son, Nna, dit Ojiugo.

— Maman !

— Baisse-le immédiatement !

— Mais je n'entends rien, maman ! »

Il ne baissa pas le volume et elle n'insista pas, elle se tourna vers Obinze et reprit la conversation.

« À propos d'accent, dit Obinze, est-ce que Nna s'en tirerait aussi bien s'il n'avait pas un accent étranger ?

— Que veux-tu dire ?

— Tu sais, dimanche dernier, quand Chika et Bose sont venues avec leurs enfants, je me suis dit qu'ici les Nigérians passent beaucoup de choses à leurs enfants parce qu'ils ont un accent étranger. Les règles ne sont pas les mêmes.

— *Mba*, ce n'est pas une question d'accent. C'est parce qu'au Nigeria les gens inspirent de la crainte à leurs enfants au lieu de leur enseigner le respect. En ce qui nous concerne, nous ne voulons pas qu'ils aient peur de nous mais cela ne veut pas dire que nous leur passons tout. Le garçon sait que je lui donnerai une claque s'il fait des bêtises. Une vraie gifle.

— La dame fait trop de protestations, ce me semble[1].

— Oh, mais elle tiendra parole. » Ojiugo sourit. « Tu sais que je n'ai pas lu un livre depuis des lustres. Pas le temps.

— Ma mère disait que tu deviendrais une critique littéraire de premier plan.

— Oui. Avant que le fils de son frère me mette enceinte. » Ojiugo s'arrêta un instant, sans cesser de sourire. « Maintenant ce sont les enfants. Je veux que Nna aille à la City of London School. Et ensuite, si Dieu le veut, à Marlborough ou Eton. Nne est déjà une star en classe, et je sais qu'elle aura des bourses pour toutes les bonnes écoles. Tout tourne autour d'eux désormais.

— Un jour ils auront grandi, quitteront la maison et tu ne seras plus qu'une source d'embarras ou d'exaspération pour eux, ils ne répondront plus à tes coups de téléphone ou resteront sans t'appeler

1. Citation tirée de *Hamlet*, acte III, scène 2.

pendant des semaines », dit Obinze, et à peine eut-il prononcé ces paroles qu'il s'en mordit les lèvres. C'était mesquin, ce n'était pas vraiment ce qu'il avait eu l'intention de dire. Mais Ojiugo n'en prit pas ombrage, elle haussa les épaules et dit : « Alors je prendrai ma valise et j'irai me poster devant leur maison. »

Il était étonné qu'elle ne regrette pas tout ce qu'elle aurait pu être. Était-ce un trait de caractère inhérent aux femmes, ou avaient-elles appris à dissimuler leurs regrets personnels, à mettre entre parenthèses le cours de leurs existences, à dédier leurs vies aux seuls soins des enfants ? Elle surfait sur le Net et consultait les forums consacrés à l'enseignement, à la musique et aux écoles, et elle racontait à Obinze ce qu'elle avait découvert comme si elle pensait vraiment que le reste du monde devait être aussi intéressé qu'elle par le fait que la musique améliorait les aptitudes en mathématiques d'un enfant de neuf ans. Ou bien elle passait des heures au téléphone à parler avec ses amies, pour savoir quel était le meilleur professeur de violon, et quel cours particulier n'était que de l'argent jeté par la fenêtre.

Un jour, après être partie à la hâte accompagner Nna à sa leçon de piano, elle appela Obinze et lui dit en riant : « Peux-tu croire que j'ai oublié de me laver les dents ? » Elle revenait des réunions Weight Watchers en lui racontant combien elle avait perdu ou gagné de poids, lui offrant en riant une des barres chocolatées qu'elle avait cachées dans son sac. Puis elle s'inscrivit à un autre programme du même genre, assista à deux réunions du matin, et revint à la maison en lui disant : « Je n'y mettrai plus les pieds. Ils te traitent comme si tu avais un problème mental. J'ai dit non, tout va bien, merci, simplement j'aime le goût de ce que je mange, et voilà que cette femme me toise et dit que je refoule un conflit interne. Foutaise. Ces Blancs croient que tout le monde a les mêmes problèmes psychologiques qu'eux. » Elle avait doublé de volume depuis l'université, où elle s'habillait sans élégance particulière mais avec un certain style : des jeans retroussés au-dessus des chevilles, d'amples chemises découvrant une épaule. À présent ses vêtements avaient seulement un aspect négligé. Ses jeans laissaient apparaître un pli de chair rebondie à la hauteur de la taille qui déformait ses T-shirts, comme si quelque chose d'étranger poussait en dessous.

Parfois, ses amies passaient la voir et elles restaient assises à bavarder dans la cuisine avant de partir précipitamment chercher leurs enfants. Pendant ces semaines à attendre que le téléphone sonne, Obinze en vint à reconnaître leurs voix. Il les entendait distinctement depuis la toute petite chambre à l'étage où il lisait, allongé sur son lit.

« J'ai récemment fait la connaissance de cet homme, disait Chika, il est gentil *o*, mais il vient du fin fond de la brousse. Il a passé sa jeunesse à Onitsha, tu n'imagines pas son accent. Il dit *che* à la place de *ce*. Il faut que j'aille au chentre commercial. »

Elles rirent.

« En tout cas, il m'a dit qu'il veut bien m'épouser et adopter Charles. Il veut bien ? Comme s'il s'agissait d'une bonne œuvre. Vous imaginez ! Mais ce n'est pas sa faute, c'est parce que nous sommes à Londres. C'est le genre d'homme que je ne regarderais même pas au Nigeria, et avec qui je sortirais encore moins. Le problème c'est qu'à Londres on est tous logés à la même enseigne.

— Londres est une machine à niveler. Nous vivons tous à Londres et nous sommes censés être tous identiques, c'est absurde, dit Bose.

— Peut-être devrait-il se chercher une Jamaïcaine », dit Amara. Son mari l'avait quittée pour une Jamaïcaine, avec laquelle il s'était avéré qu'il avait un enfant caché de quatre ans, et elle s'arrangeait toujours pour amener la conversation sur les Jamaïcaines. « Ces femmes des Caraïbes nous prennent nos hommes et nos hommes sont assez idiots pour les suivre. Et bientôt, elles ont un enfant et elles ne cherchent pas à se marier *o*, elles veulent seulement une pension alimentaire. Elles passent leur temps à dépenser leur argent, se coiffer et se faire les ongles.

— Oui », approuvèrent Bose, Chika et Ojiugo. Une approbation de routine, machinale : le bien-être émotionnel d'Amara importait plus que ce qu'elles croyaient en réalité.

Le téléphone sonna. Ojiugo répondit et revint en disant : « Cette femme qui vient d'appeler, c'est quelqu'un de vraiment spécial. Sa fille et Nne font partie du même orchestre. Je l'ai rencontrée quand Nne a passé son premier examen. C'est une Noire, elle est arrivée dans sa Bentley, avec chauffeur et tout le tremblement. Elle m'a demandé où nous habitions, et quand je le lui ai dit, j'ai su tout de suite ce qui traversait son esprit : comment quelqu'un qui habite l'Essex peut prétendre au National Children's Orchestra ? Alors j'ai décidé de semer le trouble et je lui ai dit : Ma fille est à Brentwood, et vous auriez dû voir sa tête ! Vous savez, les gens comme nous ne sont pas censés parler d'école privée ni de musique. Le mieux que nous puissions désirer est une bonne école publique. J'ai regardé la femme et ri en moi-même. Puis elle a commencé à me faire remarquer que l'école de musique pour les enfants coûtait très cher. Elle n'a cessé de dire que c'était hors de prix, comme si elle avait vu mon compte en banque vide. Vous vous rendez compte *o* ! C'est une de ces Noires qui veut être la seule Noire dans la pièce, toute autre Noire est pour elle une menace immédiate. Elle vient de m'appeler à l'instant pour me parler d'une fille de onze ans qui a obtenu une mention bien et n'a pas été admise au National Children's Orchestra. Pourquoi donc m'appelle-t-elle juste pour me raconter cette histoire d'échec ?

— Une ennemie du progrès ! dit Bose.

— Elle est jamaïcaine ? demanda Amara.

— C'est une Britannique. Je ne sais pas d'où est originaire sa famille.

— Probablement de la Jamaïque », conclut Amara.

CHAPITRE 25

Malin, c'était le mot que tout le monde employait pour décrire Emenike au lycée. Malin, disaient-ils, pleins de l'admiration perfide qu'ils éprouvaient à son égard. Un type malin. Un garçon malin. Si des questions d'examen fuitaient, Emenike savait comment se les procurer. Il savait aussi que telle fille s'était fait avorter, que telle propriété appartenait à des parents d'étudiants fortunés, que tels professeurs couchaient ensemble. Il parlait toujours vite, avec détermination, comme si chaque conversation était un débat, la vitesse et la force de sa parole exprimant l'autorité et décourageant la contestation. Il savait, et était avide de savoir. Chaque fois que Kayode revenait de ses vacances à Londres, rempli d'importance, Emenike le questionnait sur les musiques à la mode et les derniers films, puis examinait ses vêtements et ses chaussures. Il demandait, les yeux brillants d'une envie féroce : « C'est quel couturier ? Quelle marque ? » Il avait dit à tout le monde que son père était l'*igwe* de sa ville natale, et qu'il l'avait envoyé à Lagos vivre chez un oncle jusqu'à l'âge de vingt et un ans, pour lui éviter les pressions d'une vie princière. Mais un jour un vieil homme était arrivé à l'école, en pantalon rapiécé au genou, le visage émacié, le corps courbé sous le poids de l'humilité due à la pauvreté. Tous les garçons avaient ri en découvrant qu'il était le père d'Emenike. Les moqueries furent vite oubliées, peut-être parce que personne n'avait vraiment cru à cette histoire de prince – Kayode, dans son dos, l'appelait toujours le Paysan. Ou peut-être avaient-ils besoin d'Emenike, qui possédait des informations que personne d'autre n'avait. C'était son assurance qui avait attiré Obinze. Emenike était un des rares élèves pour qui « lire » ne voulait pas dire « étudier », et ils passaient des heures à parler de livres, à échanger leurs connaissances, à jouer au Scrabble. Leur amitié avait grandi. À l'université, quand Emenike partageait une chambre avec lui dans le quartier des garçons de la maison de sa mère, les gens le prenaient souvent pour un parent. « Que devient ton frère ? » demandait-on à Obinze, et il répondait : « Il va bien », sans prendre la peine d'expliquer qu'Emenike et lui n'étaient pas parents. Mais il y avait beaucoup de choses concernant Emenike qu'il ne connaissait pas, des choses au sujet desquelles il savait qu'il valait mieux ne pas poser de questions. Emenike quittait souvent l'école pendant des semaines, disant vaguement qu'il était « rentré chez lui », et il parlait interminablement de gens qui « avaient réussi » à l'étranger. Il montrait la fébrilité, l'impatience de quelqu'un qui estimait que le hasard lui avait par erreur attribué un rang indigne de sa vraie destinée. Quand il partit en Angleterre pendant une grève en deuxième année, Obinze ne sut jamais comment il avait obtenu un visa. Malgré tout, il était content pour lui. Emenike était mûr, débordant d'ambition, et Obinze considéra son visa comme une grâce : cette ambition finirait par être satisfaite. Elle le fut rapidement, semblait-il, Emenike n'envoyant que d'excellentes nouvelles : son doctorat terminé, son job à l'agence du logement, son mariage avec une Anglaise qui était avocate à la City.

Emenike fut la première personne qu'Obinze appela à son arrivée en Angleterre.

« Le Zed ! C'est super d'avoir de tes nouvelles ! Je te rappelle. Je suis sur le point d'entrer en réunion de direction », dit Emenike. La deuxième fois qu'Obinze appela, Emenike parut un peu agacé. « Je suis à Heathrow, Georgina et moi partons à Bruxelles pour une semaine. Je te rappellerai dès mon retour. Je suis impatient de rattraper le temps perdu, mon vieux ! » La réponse d'Emenike dans son e-mail avait été similaire. *Tellement content que tu viennes par ici, mon vieux, impatient de te revoir*. Obinze avait espéré, bêtement, qu'Emenike le prendrait sous son aile, lui montrerait la voie. Il connaissait de nombreuses histoires d'amis et de parents qui, sous l'éclairage brutal de la vie à l'étranger, étaient devenus des avatars peu fiables et même hostiles de ce qu'ils avaient été. Mais était-ce à cause de l'obstination de l'espoir, du besoin de croire en sa propre singularité, que ces choses ne semblaient arriver qu'à des gens dont les amis étaient différents des vôtres ? Il appela d'autres amis.

Nosa, qui était parti juste après son diplôme, vint le chercher à la sortie du métro et l'emmena en voiture jusqu'à un pub où d'autres amis vinrent bientôt les rejoindre. Ils évoquèrent en riant l'époque de leurs études, donnèrent peu de détails sur leur nouvelle vie. Quand Obinze dit qu'il avait besoin d'avoir un numéro de Sécurité sociale, et demanda : « Les gars, comment dois-je m'y prendre ? » ils secouèrent tous vaguement la tête.

« Faut se tenir au courant, mon vieux, dit Chidi.

— Essaye de te rapprocher du centre de Londres. Tu es trop loin de tout dans l'Essex », dit Wale.

Comme Nosa le reconduisait au métro un peu plus tard, Obinze demanda : « Et toi, où travailles-tu ?

— Sous terre. Une arnaque, mais les choses vont s'améliorer. » Bien qu'Obinze ait compris qu'il parlait du métro, les mots « sous terre » évoquèrent des tunnels sinistres qui plongeaient aux tréfonds de la terre et continuaient indéfiniment, n'aboutissant nulle part.

« Et M. Emenike le Malin ? demanda Nosa d'un ton acerbe. Il s'en tire très bien et habite Islington avec sa femme *oyinbo* qui est assez vieille pour être sa mère. Il est devenu snob *o*. Il ne parle plus aux gens ordinaires. Il pourrait t'aider à te débrouiller.

— Il voyage énormément, on n'a pas eu le temps de se voir, dit Obinze, conscient que sa réponse manquait de conviction.

— Et comment va ton cousin Iloba ? demanda Nosa. Je l'ai rencontré l'année dernière au mariage du frère d'Emeka. »

Obinze avait oublié qu'Iloba vivait maintenant à Londres ; il l'avait vu pour la dernière fois quelques jours avant la remise des diplômes. Iloba venait du village natal de sa mère, mais il parlait avec un tel enthousiasme de leur proximité que tout le monde sur le campus croyait qu'ils étaient cousins. Il rejoignait souvent Obinze, souriant et sans y être invité, et se mêlait à ses amis dans un bar au bord de la route, ou il apparaissait à sa porte le dimanche quand il se reposait, engourdi par la torpeur de l'après-midi. Un jour, Iloba avait abordé Obinze dans la cour du bâtiment des Études générales en l'appelant chaleureusement « cousin ! », et il lui avait fait le récapitulatif des mariages et des décès de gens originaires de la ville de sa mère qu'il connaissait à peine. « Udoakpuanyi est mort il y a quelques semaines. Tu ne le connaissais pas ? Leur maison est voisine de celle de ta mère. » Obinze hochait la tête et émettait les sons appropriés, pour faire plaisir à Iloba, dont l'abord était toujours si aimable et si spontané, avec ses pantalons trop étroits et trop courts qui découvraient ses chevilles osseuses ; ils lui avaient valu le surnom d'Iloba la Sauterelle bientôt transformé en Loba Jobard.

Obinze obtint son numéro de téléphone par Nicholas et l'appela.

« Le Zed ! Cousin ! Tu ne m'as pas dit que tu venais à Londres ! dit Iloba. Comment va ta mère ? Et ton oncle, celui qui s'est marié avec quelqu'un d'Abagana ? Comment va Nicholas ? » Iloba semblait simplement heureux. Certaines personnes sont de naissance incapables de se laisser envahir par des sentiments négatifs, embarquer dans des complications, et Iloba faisait partie de ces gens-là. Face à eux, Obinze ressentait de l'admiration et de l'ennui. Quand il demanda à Iloba s'il pouvait l'aider à obtenir un numéro de Sécurité sociale, il aurait compris qu'il montre un peu de dépit, d'amertume – après tout, il l'avait contacté uniquement pour lui demander un service – mais, à son grand étonnement, Iloba fut sincèrement désireux de l'aider.

« Je te laisserais bien utiliser le mien, mais j'en ai besoin pour travailler et c'est risqué, dit-il.

— Où travailles-tu ? demanda Obinze.

— Dans le centre de Londres. Agent de sécurité. Ce n'est pas facile, ce pays n'est pas facile, mais on se débrouille. Le service de nuit me plaît parce que cela me donne du temps pour étudier. Je prépare un master en management à l'université Birkbeck. » Iloba marqua une pause. « Ne t'en fais pas, le Zed, nous allons tous nous creuser la cervelle. Je vais chercher autour de moi et je te ferai signe. »

Iloba appela deux semaines plus tard pour dire qu'il avait trouvé quelqu'un. « Il s'appelle Vincent Obi. Il vient de l'État d'Abia. Un de mes amis a eu le contact. Il veut te voir demain soir. »

Ils se rencontrèrent chez Iloba. L'appartement était étouffant, l'environnement de béton dépourvu d'arbres, les murs lépreux des immeubles, tout paraissait trop petit, étriqué.

« Très sympa, ton appart, Loba Jobard », dit Obinze, non parce que l'appartement était agréable, mais parce que Iloba avait un endroit où loger à Londres.

« Je t'aurais bien proposé d'habiter avec moi, le Zed, mais je vis ici avec deux de mes cousins. » Iloba posa des bouteilles de bière et une petite assiette de *chin-chin* frit sur la table. Devant ce rituel de l'hospitalité, le mal du pays s'empara d'Obinze. Il lui rappelait son retour au village avec sa mère à Noël, les tantes qui lui offraient des assiettes de *chin-chin*.

Vincent Obi était un petit homme rondouillard perdu dans un jean trop large et un vilain manteau. Tandis qu'Obinze et lui se serraient la main, ils se jaugèrent réciproquement. Dans le port de ses épaules, dans ses manières acerbes, Obinze sentit que Vincent avait très tôt appris, par nécessité, à se débrouiller seul. Il se figura son existence au Nigeria : une école secondaire communautaire pleine d'enfants aux pieds nus, une école technique payée grâce à l'aide de plusieurs oncles, une famille nombreuse et une foule de personnes à charge dans son village qui, chaque fois qu'il leur rendait visite, s'attendait à le voir distribuer équitablement miches de pain et argent de poche. Obinze se vit à travers le regard de Vincent : un gosse d'universitaire qui avait grandi en mangeant du beurre et venait maintenant lui demander son aide. Au début Vincent affecta un accent britannique, disant « s'pas » à tout bout de champ.

« Ce sont les affaires, s'pas, mais en même temps je t'aide, dit-il. Tu peux utiliser mon numéro de Sécurité sociale, et tu me donnes quarante pour cent de ce que tu gagnes. Ce sont les affaires, s'pas. Si je ne touche pas ce qui est convenu, je te dénonce.

— Mon frère, dit Obinze, c'est un peu trop. Tu connais ma situation. Je n'ai rien. S'il te plaît, essaye de réduire.

— Trente-cinq pour cent, c'est tout ce que je peux faire. Ce sont les affaires. » Il avait perdu son accent et parlait anglais nigérian à présent. « Laisse-moi te dire que beaucoup de gens sont dans ta situation. »

Iloba s'adressa à lui en igbo. « Vincent, mon frère que tu vois ici avec nous essaye d'économiser de l'argent et d'avoir ses papiers. Trente-cinq c'est trop, *o rika, biko*. S'il te plaît, essaye de nous aider.

— Vous savez que certains prennent la moitié. Oui, il est dans cette situation, mais nous sommes tous dans une situation. Je l'aide mais ce sont les affaires. » L'igbo de Vincent avait une intonation campagnarde. Il posa la carte de Sécurité sociale sur la table et était déjà en train d'inscrire le numéro de son compte bancaire sur un bout de papier quand le téléphone d'Iloba sonna. Ce soir-là, comme tombait le crépuscule et que le ciel se couvrait d'une ombre violet pâle, Obinze devint Vincent.

CHAPITRE 26

Après son expérience avec la spirale de merde sur le couvercle des toilettes, Obinze informa son agence qu'il ne reprendrait pas ce travail. Il éplucha les offres d'emploi dans les journaux, passa des coups de téléphone et continua d'espérer, jusqu'à ce que l'agence lui propose un autre boulot, le nettoyage de larges allées d'un entrepôt d'empaquetage de détergents. Un Brésilien, le teint olivâtre et les cheveux noirs, nettoyait le bâtiment voisin du sien. « Je m'appelle Vincent, dit Obinze quand ils se rencontrèrent dans l'arrière-salle.

— Et moi Dee. » Un silence. « Non, tu n'es pas anglais. Tu peux le prononcer. Mon vrai nom est Duerdinhito, mais les Anglais, ils n'arrivent pas à le prononcer, alors ils m'appellent Dee.

— Duerdinhito, répéta Obinze.

— Oui ! » Un sourire ravi. Un petit lien entre étrangers. Ils parlèrent, tout en vidant leurs aspirateurs, des Jeux olympiques de 1996, Obinze se vantant que le Nigeria ait battu le Brésil et l'Argentine.

« Kanu était bon, je dois l'admettre, dit Duerdinhito. Mais le Nigeria a eu de la chance. »

Chaque soir, Obinze était couvert d'une poudre chimique blanche. Ses oreilles le grattaient. Il s'efforçait de ne pas respirer trop profondément, s'inquiétant des dangers qui flottaient dans l'air, jusqu'au jour où son chef d'équipe lui déclara qu'il était renvoyé à cause d'une réduction d'effectifs. Le job suivant fut un remplacement temporaire dans une entreprise de livraison de cuisines, des semaines entières à rester assis à côté de chauffeurs blancs qui l'appelaient « tâcheron », des chantiers pleins de bruits et de casques, des planches de bois à transporter dans d'interminables escaliers, sans aide, ignoré. Dans le silence qu'ils gardaient en route, et à la manière dont ils l'appelaient « tâcheron », Obinze mesurait le mépris des chauffeurs. Un jour qu'il trébucha et atterrit à plat ventre par terre, une chute si violente qu'il revint au camion couvert de contusions, le chauffeur dit aux autres ouvriers : « Il s'est foutu par terre et il a l'œil au beurre noir. » Ils s'esclaffèrent. Leur hostilité lui restait sur le cœur, mais jusqu'à un certain point seulement ; l'important était qu'il gagnait quatre livres de l'heure, davantage avec les heures supplémentaires, et quand il fut transféré dans un nouvel entrepôt à West Thurrock, il s'inquiéta de ne plus pouvoir faire d'heures supplémentaires.

Le responsable de l'entrepôt était l'archétype de l'Anglais qu'Obinze avait toujours eu à l'esprit, grand et mince, blond aux yeux bleus. Mais il était souriant, et dans l'imagination d'Obinze, les Anglais n'étaient pas du type souriant. Il s'appelait Roy Snell. Il serra la main d'Obinze avec vigueur.

« Alors, Vincent, tu es originaire d'Afrique ? » demanda-t-il à Obinze en lui faisant visiter l'entrepôt, de la taille d'un terrain de football, beaucoup plus vaste que le précédent, grouillant de camions en cours de chargement, de cartons prêts à être transformés en profondes boîtes d'emballage, d'hommes en train de discuter.

« Oui, je suis né à Birmingham et je suis retourné au Nigeria quand j'avais six ans. » C'était l'histoire qu'Iloba et lui avaient jugée la plus convaincante.

« Pourquoi es-tu revenu ? La situation est-elle vraiment si mauvaise au Nigeria ?

— Je voulais seulement voir si je pouvais avoir une vie meilleure ici. »

Roy Snell hocha la tête. C'était apparemment le genre d'homme à qui s'appliquait le mot « jovial ». « Tu travailleras avec Nigel aujourd'hui, c'est le plus jeune », dit-il en désignant un garçon pâle au corps lourd, aux cheveux bruns hirsutes, avec un visage quasi angélique. « Je suis sûr que tu te plairas ici, Vinny Boy ! » Il lui avait fallu cinq minutes pour passer de Vincent à Vinny Boy, et, au cours des mois suivants, quand ils jouaient au ping-pong durant la pause du déjeuner, Roy disait aux hommes : « Il faut que je batte Vinny Boy au moins une fois ! » Et ils riaient et répétaient : « Vinny Boy. »

Obinze s'amusait du sérieux avec lequel les hommes feuilletaient leurs journaux tous les matins, s'arrêtant sur la photo de la femme aux gros seins, l'examinant comme s'il s'agissait d'un article du plus grand intérêt, comme si la photo était différente de celle de la veille ou de la semaine précédente. Leurs conversations, quand ils attendaient que leurs camions soient chargés, concernaient toujours les voitures et le football et, par-dessus tout, les femmes, chacun d'eux racontant une histoire qui paraissait trop apocryphe et trop similaire à celle de la veille ou de la semaine précédente, et chaque fois qu'ils parlaient de petites culottes – *la nana a montré sa culotte* –, Obinze était hilare, car les culottes étaient, au Nigeria, des shorts et non des sous-vêtements, et il imaginait ces filles nubiles vêtues de shorts mal coupés, semblables à ceux qu'il portait quand il était au lycée.

Roy Snell l'accueillait le matin en lui plantant un doigt dans l'estomac. « Vinny Boy ! Tout va bien ? » demandait-il. Il mettait toujours le nom d'Obinze sur la liste des travaux à l'extérieur qui étaient mieux payés, lui demandait toujours s'il voulait travailler le week-end, où les heures comptaient double, lui posait toujours des questions sur les filles. Comme s'il éprouvait une affection particulière pour lui, protectrice et bienveillante.

« Tu n'as pas baisé depuis que tu es arrivé en Angleterre, hein, Vinny Boy ? Je pourrais te donner le numéro d'une fille, dit-il un jour.

— J'ai une petite amie au pays, dit Obinze.

— Et en quoi ça t'empêche de tirer un coup ? »

Quelques hommes près d'eux se gondolèrent.

« Ma petite amie a des pouvoirs magiques. »

Obinze ne s'attendait pas à ce que Roy trouve la réponse aussi désopilante. Il le vit se tordre de rire. « Elle fait dans la sorcellerie, alors ? Très bien, pas de baise pour toi. J'ai toujours voulu aller en Afrique, Vinny Boy. Je crois que je prendrai des vacances pour visiter le Nigeria quand tu rentreras. Tu pourras me montrer le pays, me trouver des filles, Vinny Boy, mais pas de sorcières !

— Oui, je pourrai faire ça.

— Oh, je sais que tu le peux ! J'ai l'impression que tu sais comment y faire avec les filles », dit Roy en lui flanquant un autre petit coup dans l'estomac.

Roy demandait souvent à Obinze de faire équipe avec Nigel, peut-être parce qu'ils étaient les plus jeunes de l'entrepôt. Ce matin-là, Obinze remarqua que les autres employés, qui buvaient leur café dans des gobelets en carton tout en vérifiant sur le tableau la composition des équipes, se moquaient de Nigel. Nigel n'avait plus de sourcils, les taches de peau rosâtre à leur emplacement donnaient à son visage rebondi un aspect inachevé, étrange.

« Je me suis bourré la gueule au pub et les copains m'ont rasé les sourcils », dit Nigel à Obinze, comme s'il s'excusait, tandis qu'ils se serraient la main.

« Plus de baise pour toi jusqu'à ce que tes sourcils aient repoussé, mon vieux », lança un des hommes au moment où Nigel et Obinze se dirigeaient vers le camion. Obinze amarra les machines à laver à l'arrière, ajustant les sangles jusqu'à ce qu'elles soient bien serrées, puis il monta à bord et étudia la carte à la recherche des trajets les plus courts pour atteindre leurs adresses de livraison. Nigel prenait les virages sur les chapeaux de roue et râlait sur la façon dont les gens conduisaient de nos jours. À un feu rouge, il sortit une bouteille d'eau de Cologne du sac qu'il avait posé à ses pieds, en vaporisa un peu sur sa nuque puis l'offrit à Obinze.

« Non merci », dit Obinze. Nigel haussa les épaules. Quelques jours plus tard, il lui en offrit à nouveau. L'intérieur du camion empestait l'eau de Cologne et Obinze avalait de temps en temps de grandes bouffées d'air par la vitre ouverte.

« Tu arrives d'Afrique. Tu n'as pas vu les monuments de Londres, n'est-ce pas, mec ?

— Non », dit Obinze.

C'est ainsi que, après les livraisons matinales dans le centre de la ville, Nigel lui faisait faire un tour, lui montrait Buckingham Palace, le Parlement, Tower Bridge, sans cesser de parler de l'arthrite de sa mère et des nichons de sa petite amie. Obinze mit un certain temps à bien comprendre tout ce que disait Nigel, à cause de son accent, qui n'était qu'une version plus marquée des accents des gens avec lesquels Obinze avait travaillé, chaque mot tordu et étiré jusqu'à ce qu'il sorte de leurs bouches transformé en autre chose. Un matin, Nigel avait dit « *male* » et Obinze avait entendu « *mile* », et quand il avait enfin compris ce que Nigel voulait dire, Nigel avait ri et dit : « Tu parles comme les gens de la haute, hein ? De l'africain snob. »

Il travaillait à l'entrepôt depuis plusieurs mois quand un jour, après avoir livré un nouveau réfrigérateur dans Kensington, Nigel dit, en parlant de l'homme âgé qui était entré dans la cuisine :

« C'est un type de la haute, celui-là. » Il avait un ton admiratif, un peu intimidé. L'homme était échevelé et soignait une gueule de bois, sa robe de chambre ouverte sur sa poitrine, et il avait dit d'un ton désagréable : « Vous savez réellement comment monter ce truc-là ? » comme s'il pensait qu'ils en étaient incapables. Obinze fut stupéfait : sous prétexte que Nigel trouvait que cet homme était « un type de la haute », il ne se plaignit pas de la saleté de la cuisine, comme il l'aurait fait d'habitude. Et si cet homme avait eu un accent populaire, il l'aurait traité de radin pour ne pas leur avoir donné de pourboire.

Ils approchaient du lieu de leur prochaine livraison, et Obinze venait de téléphoner pour prévenir qu'ils étaient presque arrivés, quand Nigel lâcha tout à trac : « Comment tu t'y prends avec une fille qui te plaît ?

— Que veux-tu dire ? demanda Obinze.

— La vérité, en fait, c'est que je ne baise pas Haley. Elle me plaît mais je ne sais pas comment le lui dire. L'autre jour je suis passé devant sa maison et il y avait un autre type. » Nigel s'interrompit. Obinze s'efforça de rester impassible. « Tu as l'air de savoir parler aux filles, mec, ajouta Nigel.

— Dis-lui simplement qu'elle te plaît », dit Obinze, se rappelant avec quel naturel Nigel, en présence des autres à l'entrepôt, racontait souvent comment il baisait Haley, et qu'une fois il avait baisé une amie d'Haley pendant que celle-ci était en vacances. « Tu n'y vas pas par quatre chemins. Tu dis seulement : Écoute, tu me plais et je te trouve belle. »

Nigel lui adressa un regard mortifié. Il s'était visiblement persuadé qu'Obinze était un maître dans l'art de séduire les femmes et il attendait de lui une profondeur qu'Obinze, tandis qu'il chargeait le lave-vaisselle sur un chariot et le roulait vers la porte, aurait souhaité avoir. Une Indienne leur ouvrit, une grosse dame qui leur proposa aimablement du thé. On leur offrait souvent du thé ou de l'eau. Une fois, une femme à l'air triste avait offert à Obinze un petit pot de confiture faite maison. Il avait hésité mais il avait compris que son affliction serait aggravée par son refus, et il avait emporté le pot de confiture chez lui où il languissait toujours dans le réfrigérateur, fermé.

« Merci, merci », dit l'Indienne tandis que Nigel et Obinze installaient le nouveau lave-vaisselle et emportaient l'ancien.

À la porte, elle donna un pourboire à Nigel. Nigel était le seul chauffeur qui les partageait en deux avec Obinze, les autres feignaient d'oublier. Un jour où Obinze travaillait avec un autre chauffeur, une vieille Jamaïcaine avait fourré un billet de dix livres dans sa poche pendant que le chauffeur avait le dos tourné. « Merci, frère », avait-elle dit, et il avait eu envie d'appeler sa mère à Nsukka pour le lui raconter.

CHAPITRE 27

Un crépuscule maussade tombait sur Londres lorsque Obinze pénétra dans le café-librairie et s'assit devant un moka et un scone aux myrtilles. Ses plantes de pied étaient agréablement endolories. Il ne faisait pas très froid ; il avait transpiré dans le manteau de laine de Nicholas qui était maintenant suspendu au dos de sa chaise. C'était sa sortie de la semaine : aller au café-librairie, s'offrir un café hors de prix, lire autant qu'il le pouvait gratuitement, et redevenir Obinze. Parfois il demandait qu'on le dépose au centre de Londres après une livraison et il faisait un tour avant de terminer dans une librairie et de s'asseoir par terre à l'écart du monde. Il lisait des romans américains contemporains, parce qu'il espérait y trouver un écho, une forme à ses attentes, une idée de l'Amérique dont il avait rêvé faire partie. Il voulait être au courant de la vie quotidienne en Amérique, savoir ce que mangeaient les gens et ce qui les motivait, ce qui leur faisait honte et ce qui les attirait, mais il lisait roman après roman et était toujours déçu : rien n'était grave, rien n'était sérieux, rien n'était urgent, et presque tout se diluait en une ironique vacuité. Il lisait les journaux et les magazines américains, mais se bornait à feuilleter les journaux anglais parce qu'ils contenaient de plus en plus d'articles sur l'immigration, et que chacun lui serrait la poitrine d'une inquiétude nouvelle. *Les écoles submergées par les demandeurs d'asile*. Il n'avait toujours pas trouvé quelqu'un. La semaine précédente, il avait rencontré deux Nigérians, des amis éloignés d'un ami, qui disaient connaître une femme d'Europe de l'Est, et il leur avait payé cent livres. À présent, ils ne le rappelaient pas au téléphone et leurs portables étaient directement branchés sur leurs boîtes vocales. Il avait à peine mangé la moitié de son scone. Il ne s'était pas rendu compte de la rapidité avec laquelle le café s'était rempli. Il se sentait bien, confortablement installé, plongé dans un article de magazine, quand une femme et un petit garçon s'approchèrent et demandèrent s'ils pouvaient partager sa table. Ils avaient la peau marron clair et les cheveux noirs. Il pensa qu'ils venaient du Bangladesh ou du Sri Lanka.

« Bien sûr », dit-il, et il déplaça sa pile de livres et de magazines, bien qu'elle ne se trouvât pas du côté de la table qu'ils allaient utiliser. Le petit garçon paraissait avoir huit ou neuf ans, portait un pull Mickey et tenait fermement une Game Boy bleue. La femme avait un anneau dans le nez, une bricole minuscule en verre qui scintillait quand elle remuait la tête d'un côté et de l'autre. Elle demanda s'il avait assez de place pour ses magazines et s'il désirait qu'elle déplace un peu sa chaise. Puis elle dit à son fils, d'un ton rieur manifestement destiné à Obinze, qu'elle n'avait jamais été très sûre que ces bâtonnets de bois à côté des paquets de sucre fussent destinés à remuer le café.

« Je ne suis pas un bébé ! protesta le petit garçon quand elle voulut découper son muffin.

— J'ai seulement pensé que ce serait plus facile pour toi. »

Obinze leva les yeux et vit qu'elle s'adressait à son fils mais l'observait, lui, avec dans le regard une lueur mélancolique. Elle était prometteuse, cette rencontre de hasard avec une inconnue, la pensée de chemins sur lesquels elle pourrait le conduire.

Le petit garçon avait un adorable visage éveillé. « Tu vis à Londres ? demanda-t-il à Obinze.

— Oui », dit Obinze, mais ce oui ne racontait pas son histoire, à savoir qu'il vivait en effet à Londres mais une existence invisible, sa vie ressemblant à un dessin au crayon effacé ; chaque fois qu'il voyait un policier, ou quelqu'un en uniforme, affichant la moindre trace d'autorité, il devait lutter contre son envie de prendre ses jambes à son cou.

« Il a perdu son père l'année dernière, dit la femme, d'une voix plus basse. C'est la première visite à Londres que nous faisons sans lui. Nous avions l'habitude de venir tous les ans avant Noël. » La femme hochait sans arrêt la tête en parlant et l'enfant paraissait contrarié, comme s'il aurait préféré qu'Obinze ne soit pas au courant.

« Je suis désolé, dit Obinze.

— Nous sommes allés à la Tate, dit le garçon.
— Ça t'a plu ? »
Il fit la grimace. « C'était ennuyeux. »
Sa mère se leva. « Nous devons y aller. Nous allons au théâtre. » Elle se tourna vers son fils et ajouta : « Tu ne prends pas ta Game Boy. Tu le sais. »

Le garçon ignora sa remarque, dit au revoir à Obinze et se tourna vers la porte. La mère adressa à Obinze un long regard, encore plus mélancolique que le précédent. Peut-être avait-elle aimé profondément son mari et s'étonnait-elle aujourd'hui de se sentir à nouveau attirée par quelqu'un. Il les regarda partir, hésitant à se lever et à lui demander son adresse, tout en sachant qu'il ne le ferait pas. Il y avait chez cette femme quelque chose qui évoquait l'amour et, comme toujours dans ces cas-là, l'image d'Ifemelu lui vint à l'esprit. Puis, brusquement, une pulsion sexuelle l'envahit. Une vague de luxure. Il voulait baiser une fille. Il allait envoyer un texto à Tendai. Ils s'étaient rencontrés à une fête où l'avait emmené Nosa et il avait atterri, ce soir-là, dans son lit. Tendai, une Zimbabwéenne avertie, large de hanches, qui aimait s'éterniser dans son bain. Elle l'avait regardé avec stupéfaction la première fois qu'il avait fait le ménage dans son appartement et préparé un riz jollof. Elle avait si peu l'habitude d'être bien traitée par un homme qu'elle passait son temps à l'observer, anxieusement, les yeux voilés, comme si elle retenait son souffle, s'attendant à être maltraitée. Elle savait qu'il n'avait pas ses papiers. « Sinon tu serais le genre de Nigérian qui bosse dans l'informatique et roule en BMW », avait-elle dit. Elle avait un permis de séjour britannique et aurait un passeport dans un an, et elle avait laissé entendre qu'elle serait peut-être disposée à l'aider. Mais il redoutait la complication de l'épouser pour avoir ses papiers ; un jour elle se réveillerait et se persuaderait que ce n'était pas seulement une histoire de papiers.

Avant de quitter la librairie, il envoya un texto à Tendai : *Est-ce que tu es chez toi ? Je serais bien passé te voir*. Il tombait un crachin glacé tandis qu'il se dirigeait vers le métro, des petites gouttes de pluie qui aspergeaient le col de son manteau, et quand il atteignit la station, il fut frappé par la quantité de crachats qui maculaient les marches. Pourquoi les gens n'attendaient-ils pas d'être sortis pour cracher ? Il s'assit sur le siège taché du train assourdissant, en face d'une femme qui lisait le journal du soir. *Parlez anglais chez vous, dit Blunkett aux immigrants*. Il imagina l'article qu'elle était en train de lire. La presse en publiait des tonnes sur le sujet, qui était repris à la radio et à la télévision, et même dans les propos d'une bonne partie des hommes de l'entrepôt. Le vent qui soufflait à travers les îles Britanniques était chargé des peurs suscitées par les demandeurs d'asile, engendrant chez tous la crainte d'une catastrophe imminente, et ces articles étaient écrits et lus, naturellement et avec obstination, comme si leurs auteurs vivaient dans un monde déconnecté du passé, sans avoir jamais envisagé que cette situation était un développement naturel de l'histoire : l'afflux en Angleterre de citoyens à la peau noire ou brune venant de pays créés par l'Angleterre. Pourtant il comprenait. Il devait être réconfortant, ce déni de l'histoire. La femme referma le journal et le regarda. Elle avait des cheveux bruns raides et un regard dur, soupçonneux. Il chercha à deviner ce qu'elle pensait. Se demandait-elle s'il était un de ces immigrants illégaux qui encombraient une île déjà encombrée ? Plus tard, dans le train qui le ramenait vers l'Essex, il remarqua que tous les passagers qui l'entouraient étaient nigérians, que le wagon retentissait de conversations en yoruba et en pidgin, et, l'espace d'un instant, il vit cette scène, cette foule débridée d'étrangers de couleur, à travers le regard de la femme blanche du métro. Il pensa à nouveau à la femme du Sri Lanka ou du Bangladesh et l'ombre du chagrin dont elle émergeait à peine, et il pensa à sa mère et à Ifemelu, et à la vie qu'il avait imaginée pour lui-même, et à la vie qu'il menait, marquée par le travail et la lecture, par la panique et l'espoir. Il ne s'était jamais senti aussi seul.

CHAPITRE 28

Un matin au début de l'été, une chaleur nouvelle emplissant l'air, Obinze arriva à l'entrepôt et s'aperçut aussitôt que quelque chose clochait. Les hommes détournaient les yeux, avaient une raideur inhabituelle dans leurs gestes et, quand il vit Obinze, Nigel se dirigea rapidement, trop rapidement vers les toilettes. Ils savaient. Ils l'avaient appris d'une manière ou d'une autre. Ils lisaient les articles sur les demandeurs d'asile qui asséchaient les fonds de la Sécurité sociale, ils entendaient dire que leurs hordes encombraient chaque jour davantage une île déjà encombrée et ils savaient désormais qu'il était un de ces damnés, travaillant sous un nom qui n'était pas le sien. Où était Roy Snell ? Était-il parti avertir la police ? Était-ce la police qu'on appelait dans ces cas-là ? Il essaya de se rappeler des détails d'histoires de gens démasqués et expulsés mais son esprit était paralysé. Il se sentait nu. Il aurait voulu sortir et prendre la fuite, mais son corps continuait à se déplacer, contre sa volonté, en direction de l'aire de chargement. Puis il sentit un mouvement derrière lui, rapide, violent et trop proche, et, avant qu'il eût pu se retourner, il se retrouva avec un chapeau en papier sur la tête. C'était Nigel, et avec lui un groupe d'hommes arborant de larges sourires.

« Bon anniversaire, Vinny Boy ! » dirent-ils tous.

Obinze se figea, effrayé par le vide total de son cerveau. Puis il comprit. C'était l'anniversaire de Vincent. Roy avait dû mettre les hommes au courant. Mais lui n'avait pas pensé à retenir la date de naissance de Vincent.

« Oh ! » fut tout ce qu'il dit, l'estomac chaviré de soulagement.

Nigel lui demanda d'aller dans la cafétéria, où les autres s'étaient rassemblés. Quand Obinze s'assit parmi eux, tous des Blancs sauf Patrick qui était jamaïcain, distribuant les muffins et le Coca-Cola achetés avec leur propre argent en honneur d'un anniversaire qui n'était pas le sien, une pensée lui fit monter les larmes aux yeux : il était en sécurité.

Vincent l'appela ce soir-là, et Obinze s'en étonna vaguement car Vincent ne lui avait téléphoné qu'une seule fois, plusieurs mois auparavant, parce qu'il avait changé de banque et voulait lui communiquer son nouveau numéro de compte. Il hésita à dire « Bon anniversaire » à Vincent, se demandant si l'appel était de quelque façon lié à son anniversaire.

« Vincent, *kedu* ? dit-il.

— Je veux un pourcentage supérieur. »

Vincent avait-il appris cela au cinéma ? Les mots « je veux un pourcentage supérieur » paraissaient forcés et comiques. « Je veux quarante-cinq pour cent. Je sais que tu travailles davantage à présent.

— Vincent, ahn-ahn. Combien je gagne ? Tu sais que je mets de l'argent de côté pour cette affaire de mariage.

— Quarante-cinq pour cent », dit Vincent, et il raccrocha.

Obinze décida de l'ignorer. Il connaissait ce genre de type : ils vous harcelaient pour voir jusqu'où ils pouvaient aller et ensuite ils reculaient. S'il appelait et essayait de négocier, cela pourrait enhardir Vincent à exiger davantage. Qu'il aille chaque semaine à la banque déposer de l'argent sur son compte était quelque chose que Vincent ne se risquerait pas à perdre. Aussi, quand une semaine plus tard Roy lui dit, au milieu du brouhaha matinal des chauffeurs et des camions : « Vinny Boy, viens dans mon bureau une minute », Obinze ne s'en inquiéta pas. Sur le bureau de Roy il y avait un journal, ouvert à la page de la fille aux gros seins. Roy posa lentement sa tasse de café sur le journal. Il semblait embarrassé.

« Quelqu'un a appelé hier. Il a dit que tu n'es pas celui que tu prétends être, que tu es un clandestin qui travaille sous un nom anglais. » Suivit un silence. Obinze resta frappé de stupeur. Roy reprit sa tasse. « Pourquoi n'apportes-tu pas ton passeport demain et nous tirerons tout ça au clair, d'accord ? »

Obinze marmonna les premiers mots qui lui vinrent à l'esprit. « D'accord, j'apporterai mon passeport demain. » Il sortit du bureau sachant qu'il ne se souviendrait jamais de ce qu'il avait ressenti quelques instants auparavant. Est-ce que Roy lui demandait d'apporter son passeport simplement pour pouvoir le licencier plus facilement, lui donner son congé, ou Roy croyait-il vraiment que son interlocuteur se trompait ? Pourquoi quelqu'un raconterait-il ça si ce n'était pas vrai ? Obinze n'avait jamais fait un effort comparable à celui qu'il fit pendant le reste de la journée pour paraître normal, pour étouffer la rage qui le submergeait. Ce n'était pas la pensée du pouvoir que Vincent avait sur lui qui l'enrageait, mais l'indifférence avec laquelle il l'avait exercé. Ce soir-là, il quitta l'entrepôt pour la dernière fois, regrettant par-dessus tout d'avoir tu son vrai nom à Nigel et à Roy.

Quelques années plus tard à Lagos, lorsque Chief lui demanda de trouver un Blanc qu'il pourrait présenter comme son directeur général, Obinze appela Nigel. Son numéro de portable n'avait pas changé.

« C'est Vinny Boy à l'appareil.

— Vincent ! Comment vas-tu, camarade ?

— Très bien, et toi ? » dit Obinze. Peu après, il ajouta : « Vincent n'est pas mon vrai nom, Nigel. Je m'appelle Obinze. J'ai un job à te proposer au Nigeria. »

CHAPITRE 29

Les Angolais lui racontèrent que tout avait « augmenté », ou était devenu plus « difficile », expressions opaques censées expliquer pourquoi ils réclamaient davantage d'argent.

« Ce n'est pas ce dont nous étions convenus, dit Obinze, je n'ai pas de liquide disponible en ce moment », et ils répliquèrent : « Les choses ont augmenté, ouais », d'un ton qu'il imagina accompagné d'un haussement d'épaules. Un silence suivit, un mutisme sur la ligne qui lui signifiait que c'était son problème, pas le leur. « Je ferai le versement vendredi », dit-il finalement, avant de raccrocher.

La gentillesse de Cleotilde l'apaisa. Elle lui dit : « Ils ont mon passeport », et il trouva à ces mots quelque chose de sinistre, comme si elle était retenue en otage.

« Sinon nous pourrions nous arranger seuls », ajouta-t-elle. Mais il ne voulait pas agir seul avec Cleotilde. C'était trop important et il avait besoin de la compétence des Angolais, de leur expérience pour s'assurer que tout irait bien. Nicholas lui avait déjà prêté un peu d'argent ; il avait réellement répugné à le solliciter, à cause du jugement qu'il lisait dans son regard sérieux, comme s'il pensait qu'Obinze était un faible, un enfant gâté, et que beaucoup de gens n'avaient pas un cousin capable de leur prêter de l'argent. Emenike était la seule autre personne à laquelle il pouvait s'adresser. La dernière fois qu'ils s'étaient parlé, Emenike lui avait dit : « Je ne sais pas si tu as vu cette pièce de théâtre dans le West End, mais Georgina et moi y sommes allés récemment et nous l'avons adorée », comme si Obinze, occupé à faire des livraisons, économisant chaque sou stoïquement, miné par ses problèmes d'immigration, pouvait même penser à voir une pièce dans le West End. L'insouciance d'Emenike l'avait blessé, car il y dénotait une absence d'intérêt, pire, une indifférence à son endroit et à la vie qu'il menait. Il téléphona à Emenike et lui dit, d'un ton précipité, forçant les mots à sortir de sa bouche, qu'il avait besoin de cinq cents livres qu'il rembourserait dès qu'il aurait trouvé un autre emploi, puis, plus lentement, il raconta à Emenike l'histoire des Angolais, que le mariage n'allait pas tarder, mais qu'il y avait une quantité de dépenses supplémentaires qu'il n'avait pas prévues.

« Pas de problème. Voyons-nous vendredi. »

À présent, Emenike s'asseyait en face d'Obinze dans un restaurant aux lumières tamisées et se débarrassait de sa veste, exhibant un pull en cachemire couleur tabac d'un goût parfait. Il n'avait pas grossi comme la plupart de ses autres amis qui vivaient maintenant à l'étranger, il ne paraissait pas différent de ce qu'il était lorsqu'il l'avait vu la dernière fois à Nsukka.

« Bon sang, le Zed, tu as l'air en forme ! » dit-il, avec une mauvaise foi flagrante. Obinze n'avait certes pas l'air en forme, les épaules courbées par la fatigue, dans des vêtements empruntés à son cousin. « Désolé, je n'ai pas eu le temps de te voir. J'ai un emploi du temps dément, et nous avons aussi beaucoup voyagé. Je t'aurais bien proposé de venir t'installer à la maison mais ce n'est pas une décision que je peux prendre seul. Georgina ne comprendrait pas. Tu sais que ces *oyinbos* ne se comportent pas comme nous. » Il eut un léger mouvement des lèvres, un petit rictus qui pouvait passer pour un sourire narquois. Il se moquait de sa femme, mais Obinze savait, à la crainte muette perceptible dans son ton, que c'était une moquerie teintée de respect, qu'Emenike raillait ce qu'il croyait être, malgré lui, d'une essence supérieure. Obinze se souvint de ce que Kayode disait souvent d'Emenike au lycée : Il peut lire tous les livres qu'il veut mais il aura toujours la brousse dans le sang.

« Nous rentrons d'Amérique. Vieux, il faut que tu ailles en Amérique. Il n'existe aucun pays comme celui-là au monde. Nous avons atterri à Denver et de là sommes allés dans le Wyoming en voiture. Georgina venait de boucler une affaire compliquée, tu te souviens, je t'en ai parlé quand je suis parti à Hong Kong ? Elle s'y trouvait pour son travail et je suis allé la rejoindre pour un long week-end. J'ai alors pensé que nous devrions aller en Amérique, elle avait besoin de vacances. » Le téléphone d'Emenike sonna. Il le sortit de sa poche, le regarda et fit une grimace, comme s'il voulait qu'on l'interroge sur la teneur du texto, mais Obinze ne posa pas de question. Il était fatigué ; Iloba lui avait passé sa carte de Sécurité sociale, bien qu'il soit risqué pour tous les deux de travailler en même temps, mais toutes les agences de placement qu'Obinze avait contactées jusque-là voulaient voir un passeport et pas seulement la carte. Sa bière était éventée et il voulait juste qu'Emenike lui donne l'argent. Mais Emenike se remit à parler, gesticulant, avec des mouvements fluides et assurés, l'attitude d'un homme convaincu de savoir ce que les autres ne peuvent savoir. Pourtant il y avait quelque chose de différent chez lui qu'Obinze ne parvenait pas à nommer. Emenike parla longtemps, commençant parfois ses propos par : « Ce que tu dois comprendre s'agissant de ce pays c'est ceci... » Obinze concentra sa pensée sur Cleotilde. Les Angolais avaient dit que deux personnes au moins devaient l'accompagner à Newcastle, pour éviter les soupçons, mais elle l'avait appelé la veille en proposant de n'amener qu'un ami pour lui épargner de payer le train et l'hôtel pour deux. Il avait trouvé ça délicat, mais lui avait demandé de venir quand même avec deux personnes ; il ne voulait pas prendre de risque.

Emenike parlait de quelque chose qui s'était passé à son bureau. « J'arrive le premier à une réunion, je range mes dossiers, je vais aux toilettes et, à mon retour, je trouve ce crétin d'*oyinbo* qui me dit : "Oh, je vois que vous êtes toujours à l'heure africaine." Et tu sais quoi ? Je lui ai répondu d'aller se faire voir. Depuis il passe son temps à m'envoyer des e-mails m'invitant à prendre un verre. Un verre pour quoi faire ? » Emenike but lentement sa bière. C'était la troisième et il parlait plus fort, moins clairement. Toutes ses histoires se déroulaient selon un schéma identique : quelqu'un commençait par le sous-estimer ou le rabaisser, et il finissait par avoir le dessus, grâce à un dernier mot brillant ou une action astucieuse.

« Naija me manque. Cela fait si longtemps, mais je n'ai pas eu le temps de revenir à la maison. De plus, Georgina ne survivrait pas à un voyage au Nigeria ! » dit Emenike, puis il rit. Il avait présenté le pays comme une jungle et lui-même comme interprète de la jungle.

« Une autre bière ? » demanda Emenike.

Obinze secoua la tête. Un homme en s'installant à la table derrière eux fit tomber la veste d'Emenike suspendue au dossier de sa chaise.

« Hé, regarde-moi ce type. Il tient à abîmer ma superbe Aquascutum. Le dernier cadeau d'anniversaire de Georgina », dit Emenike, raccrochant sa veste derrière lui. Obinze ne connaissait pas la marque mais il comprit au petit sourire satisfait d'Emenike qu'il était censé être impressionné.

« Tu es certain de ne pas vouloir une autre bière ? » demanda Emenike, cherchant la serveuse du regard. « Elle m'ignore. As-tu remarqué comme elle était désagréable tout à l'heure ? Ces gens d'Europe de l'Est n'aiment pas servir les Noirs. »

Lorsque la serveuse eut pris sa commande, Emenike sortit une enveloppe de sa poche. « Voilà, mon vieux. Je sais que tu as demandé cinq cents mais il y a mille livres. Tu veux les compter ? »

Les compter ? faillit dire Obinze, mais les mots ne passèrent pas le seuil de sa bouche. Accepter de l'argent à la manière nigériane consistait à laisser l'autre le glisser dans vos mains, les poings fermés, le regard détourné, vos remerciements chaleureux – ils doivent être chaleureux – écartés d'un geste de la main, sans qu'il soit question pour vous de compter l'argent, et parfois sans même le regarder avant d'être seul. Mais Emenike lui demandait de compter l'argent. Et c'est ce qu'il fit, lentement, délibérément, passant chaque billet d'une main à l'autre, se demandant si Emenike l'avait détesté pendant toutes ces années de lycée et d'université. Il ne s'était pas moqué d'Emenike comme le faisaient Kayode et les autres garçons, mais il ne l'avait pas non plus défendu. Peut-être Emenike avait-il méprisé sa neutralité.

« Merci, mon vieux », dit Obinze. Bien entendu il y avait mille livres. Emenike pensait-il qu'un billet de cinquante avait pu se perdre sur le chemin du restaurant ?

« Ce n'est pas un prêt, dit Emenike, se renfonçant dans sa chaise, avec un mince sourire.

— Merci, mon vieux », dit à nouveau Obinze, reconnaissant et soulagé en dépit de tout. Il s'inquiétait du nombre de choses qui restaient à payer avant le mariage, et si c'était nécessaire, compter le montant d'un cadeau en liquide sous le regard observateur et dominateur d'Emenike, pourquoi pas ?

Le téléphone d'Emenike sonna. « C'est Georgina », dit-il gaiement avant de répondre. Sa voix monta d'un cran à l'intention d'Obinze. « C'est fantastique de le revoir après si longtemps. » Puis, après un silence : « Bien sûr, chérie, c'est ce que nous allons faire. »

Il posa le téléphone et dit à Obinze : « Georgina voudrait venir nous rejoindre dans une demi-heure et que nous allions dîner ensemble. Cela te va ? »

Obinze haussa les épaules. « Je ne refuse jamais un repas. »

Avant que Georgina arrive, Emenike lui dit : « Ne mentionne pas cette affaire de mariage devant Georgina. »

À la manière dont Emenike en parlait, Obinze s'était figuré que Georgina était une charmante innocente, une avocate brillante ignorant cependant les maux du monde, mais quand elle apparut, avec son visage carré surmontant un grand corps carré, des cheveux bruns coupés court, le tout lui donnant un air d'efficacité, il vit tout de suite qu'elle était franche, avisée et même désabusée. Il imagina que ses clients avaient immédiatement confiance en ses capacités. C'était une femme qui devait vérifier les finances des organisations caritatives auxquelles elle faisait des dons. C'était une femme qui survivrait certainement à une visite au Nigeria. Pourquoi Emenike l'avait-il décrite comme une rose anglaise sans défense ? Elle posa un baiser sur les lèvres d'Emenike, puis se tourna pour serrer la main d'Obinze.

« Avez-vous une envie particulière ? lui demanda-t-elle en déboutonnant sa veste en daim marron. Il y a un bon restaurant indien pas loin d'ici.

— Oh, il est un peu décrépit », dit Emenike. Il avait changé. Sa voix avait une intonation inhabituelle, plus lente, la tension qui l'habitait avait diminué. « Nous pourrions essayer ce nouvel endroit à Kensington, ce n'est pas si loin.

— Je ne suis pas sûre qu'Obinze le trouvera très intéressant, chéri, dit Georgina.

— Oh, je pense qu'il lui plaira », dit Emenike. Il était content de lui, voilà ce qu'il y avait de nouveau chez lui. Il était marié à une Britannique, vivait dans une maison britannique, avait un travail britannique et voyageait avec un passeport britannique, disait « exercice » pour parler d'une activité intellectuelle plutôt que physique. Il avait désiré cette existence, et n'avait jamais cru qu'il l'aurait. À présent il était confit dans le contentement de soi. Repu. Dans le restaurant de Kensington, une bougie brûlait sur la table et le garçon blond qui semblait trop beau et trop grand pour être un serveur apportait des petits bols remplis d'une sorte de gelée verte.

« Notre nouvelle mise en bouche à base de citron et de thym, avec les compliments du chef.

— Fantastique », dit Emenike, s'immergeant sans attendre dans un des rituels de sa nouvelle existence : sourcils froncés, concentré, sirotant une eau gazeuse tout en étudiant le menu. Georgina et lui discutaient des entrées. Le serveur vint aimablement répondre à une question. Obinze s'étonna de voir avec quel sérieux Emenike prenait cette initiation au vaudou de la grande cuisine, car lorsque le garçon lui apporta ce qui ressemblait à trois brins élégants d'une herbe verte, pour lesquels il paierait treize livres, Emenike se frotta les mains de ravissement. Le hamburger d'Obinze était divisé en quatre parties, servies dans une grande coupe en verre. Quand la commande de Georgina arriva, un petit tas de viande rouge crue avec un œuf ensoleillé posé dessus, Obinze s'efforça de détourner les yeux de peur de vomir.

Emenike alimenta presque seul la conversation, racontant leurs années d'école, donnant à peine à Obinze l'occasion de dire un mot. Dans les histoires qu'il rapportait, Obinze et lui étaient des voyous populaires qui avaient le don de s'attirer des ennuis extraordinaires. Obinze observait Georgina, soudain conscient qu'elle était plus âgée qu'Emenike. D'au moins huit ans. Les contours masculins de son visage étaient adoucis par de brefs et fréquents sourires, mais c'était des sourires pensifs, les sourires de quelqu'un d'un naturel sceptique, et il se demandait jusqu'à quel point elle croyait les histoires d'Emenike, à quel point l'amour avait pris le pas sur sa raison.

« Nous donnons un dîner demain, Obinze, dit Georgina. Il faut que vous veniez.

— Oui, j'ai oublié de te le dire, ajouta Emenike.

— Il faut vraiment que vous veniez. Nous aurons quelques amis et je pense que vous aimerez faire leur connaissance, dit Georgina.

— J'en serai ravi », dit Obinze.

*

Leur maison mitoyenne à Islington, avec sa courte volée de marches bien entretenues qui menaient à la porte d'entrée verte, sentait la viande rôtie quand Obinze arriva. Emenike le fit entrer. « Le Zed ! Tu es en avance, nous finissons de préparer le dîner. Viens t'installer dans mon bureau jusqu'à ce que les autres arrivent. » Emenike le conduisit à l'étage, dans une pièce claire et lumineuse que soulignait le blanc des bibliothèques et des rideaux. Les fenêtres occupaient la plus grande partie des murs et Obinze se représenta la pièce l'après-midi, baignée de lumière, et s'imagina calé au fond du fauteuil près de la porte, absorbé dans un livre.

« Je viendrai te chercher dans un moment », dit Emenike.

Il y avait des photos sur un appui de fenêtre, Emenike plissant les yeux dans la chapelle Sixtine, faisant le signe de la paix sur l'Acropole, devant le Colisée, sa chemise de la même couleur noix de muscade que les ruines. Obinze l'imagina, consciencieux et déterminé, visitant les endroits qu'il était censé visiter, pensant non pas à ce qu'il voyait mais aux photos qu'il allait prendre et à ceux qui regarderaient les photos. Aux gens qui sauraient qu'il avait participé à ces triomphes. Sur un rayonnage, Graham Greene attira son regard. Il prit *Le fond du problème* et commença à lire les premiers chapitres, pensant soudain avec nostalgie à son adolescence, quand sa mère le lisait et le relisait à quelques mois d'intervalle.

Emenike entra. « Est-ce Evelyn Waugh ?

— Non. » Il lui montra la couverture. « Ma mère adore ce livre. Elle essayait toujours de me faire aimer les romans anglais.

— Waugh est le meilleur. *Retour à Brideshead* est ce que j'ai lu de plus proche du roman parfait.

— Pour moi, Waugh est un caricaturiste. Je n'arrive pas à me faire à ces prétendus romans comiques anglais. On dirait qu'ils sont incapables d'aborder la véritable complexité de la vie humaine et sont obligés de faire appel à ces ressorts comiques. Greene est l'autre extrême, trop morose.

— Non, mon vieux, il faut que tu essayes de relire Waugh. Greene n'est pas vraiment mon truc, mais la première partie de *La fin d'une liaison* est formidable.

— Ce bureau est un rêve », dit Obinze.

Emenike haussa les épaules. « Tu veux des livres ? Prends tous ceux qui t'intéressent.

— Merci, vieux », dit Obinze, sachant qu'il n'en prendrait aucun.

Emenike regarda autour de lui, comme s'il voyait la pièce d'un œil neuf. « Nous avons trouvé ce bureau à Édimbourg. Georgina possédait déjà quelques meubles intéressants mais nous avons trouvé ensemble certains nouveaux objets. »

Obinze se demanda si Emenike avait si bien endossé son nouveau costume que, même seul avec lui, il pouvait parler de « meubles intéressants », comme si la notion de « meubles intéressants » n'était pas étrangère à leur monde nigérian, où ce qui était nouveau était supposé paraître neuf. Obinze aurait pu le faire remarquer à Emenike, mais pas à présent ; trop de choses s'étaient déjà modifiées dans leurs relations. Obinze le suivit au rez-de-chaussée. La table de la salle à manger était une débauche de couleurs, assiettes de céramique dépareillées, certaines ébréchées sur les bords, verres à pied rouges, serviettes bleu foncé. Dans une coupe d'argent au milieu de la table flottaient de délicates fleurs nacrées. Emenike fit les présentations.

« Voici Mark, l'ami de toujours de Georgina, et sa femme, Hannah, qui fait une thèse sur l'orgasme féminin, ou l'orgasme féminin des Israéliennes.

— Oh, elle n'est pas délimitée aussi précisément », dit Hannah, au milieu des rires, en serrant chaleureusement la main d'Obinze. Elle avait un large visage bronzé et bienveillant, le visage de quelqu'un qui ne supporte pas le conflit.

Mark, le teint pâle, fripé, pressa l'épaule de sa femme mais ne rit pas avec les autres. « Ravi de faire votre connaissance », dit-il à Obinze d'une manière presque solennelle.

« Voici notre cher ami Phillip, le meilleur avocat de Londres, après Georgina, naturellement.

— Est-ce que tous les Nigérians sont aussi beaux que toi et ton ami ? demanda Phillip à Emenike, feignant de se pâmer en serrant la main d'Obinze.

— Tu n'as qu'à aller au Nigeria et juger par toi-même », répliqua Emenike, avec un clin d'œil, donnant l'impression de flirter avec Phillip.

Mince, élégant, Phillip portait une chemise de soie rouge au col ouvert. Avec ses manières affectées, ses gestes souples du poignet, ses doigts qui virevoltaient dans l'air, il rappela à Obinze un garçon au lycée – il s'appelait Hadome – dont on disait qu'il payait des jeunes pour lui sucer la bite. Un jour, Emenike et deux autres garçons avaient attiré Hadome dans les toilettes et l'avaient rossé. L'œil d'Hadome avait enflé si vite qu'avant la fin des cours il était devenu monstrueux, semblable à une grosse aubergine violette. Obinze était resté à l'extérieur des toilettes avec les autres garçons, qui n'avaient pas participé à la rossée mais n'avaient cessé de se moquer, harcelant, raillant, criant : « Homo, homo ! »

« Et je te présente notre amie Alexa, disait Emenike. Alexa vient de s'installer dans Holland Park, après plusieurs années en France, grâce à quoi nous aurons la chance de la voir beaucoup plus souvent. Elle travaille dans l'édition musicale. C'est aussi une merveilleuse poétesse.

— Oh, je t'en prie », dit Alexa. Et, se tournant vers Obinze, elle demanda : « Et vous, d'où êtes-vous, mon cher ?

— Du Nigeria.

— Non, non, je veux dire à Londres, mon cher.

— J'habite dans l'Essex, en réalité, dit-il.

— Je vois », dit-elle, comme si elle était déçue. C'était une petite femme au visage très pâle et aux cheveux rouge tomate. « Peut-on passer à table, mes chers amis ? » Elle prit une des assiettes et l'examina.

« J'adore ces assiettes. Rien n'est jamais banal chez Georgina et Emenike, n'est-ce pas ? dit Hannah.

— Nous les avons achetées dans un bazar en Inde, dit Emenike. Faites à la main par des femmes de la campagne, elles sont vraiment belles. Regardez les détails des bords ? » Il souleva une des assiettes.

« Sublime », dit Hannah, et elle regarda Obinze.

« Oui, elles sont très jolies », marmonna Obinze. Ces assiettes, avec leur finition grossière, leurs bords légèrement bosselés, n'auraient jamais été utilisées en présence d'invités au Nigeria. Il se demandait encore si Emenike était réellement devenu quelqu'un pour qui un objet était beau parce qu'il était fait à la main par des gens pauvres dans un pays étranger, ou s'il avait simplement appris à le prétendre. Georgina versait à boire. Emenike servait l'entrée, du crabe avec des œufs durs. Il avait acquis un charme soigneusement étudié. Il disait souvent : « Oh, vraiment ? » Quand Phillip se plaignit du couple français qui faisait construire une maison près de la sienne en Cornouailles, Emenike dit : « Sont-ils entre toi et le coucher de soleil ? »

Sont-ils entre toi et le coucher de soleil ? Il ne serait jamais venu à l'idée d'Obinze, ni de quiconque chez lui, de poser une telle question.

« Alors comment c'était, l'Amérique ? demanda Phillip.

— C'est un pays fascinant, réellement. Nous avons passé quelques jours avec Hugo à Jackson, dans le Wyoming. Tu as rencontré Hugo à Noël, n'est-ce pas, Mark ?

— Oui. Et que fait-il là-bas ? » Mark ne semblait pas impressionné par les assiettes ; il n'avait pas, comme sa femme, soulevé l'une d'elles pour la regarder.

« C'est une station de ski, mais elle n'a rien de prétentieux. À Jackson, on raconte que les gens qui vont à Aspen s'attendent à ce qu'on leur lace leurs chaussures, dit Georgina.

— L'idée de faire du ski en Amérique me rend malade, dit Alexa.

— Pourquoi ? demanda Hannah.

— Est-ce qu'ils ont un Disneyland dans la station, avec Mickey en tenue de ski ? demanda Alexa.

— Alexa n'est allée qu'une seule fois en Amérique, quand elle était à l'université, mais elle adore les détester de loin, dit Georgina.

— Toute ma vie, j'ai adoré l'Amérique de loin », dit Obinze. Alexa se tourna vers lui l'air un peu surpris, comme soudain étonnée de l'entendre parler. Sous la lumière du lustre, ses cheveux rouges avaient un reflet étrange.

« Ce que j'ai remarqué ici, c'est que beaucoup d'Anglais ont une admiration craintive pour l'Amérique mais qu'ils lui vouent aussi une profonde hostilité, ajouta Obinze.

— Parfaitement vrai, dit Phillip, avec un signe de tête à l'adresse d'Obinze. Parfaitement vrai. C'est l'hostilité d'un parent dont l'enfant est devenu beaucoup plus beau que lui et qui mène une vie beaucoup plus intéressante.

— Mais les Américains nous adorent, nous les British, ils adorent notre accent, la reine et les autobus à impériale », dit Emenike. Voilà, il l'avait dit : il se considérait comme un Britannique.

« Et vous savez la grande révélation qu'a eue Emenike pendant que nous étions là-bas ? dit Georgina en souriant. C'est la différence entre le "bye" américain et le "bye" britannique.

— Bye ? demanda Alexa.

— Oui. Il dit que les Anglais le prononcent en traînant sur le mot alors que les Américains ne s'attardent pas.

— Ce fut une grande révélation. Cela explique toute la différence entre les deux pays », dit Emenike, sachant qu'ils riraient, ce qu'ils firent. « Je pensais aussi à la différence d'attitude vis-à-vis des étrangers. Les Américains vous sourient et sont très amicaux, mais si votre nom n'est pas Cory ou Chad, ils ne font aucun effort pour le prononcer correctement. Les Britanniques seront revêches et soupçonneux si vous vous montrez trop amical, mais ils traiteront les noms étrangers comme s'ils étaient acceptables.

— C'est intéressant, dit Hannah.

— C'est un peu lassant de dire que l'Amérique est bornée, reprit Georgina, d'ailleurs nous y contribuons, car si un événement majeur se produit en Amérique, il fait les gros titres en Angleterre ; un événement majeur se produit en Angleterre, on le trouve en dernière page en Amérique, ou pas du tout. Mais je pense que le plus inquiétant est la véhémence du nationalisme, tu ne crois pas, chéri ? » Georgina se tourna vers Emenike.

« Absolument, dit Emenike. Oh, et nous avons aussi assisté à un rodéo. Hugo a pensé que nous apprécierions un peu de culture. »

Il y eut un éclat de rire général.

« Et nous avons vu cet incroyable défilé de petits enfants aux visages exagérément maquillés suivi de démonstrations patriotiques, et de *God Bless America* à n'en plus finir. J'ai eu peur que ce soit le genre d'endroit où tout peut vous arriver si vous dites soudain : "Je n'aime pas l'Amérique".

— L'Amérique m'a aussi paru affreusement chauvine, quand j'y ai fait mon internat, dit Mark.

— Mark est chirurgien pédiatre, dit Georgina à Obinze.

— On avait l'impression que les gens – je parle des progressistes car les conservateurs américains viennent d'une autre planète, même pour le Tory que je suis – pouvaient sans problème critiquer leur pays mais qu'ils n'aimaient pas que d'autres le fassent, dit Mark.

— Où étais-tu ? demanda Emenike, comme s'il connaissait les plus petits recoins de l'Amérique.

— À Philadelphie. Dans un hôpital appelé le Children's Hospital. Un endroit tout à fait remarquable et la formation était excellente. Il m'aurait fallu deux ans en Angleterre pour rencontrer les cas exceptionnels que j'ai eus là-bas en un mois.

— Mais tu n'es pas resté, dit Alexa, presque triomphante.

— Je n'avais pas prévu de rester. » Le visage de Mark ne trahissait presque aucune émotion.

« À ce propos, je viens de m'investir dans ce fantastique organisme humanitaire qui essaye d'empêcher l'Angleterre d'engager autant de personnel médical africain, dit Alexa. Il ne reste pratiquement plus de médecins ni d'infirmières sur ce continent. C'est une véritable tragédie ! Les médecins africains devraient rester en Afrique.

— Pourquoi ne voudraient-ils pas exercer là où il y a de l'électricité en permanence et où ils sont payés régulièrement ? » demanda Mark d'un ton neutre. Obinze devina qu'il n'aimait pas Alexa. « Je suis originaire de Grimsby et je n'aurais aucune envie de travailler dans un hôpital du district.

— Mais ce n'est pas tout à fait pareil, si ? Nous parlons de gens parmi les plus pauvres du monde. Les médecins ont une responsabilité en tant qu'Africains, dit Alexa. La vie est injuste, vraiment. S'ils ont le privilège d'avoir un diplôme médical, cela va de pair avec la responsabilité d'aider leurs concitoyens.

— Je vois. Je suppose qu'aucun de nous ne devrait avoir ce genre de responsabilité pour la situation désastreuse des villes sinistrées du nord de l'Angleterre ? » dit Mark.

Le visage d'Alexa s'empourpra. Dans le silence tendu qui suivit, l'air se figeant autour d'eux, Georgina se leva et dit : « Tout le monde est prêt pour attaquer mon rôti d'agneau ? »

Ils firent tous l'éloge de la viande, qu'Obinze aurait souhaité voir rester un peu plus longtemps dans le four ; il découpa soigneusement le bord de sa tranche, mangeant la partie bien cuite et laissant dans son assiette les morceaux saignants. Hannah animait la conversation, comme pour adoucir l'atmosphère, d'une voix apaisante, changeant de sujet si elle percevait la menace d'un désaccord. Leur conversation était symphonique, les voix se mêlant les unes aux autres, en harmonie : c'était vraiment atroce de traiter ainsi les ramasseurs de coques chinois ; c'était absurde de vouloir rendre payante l'éducation supérieure ; c'était grotesque que les défenseurs de la chasse au renard aient envahi le Parlement. Ils rirent quand Obinze dit : « Je ne comprends pas pourquoi la chasse au renard soulève un tel intérêt dans ce pays. N'y a-t-il pas des problèmes plus importants ?

— Qu'est-ce qui pourrait être plus important ? demanda Mark ironiquement.

— Eh bien, c'est la seule manière dont nous pouvons mener notre lutte des classes, dit Alexa. L'aristocratie et les propriétaires terriens chassent et nous, la classe moyenne libérale, sommes furieux. Nous voulons leur retirer leurs ridicules petites distractions.

— Certes, dit Phillip. C'est monstrueux.

— Avez-vous lu que Blunkett a déclaré ne pas savoir combien il y avait d'immigrants dans le pays ? » demanda Alexa, et Obinze se crispa immédiatement, sentant sa poitrine se contracter.

« Immigrant est, bien entendu, le nom de code pour musulman, dit Mark.

— S'il veut vraiment le savoir, il n'a qu'à se rendre dans tous les chantiers de ce pays et à faire le décompte, dit Phillip.

— C'était intéressant de voir comment cette question est abordée aux États-Unis, dit Georgina. Eux aussi font tout un foin à propos de l'immigration. Bien que, naturellement, l'Amérique ait toujours été plus accommodante envers ses immigrants que l'Europe.

— Bon, c'est vrai, mais c'est parce que les pays d'Europe ont été fondés sur l'exclusion et non, comme l'Amérique, sur l'inclusion, dit Mark.

— Mais la psychologie aussi est différente, n'est-ce pas ? répondit Hannah. Les pays qui entourent l'Europe sont plus ou moins similaires, alors que les États-Unis ont pour voisin le Mexique, qui est en réalité un pays en voie de développement, et cette situation crée une approche différente concernant l'immigration et les frontières.

— Mais nous n'avons pas d'immigrants du Danemark. Nous avons des immigrants d'Europe de l'Est, qui est notre Mexique, dit Alexa.

— Sauf pour la race, dit Georgina. Les Européens de l'Est sont blancs. Les Mexicains ne le sont pas.

— Au fait, comment as-tu perçu la question raciale aux États-Unis, Emenike ? demanda Alexa. C'est un pays terriblement raciste, n'est-ce pas ?

— Il n'a pas besoin d'aller en Amérique pour cela, Alexa, dit Georgina.

— J'ai eu l'impression qu'en Amérique les Blancs et les Noirs travaillent ensemble mais ne jouent pas ensemble, alors qu'ici les Noirs et les Blancs jouent ensemble mais ne travaillent pas ensemble », dit Emenike.

Les autres hochèrent la tête d'un air grave, comme s'il avait énoncé quelque chose de profond, mais Mark dit : « Je ne suis pas sûr de bien comprendre.

— Je pense que la notion de classe dans ce pays fait partie de l'air que l'on respire. Chacun connaît sa place. Même ceux qui sont révoltés par cette notion acceptent plus ou moins le rang qu'ils occupent, dit Obinze. Ici, un garçon blanc et une jeune fille noire qui ont grandi dans la même ville ouvrière peuvent sortir ensemble et la race sera secondaire, mais en Amérique, même s'ils grandissent dans le même quartier, la race sera primordiale. »

Alexa lui jeta à nouveau un regard surpris.

« Un peu simplifié, mais oui, c'est à peu près ce que je voulais dire », dit lentement Emenike, se renfonçant dans sa chaise, et Obinze perçut un reproche. Il aurait dû se taire. Après tout, c'était Emenike qui était sur scène.

« Mais ici tu n'as pas vraiment été confronté à des manifestations de racisme, n'est-ce pas, Emenike ? » demanda Alexa, et son intonation impliquait qu'elle savait déjà que la réponse était non. « Bien sûr, les gens ont des préjugés, mais n'avons-nous pas tous des préjugés ?

— Eh bien non, dit fermement Georgina. Tu devrais raconter l'histoire du chauffeur de taxi, chéri.

— Oh, cette histoire », dit Emenike en se levant pour servir le fromage, murmurant quelque chose à l'oreille d'Hannah qui la fit sourire. Il était tellement heureux de vivre dans le monde de Georgina.

« Raconte », dit Hannah.

Et Emenike s'exécuta. Il raconta l'histoire du taxi qu'il avait hélé un soir, dans Upper Street ; de loin la lumière du taxi était allumée, mais en se rapprochant de lui elle s'était éteinte, et il avait supposé que le chauffeur n'était pas de service. Après le passage du taxi, il s'était vaguement retourné et avait vu que la lumière s'était rallumée, et un peu plus loin dans la rue il s'était arrêté pour prendre deux femmes blanches.

Emenike avait déjà raconté cette histoire à Obinze, qui s'étonna de l'entendre la raconter différemment. Il passait sous silence la rage qu'il avait éprouvée debout dans la rue en regardant le taxi. Il était resté sur place, secoué de tremblements, avait-il dit à Obinze, effrayé par la violence de ses sentiments. Mais à présent, vidant lentement son verre de vin rouge, les fleurs flottant devant lui, il parlait d'un ton dénué de toute colère, empreint seulement d'une supériorité amusée, pendant que Georgina s'exclamait : « C'est incroyable, non ? »

Alexa, le teint enflammé par le vin, les yeux rouges sous sa chevelure écarlate, changea de sujet. « Blunkett doit se montrer raisonnable et faire en sorte que ce pays reste un refuge. Les gens qui ont survécu à des conflits terribles doivent absolument être autorisés à venir ici ! » Elle se tourna vers Obinze. « C'est aussi votre avis, n'est-ce pas ?

— Oui », dit-il, et un sentiment d'aliénation le parcourut comme un frisson.

Alexa, et les autres invités, peut-être même Georgina, comprenaient tous la fuite devant la guerre, devant la pauvreté qui broyait l'âme humaine, mais ils étaient incapables de comprendre le besoin d'échapper à la léthargie pesante du manque de choix. Ils ne comprenaient pas que des gens comme lui, qui avaient été bien nourris, n'avaient pas manqué d'eau, mais étaient englués dans l'insatisfaction, conditionnés depuis leur naissance à regarder ailleurs, éternellement convaincus que la vie véritable se déroulait dans cet ailleurs, étaient aujourd'hui prêts à commettre des actes dangereux, des actes illégaux, pour pouvoir partir, bien qu'aucun d'entre eux ne meure de faim, n'ait été violé, ou ne fuie des villages incendiés, simplement avide d'avoir le choix, avide de certitude.

CHAPITRE 30

Nicholas donna à Obinze un costume pour le mariage. « C'est un bon costume italien, dit-il, il est étroit pour moi alors il devrait t'aller. » Le pantalon était trop large et fronça à la taille quand Obinze serra la ceinture, mais la veste, également trop grande, masqua les plis disgracieux. Aucune importance. Il était tellement déterminé à ce que cette journée aboutisse, désireux de pouvoir enfin commencer à vivre, qu'il aurait emmailloté la partie inférieure de son corps dans une couche pour bébé s'il l'avait fallu. Iloba et lui retrouvèrent Cleotilde près du Civic Centre. Elle se tenait sous un arbre avec ses amis, ses cheveux retenus en arrière par un bandeau blanc, les yeux lourdement soulignés de noir ; elle paraissait plus âgée, plus sexy. Elle portait une robe ivoire moulante. C'est lui qui l'avait payée. « Je n'ai pas de robe habillée », s'était-elle excusée au téléphone. Elle le serra dans ses bras. Elle semblait nerveuse et il chercha à détourner sa propre inquiétude en s'imaginant avec elle après la cérémonie, en songeant que dans moins d'une heure il serait libre d'arpenter les rues anglaises d'un pas plus assuré, libre de l'embrasser.

« Avez-vous les alliances ? demanda Iloba.

— Oui », répondit Cleotilde.

Obinze et elle les avaient achetées la semaine précédente, deux simples alliances bon marché, dans une boutique d'une petite rue, et elle avait paru si joyeuse en essayant différents anneaux qu'il s'était demandé si elle ne souhaitait pas qu'il s'agisse d'un véritable mariage.

« Encore un quart d'heure », dit Iloba. Il s'était attribué le rôle d'organisateur de la journée. Il prenait des photos, son appareil numérique à bout de bras devant lui, ordonnant : « Rapprochez-vous ! OK, encore une ! » Sa bonne humeur résolue agaçait Obinze. Dans le train qui les avait emmenés la veille à Newcastle, Obinze était resté à regarder par la fenêtre, incapable même de lire. Iloba n'avait cessé de parler, jusqu'à ce que sa voix se transforme en un murmure lointain, peut-être parce qu'il essayait d'empêcher Obinze de s'angoisser outre mesure. À présent, il s'adressait avec une gentillesse naturelle aux amis de Cleotilde, leur parlait du nouvel entraîneur de Chelsea, de *Big Brother*, comme s'ils se trouvaient tous là pour une occasion banale et normale.

« Il est temps d'y aller », dit Iloba. Ils se dirigèrent vers le Civic Centre. Un soleil radieux illuminait l'après-midi. Obinze ouvrit la porte et s'effaça pour laisser entrer les autres dans le hall anonyme où ils s'arrêtèrent pour s'orienter, s'assurer qu'ils prenaient la direction du bureau d'enregistrement. Deux policiers se tenaient derrière la porte, les observant d'un œil impassible. Obinze contint sa panique. Il n'y avait rien à craindre, rien du tout, se dit-il, la présence de policiers au Civic Centre n'avait certainement rien d'inhabituel ; mais il sentit dans la soudaine étroitesse du couloir, la soudaine lourdeur de l'atmosphère, que quelque chose clochait, avant de remarquer un autre homme qui s'avançait vers lui, les manches de sa chemise retroussées, les joues si rouges qu'il avait l'air horriblement maquillé.

« Êtes-vous Obinze Maduewesi ? » demanda l'homme aux joues rouges. Il tenait une liasse de documents à la main parmi lesquels Obinze distingua la photocopie d'une page de son passeport.

« Oui », dit-il d'un ton calme, et avec ce mot, ce simple oui, il avouait au fonctionnaire de l'immigration, à Iloba et Cleotilde et à lui-même, que tout était fini.

« Votre visa est expiré et vous n'êtes pas autorisé à rester sur le sol britannique », dit l'homme aux joues rouges.

Un policier lui passa les menottes. Il avait l'impression de regarder la scène de loin, il se voyait en train de marcher jusqu'à la voiture de police dans la rue, de s'enfoncer dans le siège trop mou à l'arrière. Il avait tant de fois redouté cette scène par le passé, il y avait eu tant de moments qui s'étaient noyés dans un brouillard de panique, qu'à présent toute la scène ressemblait au morne écho d'un événement ancien. Cleotilde s'était jetée sur le sol et mise à pleurer. Elle n'était peut-être jamais allée dans le pays de son père, mais il fut convaincu à ce moment de son appartenance à l'Afrique ; comment sinon aurait-elle pu se jeter ainsi par terre dans cette parfaite démonstration théâtrale ? Il se demanda si elle versait ces larmes pour lui ou pour elle-même ou pour ce qui aurait pu exister entre eux. Elle n'avait aucune crainte à avoir, cependant, car elle était citoyenne européenne ; le policier lui jeta à peine un coup d'œil. C'est lui qui sentit peser les menottes à ses poignets pendant le trajet, lui qui en silence tendit sa montre, sa ceinture et son portefeuille, et regarda le policier s'emparer de son téléphone et l'éteindre. Le pantalon trop large de Nicholas glissait sur ses hanches.

« Vos chaussures aussi. Ôtez vos chaussures », dit le policier.

Il retira ses chaussures. On le conduisit dans une cellule. Elle était petite, avec des murs marron, et les barreaux métalliques, si épais que sa main ne pouvait en faire le tour, évoquèrent le souvenir lointain de la cage des chimpanzés du zoo sinistre oublié de Nsukka. Au milieu du haut plafond brillait une unique ampoule. Il régnait dans cette minuscule cellule une impression d'immensité, vide et sonore.

« Saviez-vous que votre visa était expiré ?

— Oui.

— Étiez-vous sur le point de contracter un mariage blanc ?

— Non. Cleotilde et moi sortons ensemble depuis un certain temps.

— Je peux vous trouver un avocat, mais il est clair que vous serez expulsé », dit le fonctionnaire de l'immigration d'un ton calme.

Quand l'avocat se présenta, le visage bouffi, de grands cernes sous les yeux, Obinze se rappela tous les films où l'avocat commis d'office est nerveux, épuisé. Celui-ci arriva avec une serviette qu'il n'ouvrit pas et s'assit en face d'Obinze sans rien dans les mains, ni dossier, ni papier, ni stylo. Son attitude était aimable et sympathique.

« Le gouvernement a de solides arguments, et nous pouvons faire appel, mais pour être franc cela ne ferait que retarder la décision et vous serez en fin de compte expulsé de Grande-Bretagne », dit-il avec l'air d'un homme qui a prononcé les mêmes mots, sur le même ton, plus souvent qu'il ne souhaitait, ou ne pouvait, se souvenir.

« Je suis disposé à retourner au Nigeria », dit Obinze. Toute trace de dignité l'abandonnait, comme un châle glissant sur les épaules qu'il essayait désespérément de retenir.

L'avocat parut étonné. « D'accord, dans ce cas », et il se leva un peu trop hâtivement, comme s'il était reconnaissant qu'on lui ait facilité le travail. Obinze le regarda partir. Il allait signer une déclaration selon laquelle son client acceptait d'être expulsé. « Expulsé. » Ce mot faisait de lui un être inanimé. Une chose privée de respiration et d'esprit. Une chose.

*

Il détestait le poids glacé des menottes, leur marque sur ses poignets, l'éclat métallique des anneaux qui le privaient de mouvement. Il marchait, menotté, conduit à travers le hall de l'aéroport de Manchester, dans le froid et le vacarme de l'aérogare, parmi des hommes, des femmes et des enfants, des voyageurs, des agents de service, des vigiles qui le regardaient, se demandant quelle mauvaise action il avait commise. Il gardait le regard fixé sur la grande femme blanche qui hâtait le pas devant lui, ses cheveux flottant derrière elle, un sac à dos sur les épaules. Elle ne pouvait pas comprendre son histoire, la raison pour laquelle il traversait maintenant l'aéroport avec du métal fixé autour de ses poignets, parce que les gens comme elle ne voyageaient pas avec l'angoisse d'obtenir un visa. Elle pouvait s'inquiéter pour des raisons d'argent, pour trouver un endroit où loger, être en sécurité, peut-être même pour l'obtention d'un visa, mais jamais avec une anxiété qui lui tordait la colonne vertébrale.

On le conduisit dans une pièce avec des lits superposés tristement poussés contre les murs. Trois hommes l'occupaient déjà. L'un, de Djibouti, parlait peu, il était étendu et regardait le plafond comme s'il retraçait son itinéraire jusqu'à ce centre de détention à Manchester. Les deux autres étaient nigérians. Le plus jeune, assis sur sa couchette, faisait interminablement craquer ses doigts. Le plus vieux faisait les cent pas dans la petite pièce sans arrêter de parler.

« Frère, ils t'ont eu comment ? » demanda-t-il à Obinze, avec une familiarité immédiate qui lui déplut. Quelque chose chez l'homme lui rappelait Vincent. Obinze haussa les épaules et ne dit rien ; inutile d'échanger des politesses sous prétexte qu'ils partageaient une cellule.

« Avez-vous quelque chose à lire, s'il vous plaît ? » demanda Obinze à l'agent de l'immigration quand elle vint chercher l'homme de Djibouti qui avait une visite.

« Lire ? répéta-t-elle en haussant les sourcils.
— Oui. Un livre, un magazine ou un journal.
— Vous voulez lire ? » Sur son visage apparut une expression de dédain amusé. « Désolée. Nous avons une salle de télévision où vous pouvez aller après le déjeuner. »

Dans la salle de télévision il y avait un groupe d'hommes, dont de nombreux Nigérians, parlant bruyamment. Les autres, écroulés sous le poids de leur désespoir, écoutaient les Nigérians échanger leurs histoires, rire ou se lamenter sur eux-mêmes.

« Ah, c'est ma deuxième fois, la première je viens avec passeport différent, dit l'un d'eux.
— C'est au travail qu'ils m'attrapent *o*.
— Il attrape un type qu'ils expulsent, lui il revient chercher les papiers. C'est lui qui va m'aider », dit un autre.

Obinze envia le naturel de ces hommes qui changeaient de noms et de passeports, projetaient de revenir et de tout recommencer parce qu'ils n'avaient rien à perdre. Il ne possédait pas leur savoir-faire ; il était vulnérable, un garçon qui avait grandi en mangeant des corn flakes et en lisant des livres, élevé par une mère à une époque où dire la vérité n'était pas encore un luxe. Il avait honte de se trouver avec eux, mêlé à eux. Ils n'éprouvaient pas ce genre de honte et, même ça, il le leur enviait.

*

En prison, il se sentit atteint à vif, écorché, dépouillé de toute protection. Il reconnaissait à peine la voix de sa mère au téléphone, la voix d'une femme qui parlait un anglais nigérian limpide, qui lui disait, d'un ton calme, de se montrer fort, qu'elle serait à Lagos pour l'accueillir, et il se souvint que des années auparavant, lorsque le gouvernement du général Buhari avait cessé de distribuer des produits de première nécessité et qu'elle ne revenait plus à la maison avec des boîtes de lait gratuites, elle s'était mise à broyer des graines de soja pour faire du lait. Elle disait que le lait de soja était plus nourrissant que le lait de vache, et bien qu'il refusât de boire ce liquide grumeleux le matin, il la regardait faire, pleine de bon sens, sans une plainte. C'était ce qu'elle faisait à présent, au téléphone, lui promettant de venir le chercher, comme si elle avait toujours prévu cette éventualité, voir son fils en prison, attendant d'être expulsé d'un pays étranger.

Il pensait beaucoup à Ifemelu, se demandant ce qu'elle devenait, si sa vie avait changé. Elle lui avait dit un jour, à l'université : « Tu sais ce que j'admirais le plus chez toi, au lycée ? C'est que tu n'avais aucun problème à dire "je ne sais pas". Les autres garçons prétendaient savoir ce qu'ils ne savaient pas. Mais tu gardais toujours cette confiance en toi et tu étais capable d'admettre que tu ignorais quelque chose. » Il avait trouvé le compliment inhabituel et apprécié cette image de lui-même, peut-être parce qu'il savait qu'elle n'était pas tout à fait exacte. Il se demandait ce qu'elle penserait si elle apprenait où il était à présent. Elle se montrerait compatissante, certainement, mais dans quelle mesure ne serait-elle pas déçue ? Il hésita à demander à Iloba de la contacter. La retrouver ne poserait pas de difficulté, il savait déjà qu'elle habitait Baltimore. Mais il ne le lui demanda pas. Quand Iloba venait lui rendre visite, il lui parlait d'avocats. L'un comme l'autre savaient que c'était inutile, et pourtant Iloba parlait d'avocats. Il s'asseyait devant Obinze de l'autre côté de la table, appuyait sa tête sur sa main, et parlait d'avocats. Obinze se demandait si certains d'entre eux existaient ailleurs que dans l'esprit d'Iloba. « Je connais un avocat à Londres, un Ghanéen, il représentait un homme qui n'avait pas de papiers, l'homme était presque à bord de l'avion et, soudain, il a été libéré. Il travaille maintenant dans l'informatique. » À d'autres moments, Iloba se consolait en énonçant ce qui était évident. « Si seulement le mariage avait été célébré avant qu'ils arrivent, disait-il. Tu sais que s'ils étaient arrivés seulement une seconde après, ils ne t'auraient pas touché ? » Obinze hochait la tête. Il le savait et Iloba savait qu'il le savait. Durant la dernière visite d'Iloba, après qu'Obinze lui eut dit qu'il allait être transféré à Douvres le lendemain, Iloba se mit à pleurer. « Zed, ce n'était pas censé se passer comme ça.

— Iloba, qu'est-ce que tu racontes ? Arrête de pleurer, mon ami », dit Obinze, heureux de pouvoir jouer les braves.

Pourtant, quand Nicholas et Ojiugo vinrent le voir, il détesta leurs efforts pour se montrer positifs, se comporter, pratiquement, comme s'il était malade et qu'ils venaient lui rendre visite à l'hôpital. Ils s'assirent en face de lui, à la table nue et froide, et parlèrent de choses et d'autres, Ojiugo s'exprimant un peu trop vite, Nicholas en disant plus en une heure qu'Obinze l'avait jamais entendu dire en une semaine : Nne avait été admise au National Children's Orchestra, Nna avait encore gagné un prix. Ils lui apportèrent de l'argent, des romans, un sac de vêtements. Nicholas avait fait des achats à son intention, et la plupart des vêtements étaient neufs et à sa taille. Ojiugo demandait souvent : « Mais est-ce qu'ils te traitent bien ? » comme si l'important était le traitement plutôt que la morne réalité, son emprisonnement dans un centre de rétention, sur le point d'être expulsé. Personne ne se comportait normalement. Ils étaient tous sous l'emprise de son infortune.

« Ils attendent d'avoir des sièges disponibles pour Lagos, dit Obinze. Ils vont me garder à Douvres jusqu'à ce qu'il y ait une place disponible. »

Obinze avait lu un article sur Douvres dans un journal. Une ancienne prison. Franchir les portails électroniques, les hautes murailles, les barbelés, lui parut surréaliste. Sa cellule était plus petite, plus froide que celle de Manchester, et son codétenu, un autre Nigérian, lui déclara qu'il n'allait pas se laisser expulser. Il avait un visage dur, décharné. « J'enlèverai ma chemise et mes chaussures quand ils essayeront de me faire monter à bord. Je ferai une demande d'asile, dit-il à Obinze. Si tu enlèves ta chemise et tes chaussures, ils ne t'embarquent pas. » Il répétait souvent cette phrase, comme un mantra. De temps en temps il pétait bruyamment, sans dire un mot, et de temps en temps il tombait à genoux au milieu de leur petite cellule, les bras levés au ciel, et priait : « Dieu tout-puissant, gloire à Ton nom ! Rien n'est trop pour Toi ! Je bénis ton nom ! » Ses paumes étaient striées de marques profondes. Obinze se demandait quelles atrocités elles avaient subies. Il étouffait dans cette cellule, ne sortait que pour faire de l'exercice et pour manger de la nourriture qui ressemblait à un bol de vers bouillis. Il n'arrivait pas à l'avaler, son corps était sans force, sa chair fondait. Quand on le fit monter dans un fourgon un matin à l'aube, son menton était entièrement recouvert d'un épais duvet, semblable à un tapis d'herbe. Le jour n'était pas encore levé. Il était avec deux femmes et cinq hommes, tous menottés, tous expédiés au Nigeria, emmenés à l'aéroport d'Heathrow, dirigés vers les guichets de l'immigration et de la police avant d'être conduits à l'avion, sous le regard des autres passagers. On les fit asseoir en queue de l'avion, dans les dernières rangées de sièges, près des toilettes. Obinze resta immobile pendant toute la durée du vol. Il refusa son plateau-repas. « Non merci », dit-il à l'hôtesse.

La femme qui était à côté de lui dit : « Je peux l'avoir ? » Elle avait séjourné à Douvres comme lui. Elle avait des lèvres très sombres et un air enjoué, tenace. Elle s'arrangerait, il en était sûr, pour avoir un autre passeport et tenter l'aventure à nouveau.

Comme l'avion entamait sa descente vers Lagos, une hôtesse s'approcha et dit d'une voix forte : « Vous ne pouvez pas descendre. Un fonctionnaire de l'immigration va venir vous prendre en charge. » Le visage crispé de dégoût, comme s'ils étaient tous des criminels bafouant les honnêtes Nigérians comme elle. L'avion se vida. Obinze regarda par le hublot un vieil avion arrêté sous le soleil tiède de la fin d'après-midi, jusqu'à ce qu'un homme en uniforme s'avance dans l'allée. Il avait un ventre imposant ; boutonner sa chemise devait tenir du combat.

« Oui, oui, c'est à moi de vous prendre en charge ! Bienvenue au pays ! » dit-il ironiquement, et il rappela à Obinze cette propension à rire des Nigérians, à s'amuser d'un rien. Cela lui avait manqué. « Nous rions trop, avait dit sa mère un jour. Peut-être devrions-nous moins rire et résoudre davantage nos problèmes. »

L'homme en uniforme les conduisit à un bureau et leur remit un formulaire. Nom. Âge. Pays d'origine.

« Vous ont-ils bien traités ? demanda-t-il à Obinze.

— Oui, dit Obinze.

— Avez-vous quelque chose pour les gars ? »

Obinze le regarda un moment, son visage franc, sa vision simpliste du monde ; les expulsions étaient monnaie courante et les vivants continuaient à vivre. Obinze sortit de sa poche un billet de dix livres, une partie de l'argent que Nicholas lui avait donné. L'homme s'en empara avec un sourire.

Dehors, il eut l'impression de respirer de la vapeur ; il fut pris de vertige. Une tristesse nouvelle le submergea, la tristesse des jours qui l'attendaient, quand il aurait l'impression que le monde était légèrement détraqué, que sa vision était floue. À la sortie de la zone Arrivées, un peu à l'écart des autres personnes qui attendaient, sa mère lui faisait signe.

QUATRIÈME PARTIE

CHAPITRE 31

Après avoir rompu avec Curt, Ifemelu dit à Ginika : « Il y avait un sentiment que je voulais éprouver et que je n'éprouvais pas.

— Qu'est-ce que tu racontes ? Tu l'as trompé ! s'exclama Ginika en secouant la tête comme si Ifemelu était devenue folle. Franchement, Ifem, parfois je ne te comprends pas. »

C'était vrai, elle avait trompé Curt avec un homme plus jeune qui habitait son immeuble dans Charles Village et jouait dans un orchestre. Mais c'était également vrai qu'elle avait désiré, avec Curt, ressentir certaines choses sans jamais y parvenir. Elle ne s'était jamais vraiment sentie elle-même avec lui – beau, heureux, capable de façonner sa vie comme il l'entendait. Elle l'aimait, elle aimait la vie excitante et facile qu'il lui offrait, pourtant elle résistait souvent au désir d'y apporter un zeste de rudesse, de bousculer son naturel enjoué, ne serait-ce qu'un peu.

« Je crois que tu es autodestructrice, dit Ginika. C'est pourquoi tu as laissé tomber Obinze comme ça. Et maintenant tu trompes Curt parce que d'une certaine manière tu penses ne pas mériter d'être heureuse.

— Et maintenant tu vas me recommander des pilules contre le syndrome de l'autodestruction, dit Ifemelu. C'est absurde.

— Alors pourquoi as-tu agi comme ça ?

— C'était une erreur. Nous faisons tous des erreurs. Nous faisons tous des choses stupides. »

Elle l'avait fait, en réalité, par curiosité, mais elle ne le dirait pas à Ginika, car cela paraîtrait inconséquent. Ginika ne comprendrait pas, elle préférait une raison grave et importante comme l'autodestruction. Elle n'était même pas sûre que Rob lui plaisait, avec son jean déchiré, ses chaussures crasseuses, sa chemise de flanelle froissée. Elle ne comprenait pas la mode grunge, cette idée d'avoir l'air miteux parce que vous aviez les moyens de ne pas l'être ; c'était se moquer de la vraie misère. Il lui paraissait superficiel dans sa façon de s'habiller mais elle était néanmoins curieuse de voir comment il serait, nu dans un lit avec elle. Ils firent agréablement l'amour la première fois, elle était au-dessus de lui, bougeant d'avant en arrière, gémissant, tirant sur la toison de sa poitrine, se sentant délicieusement théâtrale. Mais la deuxième fois, lorsqu'elle entra dans son appartement et qu'il l'attira dans ses bras, une immense lassitude s'empara d'elle. Il respirait déjà lourdement quand elle s'extirpa de son étreinte et prit son sac pour partir. Dans l'ascenseur, elle fut submergée par le sentiment effrayant qu'elle cherchait désespérément quelque chose de solide, et que tout ce qu'elle touchait se dissolvait dans le néant. Elle se rendit chez Curt et lui raconta tout.

« C'était sans importance. Ce n'est arrivé qu'une fois et je regrette.

— Arrête de plaisanter », dit-il, mais elle comprit, en voyant l'incrédulité horrifiée qui assombrissait ses yeux bleus, qu'il savait qu'elle ne plaisantait pas. Il fallut des heures pendant lesquelles ils s'évitèrent l'un l'autre, burent du thé, mirent de la musique, vérifièrent leurs e-mails, Curt à plat ventre sur le canapé, immobile et muet, avant qu'il demande : « Qui est-ce ? »

Elle lui dit le nom de l'homme, Rob.

« Il est blanc ? »

Elle s'étonna qu'il pose cette question, qu'il la pose si vite. « Oui. » Elle avait vu Rob pour la première fois plusieurs mois auparavant dans l'ascenseur, avec ses vêtements peu soignés, ses cheveux mal lavés, il lui avait souri et dit : « Je vous vois de temps en temps. » Ensuite, chaque fois qu'il l'avait rencontrée, il l'avait regardée avec une sorte d'intérêt nonchalant, comme s'ils savaient tous les deux que quelque chose se passerait un jour entre eux, la seule question étant quand.

« D'où sort ce connard ? »

Elle lui dit qu'il habitait à l'étage au-dessus de chez elle, qu'ils s'étaient dit bonjour et rien d'autre jusqu'à ce soir où elle l'avait vu revenir du magasin de vins et spiritueux ; il avait demandé si elle avait envie de prendre un verre avec lui et elle avait fait une chose stupide, sur une impulsion.

« Tu lui as donné ce qu'il voulait », dit Curt. Les méplats de son visage se durcissaient. C'était des paroles inhabituelles de sa part, le genre de remarque qu'aurait faite Tante Uju, qui considérait le sexe comme une chose qu'une femme donnait à un homme à son propre détriment.

Soudain téméraire, elle apporta une correction. « J'ai pris ce que je voulais. Si je lui ai donné quelque chose, c'est accidentel.

— Écoute-toi ! Écoute ce que tu dis ! » La voix de Curt avait pris une intonation rauque. « Comment as-tu pu me faire ça ? J'ai été tellement gentil avec toi. »

Il considérait déjà leur relation à travers le prisme du passé. C'était un mystère pour elle, cette facilité de l'amour romantique à changer, la célérité avec laquelle l'être aimé devenait un étranger. Où l'amour s'enfuyait-il ? Peut-être le véritable amour était-il familial, une affaire de sang, puisque l'amour des enfants ne mourait pas comme l'amour romantique.

« Tu ne me pardonneras donc pas, dit-elle, mi-interrogative.

— Salope », fit-il.

Il lança le mot comme un poignard ; il jaillit de sa bouche avec un mépris cinglant. Entendre Curt dire « salope » d'un ton si froid paraissait irréel, et des larmes gonflèrent les yeux d'Ifemelu à la pensée qu'elle en avait fait un homme capable de dire « salope » aussi froidement. Elle aurait souhaité qu'il ne puisse jamais dire « salope » quelles que soient les circonstances. Seule dans son appartement, elle pleura toutes les larmes de son corps, recroquevillée sur le tapis du salon qui était si rarement utilisé qu'il avait conservé l'odeur du magasin. Sa relation avec Curt était ce qu'elle avait voulu, un couronnement dans sa vie. Pourquoi l'avait-elle détruite ? Elle croyait entendre sa mère dire que c'était l'œuvre du diable. Si seulement elle avait pu croire au diable, en un être extérieur qui envahit votre esprit et vous amène à détruire ce qui vous est le plus cher.

Elle passa des semaines à appeler Curt, à attendre devant son immeuble de le voir sortir, répétant sans cesse à quel point elle regrettait, à quel point elle voulait tout arranger. Le jour où elle se réveilla en acceptant finalement que Curt ne la rappelle pas, n'ouvre pas sa porte en dépit de ses coups redoublés, elle se rendit seule en ville dans leur bar favori. La barmaid, celle qui les connaissait, lui adressa un sourire aimable, un sourire de compassion. Elle le lui rendit et commanda un autre mojito, pensant que la barmaid conviendrait peut-être davantage à Curt, avec ses cheveux châtains lisses comme du satin, ses bras minces, ses vêtements noirs étroits et sa propension à bavarder gentiment, sans discontinuer. Elle serait fidèle avec la même constante gentillesse : si elle avait un homme comme Curt, elle ne s'amuserait pas à s'envoyer un inconnu qui jouait une musique discordante. Ifemelu fixa le fond de son verre. Il y avait un truc qui ne tournait pas rond chez elle. Elle ne savait pas quoi, mais quelque chose clochait. Une avidité, une impatience. Une connaissance imparfaite d'elle-même. Le sentiment qu'il existait un ailleurs, hors de sa portée. Elle se leva et laissa un bon pourboire sur le comptoir. Longtemps, son souvenir de la rupture avec Curt resta celui-ci : elle était dans un taxi qui roulait à vive allure le long de Charles Street, un peu ivre, un peu soulagée, un peu esseulée, avec un chauffeur du Penjab qui lui racontait fièrement que ses enfants réussissaient mieux que les enfants américains à l'école.

*

Quelques années plus tard, lors d'un dîner à Manhattan, le lendemain du jour où Barack Obama était devenu le candidat du parti démocrate à l'élection présidentielle des États-Unis, au milieu d'invités qui étaient tous de fervents supporters d'Obama, les yeux embués par le vin et la victoire, un Blanc au crâne dégarni déclara : « Obama mettra fin au racisme dans ce pays », et une élégante poétesse haïtienne aux hanches imposantes acquiesça, hochant la tête, sa coiffure afro plus volumineuse que celle d'Ifemelu, ajoutant qu'elle vivait avec un Blanc depuis trois ans en Californie et que la race n'avait jamais été un problème pour eux.

« C'est de la blague, dit Ifemelu.

— Comment ? dit la femme, comme si elle n'avait pas bien entendu.

— C'est de la blague », répéta Ifemelu.

Les yeux de la femme lui sortirent de la tête. « Vous êtes en train de m'expliquer ce que moi j'ai vécu ? »

Bien qu'Ifemelu eût compris à cette époque que les gens comme cette femme disaient ce genre de choses pour mettre tout le monde à l'aise, et pour montrer Quel Chemin Nous Avons Parcouru ; et bien qu'elle fût à présent parfaitement intégrée au cercle des amis de Blaine, dont l'un était le nouveau compagnon de cette femme, et qu'il eût été préférable de laisser tomber la discussion, rien n'y fit. Ce fut plus fort qu'elle. Les mots, une fois de plus, la dépassèrent ; ils forçaient le passage, se bousculaient.

« Si vous dites que la race n'a jamais été un problème, c'est uniquement parce que vous souhaitez qu'il n'y ait pas de problème. Moi-même je ne me sentais pas noire, je ne suis devenue noire qu'en arrivant en Amérique. Quand vous êtes noire en Amérique et que vous tombez amoureuse d'un Blanc, la race ne compte pas tant que vous êtes seuls car il s'agit seulement de vous et de celui que vous aimez. Mais dès l'instant où vous mettez le pied dehors, la race compte. Seulement nous n'en parlons pas. Nous ne mentionnons même pas devant nos partenaires blancs les petites choses qui nous choquent et ce que nous voudrions qu'ils comprennent mieux, parce que nous craignons qu'ils jugent notre réaction exagérée ou nous trouvent trop sensibles. Et nous ne voulons pas les entendre dire : Regarde le chemin que nous avons parcouru, il y a seulement quarante ans nous n'aurions pu former un couple légal, bla-bla-bla, parce que savez-vous ce que nous pensons quand ils disent ça ? Nous pensons mais putain pourquoi cela aurait-il dû être illégal de toute façon ? Mais nous nous taisons. Nous laissons tout ça s'accumuler dans nos têtes et, quand nous assistons à de sympathiques dîners progressistes comme celui-ci, nous disons que la race n'est pas un problème parce que c'est ce que nous sommes censés dire, pour que nos sympathiques amis progressistes ne soient pas perturbés. C'est la vérité, je parle d'expérience. »

L'hôtesse, une Française, jeta un coup d'œil à son mari américain, avec un sourire narquois de satisfaction : les dîners les plus réussis étaient ceux où les invités faisaient des déclarations imprévues et potentiellement agressives.

La poétesse secoua la tête et dit à la maîtresse de maison : « J'aimerais emporter chez moi un peu de ce merveilleux guacamole s'il vous en reste », et elle regarda l'assistance comme s'il lui paraissait impensable qu'ils puissent véritablement écouter Ifemelu. Mais ils l'écoutaient, en silence, les yeux rivés sur elle comme si elle était sur le point de dévoiler un secret salace qui les exciterait et les compromettrait. Ifemelu avait bu trop de vin blanc ; elle avait l'impression de flotter, et par la suite elle enverrait des e-mails d'excuse à la maîtresse de maison et à la poétesse. Mais tout le monde l'observait, même Blaine, dont pour une fois elle ne pouvait pas déchiffrer exactement l'expression. Et c'est ainsi qu'elle se mit à parler de Curt.

Ce n'était pas qu'ils évitaient le sujet, Curt et elle. Ils en parlaient de cette manière évasive qui n'admettait rien, n'engageait à rien et se terminait par les mots « c'est dingue », comme une curieuse pépite qu'on examine avant de la repousser. Ou avec des plaisanteries qui lui laissaient une vague impression de malaise qu'elle n'admettait jamais devant lui. Non que Curt prétende qu'être noir ou blanc en Amérique soit la même chose ; il savait que ce n'était pas le cas. Ce qu'elle ne comprenait pas, c'est qu'il puisse saisir parfaitement une chose mais soit complètement sourd à une autre similaire, et que son imagination soit si vive dans certains cas, mais paralysée dans d'autres. Avant le mariage de sa cousine Ashleigh par exemple, il l'avait déposée dans un petit institut de beauté près de sa maison d'enfance pour qu'elle se fasse épiler les sourcils. Ifemelu était entrée et avait souri à l'Asiatique derrière le comptoir.

« Bonjour. Je voudrais me faire épiler les sourcils.

— Nous ne faisons pas les sourcils frisés comme les vôtres, dit la femme.

— Vous ne faites pas les sourcils frisés ?

— Non. Désolée. »

Ifemelu adressa à la femme un long regard insistant ; pas la peine de discuter. S'ils ne le faisaient pas, ils ne le faisaient pas, quoi que cela puisse signifier. Elle appela Curt et lui demanda de rebrousser chemin et de revenir la chercher, parce que le salon ne faisait pas les sourcils frisés. Curt entra, ses yeux bleus encore plus bleus, et dit qu'il voulait parler à la direction sur-le-champ. « Vous allez vous occuper des sourcils de mon amie sinon je fais fermer votre boutique. Vous ne méritez pas d'avoir une licence. »

La femme se transforma aussitôt en un modèle de charme et d'empressement. « Je suis vraiment désolée, c'était un malentendu », dit-elle. Oui, bien sûr, ils pouvaient s'occuper de ses sourcils. Ifemelu n'en avait plus envie, craignant que la femme l'ébouillante, lui arrache la peau, la pince, mais Curt était trop indigné, frémissant de colère dans l'atmosphère raréfiée du salon, et elle se résigna à s'asseoir, tendue, tandis que la femme lui épilait les sourcils.

Sur le chemin du retour, Curt demanda : « Et en quoi tes sourcils sont frisés, d'abord ? Et, bon Dieu, pourquoi est-ce compliqué de les épiler ?

— Elles ne se sont peut-être jamais occupées des sourcils d'une Noire alors elles s'imaginent que ce n'est pas la même chose, parce que nos cheveux *sont* différents, après tout, mais je suppose que maintenant cette femme sait que nos sourcils ne sont pas différents. »

Curt eut un rire moqueur, tendit la main pour prendre la sienne dans sa paume chaude. Au cocktail, il garda ses doigts mêlés aux siens. Des jeunes femmes en minirobes, retenant leur souffle et leur ventre, se pressèrent pour lui dire bonjour et lui faire du charme, lui demandant s'il se souvenait d'elles, l'amie d'Ashleigh au lycée, la camarade de chambre d'Ashleigh à l'université. Quand Curt dit : « Je vous présente Ifemelu, mon amie », elles la regardèrent avec surprise, une surprise que certaines dissimulèrent, d'autres pas, et dans leur expression se lisait la question : « Pourquoi elle ? » Ifemelu s'en amusa. Elle avait déjà vu cette réaction chez des femmes blanches dans la rue, dont la mine, en voyant sa main dans celle de Curt, s'assombrissait aussitôt. Comme si elles étaient confrontées à une grande perte clanique. Ce n'était pas uniquement que Curt soit blanc, c'était le genre de Blanc qu'il était, avec sa chevelure blonde rebelle, son beau visage, son corps d'athlète, son charme chaleureux et l'odeur de l'argent qui flottait autour de lui. S'il avait été pauvre, plus vieux, gros, ordinaire, bizarre ou coiffé avec des dreadlocks, alors la chose eût été moins remarquable, et les gardiens du clan apaisés. En outre, pour compliquer la situation, bien qu'elle soit jolie, elle n'était pas le genre de Noire qu'on aurait pu, avec un effort, imaginer en sa compagnie : elle n'était pas brun clair, elle n'était pas métisse. À cette réception, tandis que Curt la tenait par la main, l'embrassait, la présentait à tout le monde, son amusement tourna à l'épuisement. Les regards avaient fini par la transpercer. Elle était même fatiguée de la protection de Curt, fatiguée d'avoir besoin de protection.

Curt se pencha vers elle et murmura : « Regarde cette femme, celle dont le bronzage artificiel est raté. Elle ne voit même pas que son crétin de jules n'a pas cessé de te mater depuis notre arrivée. »

Donc il avait remarqué, et compris, l'interrogation : « Pourquoi elle ? » Elle s'en étonna. Parfois, dans le flot de ses démonstrations d'exubérance, il avait un éclair d'intuition, une surprenante perception, et elle se demandait s'il n'y avait pas chez lui d'autres traits essentiels qui lui échappaient. Comme lorsqu'il disait à sa mère, qui jetait un coup d'œil au journal du dimanche et grommelait que certains cherchaient encore des raisons de se plaindre bien que l'Amérique ait abandonné la discrimination raciale : « Voyons, maman. Que dirais-tu si dix personnes ressemblant à Ifemelu débarquaient ici pour déjeuner ? Tu crois que nos autres convives seraient ravis ?

— Peut-être pas », répondait sa mère d'un ton évasif, avec un haussement de sourcils accusateur en direction d'Ifemelu, comme pour dire qu'elle n'ignorait pas qui avait transformé son fils en un pathétique champion de la race. Ifemelu lui adressait alors un petit sourire victorieux.

Et pourtant. Un jour, ils rendirent visite à sa tante Claire dans le Vermont, propriétaire d'une ferme bio, qui marchait pieds nus en décrétant qu'ainsi elle avait la sensation d'être connectée à la terre. Ifemelu avait-elle eu une expérience semblable au Nigeria ? demanda-t-elle, et elle eut l'air déçu quand Ifemelu lui dit que sa mère l'aurait giflée si elle avait osé sortir sans chaussures. Claire parla, tout au long de la visite, de son safari au Kenya, de la grâce de Mandela, de son adoration pour Harry Belafonte, et Ifemelu craignit qu'elle se mette à parler ebonics[1] ou swahili. En quittant sa maison biscornue, Ifemelu dit : « Je suis sûre qu'elle serait une femme intéressante si elle se bornait à être ce qu'elle est. Je n'ai pas besoin qu'elle insiste à ce point pour dire qu'elle aime les Noirs. »

Curt dit qu'il ne s'agissait pas de race, que sa tante était simplement hyperconsciente des différences, de n'importe quelle différence.

« Elle se serait comportée exactement de la même façon si j'étais arrivé avec une Russe blonde. »

Non, sa tante ne se serait pas comportée de la même façon avec une Russe blonde. Une Russe blonde était blanche, et sa tante n'aurait pas eu besoin de prouver qu'elle aimait les gens qui ressemblaient à la Russe blonde. Mais Ifemelu n'en dit rien à Curt parce qu'elle aurait voulu que ce soit évident pour lui.

Quand ils entrèrent dans un restaurant aux tables recouvertes de nappes et que le maître d'hôtel les regarda et demanda à Curt : « Une table pour une personne ? », Curt se hâta de dire à Ifemelu qu'il ne voulait pas le dire « comme ça ». Et elle aurait voulu lui demander : « Que voulait-il dire d'autre ? » Quand à Montréal la propriétaire de la maison d'hôte aux cheveux rouge fraise fit mine

1. Langue vernaculaire parlée par les Afro-Américains.

de ne pas remarquer sa présence au moment où ils s'enregistraient, ne regardant et ne souriant qu'à Curt, elle aurait voulu dire à Curt à quel point elle se sentait blessée, surtout parce qu'elle ne savait pas si la femme n'aimait pas les Noirs ou si Curt lui plaisait. Mais elle n'en fit rien, craignant qu'il rétorque que sa réaction était exagérée, ou qu'elle était fatiguée, ou les deux. Il y avait, simplement, des moments où il voyait et des moments où il était incapable de voir. Elle savait qu'elle aurait dû lui faire part de ces pensées, que les taire jetait une ombre sur eux deux. Pourtant, elle choisit le silence. Jusqu'au jour où ils se disputèrent à propos de son magazine. Il avait pris un exemplaire d'*Essence* dans la pile posée sur la table basse, un des rares matins où ils étaient chez elle, l'air empli de l'odeur des omelettes qu'elle venait de préparer.

« Ce magazine a une tendance raciste, dit-il.

— Quoi ?

— Réfléchis. Il ne montre que des Noires.

— Tu es sérieux ? »

Il eut l'air perplexe. « Ouais.

— Viens avec moi à la librairie.

— Quoi ?

— Il faut que je te montre quelque chose. Ne pose pas de questions.

— D'accord », dit-il, incertain de ce qui l'attendait, mais impatient, avec ce plaisir enfantin naturel, de participer.

Elle l'emmena à la librairie de l'Inner Harbor, prit sur le présentoir des exemplaires des différents magazines féminins et se dirigea vers le café.

« Tu veux un café au lait ? demanda-t-il.

— Oui, merci. »

Lorsqu'ils se furent installés, leurs gobelets en carton devant eux, elle dit : « Commençons par les couvertures. » Elle étala les magazines sur la table, les uns posés sur les autres. « Regarde, toutes ces femmes sont blanches. Celle-ci est censée être hispanique, on le sait parce qu'ils ont écrit deux mots en espagnol, mais elle ressemble exactement à cette femme blanche, même couleur de peau, même coiffure, mêmes traits. Maintenant, je vais les feuilleter page par page, et tu vas me dire combien tu vois de femmes noires.

— Allons, chérie, dit Curt, amusé, s'inclinant en arrière, portant son gobelet à sa bouche.

— Fais-moi plaisir », dit-elle.

Il compta. « Trois Noires, dit-il finalement. Voire quatre. Celle-ci pourrait être noire.

— Donc trois Noires dans peut-être deux mille pages de magazines féminins, et toutes métisses ou d'une race indéfinie, elles pourraient être indiennes ou portoricaines ou n'importe quoi. Aucune n'a la peau sombre. Aucune ne me ressemble, donc je ne peux pas prendre exemple sur ces magazines pour me maquiller. Regarde, cet article dit de se pincer les joues pour y amener plus de couleur parce que toutes les lectrices sont supposées avoir des joues que l'on peut pincer pour les colorer. Cet autre parle de différents produits capillaires qui conviennent à *tout le monde* – et "tout le monde" veut dire blondes, brunes et rousses. Je ne suis aucune de celles-là. Celui-là décrit les meilleurs après-shampoings – pour les cheveux lisses, ondulés et bouclés. Pas crépus. Tu vois ce qu'ils entendent par bouclés ? Je ne pourrais jamais m'en servir pour mes cheveux. Ici, ils parlent d'harmoniser le fard à paupières avec la couleur des yeux – des yeux bleus, verts ou noisette. Mais j'ai les yeux noirs, comment savoir quel fard me convient ? Là, ils disent que ce rouge à lèvres rose est universel, mais ils veulent dire universel à la condition d'être blanche, parce que j'aurais l'air d'une Barbie noire si j'essayais cette nuance de rose. Oh, regarde, il y a un progrès. Une publicité pour un fond de teint. Il existe sept nuances différentes pour les peaux blanches et une nuance générique couleur chocolat, mais c'est un progrès. Maintenant, parlons de ce qui est raciste ou non. Tu comprends pourquoi un magazine comme *Essence* a une raison d'être ?

— OK, chérie, OK. Je ne voulais pas en faire une telle affaire. »

Ce soir-là, Ifemelu écrivit un long e-mail à Wambui à propos de la librairie, des magazines, de ce qu'elle ne disait pas à Curt, de ce qui restait non dit, inachevé. C'était un long e-mail, qui analysait, questionnait, approfondissait. Wambui répondit en disant : « C'est tellement direct et vrai. Il faudrait que davantage de gens le lise. Tu devrais commencer un blog. »

Les blogs étaient quelque chose de nouveau pour elle. Mais raconter à Wambui ce qui se passait ne la satisfaisait pas entièrement ; elle rêvait d'avoir une autre audience, elle rêvait de connaître les histoires des autres. Combien étaient-ils à avoir choisi le silence ? Combien étaient devenus noirs en Amérique ? Combien d'entre eux avaient l'impression que leur existence était recouverte d'un voile de brume ? Elle rompit avec Curt quelques semaines plus tard et s'inscrivit sur WordPress. Son blog était né. Elle en changerait le nom plus tard, mais au début elle l'appela *Raceteenth ou Quelques observations intéressantes sur la négritude en Amérique par une Noire non américaine*. Son premier post fut une version mieux ponctuée de l'e-mail qu'elle avait envoyé à Wambui. Elle mentionnait Curt sous l'appellation de « l'Ex Blanc Sexy ». Quelques heures plus tard elle vérifia les statistiques de son blog. Neuf personnes l'avaient lu. Prise de panique, elle le désactiva. Le lendemain, elle l'activa de nouveau, modifié et révisé, terminant par des mots dont elle se souvenait encore. Elle les récitait à présent, à la table du couple franco-américain, pendant que la poétesse haïtienne la contemplait, les bras croisés.

> La solution la plus simple au problème de la race en Amérique ? L'amour romantique. Pas l'amitié. Pas le genre d'amour sûr, superficiel, dont l'objectif est de préserver le confort des deux personnes. Mais le véritable amour romantique profond, celui qui vous affole et vous laisse pantelant, qui vous fait respirer à travers les narines de votre bien-aimé. Et parce que cet amour profond est si rare, parce que la société américaine est organisée de manière à le rendre encore plus rare entre Noirs américains et Blancs américains, le problème de la race en Amérique ne sera jamais résolu.

« Oh, c'est une histoire merveilleuse ! » dit l'hôtesse française, portant les mains à sa poitrine d'un geste théâtral, regardant autour de la table, comme si elle cherchait une réaction. Mais tous restèrent silencieux, détournant les yeux, embarrassés.

Appel à Michelle Obama – Les cheveux comme métaphore de la race

> Mon amie blanche et moi sommes deux groupies de Michelle Obama. Aussi l'autre jour lui ai-je dit : Je me demande si Michelle Obama a des extensions, ses cheveux paraissent plus fournis à présent, et les passer au fer tous les jours doit sacrément les abîmer. Et elle me répond : Tu veux dire que ses cheveux ne poussent pas naturellement de cette façon ? Donc est-ce une erreur de ma part ou n'avons-nous pas ici la parfaite métaphore de la race en Amérique ? Les cheveux. Avez-vous remarqué qu'à la télévision, dans les émissions sur les soins de beauté, les Noires ont des cheveux naturels (rêches, enroulés, crépus ou frisés) sur la vilaine photo « avant », et sur la flatteuse photo « après »

quelqu'un a pris un instrument en métal brûlant et lissé leurs cheveux? Certaines femmes noires (américaines et non américaines) préféreraient se promener nues dans la rue que d'être vues en public avec leurs cheveux naturels. Parce que, voyez-vous, ce n'est pas professionnel, sophistiqué, ce que vous voudrez, ce n'est simplement pas normal. (S'il vous plaît, les commentateurs, ne me dites pas que c'est la même chose pour les femmes blanches qui ne se teignent pas les cheveux.) Quand vous avez *vraiment* des cheveux naturels de femme noire, les gens pensent que vous y avez « fait » quelque chose. En réalité, celles qui ont des cheveux afro ou des dreadlocks sont celles qui n'ont rien « fait » à leurs cheveux. Vous devriez demander à Beyoncé ce qu'elle a fait. (Nous aimons tous Bey mais pourrait-elle nous montrer, juste une fois, à quoi ressemblent ses cheveux lorsqu'ils poussent sur son crâne?) J'ai naturellement les cheveux crépus. Que je les coiffe en tresses collées, en afro ou en nattes. Non, ce n'est pas pour des raisons politiques. Non, je ne suis pas artiste, poète ou chanteuse. Pas plus qu'une mère nature. Simplement je ne veux pas mettre de défrisant – je suis déjà exposée dans ma vie à suffisamment de risques de cancer. (En passant, pourrait-on interdire les perruques afro à Halloween? L'afro n'est pas un déguisement, pour l'amour du ciel.) Imaginez que Michelle Obama en ait assez de ses fers à défriser, décide de revenir à ses cheveux naturels et apparaisse à la télévision avec une masse de cheveux laineux, ou des boucles serrées. (On ne peut pas prévoir quelle en sera la texture. Il est courant qu'une femme noire ait trois différents types de texture sur la tête.) Elle serait hallucinante, mais le pauvre Obama perdrait sûrement le vote des indépendants, et même celui des démocrates indécis.

MISE À JOUR : ZoraNeale22, qui revient à la coiffure naturelle, m'a demandé de poster ma méthode. Du beurre de karité pur en guise de baume démêlant convient à beaucoup de cheveux naturels. Mais pas à moi. Le beurre de karité rend mes cheveux grisâtres et secs. Et les cheveux secs c'est mon plus gros problème. Je les lave une fois par semaine avec un shampoing hydratant sans silicone. J'utilise un démêlant hydratant. Je ne les sèche pas avec une serviette. Je les laisse mouillés, les divise en sections, et applique un baume crémeux (mon préféré pour le moment est le Qhemet Biologics, les autres sont Oyin Handmade, Shea Moisture, Bask Beauty et Darcy's Botanicals). Puis je sépare mes cheveux en trois ou quatre grosses tresses plaquées et noue mon foulard de satin (le satin est préférable, il conserve l'humidité, tandis que le coton l'absorbe). Je me couche. Le lendemain matin, je défais les tresses, et voilà, j'ai une ravissante afro légère et mousseuse. Le truc est d'ajouter le produit sur des cheveux humides. Et je ne les peigne jamais, jamais, lorsqu'ils sont secs. Seulement quand ils sont mouillés, ou humides, ou totalement imbibés d'hydratant. Cette formule peut même s'appliquer à nos amies blanches frisées qui sont fatiguées des fers à défriser et des traitements à la kératine. Y a-t-il des Noires américaines ou non américaines avec des cheveux naturels qui veulent nous faire partager leur méthode ?

CHAPITRE 32

Pendant des semaines, Ifemelu tourna en rond, cherchant à retrouver la personne qu'elle était avant Curt. Elle n'avait pas prévu de vivre en couple avec lui, elle aurait été incapable de l'imaginer, elle pouvait donc sans mal revenir à ce qui existait avant. Mais cet avant était un brouillard gris-noir et elle ne savait plus qui elle était alors, ce qu'elle aimait, détestait, désirait. Son travail l'ennuyait : elle répétait les mêmes tâches monotones, écrivait des communiqués de presse, mettait en forme des communiqués de presse, corrigeait des communiqués de presse, machinalement, dans une sorte de torpeur. Peut-être en avait-il toujours été ainsi sans qu'elle s'en aperçoive parce qu'elle était aveuglée par la vivacité de Curt. Elle se sentait étrangère dans son propre appartement. Le week-end, elle allait à Willow. L'immeuble de Tante Uju faisait partie d'un groupe de bâtiments en stuc, dans un quartier soigneusement entretenu, avec des rochers disposés au coin des rues. Le soir, les habitants à l'air avenant y promenaient leurs beaux chiens. Tante Uju affichait une gaieté nouvelle ; elle portait un minuscule bracelet de cheville en été, un éclair doré prometteur à la jambe. Elle faisait partie des African Doctors for Africa, partait bénévolement pour des missions de deux semaines. Lors d'un voyage au Soudan, elle avait rencontré Kweku, un médecin ghanéen divorcé. « Il me traite comme une princesse. Tout comme Curt te traitait, dit-elle à Ifemelu.

— J'essaye de l'oublier, Tante. Arrête de parler de lui !

— Désolée », dit Tante Uju, sans paraître désolée le moins du monde. Elle avait conseillé à Ifemelu de faire l'impossible pour conserver cette relation, arguant qu'elle ne trouverait personne d'autre qui l'aimerait autant que Curt. Quand Ifemelu annonça à Dike qu'elle avait rompu avec Curt, il dit : « Il était drôlement sympa, Coz. Est-ce que ça ira pour toi ?

— Oui, bien sûr. »

Il en doutait peut-être, percevant la légère instabilité de son humeur ; la nuit, elle restait la plupart du temps couchée dans son lit à pleurer. Elle se reprochait ce qu'elle avait détruit, puis se disait qu'elle n'avait aucune raison de pleurer et pleurait quand même. Dike lui apporta un plateau dans sa chambre, sur lequel il avait mis une banane et une boîte de cacahuètes.

« L'heure du snack ! » dit-il avec un sourire espiègle. Il ne comprenait toujours pas comment on pouvait avaler ces deux choses ensemble. Pendant qu'Ifemelu mangeait, il s'assit sur le lit et lui parla de son école. Il jouait au basket à présent, il avait de meilleures notes et il aimait une fille qui s'appelait Autumn.

« Tu as vraiment trouvé ta place ici.

— Oui », dit-il, et son sourire lui rappela celui qu'elle lui avait connu à Brooklyn, ouvert, spontané.

« Tu te souviens du personnage de Goku dans mon dessin animé japonais ? demanda-t-il.

— Oui.

— Tu ressembles un peu à Goku avec ta coiffure afro », dit Dike en riant.

Kweku frappa et attendit qu'elle dise « Entrez » avant de passer la tête par la porte. « Dike, tu es prêt ? demanda-t-il.

— Oui, Oncle. » Dike se leva. « En route ! »

« Nous allons au foyer municipal, voulez-vous venir avec nous ? » demanda Kweku en hésitant, presque cérémonieux ; lui aussi savait qu'elle était sous le coup d'une rupture. De petite taille, binoclard, il se comportait en gentleman, un gentil gentleman ; il plut à Ifemelu parce qu'il aimait bien Dike.

« Non, merci », dit-elle.

Il habitait une maison non loin, mais quelques-unes de ses chemises étaient rangées dans les placards de Tante Uju, et Ifemelu avait aperçu dans la salle de bains une lotion faciale pour hommes ainsi que des yaourts bio dans le réfrigérateur que Tante Uju, autant qu'elle le sache, ne mangeait pas. Il regardait Tante Uju avec les yeux embués d'un homme qui voulait que le monde entier sache à quel point il l'aimait. Il lui faisait penser à Curt et éveillait en elle une tristesse nostalgique.

Sa mère perçut quelque chose dans sa voix au téléphone. « Tu es malade ? Qu'est-ce qu'il y a ?

— Tout va bien. C'est seulement le travail. »

Son père aussi demanda pourquoi elle avait un ton différent et si tout allait bien. Elle lui dit qu'il n'y avait pas de problème, qu'elle passait la plus grande partie de son temps libre à rédiger son blog ; elle s'apprêtait à lui expliquer ce nouveau passe-temps, mais il dit : « Je connais assez bien ce concept. Nous avons suivi une formation approfondie en informatique au bureau. »

« Ils ont accepté la demande de ton père. Il peut prendre son congé pendant les vacances scolaires, dit sa mère. Nous devrions rapidement nous occuper de nos visas. »

Ifemelu avait longtemps rêvé, et parlé, du jour où ils pourraient lui rendre visite. Elle en avait les moyens à présent, et sa mère en avait envie, mais elle aurait préféré que ce soit à un autre moment. Elle souhaitait les voir, mais la perspective de leur visite l'épuisait. Elle n'était pas sûre de pouvoir être leur fille, la personne dont ils se souvenaient.

« Maman, je suis débordée en ce moment.

— Ahn-ahn. Tu crois que nous allons te déranger dans ton travail ? »

Elle leur envoya donc des lettres d'invitation, des relevés de banque, une copie de sa carte verte. L'ambassade américaine avait fait des progrès, le personnel était toujours désagréable, disait son père, mais il n'était plus nécessaire de s'empoigner à l'extérieur pour être dans la file d'attente. Ils obtinrent des visas de six mois. Ils vinrent pour trois semaines. Elle eut l'impression d'être en présence d'étrangers. Ils étaient les mêmes en apparence, mais la dignité dont elle avait le souvenir n'était plus, remplacée par une excitation dérisoire, provinciale. Son père s'extasia devant la moquette industrielle du hall de son immeuble ; sa mère fit des stocks de sacs en faux cuir au Kmart, de serviettes en papier à l'épicerie du centre commercial, et même de sacs à provisions en plastique. Ils se firent prendre tous les deux en photo devant JC Penney, demandant à Ifemelu de bien photographier l'enseigne du magasin en entier. Elle les observait avec un léger mépris, dont elle avait honte ; elle avait conservé précieusement leur souvenir et pourtant, maintenant qu'elle les revoyait enfin, elle les regardait avec mépris.

« Je ne comprends pas les Américains. Ils disent “job” et on entend “jab”, déclara son père, épelant les deux mots. La façon de parler des Anglais est de loin préférable. »

Avant leur départ, sa mère lui demanda calmement : « Tu as un ami ? » Elle disait « ami » en anglais, le mot convenable employé par les parents, parce qu'ils ne pouvaient polluer leurs langues avec le mot « petit ami », même si c'était exactement ce qu'ils avaient en tête : quelqu'un de romantique, un mariage en vue.

« Non, dit Ifemelu. J'ai été très occupée par mon travail.

— Le travail c'est bien, Ifem. Mais tu devrais aussi garder les yeux ouverts. Souviens-toi qu'une femme est comme une fleur. Notre saison passe vite. »

Avant, elle aurait ri avec dédain et dit à sa mère qu'elle ne se sentait en rien semblable à une fleur, mais elle était trop fatiguée, c'était un trop grand effort. Le jour de leur départ pour le Nigeria, elle s'écroula sur son lit, en larmes, pensant : Qu'est-ce qui ne tourne pas rond chez moi ? Elle était soulagée de voir ses parents partir et se le reprochait. Après son travail, elle errait dans le centre de Baltimore, sans but, sans s'intéresser à rien. C'était donc ça que les romanciers appelaient langueur ? Un mercredi après-midi, elle remit sa démission. Elle n'avait pas envisagé de renoncer à son travail, mais il lui sembla soudain que c'était ce qu'elle devait faire. Elle rédigea la lettre sur son ordinateur et la porta à la directrice de son service.

« Vous faisiez pourtant de réels progrès. Que pouvons-nous faire pour vous faire changer d'avis ? lui demanda la directrice, très surprise.

— C'est personnel, des raisons familiales, dit vaguement Ifemelu. J'ai réellement apprécié toutes les chances que vous m'avez données. »

Alors, qu'en est-il ?

On nous raconte que la race est une invention, qu'il existe davantage de variations génétiques entre deux individus noirs qu'entre un Noir et un Blanc. Puis on nous dit que les Noires ont des cancers du sein plus graves et davantage de tumeurs de l'utérus. Et que les Blanches souffrent davantage de mucoviscidose et d'ostéoporose. Alors, qu'en est-il vraiment, docteur ? La race est-elle une invention ou non ?

CHAPITRE 33

Le blog avait pris forme et acquis de la maturité : tour à tour, il la surprenait, lui plaisait, la dépassait. Le nombre de ses lecteurs s'accrut, des milliers dans le monde entier, si vite qu'elle résistait à l'envie de consulter les statistiques, préférant ignorer combien de nouveaux clics elle avait eus en un jour, parce que cela l'effrayait. Et l'excitait. Quand elle vit ses posts retranscrits sur un autre site, elle eut un élan de triomphe, pourtant elle n'avait jamais imaginé une telle réussite, ni été animée d'une ambition bien définie. Des e-mails lui parvenaient de lecteurs qui voulaient soutenir le blog. Soutenir. Ce seul mot faisait de son blog un site indépendant d'elle, une chose séparée qui pouvait prospérer ou péricliter, tantôt sans elle tantôt avec elle. Elle créa un lien avec son compte PayPal. Des crédits apparurent, beaucoup d'entre eux très petits et l'un si important qu'elle laissa échapper un cri en le découvrant. Le versement réapparut tous les mois, anonyme, aussi régulier qu'un salaire, et chaque fois elle restait confondue, comme si elle ramassait quelque chose de valeur dans la rue sans le restituer. Elle s'interrogeait, se demandant si l'argent venait de Curt. Est-ce qu'il suivait son blog et dans ce cas que pensait-il d'être qualifié d'Ex Blanc Sexy ? C'était une interrogation mitigée : elle regrettait ce qui aurait pu être, mais il ne lui manquait plus.

Elle vérifiait trop souvent sa boîte e-mail, comme un enfant déchirant avec impatience l'emballage d'un cadeau qu'il n'est pas sûr de désirer, et elle lisait les messages de personnes lui demandant de prendre un verre avec elle, l'accusant d'être raciste, ou lui suggérant des thèmes de discussion. Un blogueur qui fabriquait des crèmes pour les cheveux lui proposa de faire de la publicité, et pour une somme modique Ifemelu plaça la photo d'une femme à l'abondante chevelure en haut à droite de sa page ; en cliquant dessus on accédait au site du fabricant. Un autre lecteur offrit de payer davantage pour une annonce clignotante qui montrait d'abord un mannequin au long cou dans une robe moulante, puis le même mannequin coiffé d'un chapeau à large bord. En cliquant sur l'image on obtenait l'adresse d'une boutique en ligne. Bientôt elle eut des publicités pour les shampoings Pantene et les cosmétiques Covergirl. Puis un e-mail du directeur du bureau multiculturel d'une école privée du Connecticut, si solennel qu'elle l'imagina tapé sur du papier orné d'armoiries, lui proposant de venir parler à ses élèves au sujet de la diversité. Un autre d'une société en Pennsylvanie, rédigé de manière moins officielle, lui disant qu'un professeur l'avait identifiée comme une blogueuse aux idées provocatrices et lui demandait de diriger leur atelier annuel consacré à la diversité. Un rédacteur du *Baltimore Living* désirait la faire figurer dans une rubrique intitulée « Dix personnes à suivre » ; elle était photographiée près de son ordinateur, le visage dans l'ombre, sous le titre : « La blogueuse ». Le nombre de ses lecteurs tripla. Les invitations se multiplièrent. Pour répondre aux appels téléphoniques, elle portait son pantalon le plus convenable, son rouge à lèvres le plus discret, et elle se tenait assise très droite à son bureau, jambes croisées, parlant d'une voix posée et assurée. Malgré tout, une partie d'elle-même était tendue, redoutant que la personne à l'autre bout de la ligne s'aperçoive qu'elle jouait la comédie, qu'elle n'était en fait qu'une malheureuse chômeuse vêtue toute la journée d'une chemise de nuit froissée, et la taxe d'« Imposture ! » en raccrochant. Mais d'autres invitations affluèrent. Les frais d'hôtel et de voyage étaient couverts et les honoraires variables. Un jour, sur une impulsion, elle déclara qu'elle voulait le double de sa rémunération de la semaine précédente, et elle s'étonna quand son interlocuteur qui appelait du Delaware dit : « Ouais, c'est possible. »

La plupart des gens qui assistèrent à sa première intervention sur la diversité, dans une petite entreprise de l'Ohio, étaient chaussés de baskets. Ils étaient tous blancs. Sa présentation avait pour titre : « Comment parler de race avec des collègues d'autres races », mais à qui, se demanda-t-elle, allaient-ils parler puisqu'ils étaient tous blancs ? Peut-être le gardien était-il noir.

« Je ne suis pas une experte, aussi ne prenez pas mes propos pour argent comptant », avait-elle commencé, et ils se mirent à rire, un rire chaleureux d'encouragement. Elle se dit alors que tout se passerait bien, elle n'aurait pas dû craindre de s'adresser à une salle pleine d'inconnus au milieu de l'Ohio. (Elle avait lu, avec quelque appréhension, qu'il existait encore dans la région des villes *sundown* [1].) « Le premier aspect d'une communication honnête en matière de race est de comprendre qu'on ne peut pas mettre sur le même pied toutes les formes de racisme », dit-elle, puis elle se lança dans son discours soigneusement préparé. Quand, à la fin, elle dit « Merci », contente de la fluidité de son expression, les visages qui l'entouraient étaient figés. Les applaudissements embarrassés la démoralisèrent. Plus tard, elle resta seule en compagnie du directeur des ressources humaines, à boire du thé glacé trop sucré dans la salle de conférences, et à parler de football, dont il savait que les Nigérians étaient de bons joueurs, comme s'il cherchait à parler de n'importe quoi sauf de l'exposé qu'elle venait de faire. Ce soir-là elle reçut un e-mail : *TA CONFÉRENCE ÉTAIT DU FLAN. TU ES UNE SALE RACISTE. TU DEVRAIS NOUS REMERCIER DE T'AVOIR ACCUEILLIE DANS CE PAYS.*

Cet e-mail, entièrement écrit en capitales, fut pour elle une révélation. Le but des ateliers sur la diversité, ou des conférences sur le multiculturalisme, n'était pas de provoquer un quelconque changement, mais qu'à la fin les gens se sentent bien dans leur peau. Ces gens-là ne s'intéressaient pas au contenu de ses idées, ils s'intéressaient uniquement à la signification de sa présence. Ils n'avaient pas lu son blog, mais ils avaient entendu dire qu'elle était la « première blogueuse » en matière de race. Et ainsi, dans les semaines qui suivirent, elle donna d'autres conférences dans des entreprises et des écoles, et se mit à dire ce qu'ils avaient envie d'entendre, rien de ce qu'elle écrirait jamais sur son blog, parce qu'elle savait que les gens qui lisaient son blog n'étaient pas les mêmes que ceux qui assistaient à ses ateliers sur le multiculturalisme. Au cours de ses interventions, elle disait : « L'Amérique a fait de grands progrès dont nous devrions être très fiers. » Dans son blog elle écrivit : *Le racisme n'aurait jamais dû naître, par conséquent n'espérez pas recevoir une médaille pour l'avoir réduit.* D'autres invitations continuaient d'arriver. Elle engagea une étudiante comme stagiaire, une

1. Les villes *sundown* affichaient à leur entrée : « *Nigger, don't let the sun go down on you* » : « Négro, ne laisse pas le soleil se coucher en ta présence. »

Haïtienne-Américaine, coiffée d'élégantes vanilles, qui connaissait Internet comme sa poche, dénichait toutes les informations dont Ifemelu avait besoin, et supprimait les commentaires indésirables aussitôt qu'ils étaient postés.

Ifemelu acheta un petit appartement. En lisant les annonces immobilières dans le journal, elle avait constaté avec stupéfaction qu'elle disposait d'assez d'argent pour effectuer le versement initial sans emprunter. Sa signature, au-dessus de la mention « propriétaire », lui laissa l'inquiétante impression d'être soudain devenue adulte, et aussi la surprit légèrement : c'était possible grâce à son blog. Elle transforma l'une des deux chambres en bureau et s'y installa pour écrire, se tenant souvent à la fenêtre pour contempler son nouveau voisinage de Roland Park, les rangées de maisons restaurées à l'ombre de vieux arbres. Elle était étonnée de voir parmi ses posts lesquels retenaient l'attention et lesquels n'attiraient que quelques clics. Son post concernant les rencontres en ligne, « Quel rapport avec l'amour ? », continuait, après de nombreux mois, à susciter des commentaires, comme quelque chose qui vous colle aux doigts.

> Bon, encore un peu triste après la rupture avec l'Ex Blanc Sexy, n'étant pas adepte de la drague dans les bars, je me suis inscrite sur un site de rencontres. Et j'ai examiné quantité de profils. Voici le problème. Dans cette catégorie où l'on choisit l'appartenance ethnique, les hommes blancs cochent les femmes blanches, les plus aventureux choisissent les Asiatiques et les Hispaniques. Les hommes hispaniques cochent les Blanches et les Hispaniques. Les Noirs sont les seuls à cocher « toutes », mais certains ne cochent même pas les Noires. Ils cochent Blanches, Asiatiques, Hispaniques. Je ne voyais pas vraiment l'amour là-dedans. Mais quel rapport entre l'amour et toutes ces cases, de toute façon ? Vous pourriez entrer dans une épicerie, croiser quelqu'un dont vous tombez amoureuse sans que cet homme soit de la race que vous avez cochée sur Internet. Donc, après avoir navigué sur le Net, j'ai annulé mon inscription. Heureusement j'étais encore en période d'essai, j'ai été remboursée. J'irai faire un tour à l'épicerie.

Les commentaires provinrent de gens ayant des histoires similaires à raconter et d'autres affirmant qu'elle se trompait, d'hommes qui lui demandaient d'afficher sa photo, de Noires faisant part de leur succès sur les sites de rencontres, d'individus en colère ou enthousiastes. Certains commentaires l'amusaient, parce qu'ils étaient sans aucun rapport avec le sujet du post. *Oh, allez vous faire foutre,* écrivait l'un. *Tout est plus facile pour les Noirs. Vous n'arrivez à rien dans ce pays à moins d'être noir. Les femmes noires ont même le droit d'être plus grosses*. Son post hebdomadaire, « Méli-Mélo du vendredi », mélange de réflexions, attirait un plus grand nombre de clics et de commentaires chaque semaine. Il lui arrivait de rédiger des posts en s'attendant à des réactions déplaisantes, l'estomac noué par l'appréhension et l'excitation, mais elle constatait qu'ils ne suscitaient que l'indifférence. Maintenant qu'elle était invitée à participer à des tables rondes et à des groupes de discussion, à la radio publique ou locale, toujours identifiée sous le nom « La Blogueuse », elle se sentait partie intégrante de son blog. Elle était devenue son blog. La nuit, pendant ses insomnies, son malaise grandissant revenait à la surface, et les nombreux lecteurs du blog devenaient, dans son esprit, une foule furieuse et accusatrice, prête à l'attaquer, à la démasquer.

Tribune ouverte : à tous les Noirs qui ont la bouche cousue

Ceci est destiné aux Noirs qui restent muets, aux Noirs américains et non américains qui montent dans l'échelle sociale et ne parlent jamais de leurs expériences exclusivement liées au fait d'être noirs. Parce qu'ils ne veulent choquer personne. Racontez ici votre histoire. Ouvrez la bouche. Cet espace est sûr.

CHAPITRE 34

C'est aussi son blog qui fut à l'origine du retour de Blaine dans sa vie. Au congrès Blogging While Brown[1] à Washington, pendant la journée d'accueil des participants, dans le hall de l'hôtel bondé d'une foule de gens qui se saluaient d'une voix sonore, elle parlait avec une blogueuse spécialiste du maquillage, une Mexicaine-Américaine mince aux paupières fluorescentes, quand elle leva les yeux et resta figée sur place, tremblante : à quelques mètres, au milieu d'un petit cercle, se tenait Blaine. Il n'avait pas changé, à l'exception de ses lunettes cerclées de noir. Il était tel que dans son souvenir à bord du train : grand, les membres souples. La blogueuse maquilleuse parlait des sociétés de cosmétiques qui envoyaient des produits gratuits à *Bellachicana*, et du problème éthique qui en découlait. Ifemelu hochait la tête, mais elle n'était consciente que de la présence de Blaine, qui s'écartait de son groupe et se dirigeait vers elle.

« Salut ! dit-il en fixant son badge. C'est donc vous la Noire non américaine ? J'aime beaucoup votre blog.

— Merci », dit-elle. Il ne se souvenait pas d'elle. Mais pourquoi l'aurait-il reconnue ? Leur rencontre dans le train était si lointaine que ni l'un ni l'autre ne savaient alors ce que le mot « blog » signifiait. Il s'amuserait sans doute de savoir à quel point elle l'avait idéalisé, qu'il était devenu un être fait non pas de chair mais de petits cristaux de perfection, l'Américain qu'elle n'aurait jamais. Il se tourna pour dire bonjour à la blogueuse maquilleuse et elle vit,

1. Réunion de blogueurs noirs.

à son badge, qu'il animait un blog consacré à « la rencontre du monde universitaire et de la culture populaire ».

Il revint à elle. « Êtes-vous toujours une adepte des centres commerciaux du Connecticut ? Parce que je continue de cultiver mon propre coton. »

Elle eut le souffle coupé, puis partit d'un grand rire, un rire étourdissant, euphorique, parce que sa vie était devenue un film enchanteur dans lequel les personnages finissaient par se retrouver. « Vous vous souvenez !

— Je vous observais depuis l'autre extrémité de la salle. Je suis resté interdit quand je vous ai vue.

— Oh mon Dieu, c'était il y a combien de temps, dix ans ?

— À peu près. Huit ?

— Vous ne m'avez jamais rappelée.

— J'étais avec quelqu'un. Ça ne marchait pas très bien, mais nous sommes restés ensemble plus longtemps qu'il n'aurait fallu. » Il se tut, avec une expression qu'elle apprendrait à connaître, un plissement des yeux discret qui révélait toute la noblesse de son caractère.

S'ensuivirent des e-mails et des conversations téléphoniques entre Baltimore et New Haven, des commentaires espiègles postés sur leurs blogs respectifs, un flirt poussé au téléphone en fin de soirée, jusqu'à ce jour d'hiver où il apparut sur le pas de sa porte, les mains enfoncées dans les poches de son caban gris foncé et son col saupoudré de neige comme d'une poussière magique. Elle préparait du riz à la noix de coco, emplissant l'appartement d'une forte odeur d'épices, une bouteille de merlot bon marché sur le comptoir, avec Nina Simone à plein volume sur sa chaîne. La chanson, « *Don't let me be misunderstood* », les entraîna, quelques minutes seulement après son arrivée, sur le pont qui passait de l'amitié amoureuse à l'amour. Après, il se souleva sur un coude pour la regarder. Il y avait quelque chose de fluide, de quasiment androgyne dans son corps mince, et elle se souvint qu'il lui avait confié qu'il pratiquait le yoga. Peut-être pouvait-il se tenir sur la tête, se contorsionner en d'invraisemblables positions. Quand elle mélangea le riz, désormais froid, à la sauce à la noix de coco, elle lui avoua que faire la cuisine l'ennuyait : elle avait acheté ces épices la veille et fait la cuisine parce qu'il venait la voir, s'imaginant avec du gingembre sur les lèvres, des traces de curry jaune qu'il aurait léché sur son corps, des feuilles de laurier écrasées sous eux. Mais ils s'étaient montrés raisonnables, s'étaient embrassés dans le salon avant qu'elle l'entraîne dans sa chambre.

« Nous aurions dû faire les choses de manière moins prévisible », dit-elle.

Il rit. « Comme j'aime faire la cuisine, il y aura beaucoup d'occasions imprévisibles. » Mais elle savait qu'il n'était pas homme à agir de manière imprévisible. Pas avec sa façon de mettre son préservatif avec une lente et froide concentration. Plus tard, quand elle eut connaissance des lettres qu'il avait écrites au Congrès à propos du Darfour, des adolescents auxquels il donnait des cours de soutien au lycée de Dixwell, de son travail bénévole à l'organisation d'aide aux sans-abris, elle le considéra comme une personne qui possédait un tronc d'humanité en guise de colonne vertébrale.

*

Tout se passa comme si, grâce à leur rencontre dans le train des années plus tôt, ils pouvaient franchir plusieurs étapes à la fois, ignorer plusieurs inconnues, et se glisser dans une intimité immédiate. Après sa première visite, elle repartit à New Haven avec lui. Pendant des semaines cet hiver-là, des semaines froides et ensoleillées, New Haven sembla illuminée de l'intérieur. Une couche de neige gelée s'accrochait aux buissons et un sentiment d'allégresse régnait dans un monde qui semblait n'appartenir qu'à eux seuls. Ils allaient à pied jusqu'au marchand de falafels de Howe Street, où ils mangeaient de l'houmous et restaient assis dans un coin sombre à parler pendant des heures, avant d'en sortir la bouche piquante d'ail. Ou elle lui donnait rendez-vous à la bibliothèque après ses cours et ils buvaient un chocolat trop riche à la cafétéria, mangeaient des croissants au blé complet trop granuleux, son paquet de livres sur la table. Il faisait cuire des légumes bio et des graines dont elle ne pouvait prononcer le nom – boulgour, quinoa –, nettoyant la moindre tache, une éclaboussure de sauce tomate, une goutte d'eau. Il l'effrayait en lui parlant des produits chimiques que l'on donnait aux poulets pour accélérer leur croissance, et de ceux qui assuraient aux fruits une peau parfaite. Pourquoi pensait-elle que les gens mouraient du cancer ? Avant de manger une pomme, elle la lavait donc à l'eau du robinet, bien que Blaine n'achetât que des fruits biologiques. Il lui apprit quelles étaient les graines riches en protéines, les légumes qui contenaient du carotène, les fruits trop sucrés. Il savait tout sur tout ; elle en était impressionnée, fière et en même temps un peu rebutée. Les petits faits domestiques en sa compagnie, dans son appartement au vingtième étage d'un immeuble moderne près du campus, devenaient lourds de signification – la manière dont il regardait Ifemelu s'hydrater la peau avec du beurre de cacao après sa douche du soir, le sifflement que faisait le lave-vaisselle quand il démarrait – et elle imaginait un berceau dans la chambre, avec un bébé, et Blaine mixant avec soin des fruits bio pour l'enfant. Il serait un père parfait, cet homme plein de principes.

« Je ne peux pas manger de tempeh, je ne comprends pas que tu aimes ça, lui dit-elle.

— Je n'aime pas ça.

— Alors pourquoi en manges-tu ?

— C'est bon pour moi. »

Il courait tous les matins et utilisait du fil dentaire le soir. C'était tellement américain, ce fil dentaire, ce passage d'un fil entre les dents, inélégant et fonctionnel. « Tu devrais en faire autant tous les jours », lui dit Blaine. Et elle s'y mit, comme elle adopta certaines de ses pratiques – aller à la gym, consommer davantage de protéines que de glucides – et elle le fit avec une sorte de satisfaction reconnaissante, parce que ces pratiques l'amélioraient. Il était semblable à un stimulant salutaire ; avec lui, elle ne pouvait qu'atteindre un niveau supérieur de santé.

*

La meilleure amie de Blaine, Araminta, vint lui rendre visite, et embrassa chaleureusement Ifemelu, comme si elles s'étaient déjà rencontrées. « Blaine n'a pas eu d'amie sérieuse depuis qu'il a rompu avec Paula. Et maintenant il est avec une sœur, une sœur chocolat par-dessus le marché. Nous faisons des progrès !

— Mint, arrête », dit Blaine, mais il souriait. Que sa meilleure amie soit une femme, une architecte avec de longues extensions, portant des hauts talons, un jean étroit et des lentilles de contact de couleur, disait de lui quelque chose qui plaisait à Ifemelu.

« Blaine et moi avons grandi ensemble. Au lycée nous étions les seuls Noirs de la classe. Tous nos amis voulaient que nous sortions ensemble, tu sais comment les gens pensent que deux gosses noirs doivent obligatoirement sortir ensemble, mais il n'était pas mon type, dit Araminta.

— Tu parles ! dit Blaine.

— Ifemelu, tu n'imagines pas à quel point je suis heureuse que tu ne sois pas dans l'enseignement. As-tu entendu ses amis parler ? Rien n'est simple. Chaque chose a forcément un double sens. C'est ridicule. L'autre jour, Marcia racontait que certaines Noires sont grosses parce que leurs corps sont le site d'une résistance anti-esclavage. Oui, OK, si les hamburgers et les sodas représentent la résistance à l'esclavage.

— Personne n'est dupe de ta pose anti-intellectuelle, Miss Drinks au Harvard Club, dit Blaine.

— Allons. De bonnes études n'impliquent pas nécessairement de faire de notre pauvre monde quelque chose qu'il faut à tout prix expliquer ! Même Shan se moque de votre clique. Elle vous imite formidablement, Grace et toi : *formation conforme aux règles et topographie de la conscience spatiale et historique*. » Araminta se tourna vers Ifemelu. « Tu n'as pas rencontré sa sœur Shan ?

— Non. »

Un moment plus tard, pendant que Blaine était dans sa chambre, Araminta dit : « Shan est un personnage intéressant. Ne la prends pas trop au sérieux quand tu la verras.

— Que veux-tu dire ?

— Elle est formidable, très séduisante, mais si tu as l'impression qu'elle t'ignore ou je ne sais quoi, ce n'est pas dirigé contre toi, elle est juste comme ça. » Elle baissa la voix pour ajouter : « Blaine est quelqu'un de bien, quelqu'un de vraiment bien.

— Je sais. » Ifemelu perçut, dans les paroles d'Araminta, une sorte d'avertissement ou une prière.

Au bout d'un mois, Blaine lui demanda de venir s'installer chez lui, mais elle attendit une année, même si elle passait alors la plus grande partie de son temps à New Haven, avait un laissez-passer pour la salle de sport de Yale en tant que compagne d'un professeur, et rédigeait son blog chez lui. Au début, excitée par l'intérêt qu'il lui montrait, honorée par son intelligence, elle le laissa lire les posts avant de les mettre en ligne. Elle ne lui demanda pas de les corriger, mais peu à peu elle les modifia, ajoutant et retranchant en fonction de ce qu'il lui disait. Puis elle commença à se rebeller. Ses posts devenaient trop intellectuels, ressemblaient trop à Blaine. Elle en avait écrit un sur les quartiers déshérités – « Pourquoi les parties les plus pauvres, les plus délabrées des villes américaines sont-elles peuplées de Noirs américains ? » – et il lui conseilla d'y inclure des détails sur la politique du gouvernement et le redécoupage administratif. Ce qu'elle fit, mais retira une fois qu'elle l'eut relu.

« Je ne veux pas expliquer, je veux observer, dit-elle.

— Souviens-toi que les gens ne te lisent pas pour se distraire, ils lisent un commentaire culturel. C'est une vraie responsabilité. Il y a des jeunes qui écrivent des essais sur ton blog à l'université, dit-il. Je ne dis pas que tu dois paraître intellectuelle ou ennuyeuse. Conserve ton style mais ajoute plus de substance.

— Il y a suffisamment de substance », dit-elle d'un ton irrité, agacée à la pensée qu'il avait raison.

« Tu es paresseuse, Ifem. »

Il utilisait souvent le mot « paresseux », pour qualifier ses étudiants qui ne remettaient pas leur travail à temps, les célébrités noires qui n'étaient pas engagées politiquement, les idées qui n'étaient pas conformes aux siennes. Elle avait parfois l'impression d'être son élève ; quand ils flânaient dans les musées, il s'attardait devant des tableaux abstraits qu'elle trouvait ennuyeux et elle était attirée par des sculptures audacieuses ou des peintures naturalistes, voyant dans son petit sourire qu'il était déçu de la voir encore fermée à son influence. Quand il mettait un disque de sa collection complète de John Coltrane, il l'observait, s'attendant à la voir écouter avec ravissement, et quand elle restait indifférente, il détournait rapidement le regard. Elle rédigea des posts sur deux romans qu'elle appréciait, d'Ann Petry et de Gayl Jones, et Blaine dit : « Il n'y a pas grand-chose de neuf là-dedans. » Il le dit doucement, comme s'il ne voulait pas la contrarier, mais devait le dire. Il avait des opinions arrêtées, tellement réfléchies et ancrées dans son esprit qu'il semblait parfois surpris qu'elle, de son côté, ne soit pas arrivée aux mêmes conclusions. Elle se sentait souvent éloignée de ses certitudes, de tout ce qu'il connaissait, et elle était désireuse de rattraper son retard, fascinée par la conviction qu'il avait d'être dans le vrai. Un jour, comme ils allaient acheter un sandwich dans Elm Street, ils virent la grosse femme noire habituée du campus : toujours dans les parages du café, offrant une rose en plastique aux passants en demandant : « Vous avez un peu de monnaie ? » Deux étudiants étaient en train de lui parler, et l'un d'eux lui donna son gobelet de cappuccino. La femme eut l'air ravi ; elle renversa la tête en arrière et vida le gobelet.

« C'est dégoûtant, dit Blaine en passant devant elle.

— Je sais », dit Ifemelu, bien qu'elle ne comprît pas pourquoi il avait une telle réaction devant cette SDF et son cappuccino. Des semaines auparavant, une femme blanche âgée qui était derrière elle dans la queue à l'épicerie avait dit : « Vous avez de si beaux cheveux, puis-je les toucher ? », et Ifemelu avait dit oui. La femme avait plongé les doigts dans sa coiffure afro. Elle avait vu Blaine se contracter et une veine battre à sa tempe.

« Comment as-tu pu la laisser faire ? avait-il ensuite demandé.

— Pourquoi pas ? Autrement comment pourra-t-elle avoir une idée de la sensation que donnent des cheveux comme les miens ? Elle ne connaît probablement aucun Noir.

— C'est donc à toi d'être son cobaye ? » avait demandé Blaine.

Il s'attendait à ce qu'elle éprouve des sentiments inconnus d'elle. Il y avait des choses qui existaient pour lui qui étaient hors de sa portée. Avec ses amis proches, elle se sentait souvent vaguement perdue. Ils étaient plutôt jeunes, bien habillés et sûrs d'eux, leurs phrases étaient remplies de « du genre... » et de « au regard de » ; ils se retrouvaient dans un bar tous les jeudis, et parfois l'un d'eux donnait un dîner, pendant lequel Ifemelu se bornait à écouter, parlait peu et les regardait avec étonnement : étaient-ils sérieux quand ils s'emportaient à cause des légumes importés qui mûrissaient dans les camions ? Ils voulaient éradiquer le travail des enfants en Afrique. Ils refusaient d'acheter des vêtements fabriqués par des ouvriers sous-payés en Asie. Ils regardaient le monde avec un sérieux lumineux, utopique qui l'émouvait sans jamais la convaincre. En leur compagnie, Blaine bourdonnait de références qui ne lui étaient pas familières et il lui semblait très loin, comme s'il leur appartenait, puis quand il la regardait enfin, de son regard chaud et aimant, elle éprouvait une sorte de soulagement.

*

Elle parla de Blaine à ses parents, leur dit qu'elle quittait Baltimore et allait s'installer à New Haven pour vivre avec lui. Elle aurait pu mentir, inventer un nouveau travail, ou dire simplement qu'elle avait envie de déménager. « Il s'appelle Blaine, dit-elle. Il est américain. »

Elle entendit le symbolisme de ses paroles, parcourant des milliers de kilomètres jusqu'au Nigeria, et elle sut ce que ses parents comprendraient. Blaine et elle n'avaient pas parlé de mariage, mais le terrain sous ses pas semblait ferme. Elle voulait que ses parents le connaissent, sachent à quel point il était bon. Elle utilisait ce mot en le décrivant : « bon ».

« Un nègre américain ? » demanda son père, l'air perplexe.

Ifemelu éclata de rire. « Papa, plus personne ne dit nègre.

— Mais pourquoi un nègre ? Les Nigérians sont-ils si rares en Amérique ? »

Elle ignora la question, sans cesser de rire, et le pria de lui passer sa mère. Ne pas lui répondre, lui dire qu'elle allait vivre avec un homme sans être mariée n'était possible que parce qu'elle était en Amérique. Les règles avaient changé, tombées dans les profondeurs de l'éloignement.

Sa mère demanda : « Il est chrétien ?

— Non. C'est un adorateur du diable.

— Jésus tout-puissant ! s'écria sa mère.

— Maman, oui, il est chrétien.

— Alors pas de problème, répondit sa mère. Quand viendra-t-il se présenter ? Tu peux t'arranger pour que nous fassions tout en même temps – les visites, le prix de la mariée, l'offre du vin –, ce sera moins cher et il n'aura pas besoin de faire des allées et venues. L'Amérique est loin...

— Maman, je t'en prie. Rien ne presse. »

Après avoir raccroché, encore amusée, elle décida de changer le titre de son blog en *Raceteenth ou Observations diverses sur les Noirs américains (ceux qu'on appelait jadis les nègres) par une Noire non américaine*.

Poste à pourvoir en Amérique – Arbitre national de « Qui est raciste »

En Amérique, le racisme existe mais les racistes ont disparu. Les racistes appartiennent au passé. Les racistes sont de méchants Blancs aux lèvres minces dans les films qui traitent de l'époque des droits civiques. Le problème est là : les manifestations de racisme ont changé mais pas le langage. Par exemple : si vous n'avez pas lynché quelqu'un, on ne peut pas vous qualifier de raciste. Si vous n'êtes pas un monstre assoiffé de sang, on ne peut pas vous qualifier de raciste.

Quelqu'un devrait être chargé de dire que les racistes ne sont pas des monstres. Ce sont des gens qui ont une famille aimante, des gens ordinaires qui payent leurs impôts. Quelqu'un devrait avoir pour mission de décider qui est raciste et qui ne l'est pas. À moins que le moment soit venu d'éliminer le mot « raciste ». De trouver quelque chose de nouveau. Comme « Syndrome de trouble racial ». Et on pourrait avoir plusieurs catégories pour ceux qui en sont affectés : bénin, moyen et grave.

CHAPITRE 35

Ifemelu se réveilla une nuit pour aller aux toilettes et entendit Blaine dans le salon parler au téléphone, d'une voix apaisante et affectueuse. « Désolé, je t'ai réveillée ? C'était ma sœur, Shan, dit-il quand il revint se coucher. Elle est de retour à New York, elle revient de France. Son premier livre va être publié, et elle a un petit coup de déprime. » Il s'interrompit. « Une petite déprime de plus. Shan en fait souvent. Viendrais-tu la voir avec moi ce week-end ?

— Bien sûr. Qu'est-ce qu'elle fait maintenant ?

— Qu'est-ce qu'elle ne fait pas ? Elle travaillait pour un fonds spéculatif. Puis elle a arrêté, a voyagé dans le monde entier, fait un peu de journalisme. Elle a rencontré cet Haïtien et s'est installée à Paris avec lui. Puis il est tombé malade et il est mort. Elle est restée un certain temps là-bas, où elle a conservé un appartement bien qu'elle ait décidé de revenir aux États-Unis. Elle vit avec ce nouveau type, Ovidio, depuis un an environ. C'est sa première vraie relation depuis la mort de Jerry. Un mec plutôt bien. Il n'est pas là cette semaine, en voyage en Californie, et Shan est seule. Elle aime organiser des réceptions, elle les appelle des salons. Elle a un nombre incroyable d'amis, des artistes ou des écrivains qui se réunissent chez elle et ont des discussions vraiment intéressantes. » Il s'arrêta. « C'est quelqu'un de particulier. »

*

Lorsque Shan entrait dans une pièce, tout l'air s'évaporait. Elle ne respirait pas profondément ; elle n'en avait pas besoin : l'air flottait simplement vers elle, attiré par son pouvoir naturel, jusqu'à ce qu'il ne reste plus rien pour les autres. Ifemelu imaginait l'enfance privée d'air de Blaine, courant après Shan pour lui rappeler qu'il existait. Même aujourd'hui, il était encore le petit frère plein d'un amour désespéré, tentant de gagner une approbation qu'il craignait de ne jamais obtenir. Ils arrivèrent chez Shan tôt dans l'après-midi, et Blaine s'arrêta pour bavarder avec le portier, comme il avait bavardé avec le chauffeur de taxi depuis Penn Station, avec sa simplicité spontanée, se liant avec les concierges, les employés des entreprises de nettoyage, les chauffeurs d'autobus. Il savait combien ils gagnaient, combien d'heures ils travaillaient, il savait qu'ils n'avaient pas d'assurance-maladie.

« Salut, Jorge, comment ça va ? dit-il en prononçant son nom avec l'accent espagnol.

— Pas mal. Et vos étudiants à Yale ? demanda le portier, apparemment ravi de le voir et ravi qu'il enseigne à Yale.

— Ils me rendent dingue comme d'habitude », dit Blaine. Puis il désigna la femme qui leur tournait le dos près de l'ascenseur, serrant contre elle un tapis de yoga rose. « Tiens, voilà Shan. » De petite taille, Shan était très belle, avec un visage ovale et des pommettes hautes, un visage impérieux.

« Salut ! » Elle serra Blaine dans ses bras. Elle ignora Ifemelu. « Je suis vraiment contente d'être allée à mon cours de Pilates. Tu perds tout si tu en sautes un. Tu es allé courir aujourd'hui ?

— Oui.

— Je viens de parler à David. Il dit qu'il m'enverra d'autres choix de couvertures cet après-midi. Ils semblent enfin m'écouter. » Elle leva les yeux au ciel. Les portes de l'ascenseur s'ouvrirent et elle entra la première, parlant toujours à Blaine, qui avait l'air gêné, comme s'il attendait l'occasion de faire les présentations, une occasion que Shan n'était pas prête à accorder.

« La directrice du marketing m'a appelée ce matin. Avec cette insupportable politesse qui est pire que n'importe quelle insulte. Elle me raconte que les libraires adorent déjà la couverture et bla-bla-bla. C'est ridicule, dit Shan.

— C'est l'instinct moutonnier du monde de l'édition. Ils font ce que tout le monde fait déjà », dit Blaine.

L'ascenseur s'arrêta à son étage, et elle se tourna vers Ifemelu. « Oh, excusez-moi, je suis tellement nerveuse, dit-elle. Ravie de faire votre connaissance. Blaine ne cesse de parler de vous. » Elle lança un long regard à Ifemelu, la jaugeant sans détour. « Vous êtes très jolie.

— *Vous* êtes très jolie », dit Ifemelu, se surprenant elle-même, car ce n'était pas les mots qu'elle aurait habituellement employés, mais elle se sentait déjà adoptée par Shan. Son compliment l'avait rendue étrangement heureuse. Shan est quelqu'un de particulier, avait dit Blaine, et Ifemelu comprenait maintenant ce qu'il voulait dire. Shan semblait être *élue* des dieux. Ils l'avaient touchée de leur baguette magique. La moindre action ordinaire de sa part devenait énigmatique.

« Comment trouvez-vous cette pièce ? » demanda Shan à Ifemelu, avec un geste circulaire de la main qui embrassait le mobilier spectaculaire : un tapis rouge, un canapé bleu, un canapé orange, un fauteuil vert.

« Je sais que tout est censé avoir une signification, mais je ne vois pas laquelle. »

Shan rit, des sons brefs qui semblaient s'interrompre prématurément, comme si d'autres allaient suivre, mais rien ne venait ; voyant qu'elle se bornait à rire, sans dire un mot, Ifemelu ajouta : « C'est intéressant.

— Oui, *intéressant*. » Shan se tenait près de la table de salle à manger et, levant la jambe, elle la posa dessus, se penchant en avant pour saisir son pied dans sa main. Son corps était une succession de courbes gracieuses, fesses, mollets, seins, et son mouvement révélait le privilège de l'élue ; elle pouvait étendre sa jambe sur sa table de salle à manger chaque fois qu'elle le voulait, même avec une invitée dans l'appartement.

« Blaine m'a fait connaître *Raceteenth*. C'est un blog formidable, dit-elle.

— Merci, dit Ifemelu.

— J'ai un ami nigérian qui est écrivain. Vous le connaissez peut-être, Kelechi Garuba ?

— J'ai lu ses livres.

— Nous parlions de votre blog l'autre jour, et il m'a dit qu'il était sûr que la Noire non américaine était une Caribéenne, parce que les Africains se fichent de la race. Il aura un choc quand il vous rencontrera ! » Shan se tut pour changer de jambe, se pencha à nouveau pour saisir son pied.

« Il se plaint toujours que ses livres n'ont pas de succès. Je lui ai dit qu'il faut qu'il écrive des choses terribles sur son peuple s'il veut réussir. Il doit expliquer que les Africains sont les seuls responsables des problèmes de l'Afrique, et que les Européens ont davantage aidé l'Afrique qu'ils ne lui ont nui. Il deviendra célèbre, les gens diront qu'il est tellement honnête ! »

Ifemelu rit.

« Intéressant », dit-elle en montrant une photo de Shan tenant deux bouteilles de champagne au-dessus de sa tête, entourée d'enfants en haillons, souriants, à la peau brune, dans ce qui ressemblait à un bidonville d'Amérique latine, avec à l'arrière-plan des cabanes aux murs en tôle ondulée. « Je veux dire intéressant au sens littéral.

— Ovidio ne voulait pas que je la montre mais j'ai insisté. Elle est censée être ironique, bien sûr. »

Ifemelu se représenta l'insistance, une simple phrase qu'il avait été inutile de répéter et qui avait forcé Ovidio à la fermer.

« Vous rentrez souvent au Nigeria ?

— Non. En réalité, je ne suis pas rentrée chez moi depuis que je suis aux États-Unis.

— Pourquoi ?

— Au début, je n'en avais pas les moyens. Puis quand j'ai eu du travail je n'ai jamais trouvé le temps. »

Shan lui faisait face à présent, les bras écartés et rejetés en arrière comme des ailes.

« Les Nigérians nous appellent *acata*, n'est-ce pas ? Ce qui signifie animal sauvage ?

— J'ignore si ça signifie animal sauvage, je ne sais pas ce que ça veut vraiment dire. C'est un mot que je n'emploie pas. » Ifemelu se surprit presque à bégayer. C'était vrai mais sous le regard direct de Shan elle se sentait coupable. Il émanait d'elle une forme de puissance, subtile et dévastatrice.

Blaine sortit de la cuisine avec deux grands verres remplis d'un liquide rouge.

« Cocktails vierges ! » annonça Shan avec un plaisir enfantin en prenant le verre que lui tendait Blaine.

« Jus de grenade, eau pétillante et un peu de sirop d'airelle », dit Blaine en tendant l'autre verre à Ifemelu. « Alors, quand tiens-tu ton prochain salon, Shan ? J'en ai parlé à Ifemelu. »

Quand Blaine lui avait dit que Shan appelait ses réceptions « salons », il avait souligné le mot ironiquement, mais à présent il le prononçait à la française : *sa-lon*.

« Oh, bientôt, je pense. » Shan haussa les épaules d'un air désinvolte, but une gorgée puis dans la foulée s'inclina de côté pour s'étirer, comme un arbre courbé par le vent.

Le téléphone portable de Shan sonna. « Où ai-je fourré ce maudit téléphone ? C'est sans doute David. »

Le téléphone était sur la table. « Oh, c'est Luc. Je le rappellerai plus tard.

— Qui est Luc ? demanda Blaine.

— Ce Français, un type riche. C'est drôle, je l'ai rencontré à l'aéroport par hasard. Je lui dis que j'ai un petit ami et il enchaîne : "Alors je vais admirer de loin et attendre mon heure." Il a vraiment dit "attendre mon heure". » Shan but lentement son verre. « C'est agréable, en Europe, les hommes blancs vous considèrent comme une femme, pas comme une femme noire. Ce n'est pas que j'aie envie de sortir avec eux, sûrement pas, il me suffit de savoir que c'est une possibilité. »

Blaine hochait la tête, approuvant. Si quelqu'un d'autre que Shan avait prononcé ces paroles, il les aurait aussitôt passées au peigne fin, analysant la moindre nuance, et il n'aurait pas apprécié leur portée, leur simplicité. Un jour qu'ils regardaient un reportage sur le divorce d'une célébrité, Ifemelu lui avait dit qu'elle ne comprenait pas la sincérité intransigeante, sans équivoque, que les Américains exigeaient dans les relations amoureuses.

« C'est différent pour moi et je pense que c'est parce que je viens du tiers-monde, dit-elle. Un enfant du tiers-monde est conscient des différents cercles auxquels il appartient et sait à quel point la sincérité et la vérité dépendent du contexte. » Cette explication lui avait paru intelligente, mais Blaine avait secoué la tête avant même qu'elle ait fini de parler : « C'est trop facile d'utiliser l'excuse du tiers-monde. »

Aujourd'hui, il hochait la tête en écoutant Shan dire : « Les Européens ne sont pas aussi conservateurs et complexés que les Américains sur ce sujet. En Europe, les Blancs pensent : "J'ai seulement envie d'une femme sexy." En Amérique, les Blancs pensent : "Je ne toucherai pas à une femme noire mais je pourrais peut-être me faire Halle Berry."

— Très drôle, dit Blaine.

— Bien entendu, il y a un petit groupe de Blancs dans ce pays qui ne sortent qu'avec des Noires, mais c'est un genre de fétichisme et c'est moche », dit Shan, dirigeant son regard brûlant vers Ifemelu.

Ifemelu hésita à la contredire ; c'était curieux de voir à quel point elle désirait plaire à Shan. « En réalité, j'ai une expérience contraire. J'attire beaucoup plus les Blancs que les Noirs américains.

— Vraiment ? » Shan réfléchit. « Je suppose que c'est à cause de vos origines exotiques, de votre côté africain authentique. »

Piquée au vif par le dédain de Shan, elle tourna son ressentiment contre Blaine, car elle aurait voulu qu'il n'approuve pas aussi chaleureusement sa sœur.

Le téléphone de Shan sonna à nouveau. « Oh, cette fois j'espère que c'est David ! » Elle emporta le téléphone dans sa chambre.

« David est son éditeur. Ils veulent utiliser une illustration à connotation sexuelle, un torse noir, pour la couverture et elle n'est pas d'accord, dit Blaine.

— Vraiment. » Ifemelu but lentement son cocktail tout en feuilletant un magazine d'art, toujours furieuse contre lui.

« Ça va ? demanda-t-il.

— Très bien. »

Shan était de retour. Blaine la regarda. « C'est arrangé ? »

Elle hocha la tête. « Ils ne vont pas l'utiliser. Tout le monde semble être d'accord à présent.

— Parfait, dit Blaine.

— Je pourrais vous inviter sur mon blog pendant un jour ou deux quand votre livre sortira, dit Ifemelu. Vous seriez formidable. J'aimerais beaucoup vous avoir. »

Shan haussa les sourcils, une expression qu'Ifemelu ne sut pas interpréter, et elle craignit de s'être trop avancée.

« Oui, je pense que c'est possible », dit Shan.

Obama peut gagner, mais uniquement s'il reste le Nègre Magique

Son pasteur inquiète car son discours suggère qu'Obama n'est peut-être pas le Nègre Magique, après tout. Soit dit en passant, le pasteur est plutôt mélodramatique, mais êtes-vous jamais allé dans une église noire de l'ancienne école ? C'est du pur théâtre. Pourtant le point de vue de ce type est fondamentalement juste : à savoir que les Noirs américains (certainement ceux de son âge) vivent dans une Amérique différente de celle des Américains blancs ; ils connaissent une Amérique plus dure, plus laide. Mais vous n'êtes pas censé en parler, parce que en

Amérique tout est beau et tout le monde est pareil. Alors maintenant que le pasteur l'a dit, peut-être Obama le pense-t-il aussi, et si Obama le pense alors il n'est pas le Nègre Magique. Or seul un Nègre Magique peut gagner une élection américaine. Mais qu'est-ce qu'un Nègre Magique, demanderez-vous ? L'homme noir qui est constamment sage et bon. Qui ne réagit jamais malgré de grandes souffrances, ne se met jamais en colère, ne profère jamais de menaces. Il pardonne toujours toutes les insultes racistes. Il enseigne au Blanc comment briser le triste mais compréhensible préjugé qui est dans son cœur. Vous voyez un tel homme dans de nombreux films. Et Obama sort directement de ce casting.

CHAPITRE 36

C'était un anniversaire surprise à Hamden pour Marcia, une amie de Blaine.

« Bon anniversaire, Marcia ! » s'exclama Ifemelu en chœur avec les autres invités, à côté de Blaine. Sa langue un peu contrainte dans sa bouche, son enthousiasme un peu forcé. Elle était avec Blaine depuis un peu plus d'un an mais elle ne faisait pas encore tout à fait partie de son cercle d'amis.

« Espèce de faux jeton ! » dit Marcia à son mari, Benny, en riant, les larmes aux yeux.

Marcia et Benny enseignaient tous les deux l'histoire, ils venaient du Sud et se ressemblaient, assez petits, la peau couleur miel et des tresses effleurant leur cou. Ils répandaient leur amour comme un parfum entêtant, affichant un attachement transparent, se touchant l'un l'autre, se référant l'un à l'autre. À leur vue, Ifemelu imaginait une vie semblable avec Blaine, dans une petite maison d'une rue tranquille, des batiks accrochés aux murs, des sculptures africaines menaçantes aux angles des pièces, tous les deux passant leur existence dans un bourdonnement de bonheur.

Benny servait à boire. Marcia allait de l'un à l'autre, encore sous l'effet de la surprise, contemplant les plateaux du traiteur posés sur la table de la salle à manger puis levant les yeux vers les ballons qui dansaient au plafond. « Quand as-tu fait tout ça, chéri ? Je ne suis sortie qu'une heure ! »

Elle prit tout le monde dans ses bras, essuyant ses larmes. Avant de serrer Ifemelu contre elle, son expression refléta un instant d'inquiétude, et Ifemelu comprit que Marcia avait oublié son prénom. « Je suis tellement ravie de vous revoir, merci d'être venue », dit-elle, avec un accent exagéré de sincérité, en appuyant sur le « tellement » comme pour se faire pardonner d'avoir oublié le prénom d'Ifemelu.

« Coquin ! dit-elle à Blaine, qui l'embrassait en la soulevant dans ses bras.

— Tu es plus légère que lors de ton dernier anniversaire ! dit Blaine.

— Et elle rajeunit tous les jours ! ajouta Paula, l'ex-petite amie de Blaine.

— Marcia, allez-vous mettre votre secret en bouteille ? demanda une femme qu'Ifemelu ne connaissait pas, dont les cheveux décolorés bouffaient comme un casque de platine.

— Son secret est une vie sexuelle réussie », dit sérieusement Grace, une Américaine d'origine coréenne qui enseignait la civilisation afro-américaine, petite et mince, toujours habillée d'élégants vêtements amples, ce qui la faisait paraître flotter dans un bruissement de soie. « Je suis un oiseau rare, une dingue chrétienne de gauche », avait-elle dit à Ifemelu la première fois qu'elles s'étaient rencontrées.

« As-tu entendu ça, Benny ? demanda Marcia. Notre secret est une vie sexuelle réussie.

— C'est tout à fait vrai », dit Benny, et il cligna de l'œil à son intention. « Hé, quelqu'un a-t-il entendu la déclaration d'Obama ce matin ?

— Oui, les infos en ont parlé toute la journée », dit Paula. Elle était petite et blonde, et avait le teint clair et rose d'une habituée du grand air débordante de santé, et Ifemelu se demanda si elle montait à cheval.

« Je n'ai même pas la télévision, dit Grace avec un soupir navré. J'ai récemment renié mes principes et acheté un téléphone portable.

— Ils la repasseront, dit Benny.

— Mangeons ! » C'était Stirling, le type fortuné dont Blaine lui avait dit qu'il appartenait à une vieille famille de Boston ; grâce à quoi son père et lui avaient été étudiants prioritaires à Harvard. Il était sympathisant de gauche, plein de bonnes intentions, inhibé par la conscience de ses nombreux privilèges. Il ne se permettait jamais de manifester une opinion. « Oui, je vois ce que vous entendez par là », disait-il souvent.

Avec force compliments et bouteilles de vin, on fit honneur au buffet, au poulet frit, aux légumes et aux quiches. Ifemelu se servit de minuscules portions, contente d'avoir mangé quelques noix avant leur départ ; elle n'aimait pas la cuisine du Sud.

« Je n'ai pas mangé d'aussi bon pain de maïs depuis des années », dit Nathan à côté d'elle. Professeur de littérature, névrosé et bigleux derrière ses lunettes, c'était la seule personne à Yale en qui Blaine disait avoir toute confiance. Quelques mois plus tôt, il avait confié à Ifemelu qu'il ne lisait aucun roman publié après 1930. « Tout a foutu le camp après les années trente. »

Ifemelu en avait parlé par la suite à Blaine, avec un ton agacé presque accusateur, ajoutant que les universitaires n'étaient pas des intellectuels ; dépourvus de curiosité, indifférents, ils dressaient leurs tentes de savoir spécialisé et restaient en sécurité à l'intérieur. Blaine avait dit : « Oh, Nathan a ses marottes. Ça n'a rien à voir avec l'université. »

Blaine se montrait depuis peu sur la défensive quand ils parlaient de ses amis, peut-être parce qu'il devinait qu'elle était mal à l'aise en leur compagnie. Quand elle assistait à une conférence avec lui, il ne manquait jamais de dire que cela aurait pu être mieux ou que les dix premières minutes avaient été ennuyeuses, comme pour prévenir ses critiques. La dernière conférence à laquelle ils avaient assisté était celle qu'avait donnée Paula, l'ex-petite amie de Blaine, dans une université de Middletown. Paula, debout devant la salle, en robe portefeuille vert foncé et bottines, la parole fluide et convaincante, provoquant et charmant son auditoire : le portrait de la jeune et jolie politologue destinée à faire une carrière politique. Elle avait souvent tourné son regard vers Blaine pendant qu'elle parlait, comme une étudiante mesurant à son expression la qualité de son intervention. Blaine hochait la tête. À un moment il avait soupiré bruyamment comme si les mots qu'elle prononçait lui révélaient quelque chose d'exquis et de familier. Ils étaient restés bons amis, Paula et Blaine, fréquentant le même cercle après que Paula l'avait trompé avec une femme également nommée Paula, que l'on appelait depuis Pee afin de les distinguer l'une de l'autre. « Notre relation battait de l'aile depuis un certain temps. Elle disait qu'il s'agissait seulement d'une expérience avec Pee, mais je savais qu'il y avait davantage et j'avais raison car elles sont toujours ensemble », avait expliqué Blaine à Ifemelu, à qui toute cette histoire paraissait trop aimable, trop polie. Même l'amitié que Paula lui manifestait semblait exagérément lisse.

« Si nous l'abandonnions et allions prendre un verre ? avait proposé Paula à Ifemelu ce soir-là après sa conférence, les joues en feu, tout excitée et soulagée de s'en être bien tirée.

— Je suis épuisée, avait répondu Ifemelu.

— Et je dois préparer mon cours de demain, avait dit Blaine. Faisons quelque chose ce week-end, d'accord ? » Et il lui dit bonsoir en l'embrassant.

« Ce n'était pas si mal, non ? demanda Blaine à leur retour à New Haven.

— J'ai cru que tu allais avoir un orgasme », dit-elle. Blaine éclata de rire. Elle avait pensé, en la regardant parler, que Paula s'accordait parfaitement au mode de vie de Blaine, contrairement à elle, et elle en avait à présent la confirmation en observant Paula se resservir pour la troisième fois de chou vert, assise près de son amie Pee et riant de quelque chose que Marcia venait de dire.

La femme au casque de cheveux platine mangeait son chou vert avec les doigts.

« Nous autres humains ne sommes pas censés manger avec des ustensiles », dit-elle.

Michael, assis à côté d'Ifemelu, poussa un grognement. « Je me demande pourquoi tu ne vis pas dans une grotte », dit-il, et tout le monde s'esclaffa, mais Ifemelu n'était pas certaine que ce soit une plaisanterie. Il ne supportait pas ces simagrées. Elle le trouvait séduisant, avec ses tresses appliquées le long de son crâne et son air ironique, faisant fi de toute sentimentalité. « C'est un chic type mais il s'efforce tellement de rester réaliste qu'il en arrive parfois à paraître négatif », avait dit Blaine quand elle avait rencontré Michael. Il avait fait de la prison à dix-neuf ans pour vol de voiture avec violence et disait volontiers : « Certains Noirs n'apprécient l'éducation qu'après avoir fait de la prison. » Il était photographe, bénéficiait d'une bourse, et la première fois qu'Ifemelu avait vu ses photographies, en noir et blanc, pareilles à des ombres dansantes, elle avait été surprise par leur délicatesse et leur aspect vulnérable. Elle s'était attendue à des images plus dérangeantes. Une de ces photos était maintenant accrochée dans l'appartement de Blaine, en face du bureau qu'elle utilisait.

De l'autre côté de la table, Paula demanda : « Vous ai-je dit que je demande à mes étudiants de lire votre blog, Ifemelu ? C'est étonnant de voir à quel point leur pensée est conventionnelle et je veux les pousser à en sortir. J'ai adoré votre dernier post, "Conseils amicaux à un Américain non noir : comment réagir devant un Noir américain qui parle de négritude".

— C'est drôle comme titre ! dit Marcia. J'aimerais beaucoup le lire. »

Paula sortit son téléphone, le manipula et lut à haute voix :

> Cher Américain non noir, si un Américain noir te raconte une expérience vécue par un Noir, je t'en prie, ne t'empresse pas de citer des exemples tirés de ta propre expérience. Ne dis pas : « C'est exactement comme lorsque j'ai... » Tu as souffert. Tout le monde sur terre a souffert. Mais tu n'as pas souffert du fait que tu es un Noir américain. Ne trouve pas des explications alternatives à ce qui est arrivé. Ne dis pas : « Oh, ce n'est pas la race, c'est l'origine sociale. Oh, ce n'est pas la race, c'est le genre. Oh, ce n'est pas la race, c'est le monstre dans les paquets de céréales. » Tu vois, en fait, les Noirs américains ne VEULENT pas que ce soit la race. Ils aimeraient mieux qu'il n'existe aucun putain de problème racial. Donc lorsqu'ils disent que quelque chose est dû à la race, peut-être est-ce vraiment le cas ? Ne dis pas : « Je ne vois pas la couleur », parce que si tu ne vois pas la couleur, c'est que tu es daltonien, que tu as besoin de voir un médecin et que lorsque apparaît à la télévision un Noir soupçonné d'un crime dans ton voisinage, tout ce que tu vois est une silhouette floue d'un violet grisâtre. Ne dis pas : « On en a assez de parler de race » ou « La seule race est la race humaine ». Les Noirs américains eux aussi en ont marre de parler de race. Ils préféreraient ne pas y être obligés. Mais les conneries continuent. Ne commence pas par répondre : « Un de mes meilleurs amis est noir », parce que cela ne fait aucune différence, que tout le monde s'en fout et que tu peux avoir un meilleur ami noir et être néanmoins raciste et ce n'est sans doute pas vrai de toute façon, c'est peut-être un ami, mais pas un « meilleur » ami. Ne dis pas que ton grand-père était mexicain et que tu ne peux donc pas être raciste (clique ici pour en savoir plus sur « Il n'y a pas de Ligue unie des opprimés »). Ne parle pas des souffrances de tes grands-parents irlandais. Bien sûr l'establishment américain les a bien fait chier aussi. Tout comme les Italiens. Et comme les Européens de l'Est. Mais il y avait une hiérarchie. Il y a un siècle, les ethnies blanches détestaient qu'on les déteste, mais c'était à peu près supportable parce que les Noirs étaient plus bas sur l'échelle. Ne dis pas que ton grand-père était un serf en Russie à l'époque de l'esclavage car ce qui compte c'est que tu es américain aujourd'hui et être américain signifie que tu prends tout le bordel, l'actif et le passif de l'Amérique, et Jim Crow[1] pèse lourdement dans le passif. Ne dis pas : « C'est comme l'antisémitisme. » Ce n'est pas vrai. Dans la haine des Juifs, il

1. Les lois Jim Crow constituaient l'un des principaux éléments de la ségrégation raciale aux États-Unis.

peut y avoir de l'envie – ils sont si malins, ces Juifs, ils contrôlent tout, ces Juifs – et on peut dire qu'un certain respect, même s'il est teinté de rancœur, accompagne l'envie. Dans la haine des Noirs américains, il ne peut pas y avoir d'envie – ils sont si paresseux, ces Noirs, ils sont si stupides, ces Noirs.

Ne dis pas : « Oh, le racisme c'est fini, l'esclavage c'était il y a belle lurette. » Nous parlons de problèmes des années 1960, pas de 1860. Si tu rencontres un vieux Noir originaire de l'Alabama, il se souvient sans doute du temps où il devait descendre du trottoir parce qu'un Blanc passait au même moment. J'ai acheté une robe vintage sur eBay l'autre jour, datant de 1960, en parfait état et que je mets souvent. Quand sa propriétaire la portait, les Noirs américains n'avaient pas le droit de vote parce qu'ils étaient noirs. (Et peut-être la propriétaire était-elle une de ces femmes, sur la célèbre photo sépia, massées devant les écoles en criant « Singes ! » à des petits enfants noirs parce qu'elles refusaient qu'ils aillent en classe avec leurs petits enfants blancs. Où sont ces femmes aujourd'hui ? Dorment-elles sur leurs deux oreilles ? Pensent-elles à l'époque où elles criaient « Singes » ?) Pour finir, ne prends pas un ton « Soyons objectifs » en disant : « Les Noirs sont racistes eux aussi. » Car il est vrai que nous avons tous des préjugés (il m'arrive même de détester certains membres de ma famille, des gens avides, égoïstes), mais le racisme est lié au pouvoir d'un groupe et en Amérique ce sont les Blancs qui ont ce pouvoir. Comment ? Eh bien, les Blancs ne sont pas traités comme de la merde par les classes supérieures afro-américaines, les Blancs ne se voient pas refuser des prêts bancaires ou des hypothèques uniquement parce qu'ils sont blancs, les jurys noirs n'appliquent pas aux criminels blancs des peines plus lourdes qu'aux criminels noirs pour des crimes identiques, les policiers noirs n'arrêtent pas les Blancs au volant de leur voiture, les entreprises noires ne refusent pas d'engager quelqu'un parce que son nom a une consonance blanche, les enseignants noirs ne disent pas aux écoliers blancs qu'ils ne sont pas assez intelligents pour devenir médecins, les politiciens noirs n'inventent pas des stratagèmes destinés à réduire les possibilités de vote des Blancs en manipulant les règles électorales, les agences de publicité ne disent pas qu'elles ne peuvent pas utiliser des mannequins blanches pour promouvoir des produits de luxe sous prétexte qu'elles ne représentent pas l'image du « chic » aux yeux du « grand public ».

Alors, après cette série de choses à ne pas faire, quelles sont les choses à faire ? Je n'en sais rien. Essaye d'écouter, peut-être. Écoute ce qui est dit. Et souviens-toi que ce n'est pas toi qui es en cause. Les Noirs américains ne disent pas que c'est ta faute. Ils décrivent seulement ce qui est en faute. Si tu ne comprends pas, pose des questions. Si poser des questions te met mal à l'aise, dis-le et pose-les quand même. On voit facilement si une question part d'une bonne intention. Puis écoute encore davantage. Parfois les gens ont seulement envie d'être entendus. À l'amitié, aux connexions et à la compréhension.

Marcia dit : « J'aime beaucoup le passage sur la robe !

— C'est moyennement drôle, dit Nathan.

— Vous devez ramasser un fric fou pour vos interventions inspirées de ce blog, dit Michael.

— La plus grande part va à ma famille affamée au Nigeria, répliqua Ifemelu.

— Ce doit être réconfortant d'avoir ça, dit-il.

— D'avoir quoi ?

— D'avoir des ancêtres remontant à des temps anciens, de savoir d'où vous venez, ce genre de choses.

— En effet », dit-elle.

Il lui lança un regard qui l'embarrassa car elle n'était pas certaine de sa signification, puis il détourna les yeux.

Blaine disait à l'amie de Marcia au casque de cheveux platine : « Nous devons dépasser ce mythe. Il n'y a rien de judéo-chrétien dans l'histoire de l'Amérique. Personne ici n'a jamais aimé les catholiques et les juifs. Ce sont des valeurs anglo-protestantes, pas judéo-chrétiennes. Même le Maryland a vite cessé d'être favorable aux catholiques. » Il s'arrêta brusquement, sortit son téléphone de sa poche et se leva. « Excusez-moi, les amis », dit-il, et baissant la voix à l'intention d'Ifemelu : « C'est Shan. Je reviens tout de suite », et il alla dans la cuisine pour répondre à l'appel.

Benny alluma la télévision et ils regardèrent Barack Obama, grand et mince dans un manteau noir presque trop large pour lui, l'air un peu hésitant. Tandis qu'il parlait, des bouffées de vapeur s'échappaient de sa bouche comme de la fumée dans l'air froid. « *Et c'est pourquoi, à l'ombre du Old State Capitol, où jadis Lincoln appela une assemblée divisée à se rassembler, où vivent toujours des espoirs communs et des rêves communs, je me tiens devant vous aujourd'hui pour annoncer ma candidature à la présidence des États-Unis d'Amérique.* »

« Je n'arrive pas à croire qu'ils soient parvenus à le persuader, dit Grace. Ce type a du potentiel, mais il doit mûrir d'abord. Il a besoin d'acquérir du poids. Il va ruiner la cause des Noirs parce qu'il sera loin du compte et aucun Noir ne pourra plus se présenter dans ce pays pendant cinquante ans.

— Il me remonte le moral ! dit Marcia en riant. J'adore ça, l'idée de construire une Amérique où il y a davantage d'espoir.

— Je pense qu'il a une chance, dit Benny.

— Oh, il ne peut pas gagner. Il se fera descendre avant, dit Michael.

— C'est tellement rafraîchissant de voir un homme politique qui sait trouver le ton, dit Paula.

— Oui », dit Pee. Elle avait des bras minces inhabituellement musclés, des cheveux coupés très court, et un air terriblement anxieux ; c'était le genre de personne dont l'amour devait vous étouffer. « Il a l'air si intelligent, il s'exprime si clairement.

— Tu parles comme ma mère », dit Paula d'un ton irrité comme si elle poursuivait une ancienne querelle, que ses mots signifiaient autre chose. « Qu'y a-t-il de si remarquable dans le fait qu'il s'exprime facilement ?

— Tu as un problème d'hormones, Pauly ? demanda Marcia.

— C'est sûr ! dit Pee. Est-ce que tu as remarqué qu'elle a mangé tout le poulet frit ? »

Paula ignora Pee et, comme par défi, prit une autre tranche de tarte au potiron.

« Que pensez-vous d'Obama, Ifemelu ? » demanda Marcia. Ifemelu devina que Benny ou Grace lui avait soufflé son nom et qu'à présent Marcia était impatiente de révéler son nouveau savoir.

« J'aime bien Hillary Clinton, dit Ifemelu. Je ne sais rien de cet Obama. »

Blaine revint dans la pièce. « Qu'ai-je raté ?

— Shan va bien ? » demanda Ifemelu. Blaine hocha la tête.

« Ce que nous pensons d'Obama ne compte pas. Ce qui compte c'est de savoir si les Blancs sont prêts à avoir un président noir, dit Nathan.

— J'y suis prête, dit Pee. Mais je ne crois pas que le pays le soit.

— Sans blague, tu en as parlé à ma mère ? lui demanda Paula. Elle dit exactement la même chose. Si vous êtes prêts pour un président noir, alors qui ne l'est pas dans ce pays ? Ce sont les mots qu'emploient ceux qui n'arrivent pas à dire qu'ils ne sont pas prêts. D'ailleurs, même l'idée d'être prêt est ridicule. »

Ifemelu emprunta ces mots des mois plus tard, dans un post écrit pendant la phase finale et acharnée de la campagne présidentielle.

« Même l'idée d'être prêt est ridicule. » *Quelqu'un se rend-il compte à quel point il est absurde de demander aux gens s'ils sont prêts à avoir un président noir ? Êtes-vous prêt à voir Mickey devenir président ? Pourquoi pas Kermit la grenouille ? Et Rudolph le petit renne au nez rouge ?*

« Ma famille a de parfaites références de gauche, nous avons coché toutes les bonnes cases, dit Paula avec une moue ironique, tournant son verre à vin entre ses doigts. Mes parents ne rataient jamais une occasion de dire à leurs amis que Blaine était à Yale. Comme s'il était l'un des rares à être acceptable.

— Tu es trop dure envers eux, Paula, dit Blaine.

— Non, pas vraiment, tu n'es pas de mon avis ? Souviens-toi de cet horrible Thanksgiving.

— Tu veux dire quand j'ai demandé du gratin de macaronis ? »

Paula éclata de rire. « Non, ce n'est pas ce que je voulais dire. » Mais elle ne dit pas de quoi il s'agissait, et le souvenir ne fut pas dévoilé, demeura un secret entre eux.

De retour chez Blaine, Ifemelu dit : « J'étais jalouse. »

Car c'était bien de la *jalousie*, ce sentiment de gêne, ces tiraillements d'estomac. Paula avait tout d'une véritable idéologue ; elle pouvait, imaginait Ifemelu, glisser facilement dans l'anarchie, prendre la tête de manifestations, défier les matraques de la police et les lazzis des incroyants. À cette pensée, on se sentait inapte en comparaison.

« Il n'y a rien dont tu puisses être jalouse, Ifem, dit Blaine.

— Le poulet frit que tu manges n'est pas le poulet frit que je mange, c'est le poulet frit de Paula.

— Qu'est-ce que tu racontes ?

— Pour Paula et toi, le poulet frit est pané. Pour moi, le poulet frit n'est pas pané. Je pensais seulement à tout ce que vous avez en commun.

— Nous avons le poulet frit en commun ? Te rends-tu compte à quel point le poulet frit est une métaphore chargée de signification dans ce pays ? » Blaine riait, un rire doux, affectueux. « Ta jalousie est délicieuse, mais il n'y a aucune chance qu'il se passe quelque chose entre elle et moi. »

Elle savait qu'il n'y avait rien. Blaine ne la tromperait pas. Il était trop bardé d'honnêteté. La fidélité ne lui pesait pas ; il ne se retournait pas sur les jolies femmes dans la rue parce que cela ne lui venait pas à l'idée. Mais elle était jalouse des traces d'émotion qui subsistaient entre Paula et lui, à la pensée que Paula était comme lui, aussi bonne qu'il l'était.

Voyager quand on est noir

Un ami d'ami, un Noir américain sympa et bourré de fric, est en train d'écrire un livre intitulé *Voyager quand on est noir*. Pas simplement noir, dit-il, mais noir de manière flagrante parce qu'il y a toutes sortes de Noirs, et sans vouloir les offenser, il ne parle pas de ces Noirs qui ont l'air de Portoricains ou de Brésiliens ou de ce que vous voudrez, il parle de ceux qui sont indiscutablement noirs. Parce que le monde vous traite différemment. Voilà ce qu'il dit : « J'ai eu l'idée d'écrire ce livre en Égypte. J'arrive au Caire et un Arabe égyptien me traite de barbare noir. Je me dis, putain, je suis censé me trouver en Afrique ! Alors je me suis mis à penser à d'autres parties du monde, me demandant à quoi ça ressemblerait d'y voyager quand on est noir. Je suis aussi noir qu'on peut l'être. Les Blancs du Sud aujourd'hui me regarderaient en se disant, tiens, voilà un grand étalon noir. On vous dit dans les guides comment vous comporter si vous êtes homo ou une femme. Merde, ils devraient en faire autant pour les Noirs. Disons donc à nos amis voyageurs noirs à quoi ils doivent s'attendre. Personne naturellement ne va vous descendre mais mieux vaut savoir que vous avez des chances d'être regardé comme une bête curieuse. Dans la Forêt-Noire allemande, les regards étaient plutôt hostiles. À Tokyo et à Istanbul, tout le monde était cool et indifférent. À Shanghai les regards étaient appuyés. À Delhi, déplaisants. J'ai pensé : "Bon, sommes-nous tous logés à la même enseigne ? Nous tous, les gens de couleur ?" J'ai lu que le Brésil était La Mecque de la race. Je vais à Rio, et il n'y a personne qui me ressemble dans les restaurants chics et les bons hôtels. Les gens font une drôle de tête quand je me dirige vers la file des première classe à l'aéroport. Gentiment amusés, comme si je faisais une erreur, impossible qu'il ait cette tête et voyage en première. Je vais au Mexique et tout le monde me regarde. Sans hostilité, mais vous avez l'impression d'être différent, un peu comme s'ils vous aimaient bien mais que vous étiez quand même toujours King Kong. » Et à ce point mon professeur Hunk dit : « L'Amérique latine dans son ensemble a une relation vraiment compliquée à la négritude, une relation brouillée par cette histoire de "nous sommes tous *mestizos*" qu'ils se racontent. Le Mexique n'est pas aussi détestable que des endroits comme le Guatemala et le Pérou où le privilège des Blancs est bien plus criant, mais ces pays ont une population noire beaucoup plus conséquente. » Un autre ami nous dit : « Les Noirs autochtones sont toujours plus mal traités que les Noirs non autochtones partout dans le monde. Mon amie qui est née et a été élevée en France de parents togolais prétend être anglophone quand elle va faire des achats à Paris, parce que les vendeurs sont beaucoup plus aimables avec les clients noirs qui ne parlent pas français. Tout comme les Noirs américains sont traités avec respect dans les pays africains. » Des idées ? N'hésitez pas à partager vos propres *Histoires de voyage*.

CHAPITRE 37

C'était comme si elle avait quitté Dike des yeux une seconde et le découvrait subitement métamorphosé ; son petit cousin avait disparu, et à sa place il y avait un ado qui n'avait rien d'un ado, un mètre quatre-vingts, élancé et musclé, membre de l'équipe de basket du lycée de Willow, sortant avec une blonde à l'esprit vif du nom de Page qui portait des minijupes et des Converse. Ifemelu lui demanda un jour : « Comment ça se passe avec Page ? » Dike répondit : « Nous ne couchons pas ensemble, si c'est ce que tu veux savoir. »

Le soir, cinq ou six amis venaient le retrouver dans sa chambre, tous blancs à l'exception de Min, un grand Chinois dont les parents étaient professeurs à l'université. Ils jouaient à des jeux en ligne et regardaient des vidéos sur YouTube, s'asticotaient, se bagarraient, tous enfermés dans un arc brillant de jeunesse insouciante, au centre duquel se tenait Dike. Ils riaient des plaisanteries de Dike, cherchaient son approbation et, discrètement, tacitement, le laissaient prendre les décisions : commander des pizzas, aller jouer au ping-pong au centre communal. Avec eux, Dike était différent : il prenait un ton et un air assurés, bombait le torse, comme s'il avait passé la vitesse supérieure, et saupoudrait son discours de « s'pas » et « hein ».

« Pourquoi parles-tu ainsi avec tes amis, Dike ? avait demandé Ifemelu.

— Ho, Coz, tu vas pas me traiter comme ça, hein ? » avait-il dit avec une grimace exagérée qui l'avait fait rire.

Ifemelu l'imaginait à l'université ; il serait un guide parfait, conduisant un groupe de futurs étudiants et de leurs parents, leur montrant les aspects admirables du campus sans se priver de mentionner ce qui lui déplaisait personnellement, sans cesser de se montrer drôle, brillant et vif. Les filles tomberaient sous le charme, les garçons envieraient son brio et les parents souhaiteraient que leurs enfants lui ressemblent.

*

Shan portait un haut doré brillant, laissant ses seins libres de se balancer quand elle bougeait. Elle flirtait avec tout le monde, effleurait un bras, serrait l'un de trop près, s'attardait un peu trop quand elle embrassait l'autre sur la joue. Ses compliments étaient tellement outrés qu'ils semblaient forcés, pourtant ses amis souriaient et les recevaient avec un plaisir évident. Peu importait ce qu'elle disait ; l'essentiel était que ce fût dit par Shan. C'était la première fois qu'Ifemelu assistait à un de ses salons, et elle était nerveuse. Il n'y avait aucune raison, il s'agissait d'une simple réunion d'amis, et pourtant elle était nerveuse. Elle s'était torturée pour savoir quoi porter, avait essayé et écarté neuf tenues avant de se décider pour une robe bleu sarcelle qui lui amincissait la taille.

« Bonjour ! » dit Shan quand Blaine et Ifemelu arrivèrent. Ils s'embrassèrent.

« Est-ce que Grace vient ? demanda-t-elle à Blaine.

— Oui. Elle prend un train plus tard.

— Formidable. Je ne l'ai pas vue depuis des lustres. » Shan baissa la voix et dit à Ifemelu : « J'ai entendu dire que Grace utilise les recherches de ses étudiants.

— Quoi ?

— Grace. J'ai entendu dire qu'elle se sert des recherches de ses étudiants. Tu le savais ?

— Non », dit Ifemelu. Elle trouvait étrange que Shan lui tienne ces propos sur une amie de Blaine, mais cela lui donnait aussi l'impression d'être singulière, admise au cœur des commérages intimes de Shan. Puis, soudain honteuse de ne pas avoir pris plus vigoureusement la défense de Grace, qu'elle aimait bien, elle dit : « Je ne pense pas que ce soit vrai. »

Mais l'attention de Shan était déjà ailleurs.

« Je voudrais que tu fasses la connaissance d'Omar, l'homme le plus séduisant de New York », dit Shan en présentant Ifemelu à un homme aussi grand qu'un joueur de basket, dont la naissance des cheveux était dessinée à la perfection, suivant la courbe du front et contournant les oreilles. Quand Ifemelu lui tendit la main, il s'inclina légèrement, gardant la sienne sur sa poitrine, et sourit.

« Omar ne touche pas les femmes avec lesquelles il n'a pas de lien de parenté, expliqua Shan. C'est très sexy, non ? » Et elle pencha la tête en arrière pour lancer un regard aguicheur à Omar.

« Voici la belle et suprêmement originale Maribelle, et son amie Joan, qui est tout aussi belle. Elles me donnent des complexes ! » dit Shan. Maribelle et Joan, deux petites femmes blanches arborant d'énormes lunettes à monture foncée, gloussèrent. Elles étaient vêtues de robes courtes, l'une à pois rouges, l'autre bordée de dentelle, à l'apparence un peu fanée, pas très bien coupées, des vêtements dénichés dans une boutique de fripes. Elles avaient l'air déguisé, pour tout dire. Elles étaient l'image même d'une certaine classe moyenne éduquée, évoluée, elles aimaient les robes plus intéressantes que jolies, elles aimaient l'éclectisme, elles aimaient ce qu'elles étaient supposées aimer. Ifemelu les imaginait en voyage : elles collectionneraient les curiosités et en rempliraient leurs maisons, témoins peu raffinés de leur propre raffinement.

« Et voilà Bill ! » s'exclama Shan, serrant dans ses bras un homme à la peau très sombre, bâti comme une armoire et coiffé d'un borsalino. « Bill est écrivain, mais contrairement à nous tous il est richissime. » Shan roucoulait presque. « Bill a une idée épatante pour un livre intitulé *Voyager quand on est noir*.

— J'aimerais beaucoup en savoir plus, dit Ashanti.

— Au fait, ma chérie, j'adore ta coiffure, dit Shan.

— Merci ! » dit Ashanti. Elle arborait une débauche de cauris : ils tintaient à ses poignets, étaient mêlés à ses dreadlocks, encerclaient son cou. Elle parlait de « mère patrie » et de « religion yoruba », jetant un regard à Ifemelu comme pour chercher son approbation, mais c'était une parodie de l'Afrique qui mettait Ifemelu mal à l'aise, la laissant ensuite gênée de se sentir si mal à l'aise.

« Tu as fini par obtenir une couverture qui te plaît pour ton livre ? demanda Ashanti à Shan.

— "Plaît" est beaucoup dire, répondit Shan. Écoutez, vous tous, ce livre est un livre de mémoires, d'accord ? Il aborde une quantité de sujets, grandir dans une ville entièrement blanche, être la seule élève noire à l'école primaire, la mort de ma mère, tout ça. Mon éditeur lit le manuscrit et dit : "Je comprends l'importance de la race, mais nous devons nous assurer que le livre transcende la race, afin qu'il ne s'agisse pas seulement de race." Et je pense : Mais pourquoi faut-il que je transcende la race ? Vous voyez, comme si la race était un breuvage qu'il vaut mieux servir tiède, adouci par d'autres liquides, sinon les Blancs sont incapables de l'avaler.

— Très drôle, dit Blaine.

— Il n'a pas cessé de souligner les dialogues et d'écrire dans les marges : "Les gens disent-ils vraiment ça ?" Et je pense : Dites donc, combien de Noirs connaissez-vous ? Je veux dire, sur un plan d'égalité, comme amis. Je ne parle pas de la réceptionniste du bureau ni du couple noir dont les enfants vont à la même école que votre gosse et à qui vous dites bonjour. Je veux dire que vous connaissez réellement. Aucun. Dans ces conditions, de quel droit pouvez-vous me dire comment parlent les Noirs ?

— Ce n'est pas sa faute. Il n'y a pas assez de Noirs de classe moyenne avec lesquels se lier, dit Bill. Une quantité de Blancs progressistes cherchent à avoir des amis noirs. C'est presque aussi difficile à trouver qu'une donneuse d'ovule grande, blonde, âgée de dix-huit ans et étudiante à Harvard. »

Ils pouffèrent de rire.

« J'ai décrit cette scène qui se passe à l'université concernant une Gambienne que je connaissais. Elle avait un faible pour le chocolat à cuire. En avait toujours une tablette dans son sac. Bref, elle habitait Londres et était amoureuse d'un type, un Anglais blanc qui était en train de quitter sa femme pour elle. Donc nous étions dans un bar et elle racontait cette histoire à un petit groupe, une autre fille, moi et un type, Peter. Une espèce de courtaud du Wisconsin. Et savez-vous ce que Peter lui a dit ? Il a dit : "Sa femme doit se sentir d'autant plus amère sachant que vous êtes noire." Il l'a dit comme si c'était une évidence. Non pas que la femme soit amère à cause d'une autre femme, sans plus, mais qu'elle le soit parce que l'autre femme était noire. Je le raconte dans mon livre et l'éditeur veut changer le passage parce que soi-disant ce n'est pas *subtil*. Comme si la vie était toujours subtile. Ensuite j'écris que ma mère était malheureuse dans son travail ; elle avait le sentiment d'avoir atteint un plafond et qu'on ne la laisserait pas aller plus loin parce qu'elle était noire, et mon éditeur me dit : "Pourrions-nous avoir quelque chose de plus nuancé ? Votre mère avait des relations difficiles avec un collègue, peut-être ? Ou avait-on déjà diagnostiqué son cancer ?" Il pense qu'il faudrait compliquer les choses, que ce ne soit pas uniquement une question de race. Et je dis : Mais *c'était* une question de race. Elle était malheureuse parce qu'elle pensait qu'à toutes choses égales, sauf sa race, elle aurait été nommée vice-présidente. Elle en a beaucoup parlé jusqu'à sa mort. Mais voilà, ce qui est arrivé à ma mère manque de nuance. "Nuance" signifie rassurer les gens afin que chacun puisse se considérer comme un *individu,* arrivé là où il est en raison de ce qu'il a *accompli*.

— Tu devrais peut-être en faire un roman, dit Maribelle.

— Tu plaisantes ? demanda Shan, légèrement ivre, assise par terre en position de yoga. Tu ne peux pas écrire un roman honnête sur la race dans ce pays. Si tu racontes comment les gens sont vraiment affectés par la race, ce sera trop *prévisible*. Les auteurs noirs qui écrivent de la fiction dans ce pays, les trois valables, pas les milliers qui sortent ces livres merdiques aux couvertures multicolores sur le ghetto noir, n'ont qu'une alternative : être précieux ou prétentieux. Quand tu n'es ni l'un ni l'autre, tu n'intéresses personne. Donc si tu as l'intention d'écrire sur la race, tu dois te débrouiller pour être tellement lyrique et subtil que le lecteur qui ne lit pas entre les lignes ne se rend même pas compte qu'il s'agit de race. Tu sais, une méditation proustienne, confuse et sans consistance, qui à la fin te laisse confus et sans consistance.

— Ou alors un auteur blanc. Les auteurs blancs savent parler brutalement de la race et se montrer activistes parce que leur colère n'est pas menaçante, dit Grace.

— Et que penses-tu de ce livre récent, *Monk Memoirs* ? demanda Maribelle.

— C'est un livre peu courageux, malhonnête. Tu l'as lu ? demanda Shan.

— J'en ai lu une critique, dit Maribelle.

— C'est le hic. On lit davantage sur les livres que les livres eux-mêmes. »

Maribelle rougit. Elle n'aurait pas accepté ce genre de remarque d'une autre personne que Shan, se dit Ifemelu.

« L'idéologie est déterminante dans ce pays s'agissant de la fiction. Si un personnage n'est pas familier, il perd toute crédibilité, dit Shan. Ce n'est pas en lisant des romans américains que tu as une idée de ce qu'est la vie réelle à notre époque. Tu lis des romans américains pour savoir comment les Américains blancs tordus font des trucs bizarres à des Blancs normaux. »

Tout le monde rit. Shan avait l'air ravi, comme une petite fille qui fait son show devant les amis importants de ses parents.

« Le monde n'est pas à l'image de la pièce où nous nous trouvons, dit Grace.

— Mais il le pourrait, dit Blaine. Nous sommes la preuve que le monde peut ressembler à cette pièce. Il peut être un espace égal et sûr pour chacun. Il nous faut simplement démanteler la muraille des privilèges et de l'oppression.

— Voilà mon *flower child* de frère qui repart à l'attaque », dit Shan.

Les rires redoublèrent.

« Tu devrais mettre ça dans ton blog, Ifemelu, dit Grace.

— À propos, vous savez pourquoi Ifemelu peut écrire ce blog ? dit Shan. C'est parce qu'elle est africaine. Elle a un point de vue extérieur. Elle ne ressent pas vraiment tout ce dont elle parle. Elle n'y voit que des comportements pittoresques et bizarres. C'est pourquoi elle peut les décrire, bénéficier de tous ces encouragements et participer à des conférences. Si elle était afro-américaine, on la traiterait d'aigrie et on l'éviterait. »

Le silence emplit un instant la pièce.

« Ce n'est pas faux », dit Ifemelu. Elle s'en voulait autant qu'elle en voulait à Shan de céder à son emprise. Il était vrai que la notion de race n'était pas tissée dans son histoire ; elle n'avait pas été gravée dans son âme. Pourtant, elle aurait préféré que Shan lui fasse ces remarques quand elles étaient seules, au lieu de les faire maintenant devant ses amis avec une telle jubilation, laissant à Ifemelu un goût d'amertume, de perte.

« Une grande partie de tout cela est relativement récent, dit alors Blaine. Les identités noires et panafricaines étaient très fortes au début du XIXe siècle. La guerre froide a forcé les gens à choisir : ou bien vous deveniez internationaliste, ce qui signifiait naturellement communiste pour les Américains, ou vous intégriez le capitalisme américain, ce que fit l'élite afro-américaine. » Il parlait comme s'il voulait prendre la défense d'Ifemelu, mais ces propos lui parurent trop abstraits, trop mous, trop tardifs.

Shan jeta un bref coup d'œil à Ifemelu et sourit, d'un sourire où l'on pouvait déceler une grande cruauté. Quand, des mois plus tard, Ifemelu se disputa avec Blaine, elle se demanda si Shan l'avait incité à se mettre en colère, une colère qu'elle ne comprit jamais tout à fait.

Obama est-il tout sauf noir ?

Quantité de gens – généralement non noirs – disent qu'Obama n'est pas noir, qu'il est biracial, multiracial, noir et blanc, tout sauf simplement noir. Parce que sa mère était blanche. Mais la race n'est pas de la biologie ; la race est de la sociologie. La race n'est pas un génotype ; la race est un phénotype. La race compte à cause du racisme. Et le racisme est absurde parce qu'il concerne uniquement l'apparence. Pas le sang qui coule dans vos veines. C'est une question de couleur de peau, de forme du nez, de cheveux crépus. Booker T. Washington et Frederick Douglass avaient des pères blancs. Imaginez-les disant qu'ils n'étaient pas noirs.

Imaginez qu'Obama, avec sa peau couleur amande grillée et ses cheveux crépus, dise à une employée du recensement : « Je suis plus ou moins blanc. » « Bien sûr », dira-t-elle. De nombreux Noirs américains ont un Blanc parmi leurs ancêtres, parce que les Blancs propriétaires d'esclaves aimaient faire un petit tour la nuit dans les quartiers des esclaves. Mais si vous naissez avec la peau sombre, c'est cuit. (Alors si vous êtes une blonde aux yeux bleus qui dit « Mon grand-père était amérindien et moi aussi je suis victime de discrimination » quand les Noirs parlent de leurs emmerdes, par pitié, taisez-vous.) En Amérique, vous n'avez pas la possibilité de décider à quelle race vous appartenez. On le décide pour vous. Barack Obama, tel qu'il est, aurait été obligé de s'asseoir à l'arrière des bus il y a cinquante ans. Si un crime est commis aujourd'hui par un Noir quelconque, on pourrait interpeller Barack Obama et l'interroger parce qu'il correspond au profil. Et quel serait ce profil ? « Homme de race noire. »

CHAPITRE 38

Blaine n'aimait pas Boubacar, ce qui compta peut-être ou peut-être pas dans l'histoire de leur dispute, mais Blaine n'aimait pas Boubacar, et la journée d'Ifemelu débuta par une visite de la classe de Boubacar. Blaine et elle avaient fait sa connaissance à un dîner donné en son honneur par l'université ; c'était un Sénégalais à la peau noire qui venait d'arriver aux États-Unis pour enseigner à Yale. Il était sûr de son intelligence et sûr de son importance. Présidant la table, il buvait du vin rouge en parlant ironiquement des chefs d'État français qu'il avait rencontrés, des universités françaises qui lui avaient proposé un poste.

« Je suis venu en Amérique parce que je voulais choisir mon propre maître, dit-il. Si je dois avoir un maître, mieux vaut l'Amérique que la France. Mais je ne mangerai jamais un cookie ni ne mettrai le pied dans un McDonald's. Quelle barbarie ! »

Ifemelu fut charmée et amusée. Elle aimait son accent, son anglais imprégné de wolof et de français.

« Je l'ai trouvé génial, dit-elle à Blaine peu après.

— C'est intéressant de l'entendre débiter des banalités en pensant qu'elles sont d'une grande profondeur, dit Blaine.

— Il a un certain ego mais c'était le cas de tout le monde à cette table, dit Ifemelu. Vous, les gens de Yale, n'êtes-vous pas censés en avoir, avant d'être recrutés ? »

Blaine ne rit pas, comme il l'aurait fait habituellement. Elle perçut dans sa réaction une aversion foncière qui n'était pas dans sa nature ; elle s'en étonna. Il affectait un mauvais accent français en imitant Boubacar. « Les Africains francophones font une pause-café, les Africains anglophones une pause-thé. Il est impossible d'avoir un vrai café au lait dans ce pays ! »

Peut-être lui en voulait-il de s'être rapprochée si naturellement de Boubacar ce jour-là, au moment du dessert, comme de quelqu'un parlant le même langage silencieux qu'elle. Elle avait taquiné Boubacar au sujet des Africains francophones qui s'étaient laissé bourrer le crâne par les Français, étaient devenus susceptibles, à la fois trop sensibles aux affronts des Européens et fascinés par tout ce qui était européen. Boubacar avait ri, un rire familier ; il n'aurait pas ri ainsi avec un Américain, il se serait montré cinglant si un Américain avait osé dire la même chose. Peut-être Blaine avait-il été contrarié par cette proximité, quelque chose d'essentiellement africain dont il se sentait exclu. Mais les sentiments d'Ifemelu pour Boubacar étaient fraternels, innocents. Ils se voyaient souvent, prenaient le thé à la librairie Atticus et parlaient – ou plutôt elle écoutait car il monopolisait pratiquement la conversation – de la politique de l'Afrique occidentale, de la famille, du pays, et elle le quittait toujours avec un sentiment de réconfort.

*

Lorsque Boubacar lui parla de la nouvelle bourse de lettres créée à Princeton, elle avait commencé à se pencher sur son passé. Une certaine impatience s'était emparée d'elle. Elle commençait à avoir des doutes sur son blog.

« Tu devrais poser ta candidature, dit-il. Ce serait parfait pour toi.

— Je ne suis pas universitaire. Je n'ai même pas une licence.

— Le boursier actuel est un musicien de jazz, très brillant, mais il n'a qu'un diplôme de fin d'études secondaires. Ils cherchent des gens qui explorent de nouvelles voies, qui veulent aller plus loin. Il faut que tu postules, et n'hésite pas à donner mon nom comme référence. Nous devons pénétrer ces places, vois-tu, c'est la seule manière de changer le discours ambiant. »

Elle fut touchée, assise en face de lui dans un café, partageant avec lui une affinité d'idées.

Boubacar l'avait souvent invitée à assister à son cours, un séminaire sur les problèmes de l'Afrique actuelle. « Tu pourras y trouver de quoi nourrir ton blog », avait-il dit. C'est ce jour-là qui marqua le début de sa brouille avec Blaine, le jour où elle assista au cours de

Boubacar. Elle s'assit au fond de la classe, près de la fenêtre. Dehors, les feuilles tombaient des grands arbres majestueux, les passants emmitouflés jusqu'au cou se hâtaient sur les trottoirs, leur gobelet à la main, les femmes, surtout les Asiatiques, joliment habillées en jupes étroites et bottes à hauts talons. Les étudiants de Boubacar avaient tous des ordinateurs portables ouverts devant eux. Sur les écrans s'affichaient des pages d'e-mails, des recherches sur Google, des photos de célébrités. De temps à autre ils ouvraient un document Word et tapaient quelques mots du cours de Boubacar. Leurs vestes étaient accrochées aux dossiers de leurs sièges, et tout dans leur maintien, affalé, un peu agacé, disait : Nous connaissons déjà les réponses. Après le cours ils iraient à la cafétéria de la bibliothèque acheter un sandwich d'Afrique du Nord ou un curry indien, et quand ils se dirigeraient vers une autre classe, un groupe d'étudiants leur distribueraient des préservatifs et des sucettes. Dans la soirée ils iraient prendre le thé chez un professeur où un président d'Amérique latine ou un prix Nobel répondrait à leurs questions comme si elles étaient importantes.

« Tes étudiants étaient tous sur Internet, dit-elle à Boubacar tandis qu'ils regagnaient son bureau.

— Ceux-là n'ont aucun doute sur la légitimité de leur présence ici. Ils pensent qu'ils peuvent être là, ils en ont gagné le droit et ils paient pour cela. *Au fond**, ils nous ont tous achetés. C'est la clé de la grandeur de l'Amérique, cet orgueil démesuré », dit Boubacar, un béret de feutre noir sur la tête, les mains enfoncées dans les poches de sa veste. « Voilà pourquoi ils ne comprennent pas qu'ils devraient être reconnaissants que je sois ici, devant eux. »

Ils venaient d'arriver dans son bureau quand on frappa à la porte entrebâillée.

« Entrez », dit Boubacar.

Kavanagh entra. Ifemelu l'avait déjà rencontré ; il était assistant d'histoire et avait grandi au Congo. Les cheveux crépus, doté d'un sale caractère, il paraissait plus adapté à la couverture de guerres dangereuses dans des pays lointains qu'à l'enseignement de l'histoire à des étudiants. Il se tenait à la porte et dit à Boubacar qu'il prenait un congé sabbatique et que son département avait commandé des sandwichs pour le lendemain, un déjeuner de départ donné en son honneur, et qu'on lui avait dit qu'il s'agissait de sandwichs inhabituels garnis de choses spéciales comme des pousses d'alfalfa.

« Si je m'ennuie, je ferai un saut, dit Boubacar.
— Vous devriez venir, dit Kavanagh à Ifemelu. Vraiment.
— Je viendrai, dit-elle. Je ne refuse jamais un repas gratuit. »
En quittant le bureau de Boubacar, elle reçut un texto de Blaine. *Connais-tu la nouvelle à propos de M. White à la bibliothèque ?*

Elle crut d'abord que M. White était mort ; elle n'en fut pas affligée outre mesure et s'en voulut. M. White, agent de sécurité de la bibliothèque toujours posté à la sortie pour vérifier le rabat de chaque livre, avait l'œil chassieux et une peau sombre, couleur de myrtille. Ifemelu était tellement habituée à le voir assis, un visage et un buste, que la première fois qu'elle le vit marcher sa démarche lui fit pitié ; il avait les épaules courbées comme sous le poids d'un deuil permanent. Blaine s'était lié d'amitié avec lui des années auparavant et il sortait parfois pendant une pause pour aller bavarder avec lui. « Cet homme est un livre d'histoire », disait-il. Elle l'avait rencontré à quelques occasions. « Est-ce qu'elle a une sœur ? » demandait M. White à Blaine en la désignant. Ou bien : « Vous avez l'air fatigué, mon garçon. Quelqu'un vous empêche-t-il de dormir ? » d'un ton qu'Ifemelu jugeait déplacé. Quand ils se serraient la main, M. White pressait ses doigts d'un geste suggestif et elle les retirait en évitant son regard. Il y avait dans cette poignée de main une insistance, une concupiscence, qui avaient fait naître chez elle une légère aversion à son égard, mais elle n'en avait jamais parlé à Blaine, parce qu'elle s'en voulait d'éprouver ce dégoût. M. White n'était après tout qu'un vieil homme noir malmené par la vie et elle aurait voulu pouvoir fermer les yeux sur ses privautés.

« C'est curieux que je ne t'aie jamais entendu parler ebonics auparavant », dit-elle à Blaine, la première fois qu'elle l'entendit bavarder avec M. White. Sa syntaxe était différente, ses cadences plus rythmées.

« Je pense que je me suis trop habitué à ma voix "les Blancs nous surveillent", dit-il. Et tu sais, les jeunes Noirs ne changent plus de code linguistique aujourd'hui. Les enfants de la classe moyenne ne savent pas parler ebonics, et les gosses du centre-ville ne parlent qu'ebonics mais ils n'ont pas cette fluidité qu'ont ceux de ma génération.
— Je vais en faire un post dans mon blog.
— J'en étais sûr. »

Elle répondit au texto de Blaine. *Non, qu'est-il arrivé ? Comment va M. White ? Tu as fini ? Tu veux manger un sandwich ?*

Blaine l'appela et lui demanda de l'attendre au coin de Whitney. Elle l'aperçut bientôt marchant rapidement dans sa direction, silhouette mince vêtue d'un pull gris.

« Salut, dit-il en l'embrassant.

— Tu sens bon », dit-elle, et il l'embrassa à nouveau.

« Tu as survécu au cours de Boubacar ? Même s'il n'y avait pas de vrais croissants ni de pains au chocolat ?

— Arrête. Qu'est-il arrivé à M. White ? »

Tandis qu'ils se dirigeaient en se tenant par la main vers la boutique de bagels, il lui raconta qu'un ami de M. White, un Noir, était passé la veille au soir et que tous deux se tenaient dehors devant la bibliothèque. M. White avait donné à son ami les clés de sa voiture, parce que celui-ci voulait la lui emprunter, et l'ami avait remis à M. White de l'argent que M. White lui avait prêté un peu plus tôt. Un employé blanc de la bibliothèque les avait vus et, présumant qu'ils dealaient de la drogue, avait appelé un supérieur. Celui-ci avait alors appelé la police. La police était venue chercher M. White pour l'interroger.

« Oh mon Dieu, dit Ifemelu. Il va bien ?

— Oui. Il est de retour à son bureau. » Blaine s'interrompit. « Je suppose qu'il n'est pas surpris par ce genre de chose.

— Voilà la véritable tragédie », dit Ifemelu, consciente d'employer les mots de Blaine ; parfois elle entendait dans sa voix l'écho de la voix de Blaine. La véritable tragédie d'Emmett Till, lui avait-il dit un jour, n'était pas qu'un enfant noir avait été assassiné pour avoir sifflé une adulte blanche, c'était que des Noirs s'étaient demandé : mais pourquoi a-t-il sifflé ?

« Je lui ai parlé un moment. Il s'est contenté de hausser les épaules et a dit que c'était sans importance, et qu'il voulait me parler de sa fille, pour laquelle il s'inquiète vraiment. Elle parle d'abandonner le lycée. Je vais l'aider. J'irai la voir lundi.

— Blaine, c'est le septième gosse dont tu vas t'occuper. Vas-tu aider tout le centre-ville de New Haven ? »

Il y avait du vent et il plissait les yeux, tandis que les voitures passaient près d'eux sur Whitney Avenue. Il se tourna vers elle pour la regarder.

« Si seulement, dit-il tranquillement.

— J'aimerais juste te voir un peu plus, dit-elle en passant son bras autour de sa taille.

— La réaction de l'université a été nulle. Une simple erreur sans aucune connotation raciale ? Sans blague ? Je pense organiser une manifestation demain, faire sortir les gens pour dire que ce n'est pas normal. Pas chez nous. »

Il était décidé, elle le savait, il ne faisait pas qu'y penser. Il s'assit à une table près de la fenêtre pendant qu'elle allait passer leur commande au comptoir, choisissant sans hésitation ce qu'il aimait. Quand elle revint chargée d'un plateau de plastique – un sandwich à la dinde pour elle, un roulé végétarien pour lui, et deux paquets de chips sans sel – il était penché sur son téléphone. Plus tard dans la soirée, il avait déjà passé des coups de fil, envoyé e-mails et textos et la nouvelle s'était répandue ; son téléphone sonnait, vibrait, bipait des réponses de gens affirmant leur soutien. Un étudiant appela et lui demanda des suggestions pour les textes des pancartes ; un autre prenait contact avec les stations de télévision locales.

Le lendemain matin, avant de partir à l'université, Blaine lui dit : « J'ai cours sans interruption, donc on se retrouve à la bibliothèque ? Envoie-moi un texto quand tu seras en route. »

Ils n'en avaient pas discuté, il avait simplement présumé qu'elle serait là. Elle dit : « D'accord. »

Mais elle n'y alla pas. Ce ne fut pas un oubli. Blaine lui aurait pardonné plus facilement si elle avait simplement oublié, ou si elle avait été plongée si profondément dans la lecture ou la rédaction de son blog que la manifestation lui était sortie de l'esprit. Mais elle n'avait pas oublié. Elle préférait assister au déjeuner d'adieu de Kavanagh plutôt que de rester devant la bibliothèque de l'université à brandir une pancarte. Elle espéra que Blaine ne lui en voudrait pas. Si elle éprouva de l'embarras, elle n'en fut pas consciente avant d'être assise dans une salle de classe avec Kavanagh, Boubacar et d'autres professeurs, à boire du jus d'airelle et écouter une jeune femme parler de sa prochaine session d'évaluation, quand les textos de Blaine envahirent son téléphone. *Où es-tu ? Ça va ? Beaucoup de monde, je t'ai cherchée. Figure-toi que Shan est venue ! Tu vas bien ?*Elle partit tôt et regagna l'appartement. Étendue sur le lit, elle envoya un texto à Blaine disant qu'elle était désolée, mais qu'elle venait de se réveiller d'une sieste qui avait duré trop longtemps. *OK. Je rentre.*

Il rentra et l'enveloppa de ses bras, avec une force et une fougue qui avaient franchi la porte avec lui.

« Tu m'as manqué. J'aurais vraiment voulu que tu sois là. J'étais si heureux de voir Shan », dit-il. Il était un peu exalté, comme s'il s'agissait d'un triomphe personnel. « On aurait dit une mini-Amérique. Avec des jeunes, noirs, blancs, asiatiques ou hispaniques. La fille de M. White était là, elle photographiait son portrait sur les pancartes, et il m'a semblé qu'il retrouvait enfin une vraie dignité.

— C'est merveilleux, dit-elle.

— Shan te salue. Elle rentre ce soir par le train. »

Blaine n'avait sans doute eu aucun mal à découvrir la vérité, peut-être par quelqu'un qui avait assisté au déjeuner, mais elle ne sut jamais exactement comment. Il revint le lendemain et la regarda, un éclair de courroux dans les yeux : « Tu as menti. » Il prononça ces mots avec une sorte d'horreur qui la stupéfia, comme s'il n'avait jamais envisagé qu'elle puisse mentir. Elle aurait aimé lui répondre : « Blaine, tout le monde ment. » Mais elle dit : « Je suis désolée.

— Pourquoi ? » Il la dévisageait comme si elle l'avait atteint, dépouillé de son innocence, et pendant un instant elle le détesta, cet homme qui mangeait le trognon de sa pomme et en faisait un acte moral.

« Je ne sais pas pourquoi, Blaine. Je ne m'en sentais pas le courage. Je ne pensais pas que tu y attacherais tant d'importance.

— Tu ne t'en sentais pas le courage ?

— Je regrette. J'aurais dû te parler de ce déjeuner.

— Comment se fait-il qu'il soit brusquement devenu si important ? Tu connais à peine ce collègue de Boubacar ! dit-il, incrédule. Tu sais, il ne s'agit pas seulement d'écrire un blog, tu dois vivre en accord avec ce en quoi tu crois. Ce blog est un jeu que tu ne prends pas véritablement au sérieux, c'est comme si tu choisissais un cours facultatif *intéressant* juste pour faire monter ta moyenne. » Elle décela dans sa voix une accusation déguisée qui ne concernait pas uniquement sa paresse, son manque de zèle et de conviction, mais aussi son africanité ; elle n'était pas suffisamment acharnée parce qu'elle était africaine, pas afro-américaine.

« Tu es injuste », répliqua-t-elle. Mais il s'était détourné d'elle, glacial et silencieux.

« Pourquoi ne veux-tu pas me parler ? demanda-t-elle. Je ne comprends pas pourquoi tout ça a tant d'importance.

— Comment peux-tu ne pas comprendre ? C'est une question de principe », dit-il. C'est à ce moment qu'il devint un étranger pour elle.

« Je suis vraiment désolée », dit-elle.

Il était allé dans la salle de bains et avait fermé la porte.

Elle se recroquevilla sous l'effet de cette rage muette. Comment un principe, une chose abstraite flottant dans l'air, pouvait-il se glisser si solidement entre eux, faire de Blaine quelqu'un d'autre ? Elle aurait voulu qu'il s'agisse d'une émotion inavouable, d'une passion comme la jalousie ou la trahison.

Elle appela Araminta. « J'ai l'impression d'être l'épouse désorientée qui demande à sa belle-sœur de lui expliquer qui est son mari, dit-elle.

— Au lycée, je me souviens qu'ils avaient organisé une collecte de fonds et installé une table avec des cookies et d'autres bricoles. On était censés mettre de l'argent dans un bocal et prendre un cookie. Soudain, dans un élan de rébellion, j'ai pris le cookie sans mettre d'argent dans le bocal. Blaine était furieux contre moi. Je me souviens d'avoir pensé : allons, ce n'est qu'un cookie. Mais je crois que pour lui c'était une histoire de principe. Parfois il peut être d'un orgueil ridicule. Donne-lui un ou deux jours, il n'y pensera plus. »

Mais un jour passa, puis deux, et Blaine resta enfermé dans son silence glacé. Le troisième jour de son mutisme, elle prépara une petite valise et partit. Elle ne pouvait retourner à Baltimore – son appartement était loué et ses meubles au garde-meuble –, elle alla donc à Willow.

Comment les universitaires voient le privilège des Blancs,
ou D'accord, ça craint d'être pauvre et blanc, mais essayez
d'être pauvre et de couleur

Alors ce type dit au professeur Hunk : « L'idée que les Blancs sont privilégiés est stupide. Comment pourrais-je être privilégié ? J'ai grandi dans une putain de pauvreté en Virginie-Occidentale. Je suis un plouc des Appalaches. Ma famille vit grâce aux alloc. » D'accord. Mais les privilèges sont toujours relatifs. Maintenant prenez quelqu'un comme lui, tout aussi pauvre et dans la merde, et faites-en un Noir. Si tous les deux, mettons, sont arrêtés pour détention de drogue, le Blanc sera vraisemblablement envoyé en désintox et le Noir en prison. Toutes choses égales hormis la race. Vérifiez les statistiques. Le plouc des Appalaches est dans la merde, ce qui n'est pas marrant, mais s'il était noir, il serait dans une merde supérieure. L'homme dit aussi au professeur Hunk : « Pourquoi faut-il que nous parlions toujours de race ? Ne pouvons-nous pas être simplement des êtres humains ? » Et le professeur Hunk répond : « C'est exactement le privilège des Blancs, que vous puissiez faire ce genre de réflexion. » La race n'existe pas véritablement pour vous parce qu'elle n'a jamais été une barrière. Les Noirs n'ont pas ce choix. Le Noir dans la rue à New York ne veut pas penser à la race, jusqu'à ce qu'il tente de héler un taxi, et il ne veut pas penser à la race quand il conduit sa Mercedes en respectant la limite de vitesse, jusqu'à ce qu'un flic le force à s'arrêter. Donc le plouc des Appalaches n'a pas de privilèges de classe mais une chose est sûre, il a le privilège de la race. Qu'en pensez-vous ? Intervenez, amis lecteurs, et faites-nous partager vos expériences, spécialement si vous n'êtes pas blancs.

PS – Le professeur Hunk a suggéré que je poste ceci, un test sur le Privilège des Blancs, copyright une femme plutôt cool du nom de Peggy McIntosh. Si vous répondez non à la plupart des questions, félicitations, vous bénéficiez du privilège des Blancs. Dans quel but, demanderez-vous ? Sérieusement ? Je n'en ai pas la moindre idée. Je pense que c'est juste bon de le savoir. Pour vous réjouir de temps à autre, reprendre du poil de la bête quand vous êtes déprimé, ce genre de choses. Voici donc :

Si vous voulez faire partie d'un club prestigieux, vous demandez-vous si votre race rendra la chose difficile ?

Quand vous allez faire des achats seul dans un magasin élégant, craignez-vous d'être suivi ou harcelé ?

Quand vous allumez une chaîne de télévision nationale ou ouvrez un quotidien généraliste, vous attendez-vous à voir surtout des gens d'une autre race ?

Vous inquiétez-vous que vos enfants n'aient pas de livres ou d'ouvrages scolaires qui représentent des gens de votre propre race ?

Quand vous sollicitez un prêt bancaire, craignez-vous qu'à cause de votre race on puisse vous considérer comme financièrement peu fiable ?

Si vous êtes grossier, si vous êtes pauvrement vêtu, pensez-vous que les gens puissent dire que c'est à cause des mœurs dépravées, de la pauvreté ou de l'analphabétisme de votre race ?

Si vous réussissez dans un emploi, vous attendez-vous à ce que l'on dise que vous faites honneur à votre race ? Ou que vous êtes différent de la plupart des gens de votre race ?

Si vous critiquez le gouvernement, craignez-vous d'être perçu comme un individu de culture étrangère ? Ou qu'on vous demande de « repartir à X », X étant un lieu situé hors des États-Unis ?

Si vous êtes mal reçu dans un magasin élégant et demandez à voir « le responsable », vous attendez-vous à voir une personne d'une autre race ?

Si un agent de la circulation vous arrête, vous demandez-vous si c'est à cause de votre race ?

Si vous obtenez un emploi dans le cadre de la Discrimination Positive, craignez-vous que les employés de l'entreprise pensent que vous êtes sans qualification et avez été choisi uniquement à cause de votre race ?

Si vous voulez vous installer dans un beau quartier, vous inquiétez-vous de ne pas être bien accueilli à cause de votre race ?

Si vous avez besoin d'assistance médicale ou légale, craignez-vous que votre race soit un handicap ?

Quand vous mettez des sous-vêtements couleur chair ou utilisez des pansements couleur chair, savez-vous à l'avance qu'ils ne seront pas assortis à la couleur de votre peau ?

CHAPITRE 39

Tante Uju s'était mise au yoga. Elle était à quatre pattes, le dos arqué, sur un tapis bleu vif dans son sous-sol, tandis qu'Ifemelu, étendue sur le divan, la regardait en mangeant une barre chocolatée.

« Combien as-tu mangé de ces trucs ? Et depuis quand manges-tu du chocolat normal ? Je croyais que Blaine et toi vous ne mangiez que bio et commerce équitable ?

— Je les ai achetées à la gare.

— Les ? Combien ?

— Dix.

— Ahn-ahn ! Dix ! »

Ifemelu haussa les épaules. Elle les avait déjà toutes mangées, mais ne l'avouerait pas à Tante Uju. Elle avait pris plaisir à acheter ces barres au kiosque à journaux, des barres bon marché bourrées de sucre et de produits chimiques, ou d'autres épouvantables substances génétiquement modifiées.

« Oh, parce que tu t'es disputée avec Blaine, tu manges le chocolat qu'il n'aime pas ? » Tante Uju se mit à rire.

Dike descendit du premier étage et regarda sa mère, les bras en l'air dans la position du guerrier. « Maman, tu as l'air ridicule.

— Ton ami n'a-t-il pas dit l'autre jour que ta mère était formidable ? Voilà la raison. »

Dike secoua la tête. « Coz, il faut que je te montre quelque chose sur YouTube, une vidéo désopilante. »

Ifemelu se leva.

« Dike t'a-t-il raconté l'incident de l'ordinateur à l'école ? demanda Tante Uju.

— Non, c'était quoi ?

— Le proviseur m'a appelée lundi pour me dire que Dike avait piraté le réseau informatique de l'école samedi. Ce gosse ne m'a pas quittée de toute la journée du samedi. Nous sommes allés voir Ozavisa à Hartford. Nous y sommes restés toute la journée et il n'a pas touché à un seul ordinateur. Quand j'ai demandé pourquoi il pensait que c'était lui, il a dit qu'il avait été informé. Tu imagines, ils se réveillent comme ça un matin et accusent mon fils. Ce garçon n'est même pas bon avec les ordinateurs. Je pensais qu'on avait laissé ça là-bas, dans cette ville de ploucs. Kweku veut que je porte plainte, mais je ne pense pas que ça vaille la peine de perdre notre temps. Maintenant ils disent qu'ils ne le soupçonnent plus.

— Je ne sais même pas *comment* on fait pour pirater, se rebiffa Dike.

— Pourquoi inventent-ils ce genre d'ineptie ? demanda Ifemelu.

— Le premier accusé est toujours le gosse noir », dit-il en riant. Ensuite il lui raconta que ses amis disaient : « Hé, Dike, tu as de l'herbe[1] ? » en se marrant. Il lui parla du pasteur de l'église, une femme blanche, qui avait dit bonjour à tous les autres gosses mais qui, en s'approchant de lui, avait demandé : « Comment ça va, mon chou ? » « J'ai eu l'impression d'avoir des choux qui me sortaient de la tête, dit-il en riant. Donc, ce ne pouvait être que moi qui avais piraté le réseau de l'école.

— Les gens de ton école sont des crétins, dit Ifemelu.

— C'est drôle la façon dont tu prononces ce mot, Coz. *Crétins*. » Il répéta : « Les gens de ton école sont des crétins » en imitant à la perfection son accent nigérian. Elle lui raconta alors l'histoire de ce pasteur nigérian qui, prononçant un sermon dans une église américaine, avait dit quelque chose à propos d'une paille et d'une poutre mais, à cause de son accent, ses paroissiens avaient entendu « pute », et écrit à son évêque pour se plaindre. Dike pouffa de rire. Cela devint une de leurs plaisanteries favorites. « Hé, Coz, je voudrais voir la pute de mon voisin. »

*

Pendant neuf jours, Blaine ne prit aucun de ses appels. Puis il finit par répondre au téléphone d'une voix sourde.

1. *Dike* signifie « fossé » en anglais.

« Est-ce que je peux venir ce week-end ? Nous ferons du riz à la noix de coco. C'est moi qui le préparerai », dit-elle. Avant qu'il articule « d'accord », elle l'entendit prendre sa respiration et pensa qu'il s'étonnait peut-être de l'entendre suggérer du riz à la noix de coco.

*

Elle regarda Blaine couper les oignons, observa ses longs doigts et se rappela leur contact sur son corps, suivant les contours de sa clavicule, et sur la peau plus sombre au-dessous du nombril. Il se tourna vers elle, demanda si les rondelles étaient de la bonne taille et elle lui répondit qu'elles étaient parfaites, songeant qu'il avait toujours su quelle était la bonne taille des oignons, qu'il émincait avec précision, qu'il avait toujours cuit le riz à la vapeur bien qu'elle s'apprêtât à le faire à présent. Il cassa la noix de coco contre l'évier et laissa le liquide se répandre avant de retirer la chair blanche de la coque avec un couteau. Les mains d'Ifemelu tremblaient en versant le riz dans l'eau bouillante et, tandis qu'elle regardait les grains de basmati gonfler, elle espéra ne pas le rater, ce repas de réconciliation. Elle vérifia le poulet qui mijotait. Une odeur d'épices s'en échappa quand elle souleva le couvercle – gingembre, curry et laurier – et elle lui dit, sans raison, que cela avait l'air bon.

« Je ne force pas sur les épices comme tu le fais », dit-il. Elle fut traversée d'un mouvement de colère et faillit lui dire que son refus de lui pardonner était injuste. Au lieu de quoi elle lui demanda s'il croyait qu'elle devait ajouter un peu d'eau. Il continua à râper la noix de coco sans répondre et elle la regarda se réduire en une poussière blanche, attristée à la pensée qu'elle ne redeviendrait jamais une vraie noix de coco. Elle l'enlaça par-derrière et étreignit sa poitrine, sentant sa chaleur à travers le sweat-shirt, mais il se dégagea et dit qu'il devait finir avant que le riz soit trop cuit. Elle alla dans le salon et regarda par la fenêtre la tour de l'horloge de Yale, haute et imposante, dominant les autres bâtiments du campus ; les premières bourrasques de neige tourbillonnaient dans l'air du soir, comme précipitées du ciel, et elle se souvint de son premier hiver avec lui, quand tout lui paraissait si lumineux, interminablement nouveau.

Comprendre l'Amérique pour un Noir non américain :
Quelques explications sur la signification réelle des choses

1. De tous leurs préjugés culturels, c'est la race qui pose le plus de problèmes aux Américains. Si vous avez une conversation avec un Américain, que vous souhaitez discuter d'un sujet racial qui vous paraît intéressant et que votre interlocuteur déclare : « Oh, c'est simpliste de dire qu'il s'agit de race, le racisme est tellement complexe », c'est la preuve qu'il préfère que vous la boucliez. Car il est vrai que le racisme est complexe. De nombreux abolitionnistes souhaitaient libérer les esclaves mais ne voulaient pas voir des Noirs vivre dans leur voisinage. Beaucoup de gens aujourd'hui acceptent volontiers d'avoir une nounou noire ou un chauffeur noir. Mais soyez sûrs qu'ils n'ont pas envie d'avoir un boss noir. Ce qui est simpliste, c'est de dire : « C'est tellement complexe. » Mais mieux vaut la boucler, particulièrement si vous attendez une faveur ou un job de l'Américain en question.

2. La diversité signifie des choses différentes pour des gens différents. Si un Blanc déclare que son voisinage est divers, il veut dire qu'il comporte neuf pour cent de Noirs. (Dès l'instant où la barrière des dix pour cent est franchie, les Blancs déménagent.) Si un Noir parle d'un voisinage divers, il pense à quarante pour cent de Noirs.

3. Ils disent parfois « culture » au lieu de race. Quand ils disent d'un film qu'il est « grand public » cela signifie : « Il plaît aux Blancs ou des Blancs l'ont réalisé. » Quand ils disent « urbain » cela signifie noir et pauvre, éventuellement dangereux et potentiellement excitant. « Connotations raciales » veut dire que nous hésitons à dire « raciste ».

CHAPITRE 40

Ils ne se disputèrent plus jusqu'à leur rupture, mais durant cette période qui vit Blaine rester de marbre, quand Ifemelu se repliait sur elle-même et mangeait des tablettes de chocolat entières, les sentiments qu'elle avait pour lui changèrent. Elle l'admirait toujours, avec son sens moral, son honnêteté, mais c'était à présent de l'admiration pour une personne distincte d'elle, lointaine. Et son corps avait changé. Au lit elle ne se tournait plus vers lui dévorée d'un désir insatiable comme avant mais, quand il tentait de l'attirer à lui, sa réaction instinctive était de s'écarter. Ils s'embrassaient souvent, bien qu'elle gardât toujours les lèvres serrées ; elle ne voulait pas sentir sa langue dans sa bouche. Pourtant si leur union était sans passion, une passion nouvelle les unissait, une passion extérieure qu'ils n'avaient jamais connue, une intimité intuitive, inexprimée : Barack Obama. Ils s'accordaient, sans y être incités, sans obligation ni compromis, sur Barack Obama.

Au début, bien qu'elle souhaitât que l'Amérique élise un président noir, elle pensa que c'était impossible, elle ne pouvait imaginer Barack Obama en président des États-Unis ; il paraissait trop mince, trop frêle, un homme qu'un coup de vent suffirait à emporter. Hillary Clinton était plus robuste. Ifemelu aimait la regarder à la télévision, avec ses tailleurs-pantalons aux épaules carrées, un masque de détermination sur le visage, son charme mis entre parenthèses car c'était l'unique moyen de convaincre le monde qu'elle était à la hauteur de la tâche. Ifemelu l'appréciait. Elle souhaitait la voir gagner, voulait de toutes ses forces que la chance lui sourie, jusqu'au matin où elle ouvrit le livre de Barack Obama, *Les rêves de mon père*, que Blaine avait lu et laissé sur une étagère de la bibliothèque, certaines pages cornées. Elle examina la photo de la couverture, la jeune Kényane fixant l'appareil d'un air effaré, tenant son fils dans ses bras, et le jeune Américain à l'attitude enjouée qui serrait sa fille contre lui. Ifemelu se rappellerait plus tard le moment où elle avait décidé d'ouvrir le livre. Par curiosité. Elle ne l'aurait peut-être pas lu si Blaine l'avait recommandé. Mais il ne l'avait pas fait, l'avait simplement laissé sur le rayonnage près d'une pile de livres qu'il avait terminés et avait l'intention de relire. Elle lut *Les rêves de mon père* en un jour et demi, assise sur le canapé, en écoutant Nina Simone sur l'iPod de Blaine. Elle était fascinée et émue par l'homme qu'elle découvrait dans ces pages, un homme intelligent et avide de savoir, un homme bon, un homme complètement, totalement, irrésistiblement humain. Il lui rappelait l'expression qu'utilisait Obinze pour les gens qu'il aimait. *Obi ocha*. Un cœur clair. Elle avait confiance en Barack Obama. Quand Blaine rentra, elle s'assit à la table de la cuisine, le regardant hacher du basilic, et dit : « Si seulement l'homme qui a écrit ce livre pouvait devenir président des États-Unis. »

Le couteau de Blaine s'immobilisa. Il leva les yeux, une lueur dans le regard, comme s'il n'avait pas osé espérer qu'elle aurait la même conviction que lui, et elle sentit entre eux le premier élan d'une passion partagée. Ils s'étreignirent devant la télévision quand Barack Obama gagna le caucus de l'Iowa. La première bataille, et il l'avait emportée. Leur espoir rayonnait, se transformait en possibilité : Obama pouvait réellement gagner. Puis, comme s'il s'agissait d'une mise en scène, ils commencèrent à s'inquiéter. Ils craignaient que quelque chose le fasse dérailler, que son train lancé à toute vitesse se fracasse. Tous les matins, Ifemelu se réveillait et vérifiait qu'Obama était toujours en vie. Qu'aucun scandale n'avait éclaté, qu'aucune histoire n'avait été exhumée de son passé. Elle allumait son ordinateur, retenant son souffle, le cœur battant, et quand, soulagée, elle était sûre qu'il était vivant, elle lisait les dernières nouvelles le concernant, à la hâte, avidement, cherchant à s'informer et se rassurer, les multiples fenêtres réduites au minimum en bas de l'écran. Quand elle tombait sur des forums de discussion, elle se désolait à la lecture de certains posts concernant Obama, se levait pour s'éloigner de son ordinateur, comme s'il était lui-même l'ennemi, et se tenait à la fenêtre pour cacher ses larmes. *Comment un singe pourrait-il être président ? Que quelqu'un nous rende service et flanque une balle à ce type. Renvoyez-le dans sa jungle d'Afrique. Un Noir n'habitera jamais la Maison-Blanche, mec, c'est pas pour rien qu'elle s'appelle la Maison-Blanche.* Elle essaya d'imaginer les gens qui écrivaient ces posts, utilisant des pseudos tels que SuburbanMom231 et NormanRockwellRocks, assis à leur bureau, une tasse de café à côté d'eux. Elle tenta de se représenter leurs enfants revenant de l'école dans le bus scolaire enveloppés d'un halo d'innocence. Les forums ôtaient soudain à son blog toute importance, le reléguaient au rang de comédie de mœurs, une satire mesurée d'un monde qui était tout sauf mesuré. Elle n'écrivait pas sur les bassesses qui semblaient proliférer tous les matins dans les blogs qui poussaient comme des champignons, déversant toujours plus de vitriol, parce que c'eût été répandre les paroles de ceux qui abhorraient non pas l'homme, mais l'idée qu'ils se faisaient de Barack Obama comme président. Elle défendait au contraire sa position politique, dans une rubrique régulière intitulée : « Voici pourquoi Barack Obama fera mieux », ajoutant souvent des liens avec le site Internet d'Obama, et elle écrivait aussi sur Michelle Obama. Elle s'enthousiasmait pour son humour décapant, l'assurance de sa silhouette longiligne, et elle se lamentait lorsqu'elle la voyait piégée, étouffée, obligée à une tiédeur hygiénique dans les interviews. Pourtant, il y avait dans les sourcils exagérément arqués de Michelle Obama, dans sa ceinture portée plus haut sur la taille que la tradition ne le demandait, une trace de son ancienne personnalité. Ce fut ce qui attira Ifemelu, l'absence de justification, la promesse de l'honnêteté.

« Si elle a épousé Obama, alors il ne peut pas être si mauvais », disait-elle souvent à Blaine en plaisantant. « C'est vrai, absolument vrai », répondait Blaine.

*

Elle reçu un e-mail de princeton.edu et ses mains tremblèrent d'excitation avant même de le lire. Le premier mot qu'elle vit était « heureux ». Elle avait été sélectionnée pour la bourse de recherche. Le salaire était confortable, les exigences faciles à remplir : elle vivrait à Princeton, utiliserait la bibliothèque et donnerait une conférence publique à la fin de l'année. Cela semblait trop beau pour être vrai, l'entrée dans un royaume sacré de l'Amérique. Elle prit le train avec Blaine pour chercher un appartement et fut frappée par la ville, son aspect verdoyant, son calme et son charme. « J'ai été admis à Princeton pour la licence, lui dit Blaine. L'atmosphère était presque bucolique à l'époque. J'ai visité la ville qui m'a paru superbe, mais je ne me voyais pas y habiter. »

Ifemelu comprenait ce qu'il voulait dire, même maintenant que la ville était devenue, comme le lui avait dit Blaine un jour qu'ils déambulaient devant les alignements de boutiques luxueuses, « agressivement consumériste ». Elle était à la fois admirative et désorientée. Elle aimait son appartement, proche de Nassau Street ; la fenêtre de sa chambre donnait sur un petit bois et elle parcourait la pièce vide en imaginant un nouveau départ dans l'existence, sans Blaine, mais elle n'était pas sûre de savoir si c'était le nouveau départ qu'elle recherchait.

« Je n'ai pas l'intention de m'installer ici avant l'élection », déclara-t-elle.

Blaine hocha la tête avant qu'elle ait fini sa phrase. Bien sûr qu'elle ne déménagerait pas avant qu'ils aient vu Barack Obama victorieux. Il devint bénévole de la campagne d'Obama et elle s'imprégna de toutes les histoires qu'il racontait sur les portes auxquelles il frappait et les gens qui vivaient derrière elles. Un jour il lui parla d'une vieille Noire, le visage ridé comme un pruneau, qui se tenait cramponnée à sa porte comme si elle allait tomber et lui avait dit : « Je ne croyais pas que cela pourrait arriver même du vivant de mon petit-fils. »

Ifemelu mit cette histoire sur son blog, décrivant les fils d'argent dans les cheveux de la femme, ses doigts tremblants sous l'effet de la maladie de Parkinson, comme si elle-même s'était trouvée aux côtés de Blaine. Tous les amis de Blaine étaient des supporters d'Obama, excepté Michael, qui portait en permanence un pin's d'Hillary Clinton à la boutonnière. À leurs réunions, Ifemelu ne se sentait plus exclue. Même cette vague gêne qu'elle ressentait à proximité de Paula, mi-agressivité mi-insécurité, s'était dissipée. Ils se réunissaient dans des bars et des appartements, discutant des détails de la campagne, se moquant des stupidités relayées par la presse. Les Hispaniques vont-ils voter pour un Noir ? Sait-il jouer au bowling ? Est-il patriote ?

« C'est marrant d'entendre "les Noirs veulent Obama" et "les femmes veulent Hillary", mais qu'en est-il des femmes noires ? interrogea Paula.

— Quand ils disent “femmes”, ils veulent automatiquement dire “blanches”, renchérit Grace.
— Ce que je ne comprends pas, c’est qu’on puisse dire qu’Obama est avantagé parce qu’il est noir, dit Paula.
— C’est compliqué mais c’est la vérité, tout comme Hillary Clinton est avantagée parce qu’elle est une femme blanche, dit Nathan, se penchant en avant et clignant des yeux encore plus vite que d’habitude. Si Clinton était une femme noire, son étoile ne brillerait pas autant. Si Obama était un homme blanc, son étoile pourrait briller autant ou pas, parce que certains Blancs sont devenus présidents alors qu’ils en étaient incapables, mais cela ne change rien au fait qu’Obama n’a pas beaucoup d’expérience, et les gens se passionnent à l’idée qu’un candidat noir a une vraie chance d’être élu.
— Mais s’il gagne, il ne sera plus noir, de même qu’Oprah n’est plus noire, elle est Oprah, dit Grace. Si bien qu’elle peut se rendre sans problème dans des endroits où les Noirs sont détestés. Il ne sera plus noir, il sera seulement Obama.
— Dans la mesure où Obama en tire avantage, intervint Blaine, et, soit dit en passant, cette notion d’avantage est très problématique, bref dans la mesure où il en profite, ce n’est pas parce qu’il est noir, c’est parce qu’il est une différente sorte de Noir. Si Obama n’avait pas une mère blanche et n’avait pas été élevé par des grands-parents blancs, s’il n’y avait pas le Kenya, l’Indonésie et Hawaï et tout ce passé qui fait de lui quelqu’un un peu comme tout le monde, s’il était juste un type ordinaire de Géorgie, ce serait différent. L’Amérique aura véritablement progressé quand un type ordinaire de Géorgie deviendra président, un Noir ordinaire qui n’aura obtenu que la mention passable à la fac.
— Entièrement d’accord », dit Nathan. Et Ifemelu fut à nouveau frappée par le nombre de ceux qui étaient d’accord. Leurs amis, comme Blaine et elle, étaient des croyants. De vrais croyants.

*

Le jour où Obama devint le candidat du Parti démocrate, Ifemelu et Blaine firent l’amour, pour la première fois depuis des semaines, et Obama était avec eux, comme une prière muette, comme une troisième présence. Ils firent plusieurs heures de route pour aller l’écouter, se tenant par la main au milieu d’une foule compacte, brandissant des pancartes qui portaient CHANGE en grosses lettres blanches. Un Noir près d'eux avait juché son fils sur ses épaules et l'enfant riait, sa bouche pleine de dents de lait, dont une manquait devant. Le père regardait en l'air, et Ifemelu comprit qu'il s'émerveillait de voir réaliser ses espoirs, de croire en des choses qu'il n'aurait jamais crues possibles. Quand la foule explosa en applaudissements, l'homme ne put s'y joindre parce qu'il tenait les jambes de son fils et il resta à sourire longuement, son visage soudain rajeuni par une joie immense. Ifemelu le regardait, regardait ceux qui l'entouraient, tous irradiant une étrange phosphorescence, tous transportés par la même émotion pure. Ils y croyaient. Ils y croyaient vraiment. Souvent, une douce émotion l'envahissait à l'idée que tant de gens de par le monde éprouvaient la même chose que Blaine et elle envers Barack Obama.

Certains jours leur foi montait en flèche. À d'autres moments ils désespéraient.

« Ça se présente mal », marmonnait Blaine tandis qu'ils passaient d'une chaîne de télévision à l'autre, chacune montrant les séquences du sermon du pasteur de Barack Obama. Ses mots « Dieu maudisse l'Amérique » se gravèrent au fer rouge dans les rêves d'Ifemelu.

*

Elle fut la première à lire sur Internet que Barack Obama allait prononcer un discours sur la race, en réponse aux propos de son pasteur, et elle envoya un texto à Blaine qui donnait un cours. La réponse fut simple : *Oui !* Plus tard, en l'écoutant, assise sur le canapé de leur salon entre Blaine et Grace, Ifemelu se demanda ce qu'Obama pensait vraiment et ce qu'il ressentirait le soir dans son lit, quand tout serait désert et calme. Elle l'imaginait, lui l'enfant qui savait que sa grand-mère avait peur des hommes noirs, aujourd'hui devenu un homme, racontant cette histoire au monde pour se racheter. Elle s'attrista un peu à cette pensée. Tandis qu'elle l'écoutait parler d'une voix compatissante et modulée, les drapeaux américains flottant au vent derrière lui, Blaine s'agitait, soupirait, se renversait dans le canapé. Il finit par déclarer : « C'est immoral de mettre ainsi en parallèle les souffrances des Noirs et les peurs des Blancs. C'est tout simplement *immoral*.

— Ce discours n'a pas pour but de provoquer un débat sur la race, mais au contraire d'y mettre fin. Il ne peut gagner que s'il laisse la race de côté. Nous le savons tous, dit Grace. Mais l'important c'est qu'il gagne. Ce type fait ce qu'il doit faire. Au moins cette histoire de pasteur est désormais terminée. »

Ifemelu aussi adopta un point de vue pragmatique sur le discours, mais Blaine en fit une affaire personnelle. Ses convictions avaient été ébranlées, et pendant quelques jours son dynamisme habituel disparut. Il rentrait de son jogging matinal moins euphorique et moins transpirant qu'à l'habitude, le pas lourd. Ce fut Shan qui sans le savoir le tira de sa déprime.

« Il faut que j'aille en ville quelques jours m'installer chez Shan, dit-il à Ifemelu. Ovidio vient de m'appeler. Elle ne tourne pas rond.

— Elle ne tourne pas rond ?

— Une dépression nerveuse. Je déteste cette expression, elle a des relents de conte de bonne femme. Mais c'est le terme qu'Ovidio a employé. Elle est couchée depuis des jours. Elle ne mange rien. Elle pleure sans arrêt. »

Ifemelu sentit monter une bouffée d'irritation ; même ça, c'était encore pour Shan une façon de capter l'attention.

« Elle a traversé des moments très difficiles, dit Blaine. Le livre ne marche pas.

— Je sais », dit Ifemelu, incapable de ressentir une réelle compassion, ce qui l'inquiéta. Peut-être parce qu'elle tenait Shan, à un certain degré, pour responsable de sa dispute avec Blaine, lui en voulait de ne pas avoir utilisé son influence pour lui faire comprendre qu'il réagissait de manière exagérée.

« Elle va se rétablir, dit-elle. C'est quelqu'un de fort. »

Blaine parut interdit. « Shan est l'un des êtres les plus fragiles qui soient au monde. Elle n'est pas forte, elle ne l'a jamais été. Mais elle est spéciale. »

La dernière fois qu'elles s'étaient vues, environ un mois plus tôt, Shan avait dit à Ifemelu : « Je savais bien que Blaine et toi alliez vous remettre ensemble. » Avec le ton de quelqu'un parlant d'un frère bien-aimé qui replonge dans les drogues psychédéliques.

« N'est-ce pas qu'Obama est excitant ? » avait demandé Ifemelu en espérant aborder, au moins, un sujet dont Shan et elle pourraient parler sans avoir à marcher sur des œufs.

« Oh, je ne m'intéresse pas à son élection, dit Shan avec dédain.

— Tu as lu son livre ? demanda Ifemelu.

— Non. » Shan haussa les épaules. « Ce serait bien que quelqu'un lise *mon* livre. »

Ifemelu ravala ses paroles. *Il ne s'agit pas de toi. Pour une fois, il ne s'agit pas de toi.*

« Tu devrais lire *Les rêves de mon père*. Les autres livres ne sont que des documents de campagne, dit Ifemelu. C'est lui, Obama, le meilleur. »

Mais Shan n'était pas intéressée. Elle parlait d'une table ronde à laquelle elle avait participé la semaine précédente, dans un festival de littérature. « Ils m'ont demandé quels étaient mes auteurs favoris. Bien sûr je savais qu'ils s'attendaient à m'entendre citer des écrivains noirs, et je n'allais pas leur dire que Robert Hayden est l'amour de ma vie, ce qu'il est. Aussi n'ai-je mentionné aucun nom d'auteur noir, de couleur ou ayant une étiquette politique ni même aucun écrivain vivant. Avec aplomb, j'ai cité Tourgueniev, Trollope et Goethe ; mais pour ne pas me trouver redevable envers les mâles blancs décédés, ce qui aurait manqué d'originalité, j'ai ajouté Selma Lagerlöf. Et ils n'ont plus su quoi me demander, parce que j'avais foutu leur scénario en l'air.

— C'est marrant », dit Blaine.

*

La veille de l'élection, Ifemelu ne pouvait pas dormir.

« Tu ne dors pas ? lui demanda Blaine.

— Non. »

Ils restèrent enlacés dans le noir, sans rien dire, respirant régulièrement jusqu'à ce qu'ils sombrent dans un état de somnolence. Le matin, ils se rendirent au lycée, Blaine voulait être un des premiers à voter. Ifemelu regarda ceux qui étaient déjà là, en file, attendant de voir les portes s'ouvrir, et elle les adjura intérieurement de tous voter pour Obama. Elle-même s'affligeait de ne pouvoir voter. Sa demande de naturalisation avait été acceptée, mais la prestation de serment n'aurait lieu que plusieurs semaines plus tard. Elle s'agita pendant toute la matinée à consulter tous les sites d'information et, quand Blaine revint de son cours, il lui demanda d'éteindre Internet et la télévision afin de pouvoir souffler un peu et manger tranquillement le risotto qu'il avait préparé. Ils avaient à peine terminé qu'Ifemelu ralluma son ordinateur. Juste pour s'assurer qu'Obama était toujours en vie. Blaine prépara des cocktails sans alcool pour leurs amis. Araminta fut la première à arriver, directement de la gare, armée de deux téléphones, lisant les dernières nouvelles sur chacun d'eux. Puis ce fut le tour de Grace, enveloppée dans ses soieries, une écharpe dorée autour du cou. « Oh mon Dieu, dit-elle, je suffoque tellement je suis nerveuse ! » Michael se présenta avec une bouteille de prosecco. « Je voudrais que ma mère soit encore en vie pour connaître ce jour, quel que soit le résultat. » Paula, Pee et Nathan arrivèrent ensemble, et bientôt ils furent tous assis sur le canapé et les chaises de la salle à manger, les yeux rivés sur la télévision, buvant du thé et les cocktails de Blaine et répétant ce qu'ils avaient déjà dit : *S'il gagne l'Indiana et la Pennsylvanie, c'est plié. Ça se présente bien en Floride. Les nouvelles de l'Iowa sont mitigées.*

« Il y a une énorme participation noire en Virginie, c'est bon signe, dit Ifemelu.

— La Virginie n'est pas gagnée, dit Nathan.

— Il n'a pas besoin de la Virginie », dit Grace, puis elle poussa un cri. « Oh mon Dieu, la Pennsylvanie ! »

Un tableau était apparu à l'écran, avec une photo de Barack Obama. Il venait de gagner les États de Pennsylvanie et de l'Ohio.

« Je ne vois pas comment McCain pourrait l'emporter désormais », dit Nathan.

Un peu plus tard, Paula était assise près d'Ifemelu quand un graphique s'afficha : Barack Obama avait gagné la Virginie.

« Oh Seigneur ! » s'exclama Paula, portant une main tremblante à sa bouche. Blaine était assis droit et immobile, les yeux rivés sur l'écran, puis on entendit la voix profonde de Keith Olbermann, qu'Ifemelu n'avait cessé de regarder ces derniers temps sur MSNBC, une voix chargée d'une furieuse et intense conviction de gauche ; aujourd'hui elle disait : « Obama est en passe de devenir le prochain président des États-Unis d'Amérique. »

Blaine pleurait, tenant Araminta en pleurs dans ses bras, puis pressait Ifemelu contre lui, la serrant trop fort, et Pee serrait Michael contre elle, Grace étreignait Nathan, Paula étreignait Araminta, Ifemelu étreignait Grace et le salon se transforma en un autel d'incrédule exultation.

Un texto de Dike fit vibrer son téléphone.

Je n'arrive pas à y croire. Mon président est noir comme moi. Elle lut le texto à plusieurs reprises, les yeux emplis de larmes.

À la télévision, Barack et Michelle Obama avec leurs deux petites filles montaient sur un podium. Ils étaient portés par le vent, baignés d'une lumière incandescente, victorieux et souriants.

« *Jeunes et vieux, riches et pauvres, démocrates et républicains, noirs, blancs, hispaniques, asiatiques, amérindiens, gays, hétérosexuels, handicapés ou en bonne santé, les Américains ont envoyé un message au monde, montrant que nous n'avons jamais été un simple ensemble d'États rouges et d'États bleus. Nous avons été et serons toujours les États-Unis d'Amérique.* »

La voix de Barack Obama enflait et diminuait, son visage était solennel, et autour de lui était massée une immense foule resplendissante emplie d'espoir. Ifemelu regardait, hypnotisée. Et à ce moment-là rien n'était plus beau, pour elle, que l'Amérique.

Comprendre l'Amérique pour le Noir non américain :
Quelques réflexions à propos de l'ami blanc très spécial

Un cadeau sans pareil pour le Nègre boutonné jusqu'au cou : l'Ami-blanc-qui-pige. Malheureusement, il n'est pas aussi commun qu'on le souhaiterait, mais certains ont la chance de posséder cet ami blanc auquel il est inutile d'expliquer toutes ces conneries. Surtout, n'hésitez pas à le mettre au travail. Non seulement de tels amis pigent, mais ce sont de grands détecteurs de conneries et par conséquent ils savent parfaitement qu'ils peuvent dire sans problème des choses qui vous sont interdites. On trouve par exemple, presque partout en Amérique, une petite idée sournoise largement répandue, à savoir que les Blancs ont gagné leur place professionnellement et à l'école tandis que les Noirs sont arrivés là parce qu'ils étaient noirs. Mais en réalité, depuis que l'Amérique existe, les Blancs ont du travail parce qu'ils sont blancs. À qualification égale, beaucoup de Blancs n'auraient pas le job qu'ils occupent s'ils avaient la peau noire. Mais ne dites jamais ça en public. Laissez votre ami blanc s'en charger. Si vous faites l'erreur de le dire vous-même, vous serez accusé d'un syndrome qu'on appelle « jouer la carte de la race ». Personne ne sait vraiment ce que cela veut dire.

Quand mon père allait à l'école dans mon pays de Noirs non américains, de nombreux Noirs américains ici n'avaient pas le droit de vote et ne pouvaient pas fréquenter de bonnes écoles. La raison ? La couleur de leur peau. La couleur de leur peau à elle seule était le problème. Aujourd'hui, beaucoup d'Américains disent que la couleur de la peau ne peut pas faire partie de la solution. Sinon, on y fait référence comme à un syndrome appelé « racisme inversé ». Demandez à votre ami blanc de souligner que le sort du Noir américain est un peu un truc du genre, on t'a injustement emprisonné pendant de longues années, tu es soudain libéré, et on ne te paye pas le ticket d'autobus. Et, au passage, toi et le mec qui t'a mis en prison êtes aujourd'hui automatiquement égaux. Si la vieille rengaine « l'esclavage est un truc du passé » refait surface, demandez à votre ami de mentionner qu'une quantité de Blancs continuent à hériter de l'argent que leurs familles ont gagné il y a un siècle. Si cet héritage perdure, pourquoi pas l'héritage de l'esclavage ? Et faites dire à votre ami qu'il est curieux que les enquêtes d'opinion demandent toujours aux Noirs et aux Blancs si le racisme existe encore. La majorité des Blancs déclare qu'il n'existe plus, et la majorité des Noirs qu'il existe encore. Curieux, n'est-ce pas ? D'autres suggestions quant aux questions que votre ami blanc pourrait poser ? Rédigez votre post. Et je bois à la santé de tous les amis blancs qui pigent.

CHAPITRE 41

Aisha sortit son téléphone de sa poche puis l'y remit avec un soupir déçu.

« Je sais pas pourquoi Chijioke téléphone pas qu'il vient », dit-elle.

Ifemelu ne dit rien. Aisha et elle étaient seules dans le salon. Halima venait de partir. Ifemelu était fatiguée, elle avait mal au dos et le salon de coiffure commençait à lui donner la nausée, avec son atmosphère renfermée et son plafond pourri. Pourquoi ces Africaines étaient-elles incapables d'avoir un salon propre et bien aéré ? Sa coiffure était presque terminée, seule une petite section, semblable à une queue de lapin, restait à terminer sur le devant de sa tête. Elle avait hâte de s'en aller.

« Comment tu as eu tes papiers ? demanda Aisha.

— Pardon ?

— Comment tu as eu tes papiers ? »

Ifemelu resta muette de surprise. C'était un sacrilège, cette question ; les immigrants ne demandaient jamais à d'autres immigrants comment ils avaient obtenu leurs papiers, ne s'immisçaient pas dans ces recoins de la vie privée ; il suffisait de s'extasier devant le fait que les papiers avaient été obtenus, un statut légal acquis.

« Moi, j'essaye de trouver un Américain quand j'arrive, pour me marier. Mais il apporte beaucoup de problèmes, pas de travail, et tous les jours il dit donne-moi de l'argent, de l'argent, de l'argent, dit Aisha en secouant la tête. Comment tu as eu les tiens ? »

Soudain, l'irritation d'Ifemelu se dissipa, remplacée par un imperceptible sentiment de parenté, parce que Aisha n'aurait pas posé cette question si elle n'avait pas été africaine, et Ifemelu vit dans ce nouveau lien une raison supplémentaire de rentrer au pays.

« J'ai obtenu mes papiers par mon employeur, dit-elle. La société pour laquelle je travaillais s'est portée caution pour ma carte verte.

— Oh », fit Aisha, comme si elle se rendait compte qu'Ifemelu appartenait à cette catégorie de gens pour lesquels les cartes vertes tombaient du ciel. Les gens comme elle, bien sûr, ne pouvaient pas les obtenir d'un employeur.

« Chijioke a eu ses papiers à la loterie », dit Aisha. Elle se mit à peigner lentement, presque amoureusement, la mèche de cheveux qu'elle s'apprêtait à tresser.

« Qu'est-il arrivé à votre main ? » demanda Ifemelu.

Aisha haussa les épaules. « Je sais pas. Ça vient et après ça part.

— Ma tante est médecin. Je vais faire une photo de votre bras et lui demander ce qu'elle en pense, dit Ifemelu.

— Merci. »

Aisha termina la tresse en silence.

« Mon père meurt, j'y vais pas, dit-elle.

— Pardon ?

— L'année dernière. Mon père meurt et j'y vais pas. À cause des papiers. Mais peut-être, si Chijioke se marie avec moi, quand ma mère meurt, je peux y aller. Elle est malade maintenant. Mais je lui envoie de l'argent. »

Ifemelu resta un instant sans savoir quoi dire. L'intonation morne d'Aisha, son visage inexpressif amplifiaient le tragique de sa situation.

« Désolée, Aisha, dit-elle.

— Je comprends pas pourquoi Chijioke vient pas. Pour que tu lui parles.

— Ne vous inquiétez pas, Aisha. Tout ira bien. »

Puis, aussi subitement qu'elle avait parlé, Aisha fondit en larmes. Ses yeux se voilèrent, sa bouche s'affaissa et un changement effrayant altéra son visage : il s'effondra sous l'effet du désespoir. Ses mains continuaient machinalement à tresser les cheveux d'Ifemelu tandis que ses traits, comme s'ils n'appartenaient pas à son corps, se décomposaient, et elle laissait couler ses pleurs, la poitrine haletante.

« Où travaille Chijioke ? demanda Ifemelu. Je vais aller lui parler. »

Aisha la regarda fixement, les larmes continuant à rouler le long de ses joues.

« J'irai parler à Chijioke demain, répéta Ifemelu. Dites-moi seulement où il travaille et à quelle heure il fait une pause. »

Qu'est-ce qui lui prenait ? Elle aurait dû se lever et s'en aller, ne pas se laisser entraîner davantage dans le bourbier d'Aisha, mais elle ne s'en sentit pas capable. Elle allait bientôt rentrer chez elle au Nigeria, elle pourrait voir ses parents et revenir en Amérique si elle le désirait ; en face d'elle il y avait Aisha qui espérait revoir un jour sa mère sans oser y croire. Elle parlerait à ce Chijioke. C'était le moins qu'elle puisse faire.

Elle épousseta ses vêtements et donna à Aisha un petit rouleau de dollars. Aisha les étala sur sa paume, les comptant rapidement. Combien irait à Mariama et combien à Aisha ? se demanda Ifemelu. Elle attendit qu'Aisha eût fourré l'argent dans sa poche pour lui donner un pourboire. Aisha prit le billet de vingt dollars, les yeux maintenant secs, le visage redevenu inexpressif. « Merci. »

Un sentiment de gêne régnait dans la pièce et Ifemelu, comme pour la dissiper, examina une fois encore ses cheveux dans la glace, les tapotant doucement en tournant la tête d'un côté puis de l'autre.

« J'irai voir Chijioke demain et je vous appellerai », dit Ifemelu. Elle épousseta une dernière fois ses vêtements et regarda autour d'elle afin de s'assurer de n'avoir rien oublié.

« Merci. » Aisha s'avança vers Ifemelu, prête à l'embrasser, puis s'arrêta, hésitante. Ifemelu lui pressa doucement l'épaule avant de se diriger vers la porte.

Dans le train, elle se demanda comment persuader un homme de se marier quand il semblait n'en avoir aucune envie. Elle avait mal à la tête. Bien qu'Aisha ne les ait pas tressés trop serré, ses cheveux tiraient désagréablement, lui laissant la nuque et les nerfs douloureux. Il lui tardait de se retrouver chez elle, de prendre une longue douche froide, de rassembler ses cheveux dans un bonnet de satin et de s'étendre sur son canapé avec son ordinateur. Le train venait de s'arrêter en gare de Princeton quand son téléphone sonna. Elle s'arrêta sur le quai pour fouiller dans son sac. Tout d'abord, parce que Tante Uju était incohérente, parlant et sanglotant à la fois, Ifemelu crut qu'elle disait que Dike était mort. Mais Tante Uju disait *o nwuchagokwa, Dike anwuchagokwa*. Dike avait failli mourir.

« Il a pris une overdose de pilules puis il est descendu au sous-sol et s'est étendu sur le divan ! » dit Tante Uju, la voix brisée comme si elle n'y croyait pas elle-même. « Je ne descends jamais au sous-sol quand je rentre. J'y fais seulement mon yoga le matin. C'est Dieu qui m'a dit de descendre pour sortir la viande du congélateur. C'est Dieu ! Il était couché là, tout transpirant, le corps inondé de sueur, et j'ai été prise de panique. Je me suis dit ces gens ont donné de la drogue à mon fils. »

Ifemelu tremblait. Un train passa dans un vrombissement et elle pressa un doigt dans son autre oreille pour mieux entendre Tante Uju. Celle-ci disait « signes de toxicité du foie » et Ifemelu eut l'impression d'être suffoquée par ces mots, *toxicité du foie*, par la confusion qui s'emparait d'elle, par le soudain assombrissement de l'air.

« Ifem ? demanda Tante Uju. Tu es là ?

— Oui. » Le mot avait parcouru un long tunnel. « Qu'est-il arrivé ? Que s'est-il passé exactement, Tante ? Qu'est-ce que tu dis ?

— Il a avalé un flacon entier de Tylenol. Il est dans le service des soins intensifs à présent et il s'en sortira. Dieu n'était pas prêt à le voir mourir, c'est tout », dit Tante Uju. Elle se moucha bruyamment. « Sais-tu qu'il a aussi pris un antivomitif pour que le médicament reste dans son estomac ? Dieu n'était pas prêt à le voir mourir.

— Je viens demain », dit Ifemelu. Elle s'attarda longuement sur le quai, se demandant ce qu'elle faisait pendant que Dike avalait un flacon de pilules.

CINQUIÈME PARTIE

CHAPITRE 42

Obinze vérifiait souvent les messages sur son BlackBerry, trop souvent, même quand il se levait la nuit pour aller aux toilettes. Il avait beau se moquer de lui-même, il ne pouvait s'en empêcher. Quatre jours, quatre jours entiers, passèrent avant qu'elle réponde. Il se découragea. Elle n'était pas d'un naturel farouche et elle aurait répondu beaucoup plus vite en temps normal. Elle était peut-être occupée, se dit-il, sachant pertinemment que l'argument « occupé » était surtout pratique et peu convaincant. À moins qu'elle n'ait changé et soit devenue le genre de femme qui attend quatre jours afin de ne pas paraître trop empressée, pensée qui le refroidit encore davantage. Sa réponse était chaleureuse, mais trop courte, racontant qu'elle était excitée et nerveuse à la perspective de changer de vie et de revenir au pays, mais sans donner plus de détails. Quand comptait-elle revenir exactement ? Et qu'est-ce qui était si difficile de laisser derrière elle ? Il consulta à nouveau sur Google le site de l'Américain noir, espérant y trouver un post faisant état d'une rupture, mais le blog n'avait de liens qu'avec des articles universitaires. L'un d'eux avait pour thème la musique hip-hop originelle comme forme d'activisme politique – c'était typiquement américain de considérer que le hip-hop était un sujet sérieux. Il le parcourut en espérant le trouver stupide, mais il lui parut suffisamment intéressant pour qu'il le lise d'un bout à l'autre, et cela lui laissa un sentiment d'amertume. L'Américain noir était devenu, de façon absurde, un rival. Il chercha sur Facebook. Kosi était active sur Facebook, elle postait des photos et restait en contact avec les gens, mais lui avait fermé son compte quelque temps auparavant. Il avait été séduit par Facebook au début, fantômes d'anciens amis reprenant soudain vie accompagnés d'épouses, de maris et d'enfants, avec des portraits soulignés de commentaires. Mais il fut bientôt consterné par l'atmosphère d'irréalité, la manipulation étudiée des images destinée à créer une vie parallèle, les photos prises dans l'intention de les publier, montrant en arrière-plan les choses dont ils étaient fiers. Il rouvrit son profil pour rechercher Ifemelu, mais elle n'était pas inscrite. Peut-être était-elle aussi déçue que lui par Facebook. Il en fut vaguement heureux, un exemple supplémentaire de leur similarité. Son Américain noir était sur Facebook, mais son profil n'était visible que pour ses amis, et l'idée saugrenue effleura Obinze de lui demander d'être son ami, juste pour voir s'il avait posté des photos d'Ifemelu. Il voulait attendre quelques jours avant de répondre à Ifemelu, mais il se retrouva ce soir-là, dans son bureau, à écrire un long e-mail relatant la mort de sa mère. *Je n'ai jamais cru qu'elle mourrait jusqu'à ce qu'elle meure. Cela a-t-il un sens ?* Il avait découvert que le chagrin ne s'atténue pas avec le temps ; c'était au contraire un état volatil. Tantôt la douleur était aussi vive que le jour où la femme de ménage l'avait appelé en sanglotant, disant qu'elle gisait sans vie sur son lit, tantôt il oubliait qu'elle était morte et projetait un voyage en avion dans l'Est pour aller la voir. Elle avait considéré sa récente réussite d'un œil réprobateur, comme si elle ne comprenait pas un monde où l'on pouvait gagner autant d'argent aussi facilement. Lorsqu'il lui avait fait la surprise d'une nouvelle voiture, elle lui avait dit que l'ancienne la satisfaisait, la Peugeot 505 qu'elle conduisait depuis qu'il était au lycée. Il avait fait livrer la nouvelle voiture chez elle, une petite Honda pas trop ostentatoire, mais à chacune de ses visites il la trouvait reléguée au garage, couverte d'un voile de poussière. Il se souvenait clairement de sa dernière conversation avec elle au téléphone, trois jours avant sa mort, de son désintérêt croissant pour son travail et pour la vie du campus.

« Personne ne publie dans les revues internationales, avait-elle dit. Personne n'assiste plus à des congrès. On dirait un marigot dans lequel nous pataugeons tous. »

Il le raconta à Ifemelu dans son e-mail, disant que le désenchantement de sa mère pour son travail l'avait attristé. Il prit soin de ne pas insister lourdement, racontant que l'église de son village lui avait demandé de payer de nombreuses cotisations avant les funérailles, que le traiteur avait volé de la viande à l'enterrement, enveloppant des morceaux de bœuf dans des feuilles fraîches de bananier pour les lancer par-dessus le mur de la propriété à des complices, et que la famille avait été préoccupée par ce vol. Le ton avait monté, des accusations avaient été proférées de part et d'autre, et une tante avait dit : « Ce traiteur doit rendre jusqu'au dernier morceau de la marchandise volée ! » Marchandise volée. Sa mère aurait ri à la pensée que de la viande soit une marchandise volée et que ses funérailles se terminent par une querelle à propos de viande volée. Pourquoi, écrivit-il à Ifemelu, nos enterrements finissent-ils toujours par n'avoir rien à voir avec la personne qui est morte ? Pourquoi les villageois attendent-ils un décès pour se venger des torts passés, réels ou imaginaires, et pourquoi creusent-ils jusqu'à l'os lorsqu'ils cherchent à obtenir leur livre de chair ?

La réponse d'Ifemelu arriva une heure plus tard, un flot de mots navrés : *Je t'écris en pleurant. Sais-tu combien de fois j'ai souhaité qu'elle soit ma mère ? Elle était la seule adulte – excepté Tante Uju – à me traiter comme une personne dont l'opinion comptait. Tu as eu beaucoup de chance d'être élevé par elle. Elle était tout ce que je souhaitais être. Je suis triste, Ciel. J'imagine que tu as dû être anéanti et que tu l'es encore parfois. Je suis dans le Massachusetts avec Tante Uju et Dike et je traverse en ce moment même quelque chose qui me rapproche de ton chagrin, mais en moins intense. S'il te plaît, donne-moi un numéro où je peux te téléphoner – si tu es d'accord.*

Son e-mail le réjouit. Voir sa mère à travers le regard d'Ifemelu l'emplit de bonheur. Et lui donna du courage. Il se demanda à quelle douleur elle faisait allusion et il espéra que c'était la rupture avec l'Américain noir, même s'il ne souhaitait pas qu'elle en ressente un trop grand chagrin. Il essaya d'imaginer à quel point il la trouverait changée, à quel point elle se serait américanisée, surtout après avoir eu une relation avec un Américain. Il remarquait un optimisme excessif chez beaucoup de ceux qui étaient revenus d'Amérique ces dernières années, toujours souriants, toujours approbateurs, le genre d'optimisme survolté qui l'ennuyait, parce qu'il était caricatural et sans substance ni profondeur. Il espérait que ce n'était pas son cas. Ce n'était pas possible. Elle avait demandé son numéro de téléphone. Elle ne pouvait nourrir de tels sentiments pour sa mère si elle n'éprouvait plus rien pour lui. Il lui écrivit à nouveau, lui communiquant tous ses numéros de téléphone, ceux de ses trois portables, et les lignes fixes de son bureau et de son domicile. Il termina son message par ces mots : *C'est étrange, à chaque événement majeur survenu dans ma vie, j'ai toujours pensé que tu étais la seule personne qui puisse me comprendre.* Il se sentit pris de vertige, mais après avoir cliqué sur Envoyer, les regrets l'assaillirent. Il en avait trop dit trop tôt. Il n'aurait pas dû écrire quelque chose d'aussi maladroit. Il vérifia son BlackBerry avec obsession, jour après jour, et le dixième jour il comprit qu'elle ne répondrait pas.

Il rédigea quelques e-mails d'excuses, mais ne les envoya pas, gêné de devoir se justifier de quelque chose qu'il ne pouvait nommer. Il ne décida jamais consciemment d'écrire les longs messages détaillés qui suivirent. Affirmer qu'elle lui avait manqué chaque fois qu'un événement important s'était produit dans sa vie, c'était grandiloquent, il le savait, mais pas entièrement faux. Naturellement, il y avait eu des périodes durant lesquelles il avait peu pensé à elle, quand il était absorbé par sa récente passion pour Kosi, par son nouvel enfant, ou par un nouveau contrat, mais elle n'avait jamais été absente. Il l'avait toujours gardée dans un coin de son esprit. En dépit du silence qu'elle avait maintenu, et de l'incompréhension amère qu'il avait ressentie.

Il commença par écrire sur son séjour en Angleterre, espérant qu'elle répondrait. Puis il continua, poussé par la seule envie d'écrire. Il n'avait jamais fait le récit de sa propre histoire, ne s'y était jamais appesanti, parce qu'il avait été trop désorienté par son expulsion et par la soudaineté de sa nouvelle existence à Lagos. Lui écrire devint un moyen de s'écrire à lui-même. Il n'avait rien à perdre. Même si elle lisait ses e-mails avec le Noir américain et riait de lui, peu lui importait.

*

Enfin, elle répondit.

> Ciel, pardon pour ce silence. Dike a tenté de se suicider. Je n'ai pas voulu te le dire plus tôt (je ne sais pas pourquoi). Il va beaucoup mieux, mais cela a été un traumatisme qui m'a bouleversée plus que je ne l'aurais imaginé (tu sais, « tenté » signifie que cela ne s'est pas produit, mais j'ai passé des journées à pleurer en pensant à ce qui aurait pu arriver). Je suis désolée de ne pas t'avoir appelé pour t'offrir mes condoléances pour la mort de ta mère. J'avais l'intention de le faire, et j'ai apprécié que tu me donnes ton numéro de téléphone, mais j'ai emmené Dike à son

rendez-vous chez le psychiatre ce jour-là et ensuite j'étais incapable de prendre une décision. J'avais l'impression d'avoir été assommée. Tante Uju dit que je fais une dépression. Tu sais que l'Amérique a une façon de tout transformer en maladie qui requiert des médicaments. Je ne prends pas de médicaments, je passe seulement beaucoup de temps avec Dike, à regarder d'horribles films pleins de vampires et de vaisseaux spatiaux. J'ai beaucoup aimé tes e-mails sur l'Angleterre, ils m'ont réconfortée de bien des façons, je ne te remercierai jamais assez de les avoir écrits. J'espère avoir l'occasion de te raconter ma vie – un jour ou l'autre. J'ai obtenu une bourse de Princeton qui vient de s'achever et, pendant des années, j'ai écrit un blog anonyme à propos de la race qui est devenu mon gagne-pain. Tu peux en lire les archives ici. J'ai retardé mon retour au Nigeria. Je te tiendrai au courant. J'espère que tout va bien pour toi et ta famille.

Dike avait tenté de se suicider. C'était inconcevable. Il se souvenait de Dike comme d'un bambin, un nuage blanc de Pampers à la taille, courant partout dans la maison de Dolphin Estate. Il était désormais un adolescent qui avait tenté de se suicider. La première pensée d'Obinze fut de vouloir rejoindre Ifemelu sur-le-champ. Il voulait prendre un billet d'avion et être avec elle en Amérique, la consoler, aider Dike, remettre tout en ordre. Puis il rit de sa propre absurdité.

« Chéri, tu ne m'écoutes pas, dit Kosi.

— Pardon, *omalicha*, dit-il.

— Ne pense plus à ton travail pour le moment.

— D'accord, pardon. Que disais-tu ? »

Ils étaient en voiture. Ils se rendaient dans une école maternelle et primaire à Ikoyi, invités à une journée portes ouvertes par des amis de la paroisse de Kosi, Jonathan et Isioma, dont le fils y était scolarisé. Kosi avait tout organisé, c'était la deuxième école qu'ils visitaient, avant d'en choisir une pour Buchi.

Obinze ne les avait rencontrés qu'une seule fois, lorsque Kosi les avait invités à dîner. Il avait trouvé Isioma intéressante ; les rares paroles qu'elle se permettait de prononcer étaient réfléchies, mais elle restait le plus souvent silencieuse, se retirant en elle-même, prétendant ne pas être aussi intelligente qu'elle l'était, pour épargner l'ego de son mari. Jonathan, un banquier dont la photo s'étalait en permanence dans les journaux, accapara la soirée avec des histoires interminables à propos de gouverneurs nigérians qu'il avait conseillés et de diverses sociétés qu'il avait sauvées de la faillite.

Il présenta Obinze et Kosi à la directrice de l'école, une petite Anglaise rondouillarde, en disant : « Obinze et Kosi sont des amis très proches. Je pense que leur fille pourrait venir nous rejoindre l'année prochaine.

— Beaucoup d'expatriés de haut niveau inscrivent leurs enfants chez nous », dit la directrice, d'une voix empreinte de fierté, et Obinze se demanda si elle le disait systématiquement. Elle l'avait sans doute répété assez souvent pour savoir que c'était efficace pour impressionner les Nigérians.

Isioma demandait pourquoi leur fils faisait encore peu d'anglais et de mathématiques.

« Notre approche est davantage conceptuelle. Nous souhaitons que les enfants explorent leur environnement pendant la première année, répondit la directrice.

— Mais ceci ne devrait pas exclure cela. Ils pourraient aussi commencer à apprendre les maths et l'anglais », dit Isioma. Puis, d'un ton amusé qui ne cherchait pas à masquer le sérieux de la question, elle ajouta : « Ma nièce fréquente une école sur le continent et à six ans elle peut épeler "onomatopée" ! »

La directrice eut un petit sourire contraint. Un sourire qui signifiait qu'elle ne jugeait pas utile de commenter les méthodes d'écoles de moindre renom. Ensuite, ils s'assirent dans une vaste salle et assistèrent à un spectacle de Noël organisé par les enfants, dont le sujet était la découverte, le jour de Noël, d'un bébé orphelin par une famille nigériane sur le pas de sa porte. À la moitié de la pièce, un professeur mit en marche un ventilateur qui soufflait de petits morceaux de coton sur la scène. De la neige. Il neigeait dans la pièce.

« Pourquoi cette neige ? Apprennent-ils aux enfants qu'un Noël n'est pas un vrai Noël s'il n'y a pas de neige comme à l'étranger ? » dit Isioma.

Jonathan dit : « Ahn-ahn, quel mal y a-t-il à cela ? Ce n'est qu'une pièce de théâtre.

— Ce n'est qu'une pièce de théâtre, mais je comprends ce qu'Isioma veut dire, dit Kosi en se tournant vers Obinze. N'est-ce pas, chéri ?

— La petite fille qui jouait l'ange était parfaite », répondit Obinze.

Dans la voiture, Kosi dit : « Tu as l'esprit ailleurs. »

*

Il lut toutes les archives de *Raceteenth ou Observations diverses sur les Noirs américains (ceux qu'on appelait jadis les nègres) par une Noire non américaine*. Les articles du blog l'étonnèrent, ils paraissaient tellement américains et tellement étrangers, avec leur ton irrévérencieux et les expressions argotiques, le mélange de langue populaire et châtiée, qu'il n'arrivait pas à se représenter Ifemelu les écrivant. Il eut un mouvement d'agacement en lisant ses références à ses amants – l'Ex Blanc Sexy, le professeur Hunk. Il lut « Juste ce soir » à plusieurs reprises, parce que c'était son article le plus personnel concernant le Noir américain, et il chercha des clés et des allusions, révélant quel genre d'homme il était, quelle sorte de relation ils avaient.

> À New York donc, le professeur Hunk a été interpellé par la police. Soupçonné d'être en possession de drogue. Les Noirs américains et les Blancs américains font usage de drogue à peu près dans les mêmes proportions (vérifiez), mais prononcez le mot « drogue » et voyez quelle image il évoque chez chacun. Le professeur Hunk est bouleversé. Il dit qu'il est professeur d'une des plus grandes universités et qu'il connaît la marche à suivre, mais il se demande quelle serait sa réaction s'il était un pauvre gosse du centre-ville. J'ai de la peine pour mon chéri. Quand nous nous sommes connus, il m'a raconté qu'au lycée il voulait obtenir les meilleures notes possible à cause d'une prof blanche qui lui avait dit de « chercher à avoir une bourse de basket, parce que les Noirs sont doués pour les activités physiques, et les Blancs pour les activités intellectuelles, ce qui n'est ni bien ni mal, simplement différent » (et, soit dit en passant, cette prof a été nommée à Columbia). Aussi a-t-il passé quatre années à lui démontrer qu'elle se trompait. J'en serais incapable : vouloir réussir pour prouver que j'ai raison. Mais je me suis sentie blessée moi aussi. Bon, maintenant je vais lui faire du thé. Et lui administrer un peu d'attention et d'amour.

Parce qu'à l'époque où ils s'étaient quittés elle ne connaissait presque rien des sujets qu'elle traitait dans son blog, il eut l'impression de l'avoir perdue, comme si elle était devenue quelqu'un qu'il ne pourrait plus reconnaître.

SIXIÈME PARTIE

CHAPITRE 43

Au début, Ifemelu dormit à même le sol dans la chambre de Dike. *Ce n'est pas arrivé, ce n'est pas arrivé*, se répétait-elle. Pourtant les images elliptiques de ce qui aurait pu se passer tournaient inlassablement dans sa tête. Le lit de Dike, sa chambre, auraient été vides à jamais. Une plaie se serait ouverte en elle qui ne se serait jamais refermée. Elle l'imaginait avalant les pilules. Du Tylenol, du simple Tylenol ; il avait lu sur Internet qu'une overdose pouvait vous tuer. Qu'avait-il pensé ? Avait-il pensé à elle ? Quand il revint de l'hôpital, l'estomac lavé, le foie contrôlé, elle chercha sur son visage, dans ses gestes, dans ses paroles, un signe, une preuve que cela avait failli arriver. Il ne paraissait pas différent de ce qu'il était auparavant, il n'avait pas de cernes sous les yeux, pas l'air lugubre. Elle lui prépara le riz jollof qu'il aimait, avec des petits morceaux de poivrons rouges et verts ; et tandis qu'il mangeait, portant sa fourchette de l'assiette à sa bouche en disant : « C'est drôlement bon », comme il le faisait toujours, elle sentit monter en elle un flot d'interrogations mêlées de larmes. Pourquoi ? Pourquoi avait-il fait cela ? Qu'avait-il à l'esprit ? Elle ne lui posa pas la question parce que le thérapeute avait dit qu'il valait mieux ne rien lui demander pour le moment. Les jours passèrent. Elle s'accrochait à lui, craignant de lâcher prise et craignant, tout autant, de l'étouffer. Au début, elle n'arrivait pas à dormir, refusait les petites pilules bleues que Tante Uju lui proposait et restait éveillée la nuit, réfléchissant, se tournant et se retournant, l'esprit obsédé par la pensée de ce qui aurait pu être, jusqu'à finir par sombrer d'épuisement dans le sommeil. Certains jours, elle se réveillait pleine de reproches envers Tante Uju.

« Tu te souviens du jour où Dike te racontait quelque chose et a dit "nous autres Noirs" et tu lui as répondu "tu n'es pas noir" ? » demanda-t-elle à Tante Uju à voix basse, parce que Dike dormait encore à l'étage. Elles étaient dans la cuisine, baignée par la lumière du matin ; habillée pour aller travailler, debout devant l'évier, Tante Uju mangeait un yaourt dans son pot de plastique.

« Oui, je me souviens.

— Tu n'aurais pas dû dire ça.

— Tu sais très bien ce que je voulais dire. Je ne voulais pas qu'il commence à se comporter comme ces gens et à penser que tout ce qui lui arrivait venait du fait qu'il était noir.

— Tu lui as dit ce qu'il n'était pas mais tu ne lui as pas dit ce qu'il était.

— Qu'est-ce que tu racontes ? » Tante Uju pressa du pied la pédale de la poubelle qui s'ouvrit et elle y jeta le pot de yaourt vide. Elle travaillait à mi-temps pour pouvoir être plus disponible pour Dike et le conduire elle-même chez le thérapeute.

« Tu ne l'as jamais rassuré.

— Ifemelu, sa tentative de suicide est due à la dépression, dit doucement Tante Uju sans perdre son calme. C'est une affection clinique. Beaucoup d'adolescents en souffrent.

— Les gens se réveillent un beau matin et se sentent déprimés ?

— Oui, c'est ça.

— Pas dans le cas de Dike.

— Trois de mes patients ont tenté de se suicider, trois adolescents blancs. L'un y est parvenu, dit Tante Uju, du même ton triste et apaisant qu'elle avait adopté depuis le retour de Dike de l'hôpital.

— Sa dépression vient de ce qu'il a vécu, Tante ! » dit Ifemelu, haussant la voix, puis elle se mit à sangloter, s'excusant auprès de Tante Uju, bourrelée de remords. Dike n'aurait pas avalé ces pilules si elle avait été plus prévoyante, plus attentive. Elle s'était trop facilement réfugiée derrière le rire, elle avait négligé de creuser le terrain émotionnel des plaisanteries de Dike. C'était vrai qu'il riait, et que son rire convainquait par son éclat et sa légèreté, mais c'était peut-être un masque et en dessous croissait la graine d'un traumatisme.

À présent, dans le silence véhément qui avait succédé à sa tentative de suicide, elle s'interrogeait sur tout ce qu'avait pu masquer ce rire. Elle aurait dû s'inquiéter davantage. Elle le surveillait attentivement. Elle le protégeait. Elle ne voulait pas que ses amis viennent le voir, alors que le thérapeute avait dit que c'était bien s'il le voulait. Même Page, qui avait éclaté en sanglots quelques jours plus tôt quand elle était seule avec Ifemelu, en disant : « Je n'arrive pas à croire qu'il ne m'ait pas demandé de l'aider. » C'était une enfant, simple et pleine de bonne volonté, et pourtant Ifemelu éprouvait un sentiment d'animosité à son encontre, à l'idée que Dike aurait pu l'appeler à l'aide. Kweku revint de sa mission médicale au Nigeria, et tint compagnie à Dike, regardant la télévision avec lui, ramenant le calme et la normalité.

Les semaines passèrent. Ifemelu cessa de s'affoler quand Dike restait un peu trop longtemps dans la salle de bains. On fêterait son anniversaire dans quelques jours et elle lui demanda ce qui lui ferait plaisir, sentant les larmes lui monter aux yeux car elle imaginait son anniversaire non comme le jour où il aurait dix-sept ans, mais comme le jour où il aurait eu dix-sept ans.

« Et si nous allions à Miami ? » dit-il en plaisantant à demi. Elle l'emmena donc à Miami et ils passèrent deux jours dans un hôtel, commandant des hamburgers sous l'auvent couvert de chaume du bar de la piscine, parlant de tout et de rien sauf de sa tentative de suicide.

« Ça c'est la vie, dit-il, allongé le visage face au soleil. Ton blog était un truc épatant, tu nageais dans le fric et tout ça. Maintenant que tu l'as fermé, on ne va plus pouvoir faire des choses comme aujourd'hui.

— Je ne nageais pas, je barbotais », dit-elle en le regardant, son beau cousin, un peu attristée par la boucle de poils mouillés sur sa poitrine parce qu'elle était signe de son jeune et tendre âge adulte, et qu'elle aurait voulu qu'il reste un enfant ; s'il était resté un enfant, il n'aurait pas avalé ces pilules, ne se serait pas couché dans le sous-sol avec la certitude qu'il ne se réveillerait jamais plus.

« Je t'aime, Dike. Nous t'aimons, tu le sais, n'est-ce pas ?

— Je sais, dit-il. Coz, tu devrais partir.

— Partir où ?

— Retourner au Nigeria, comme prévu. Tout ira bien, promis.

— Tu viendras peut-être me voir », dit-elle.

Après un instant de silence, il dit : « Ouais. »

SEPTIÈME PARTIE

CHAPITRE 44

Le premier contact avec Lagos l'agressa. L'agitation sous le soleil éblouissant, les bus jaunes bondés de corps comprimés, les vendeurs de rue courant en sueur à la poursuite des voitures, les publicités sur des panneaux géants (d'autres griffonnées sur les murs – PLOMBIER APPELEZ LE 080177777) et les ordures s'amoncelant le long des rues comme pour vous narguer. Le négoce battait son plein avec trop d'insolence. L'air était lourd de vantardises, les conversations vibrantes de protestations. Un matin, on trouva le cadavre d'un homme dans Awolowo Road. Un autre jour, l'Île fut inondée et les voitures se transformèrent en bateaux vacillants. Tout peut arriver ici, pensa-t-elle, une tomate mûre peut surgir d'un bloc de pierre. Une sensation vertigineuse de chute la saisit, l'impression de s'abîmer dans la nouvelle personne qu'elle était devenue, de sombrer dans un inconnu familier. Les choses avaient-elles toujours été ainsi ou bien avaient-elles tellement changé pendant son absence ? Quand elle était partie, seuls les riches avaient des téléphones portables, dont tous les numéros commençaient par 090, et les filles voulaient sortir avec des garçons 090. Aujourd'hui, sa coiffeuse avait un portable, le vendeur de plantains derrière son gril noirci avait un portable. Petite, elle connaissait tous les arrêts d'autobus et les rues de traverse, comprenait les codes tacites des contrôleurs et la gestuelle des vendeurs de rue. À présent elle avait du mal à saisir l'inexprimé. Depuis quand les commerçants étaient-ils aussi désagréables ? Les immeubles de Lagos avaient-ils toujours eu cet aspect délabré ? Et quand était-elle devenue une ville dont les habitants étaient prompts à quémander et trop avides de tout obtenir gratuitement.

« Americanah ! la taquinait Ranyinudo. Tu vois les choses avec des yeux américains. Mais le problème est que tu n'es même pas une véritable Americanah. Si au moins tu avais un accent américain, nous pourrions tolérer que tu te plaignes ! »

Venue la chercher à l'aéroport, Ranyinudo l'attendait à la porte des Arrivées dans une ample robe de demoiselle d'honneur, exagérément maquillée d'un rouge aussi violent que des ecchymoses, les fleurs de satin vert dans ses cheveux tombant de travers. Ifemelu s'étonna de la trouver aussi impressionnante, aussi séduisante. Elle n'était plus un terne assemblage de bras et de jambes trop maigres mais une grande femme solide, tout en rondeurs, fière de sa haute taille et de sa corpulence, imposante présence qui attirait les regards.

« Ranyi ! dit Ifemelu. Je savais qu'on faisait tout un plat de mon retour mais j'ignorais que j'aurais droit à une robe de bal.

— Idiote. J'arrive directement d'un mariage. Je ne voulais pas prendre de risque avec la circulation en passant me changer à la maison. »

Elles s'embrassèrent, s'étreignant longuement. Ranyinudo exhalait un parfum floral mêlé de fumée d'échappement et de transpiration ; elle sentait le Nigeria.

« Tu es superbe, Ranyi, dit Ifemelu. Je veux dire, sous toute cette peinture de guerre. Tes photos ne te rendaient pas justice.

— Et toi donc, Ifemsco, jolie comme un cœur même après un long vol », répliqua Ranyinudo en riant, ignorant le compliment, revenant à son ancien rôle de la fille qui n'était pas jolie. Son apparence avait changé mais pas sa vivacité insouciante. Tout comme était inchangé le gloussement de sa voix, un rire étouffé, prêt à se libérer, à éclater. Elle conduisait vite, freinait brutalement et consultait le BlackBerry posé sur ses genoux : chaque fois que la circulation ralentissait, elle s'en emparait et pianotait rapidement.

« Ranyi, tu devrais écrire tes textos en conduisant uniquement quand tu es seule, pour ne tuer que toi-même, dit Ifemelu.

— *Haba* ! Je n'envoie pas de textos pendant que je conduis *o*. Je le fais quand je ne roule pas, dit-elle. Ce mariage était quelque chose d'unique, le plus beau mariage auquel j'aie jamais assisté. Je me demande si tu te souviens de la mariée. C'était une bonne amie de Funke. Ijeoma, une fille au teint cuivré. Elle allait à l'école d'Holy

Child mais elle venait dans notre classe de préparation au WAEC[1] avec Funke. Nous sommes devenues amies à l'université. Si tu la voyais à présent, c'est une fille sérieuse. Son mari a beaucoup d'argent. Sa bague de fiançailles est plus grosse que le Zuma Rock. »

Ifemelu regardait par la vitre, écoutant à peine, remarquant à quel point Lagos était laide, avec ses routes pleines de nids-de-poule, ses maisons qui poussaient au hasard comme des mauvaises herbes. Dans le chaos de ses sensations, tout n'était que confusion.

« Citron vert et pêche, dit Ranyinudo.

— Qu'est-ce que tu dis ?

— Les couleurs du mariage. Citron vert et pêche. La décoration de la salle était très réussie et le gâteau magnifique. J'ai pris des photos. Je vais mettre celle-ci sur Facebook. » Ranyinudo tendit à Ifemelu son BlackBerry. Ifemelu le garda afin que Ranyinudo se concentre sur la conduite.

« Et j'ai rencontré quelqu'un *o*. Il m'a vue quand j'attendais dehors la fin de la messe. Il faisait si chaud, mon fond de teint fondait sur mon visage. Je sais que j'avais l'air d'un zombie, mais il est quand même venu me parler ! C'est bon signe. Je pense qu'il a l'étoffe d'un mari sérieux. T'ai-je raconté que ma mère disait des neuvaines pour que je rompe avec Ibrahim à l'époque où je sortais avec lui ? Elle n'aura pas de crise cardiaque avec celui-ci. Il s'appelle Ndudi. Un chouette nom, *abi* ? On ne peut pas faire plus igbo. Et tu aurais dû voir sa montre ! Il est dans le pétrole. Sur sa carte de visite il y a des adresses au Nigeria et à l'étranger.

— Pourquoi attendais-tu dehors pendant la messe ?

— Toutes les demoiselles d'honneur ont dû attendre dehors parce que nos robes étaient indécentes. » Ranyinudo roula le mot « indécentes » autour de sa langue et gloussa. « Ça arrive tout le temps, surtout dans les églises catholiques. Nous avions des châles mais le curé a dit qu'il y avait trop de dentelle, alors nous avons attendu dehors la fin de la messe. Mais je remercie Dieu sinon je n'aurais pas rencontré ce gars ! »

Ifemelu regarda la robe de Ranyinudo, ses bretelles minces, son décolleté plissé qui ne découvrait pas la naissance des seins. Avant son départ, les demoiselles d'honneur étaient-elles bannies de la messe de mariage parce que leurs robes avaient des bretelles

1. Examen d'aptitude commun à plusieurs pays d'Afrique de l'Ouest.

spaghetti ? Probablement pas, mais elle n'en était plus très sûre. Elle n'était plus très sûre de ce qui avait changé à Lagos et de ce qui avait changé chez elle. Ranyinudo gara sa voiture dans une rue de Lekki, un terrain vague conquis sur la mer quand Ifemelu était partie, mais à présent une succession de grandes maisons protégées par de hauts murs.

« Mon appartement est le plus petit, et je n'ai pas de parking intérieur, dit Ranyinudo. Les autres locataires en ont un, mais tu devrais entendre les vociférations le matin quand quelqu'un bloque le passage et qu'un autre est en retard pour le travail ! »

Ifemelu descendit de voiture au milieu du vrombissement assourdissant et discordant des générateurs, de trop nombreux générateurs ; le raffut lui perçait les tympans.

« Nous avons été privés d'électricité toute la semaine dernière », dit Ranyinudo, criant pour se faire entendre.

Le gardien s'était précipité pour les aider à porter les valises.

« Bienvenue pour ton retour, Tante », dit-il à Ifemelu.

Il n'avait pas dit seulement « bienvenue », mais « pour ton retour », comme s'il savait qu'elle était vraiment de retour. Elle le remercia et dans l'obscurité grise du soir, l'air chargé d'odeurs, elle fut envahie d'une émotion indicible presque insoutenable. Une nostalgie mélancolique, une tristesse exquise à la pensée de ce qu'elle n'avait pas vécu et qu'elle ne connaîtrait jamais. Plus tard, assise sur le canapé du petit salon élégant de Ranyinudo, les pieds enfoncés dans le tapis trop moelleux, face à l'écran plat de la télévision, Ifemelu n'arrivait pas à y croire : elle l'avait fait. Elle était rentrée au pays. Elle alluma la télévision et chercha les chaînes nigérianes. Sur NTA, la première dame, un foulard bleu autour du visage, haranguait un rassemblement de femmes. On pouvait lire sur l'écran : « La première dame fournit des moustiquaires à des femmes. »

« Cela fait une éternité que je n'ai pas regardé cette chaîne idiote, dit Ranyinudo. Ils mentent pour soutenir le gouvernement mais ils ne savent même pas mentir intelligemment.

— Alors quelle chaîne nigériane regardes-tu ?

— Je n'en regarde vraiment aucune *o*. Je regarde Style et E ! Parfois CNN et la BBC. » Ranyinudo avait enfilé un short et un T-shirt. « Il y a une femme qui vient faire la cuisine et le ménage pour moi, mais j'ai préparé ce ragoût de mes mains parce que tu venais, il faut que tu en manges *o*. Que veux-tu boire ? J'ai du lait malté et du jus d'orange.

— Du lait malté ! Je pourrais boire tout le lait malté du Nigeria. J'en achetais à Baltimore dans un supermarché hispanique, mais ce n'était pas la même chose.

— J'ai mangé un riz ofada excellent au mariage. Je n'ai pas faim », dit Ranyinudo. Mais, après avoir servi une assiette à Ifemelu, elle mangea un peu de ragoût de riz et de poulet dans un bol en plastique, perchée sur le bras du canapé, pendant qu'elles faisaient le point sur leurs anciennes amies. Priye était organisatrice d'événements et ses affaires étaient florissantes depuis qu'elle avait été présentée à la femme du gouverneur. Tochi avait perdu son job à la banque au moment de la dernière crise bancaire, mais elle avait épousé un riche avocat et avait un bébé.

« Tochi me racontait combien d'argent les gens avaient sur leur compte, dit Ranyinudo. Tu te souviens de ce type, Mekkus Parara, qui était fou de Ginika ? Tu te rappelles les taches jaunes malodorantes qu'il avait sous les bras ? Il gagne un paquet d'argent à présent, mais c'est de l'argent sale. Tu sais, tous ces types qui fraudent à Londres et en Amérique, puis se dépêchent de revenir au Nigeria avec de l'argent et construisent d'imposantes maisons dans Victoria Garden City. Tochi m'a dit qu'il n'allait jamais en personne à la banque. Il avait l'habitude d'y envoyer ses aides munis de sacs Ghana Must Go [1] pour transporter dix millions un jour, vingt millions le lendemain. Moi, je n'ai jamais eu envie de travailler dans la banque. Le problème avec une banque est que si tu ne tombes pas sur une bonne agence avec des clients qui gagnent un max, tu es fichue. Tu passeras toute ta vie à t'occuper de commerçants sans intérêt. Tochi a eu de la chance avec son job, elle travaillait dans une bonne agence et elle y a rencontré son mari. Tu veux un autre lait malté ? »

Ranyinudo se leva. Il y avait une somptueuse lenteur féminine dans sa démarche, une amplitude, un balancement, un roulement de fesses à chaque pas. Une démarche nigériane. Une démarche, aussi, qui laissait entrevoir des excès, comme si elle suggérait quelque chose qui appelait la modération. Ifemelu prit la bouteille de lait malté glacée des mains de Ranyinudo et se demanda quelle

1. Genre de cabas devenu symbole d'un mouvement incitant les réfugiés ghanéens à retourner chez eux.

aurait été sa vie si elle n'était pas partie. Ressemblerait-elle à celle de Ranyinudo, qui travaillait dans une agence de publicité, habitait un appartement d'une chambre dont elle ne pouvait pas payer le loyer avec son seul salaire, fréquentait une église pentecôtiste où elle s'occupait de l'accueil et du placement, et sortait avec un PDG marié qui lui payait des billets d'avion en classe affaires pour Londres. Ranyinudo lui montra des photos de lui prises avec son portable. Sur l'une d'elles, il était torse nu, exhibant le léger embonpoint de l'âge mûr, allongé sur le lit de Ranyinudo, souriant du sourire timide d'un homme repu de sexe. Sur une autre photo, prise de près, il baissait la tête, le visage flou et mystérieux. Il y avait quelque chose de séduisant, voire de distingué, dans ses cheveux parsemés de fils gris.

« Est-ce que j'exagère ou ressemble-t-il à une tortue ? dit Ifemelu.

— Tu exagères. Mais sérieusement, Ifem, Don est un brave homme. Il n'est pas comme tous ces bons à rien qui courent les rues de Lagos.

— Ranyi, tu m'as dit que c'était juste une passade. Mais deux ans ce n'est pas une passade. Je m'inquiète pour toi.

— J'ai des sentiments pour lui, je ne le nie pas, mais je veux me marier et il le sait. Je pensais que je devrais peut-être avoir un enfant avec lui mais regarde Uche Okafor, tu te souviens d'elle à Nsukka ? Elle a eu un enfant du directeur de la Hale Bank et le type lui a dit d'aller au diable, qu'il n'était pas le père, et maintenant elle doit élever l'enfant seule. *Na wa*. »

Ranyinudo regardait la photo sur son portable avec un petit sourire affectueux. Plus tôt, en revenant de l'aéroport, elle avait dit en ralentissant pour franchir une ornière : « Je voudrais vraiment que Don change cette voiture. Il me le promet depuis trois mois. J'ai besoin d'une jeep. Tu vois dans quel état sont les routes ? » Et Ifemelu éprouva un sentiment entre la fascination et l'envie devant l'existence que menait Ranyinudo. Une existence où il suffisait d'un signe de la main pour que les choses tombent du ciel, des choses qu'elle s'attendait à voir tomber du ciel.

À minuit, Ranyinudo arrêta son générateur et ouvrit les fenêtres. « J'ai fait marcher ce générateur pendant une semaine entière, tu te rends compte ? Ça fait longtemps que les problèmes électriques n'ont pas été aussi dramatiques. »

La fraîcheur se dissipa vite. Une chaleur étouffante et humide envahit la pièce et bientôt Ifemelu se tourna et se retourna, trempée d'une sueur moite. Un battement douloureux lui tiraillait l'œil et un moustique bourdonnait à proximité ; soudain un soulagement coupable l'envahit à la pensée qu'elle avait dans son sac son passeport bleu américain. Il lui donnait la possibilité de choisir. Elle pourrait toujours partir ; rien ne l'obligeait à rester.

« L'humidité est terrible », dit-elle. Elle était couchée sur le lit de Ranyinudo et Ranyinudo sur un matelas par terre. « Je n'arrive pas à respirer.

— Je n'arrive pas à respirer, l'imita Ranyinudo en se moquant. *Haba !* Americanah ! »

CHAPITRE 45

Ifemelu avait trouvé la petite annonce sur le Net dans la rubrique *Nigerian Jobs Online* – « Mensuel féminin de premier plan recherche chroniqueuse ». Elle corrigea son CV, inventa une expérience de journaliste dans un périodique (qui avait fait faillite depuis, entre parenthèses) et, quelques jours après l'avoir envoyé, elle reçut un appel téléphonique de l'éditrice de *Zoe* à Lagos. Il y avait, dans la voix amicale à l'autre bout du fil, une intonation curieusement incongrue. « Oh, appelez-moi Tante Onenu », dit-elle gaiement quand Ifemelu demanda qui était à l'appareil. Avant de proposer à Ifemelu de l'engager, elle dit, d'un ton confidentiel : « Mon mari ne m'a pas encouragée quand j'ai démarré ce projet parce qu'il pensait que les hommes me dragueraient si je cherchais à obtenir de la publicité. » Ifemelu eut l'impression que le magazine était un hobby pour Tante Onenu, un hobby auquel elle portait un certain intérêt, mais néanmoins un hobby. Pas une passion dévorante. Et quand elle se trouva devant elle, cette impression se renforça : c'était une femme de prime abord sympathique, mais qu'il était difficile de prendre au sérieux.

Ifemelu alla chez Tante Onenu à Ikoyi en compagnie de Ranyinudo. Elles s'assirent sur des canapés de cuir qui leur parurent agréablement frais et parlèrent à voix basse, jusqu'à l'arrivée de Tante Onenu. Mince, souriante, bien conservée, vêtue d'un pantalon moulant et d'un grand T-shirt, arborant une coiffure exagérément jeune, ses cheveux ondulés descendant jusqu'à la taille.

« Ma nouvelle chroniqueuse est arrivée d'Amérique ! » dit-elle en embrassant Ifemelu. Il était difficile de lui donner un âge, entre cinquante et soixante-cinq ans, mais on voyait tout de suite qu'elle n'était pas née avec ce teint clair, l'éclat de sa peau était trop brillant et les articulations de ses mains étaient sombres, comme si les plis de la peau avaient vaillamment résisté à la crème éclaircissante.

« Je voulais que vous passiez ici avant de commencer lundi afin de vous accueillir personnellement, dit Tante Onenu.

— Merci. » Ifemelu trouva cette visite à son domicile peu professionnelle et bizarre, mais il s'agissait d'un petit magazine et on était au Nigeria, où les frontières étaient floues, où le travail et la vie se confondaient, et où on appelait la directrice *Mummy*. En outre, elle s'imaginait déjà prenant en main la direction de *Zoe*, transformant le magazine en un compagnon dynamique, approprié à la femme nigériane, et – qui sait – le rachetant un jour à Tante Onenu. Et elle n'accueillerait pas les nouvelles collaboratrices chez elle.

« Vous êtes une jolie fille », dit Tante Onenu, hochant la tête comme si être jolie importait pour le job, et qu'elle s'était inquiétée qu'Ifemelu ne le soit pas. « Votre ton au téléphone m'a plu. Je suis sûre qu'avec vous notre diffusion va dépasser celle de *Glass*. Vous savez, nous sommes une publication beaucoup plus récente mais nous les rattrapons déjà ! »

Un domestique en blanc, un homme âgé à l'air grave, apparut pour leur demander ce qu'elles voulaient boire.

« Tante Onenu, j'ai lu des anciens numéros de *Glass* et de *Zoe*, et j'ai quelques idées sur la façon dont nous pourrions nous différencier, dit Ifemelu après que le domestique fut sorti pour aller chercher leur jus d'orange.

— Voilà une vraie Américaine ! Prête à se mettre au travail, quelqu'un qui va droit au but ! Très bien. Première chose, où nous placez-vous par rapport à *Glass* ? »

Pour Ifemelu, les deux magazines étaient aussi futiles l'un que l'autre, mais *Glass* était mieux présenté, l'encre des pages couleur ne bavait pas autant que dans *Zoe*, et il était mieux distribué ; dans les encombrements, chaque fois que la voiture de Ranyinudo ralentissait, un vendeur ambulant venait coller un exemplaire de *Glass* contre la vitre. Mais voyant que la concurrence était une véritable obsession pour Tante Onenu, qu'elle en faisait ouvertement une affaire personnelle, elle dit : « Il y a peu de différence, mais je pense que nous pouvons faire mieux. Il faut réduire les interviews, n'en publier qu'une par mois et faire le portrait d'une femme qui a vraiment réalisé quelque chose de tangible, seule. Nous devons encourager le courrier des lectrices, et il faudrait créer une chronique rédigée à tour de rôle par une invitée, consacrer plus d'espace aux questions d'argent et de santé, être plus présents sur le Net, et cesser de copier les magazines étrangers. La plupart de vos lectrices ne peuvent pas aller au marché acheter du brocoli parce qu'il n'y en a pas au Nigeria, alors pourquoi y a-t-il dans le *Zoe* de ce mois une recette de crème de brocoli ?

— Oui, oui », dit lentement Tante Onenu. Elle paraissait interdite. Puis, comme si elle reprenait ses esprits, elle ajouta : « Très bien. Nous parlerons de tout ça lundi. »

Dans la voiture, Ranyinudo dit : « Parler comme ça à ta nouvelle patronne, ha ! Si tu ne débarquais pas d'Amérique, elle t'aurait virée sur-le-champ.

— Je me demande ce qu'il y a entre elle et l'éditrice de *Glass*.

— J'ai lu dans un journal people qu'elles se haïssaient. Je suis sûre qu'il y a un homme dans l'histoire, quoi d'autre ? Les femmes ! Je pense que Tante Onenu a créé *Zoe* juste pour faire concurrence à *Glass*. À mon avis, ce n'est pas une éditrice, c'est seulement une femme riche qui a décidé de lancer un magazine, demain elle pourrait l'arrêter et s'intéresser à un spa.

— Quelle horrible maison », dit Ifemelu. Elle était monstrueuse, avec ses deux anges d'albâtre flanquant le portail d'entrée, et une fontaine en forme de dôme qui crachotait dans la cour de devant.

« Horrible *kwa* ? Qu'est-ce que tu racontes ? Cette maison est magnifique !

— Pas pour moi », dit Ifemelu. Pourtant il était un temps où elle trouvait belles, les maisons de ce genre. Mais désormais, elle critiquait avec l'assurance condescendante de quelqu'un qui reconnaît le kitsch.

« Son générateur est aussi gros que mon appartement et il est complètement silencieux. As-tu remarqué le bâtiment qui l'abrite à côté du portail ? »

Ifemelu ne l'avait pas remarqué. Elle en fut dépitée. C'était ce qu'une vraie Lagotienne aurait tout de suite remarqué : le bâtiment du générateur, la taille du générateur.

Dans Kingsway Road, elle crut voir Obinze passer au volant d'une Mercedes noire et elle se redressa, tendant le cou pour mieux regarder, mais au moment où il ralentissait dans un embouteillage, elle s'aperçut que le conducteur ne lui ressemblait en rien.

Il y eut d'autres occasions où elle s'imagina voir Obinze durant les semaines suivantes, des hommes qui n'étaient pas lui mais qui auraient pu l'être : l'individu raide comme un piquet en costume cravate qui entrait dans le bureau de Tante Onenu, l'homme à l'arrière d'une voiture aux vitres teintées, penché sur son téléphone, quelqu'un derrière elle dans la queue au supermarché. Elle imagina même, quand elle alla pour la première fois rendre visite à son propriétaire, qu'elle allait entrer et trouver Obinze assis là. L'agent immobilier lui avait dit que le propriétaire préférait avoir des expatriés comme locataires. « Mais il s'est détendu quand je lui ai dit que vous reveniez d'Amérique », avait-il ajouté. Le propriétaire était un homme âgé en caftan brun et pantalon assorti ; il avait la peau tannée et l'air las de quelqu'un qui a beaucoup souffert aux mains des autres.

« Je ne loue pas aux Igbos », dit-il doucement. Elle eut un sursaut. Tenait-on de tels propos aussi facilement aujourd'hui ? Cela avait-il toujours été le cas et l'avait-elle simplement oublié ? « C'est ma politique depuis qu'un Igbo a détruit ma maison à Yaba. Mais vous semblez responsable.

— Oui, je suis responsable », dit-elle avec un simulacre de sourire. Les autres appartements qui lui plaisaient étaient trop chers. Bien que la tuyauterie sous l'évier de la cuisine soit apparente, les toilettes bancales et le carrelage de la salle de bains posé à la va-vite, elle ne pouvait s'offrir mieux. Le salon donnait une agréable sensation d'espace, avec ses grandes fenêtres et l'escalier étroit qui menait à la minuscule véranda, mais surtout l'appartement était situé dans Ikoyi. Et elle voulait habiter Ikoyi. Dans son enfance, Ikoyi respirait le chic, un chic lointain hors de son atteinte ; les gens qui y vivaient n'avaient jamais de boutons sur le visage et ils avaient des chauffeurs qu'on appelait « le chauffeur des enfants ». Le jour où elle visita l'appartement, elle sortit sur la terrasse et regarda la maison voisine, une vaste demeure coloniale, aujourd'hui d'une vétusté jaunâtre, le parc englouti par le feuillage, l'herbe et les arbustes entremêlés. Sur le toit, dont une partie s'était écroulée, elle vit quelque chose bouger, un éclair de plumes turquoise. Un paon. L'agent immobilier lui dit qu'un officier de l'armée y avait vécu à l'époque du régime du général Abacha ; à présent la maison faisait l'objet d'un procès. Et elle se représenta les gens qui avaient vécu dans cette maison quinze ans plus tôt, alors qu'elle, dans un petit appartement du continent surpeuplé, rêvait de leurs existences sereines et sans entraves.

Elle remplit un chèque pour deux ans de loyer. C'était pour cette raison que les gens recevaient et demandaient des pots-de-vin, comment sinon payer honnêtement deux ans de loyer d'avance ? Elle avait l'intention de fleurir la véranda de lis blancs dans des pots de terre cuite, mais il lui fallait d'abord trouver un électricien pour installer l'air conditionné, un peintre pour repeindre les murs crasseux, et quelqu'un pour poser un nouveau carrelage dans la cuisine et la salle de bains. L'agent fit venir un homme qui posa les carreaux. Il mit une semaine et quand l'agent appela Ifemelu pour dire que le travail était terminé, elle se rendit avec impatience à l'appartement. Dans la salle de bains, elle contempla le spectacle, incrédule. Les carreaux étaient mal jointés et il y avait des interstices béants dans les angles. Un carreau avait une vilaine fêlure en son milieu. On eût dit le travail d'un enfant trop pressé.

« C'est n'importe quoi ! Complètement saboté ! Il y a un carreau cassé. Comment peux-tu te contenter d'un travail aussi bâclé ? » demanda-t-elle à l'homme.

Il haussa les épaules ; il pensait manifestement qu'elle faisait des histoires pour rien. « Je pense que c'est du bon travail, Tante.

— Tu veux que je te paye ? »

Un petit sourire. « Ah, Tante, j'ai terminé le travail. »

L'agent immobilier intervint. « Ne vous inquiétez pas, ma, il va réparer le carreau cassé. »

Le carreleur parut réticent. « Mais j'ai terminé le travail. Le problème est que les carreaux se cassent facilement. C'est la qualité du carreau.

— Tu as fini ? Un travail ni fait ni à faire et tu dis que tu as fini ? » La colère d'Ifemelu grandissait, sa voix montait, plus dure. « Je ne payerai pas ce qui était convenu, pas question, parce que tu n'as pas fait ce qui était convenu. »

L'homme la regardait fixement, plissant les yeux.

« Et si tu cherches les ennuis, crois-moi, tu en auras, dit-elle. La première chose que je vais faire est d'appeler le commissaire de police et ils te mettront en prison à Alagbon Close ! » Elle criait à présent. « Est-ce que tu sais qui je suis ? Non, tu ne sais pas qui je suis, c'est pour ça que tu crois pouvoir saloper ce travail pour moi ! »

L'homme parut impressionné. Elle s'étonnait elle-même. D'où sortait-elle cette vantardise, ce recours à la menace ? Un souvenir lui revint, intact après tant d'années, du jour où le Général de Tante Uju était mort, de la manière dont Tante Uju avait menacé ses parents. « Non, ne partez pas, restez ici, leur avait-elle dit. Ne bougez pas pendant que je vais chercher mes hommes à la caserne de l'armée. »

L'agent immobilier dit : « Tante, ne vous inquiétez pas, il va refaire le travail. »

Plus tard, Ranyinudo lui dit : « Tu ne te comportes plus comme une Americanah ! » Et, malgré elle, Ifemelu fut contente de l'entendre dire.

« Le problème est que nous n'avons plus d'artisans dans ce pays, dit Ranyinudo. Les Ghanéens travaillent mieux. Mon boss fait construire une maison et il n'emploie que des Ghanéens pour les finitions. Les Nigérians salopent le travail. Ils ne prennent pas le temps de terminer les choses correctement. C'est terrible. Mais Ifem, tu aurais dû appeler Obinze. Il aurait tout arrangé pour toi. C'est son métier, après tout. Il a toutes sortes de contacts. Tu aurais dû l'appeler avant même de commencer à chercher un appartement. Il aurait pu t'obtenir un rabais sur le loyer dans un de ses immeubles, peut-être même te trouver un appartement gratuit *sef*. Je ne sais pas ce que tu attends pour l'appeler. »

Ifemelu secoua la tête. C'était du Ranyinudo tout craché, pour elle les hommes existaient uniquement comme source de biens matériels. Elle ne s'imaginait pas appelant Obinze pour lui demander un loyer réduit dans un de ses immeubles. Cependant, elle ne savait pas pourquoi elle ne l'avait pas appelé du tout. Elle y avait songé fréquemment, sortant son téléphone portable pour composer son numéro, mais elle ne l'avait pas appelé. Il continuait à lui envoyer des e-mails, disant qu'il espérait qu'elle allait bien, ou qu'il espérait que Dike se rétablissait, et elle répondait de temps en temps, toujours brièvement, des réponses qu'il présumerait venir d'Amérique.

CHAPITRE 46

Elle passait les week-ends avec ses parents, dans leur vieil appartement, simplement heureuse de s'asseoir et de contempler les murs qui avaient été témoins de son enfance ; ce n'est qu'en goûtant au ragoût de sa mère, un film d'huile flottant sur la purée de tomates, qu'elle se rendit compte combien il lui avait manqué. Les voisins passaient la saluer, la fille de retour d'Amérique. Beaucoup étaient de nouveaux venus inconnus d'elle, mais elle éprouvait un sentiment affectueux pour eux, parce qu'ils lui en rappelaient d'autres qu'elle avait connus. Mama Bomboy au rez-de-chaussée qui lui avait un jour tiré l'oreille quand elle était à l'école primaire en la grondant : « Tu ne dis pas bonjour aux anciens. » Oga Tony à l'étage au-dessus qui fumait sur sa véranda, le commerçant voisin de palier qui l'appelait « championne » sans qu'elle sache pourquoi.

« Ils viennent uniquement pour que tu leur fasses un cadeau », lui dit sa mère dans un murmure, comme si les voisins qui étaient tous partis pouvaient entendre. « Ils s'attendaient tous à ce que je leur achète quelque chose quand nous sommes allés en Amérique, alors je suis allée au marché et j'ai acheté des flacons de parfum petits-petits et leur ai dit que ça venait d'Amérique ! »

Ses parents aimaient parler de leur visite à Baltimore, sa mère vantait les soldes, son père racontait qu'il était incapable de comprendre les informations parce que les Américains employaient des expressions comme « mini-nuke » dans des émissions sérieuses.

« C'est le comble de l'infantilisation et de la simplification de l'Amérique ! C'est le présage de la fin de l'empire américain, ils se détruisent eux-mêmes de l'intérieur ! » déclarait-il.

Ifemelu se prêtait au jeu, écoutait leurs remarques et leurs souvenirs, espérant qu'aucun des deux n'aborderait le sujet de Blaine ; elle leur avait dit qu'un problème de travail avait retardé sa visite.

Elle n'avait pas à mentir à ses anciennes amies à propos de Blaine, mais elle le fit, leur raconta qu'il s'agissait d'une relation sérieuse et qu'il la rejoindrait bientôt à Lagos. Elle s'étonna de voir avec quelle rapidité, au cours de leurs rencontres, la question du mariage était abordée, avec un ton acide dans la voix des célibataires, et une certaine suffisance chez celles qui étaient mariées. Ifemelu voulait parler du passé, des professeurs dont elles s'étaient moquées et des garçons qui leur plaisaient, mais le mariage était toujours le sujet qui revenait sur le tapis – celle qui avait un mari coureur, celle qui cherchait désespérément un homme et affichait trop de photos avantageuses sur Facebook, celle dont l'homme l'avait trompée au bout de quatre ans et avait épousé une fille de petite taille qu'il pouvait dominer. (Lorsque Ifemelu dit à Ranyinudo qu'elle avait rencontré une ancienne camarade de classe, sa première question fut : « Est-elle mariée ? ») Elle utilisait donc Blaine comme bouclier. Quand elles connaissaient l'existence de Blaine, ses amies mariées ne lui disaient pas : « Ne t'inquiète pas, ton tour viendra, tu n'as qu'à prier », et celles qui n'étaient pas mariées ne la comptaient pas au nombre des célibataires à plaindre. Elle éprouvait aussi une cruelle nostalgie au cours de ces soirées, dont certaines avaient lieu chez Ranyinudo, certaines chez elle, d'autres au restaurant, parce qu'elle s'efforçait de découvrir chez ces femmes adultes des traces de son passé qui bien souvent avaient disparu.

Tochi était devenue méconnaissable, si grosse que même son nez avait changé de forme, et son double menton pendait au-dessous de son visage comme un petit pain. Elle arriva chez Ifemelu avec son bébé dans une main, son BlackBerry dans l'autre et une nounou à sa suite, chargée d'un sac rempli de biberons et de bavoirs. Elle la salua d'un « Madame Amérique », puis passa le reste de sa visite à lancer des piques, comme si elle était venue pour combattre l'américanisme d'Ifemelu.

« Je n'achète que des vêtements anglais pour mon enfant parce que les couleurs des américains passent dès le premier lavage, dit-elle. Mon mari voulait que nous allions nous installer en Amérique mais j'ai refusé, parce que le système éducatif est trop mauvais.

Une agence internationale l'a classé comme le plus bas de tous les pays développés, tu sais. »

Tochi avait toujours été subtile et raisonnable ; c'était elle qui intervenait avec calme au lycée chaque fois qu'Ifemelu et Ranyinudo se disputaient. Dans ce changement d'attitude, dans son besoin de se défendre contre des attaques imaginaires, Ifemelu décela une grande amertume personnelle. Elle chercha alors à apaiser Tochi, dépréciant l'Amérique, ne citant que les choses qu'elle n'aimait pas dans le pays, exagérant son accent non américain, jusqu'à ce que la conversation se transforme en une agaçante comédie. Puis le bébé vomit, un liquide jaunâtre vite essuyé par la nounou, et Tochi dit : « Il faut que nous rentrions, cet enfant a sommeil. » Soulagée, Ifemelu les regarda partir. Les gens changeaient, parfois ils changeaient trop.

Priye n'avait pas tellement changé mais elle s'était endurcie, comme recouverte d'une couche de métal chromé. Elle arriva chez Ifemelu avec une pile de journaux remplis de photos du grand mariage qu'elle venait d'organiser. Ifemelu devina ce que les gens disaient de Priye. Elle se débrouille bien, elle se débrouille vraiment bien.

« Mon téléphone sonne sans arrêt depuis la semaine dernière ! » dit-elle d'un ton triomphant, repoussant la vague lisse de cheveux auburn qui lui cachait un œil ; chaque fois qu'elle levait la main pour la repousser – elle retombait invariablement à la même place car elle avait été ajoutée dans ce but –, Ifemelu était distraite par le rose délicat de ses ongles. Priye avait le comportement assuré et l'air froid de quelqu'un capable d'imposer aux autres sa volonté. Et elle brillait de mille feux – boucles d'oreilles en or jaune, clous métalliques de son sac haute couture, rouge à lèvres d'un bronze étincelant.

« Un mariage très réussi : nous avions sept gouverneurs dans l'assistance, sept ! dit-elle.

— Et aucun d'entre eux ne connaissait le couple, je parie », ironisa Ifemelu.

Priye haussa les épaules, balaya l'air de la main.

« Depuis quand la réussite d'un mariage se mesure-t-elle au nombre de gouverneurs présents ? demanda Ifemelu.

— C'est la preuve que tu as des relations. Cela donne du prestige. Connais-tu le pouvoir des gouverneurs dans ce pays ? Le pouvoir exécutif n'est pas rien, dit Priye.

— Moi, je veux qu'assistent à mon mariage autant de gouverneurs que possible. C'est signe du rang qu'on occupe, d'un rang important », dit Ranyinudo. Elle étudiait les photos, tournant lentement les pages des journaux. « Priye, sais-tu que Mosope se marie dans quinze jours ?

— Oui. Elle est venue me voir, mais leur budget est trop petit pour moi. Cette fille n'a jamais compris quelle était la première règle à suivre dans cette société. On n'épouse pas l'homme que l'on aime. On épouse l'homme qui peut vous entretenir le plus confortablement.

— Amen ! dit Ranyinudo en riant. Mais il arrive qu'un homme soit les deux *o*. C'est la saison des mariages. Quand mon tour viendra-t-il, Seigneur Dieu ? » Elle leva les yeux au ciel, ouvrit les mains en un geste de prière.

« J'ai dit à Ranyinudo que j'organiserais son mariage sans prendre de commission, dit Priye à Ifemelu. Et le tien aussi, Ifem.

— Merci, mais je pense que Blaine préférera une cérémonie sans gouverneur », dit Ifemelu, et elles s'esclaffèrent. « Nous ferons probablement une petite fête sur une plage. »

Il lui arrivait de croire à ses propres mensonges. Elle se représentait la scène, elle et Blaine en blanc sur une plage des Caraïbes, entourés de quelques amis, s'élançant vers un autel improvisé de sable et de fleurs, et Shan qui les observerait en espérant que l'un d'eux trébuche et tombe.

CHAPITRE 47

Onikan était le vieux quartier de Lagos, une tranche du passé, temple de la splendeur fanée des années coloniales. Ifemelu se souvenait des maisons affaissées, ni entretenues ni repeintes, de la moisissure qui recouvrait les murs, des gonds des portails mangés par la rouille. Mais maintenant les promoteurs rénovaient et démolissaient. Au rez-de-chaussée d'un immeuble de trois étages récemment réhabilité, de lourdes portes vitrées s'ouvraient sur un hall de réception peint en orange terracotta où était assise une hôtesse au visage avenant, Esther, sur fond de lettres argentées géantes annonçant : ZOE MAGAZINE. Esther était pleine d'ambitions mineures. Ifemelu l'imaginait fouillant des tas de chaussures et de vêtements d'occasion dans les échoppes du marché de Tejuosho, découvrant les articles les plus intéressants et marchandant infatigablement. Elle portait des vêtements bien repassés et des chaussures aux talons éraflés mais soigneusement cirées, lisait des livres du genre *Parvenez à la prospérité par la prière*, affectait un air supérieur avec les chauffeurs et recherchait les bonnes grâces des rédacteurs. « Cette boucle d'oreille est très jolie, ma, dit-elle à Ifemelu. Si jamais vous voulez vous en débarrasser, je peux vous aider. » Et elle invitait sans cesse Ifemelu à se rendre à son église.

« Est-ce que vous venez dimanche, ma ? Mon pasteur est un puissant homme de Dieu. Il y a tant de gens qui ont des témoignages de miracles qui sont arrivés dans leurs vies grâce à lui.

— Pourquoi crois-tu que j'ai besoin d'aller à ton église, Esther ?

— Elle vous plaira, ma. C'est une église où règne l'esprit. »

Au début, le « ma » avait mis Ifemelu mal à l'aise, Esther avait au moins cinq ans de plus qu'elle, mais le statut, naturellement, l'emportait sur l'âge: Ifemelu était la rédactrice de la rubrique Société, avec une voiture et un chauffeur, l'esprit de l'Amérique planant au-dessus d'elle, et même Esther s'attendait à ce qu'elle joue le rôle de la « madame ». Et c'est ce qu'elle faisait, complimentant Esther, plaisantant avec elle d'une manière à la fois aimable et condescendante, lui offrant parfois un vieux sac, une vieille montre. Comme elle le faisait avec son chauffeur, Ayo. Elle lui reprochait de conduire trop vite, le menaçait de le renvoyer pour avoir été une fois de plus en retard, lui demandait de répéter ses instructions pour s'assurer qu'il avait bien compris. Pourtant elle percevait le ton inhabituellement aigu de sa voix quand elle parlait ainsi, incapable de se convaincre complètement qu'elle était une « madame ».

Tante Onenu disait volontiers : « La plupart de mes employés ont des diplômes étrangers alors que cette femme de *Glass* engage n'importe qui, des gens incapables de ponctuer une phrase ! » Ifemelu l'imaginait prononçant cette phrase dans un dîner en ville, « la plupart de mes employés », donnant l'illusion d'une grande entreprise en pleine activité, alors qu'il y avait trois personnes à la rédaction, quatre au service administratif et que seules Ifemelu et Doris, la rédactrice en chef, détenaient des diplômes étrangers. Doris, maigre comme un clou, l'œil cave, végétarienne et fière de l'être, parlait avec un accent d'adolescente américaine qui donnait à ses phrases un tour interrogatif, sauf quand elle parlait à sa mère au téléphone ; son anglais prenait alors le ton monocorde, impassible des Nigérians. Ses longues sisterlocks décolorées par le soleil avaient pris une teinte cuivrée, et elle s'habillait de manière originale – chaussettes blanches et richelieus, chemise d'homme rentrée dans un pantalon corsaire –, ce que tous au bureau lui pardonnaient parce qu'elle revenait de l'étranger. Elle ne portait aucun maquillage excepté un rouge à lèvres brillant, une fente écarlate qui créait un effet de surprise, probablement intentionnel, mais sa peau sans artifices était si grise qu'Ifemelu eut envie de lui conseiller une bonne crème hydratante.

« Tu as fait tes études à Wellson quand tu étais à Philly ? Je suis allée à Temple », dit Doris, comme pour montrer aussitôt qu'elles faisaient partie du même club élitaire. « Tu partageras ce bureau avec moi et Zemaye. Elle est assistante de rédaction, elle est en reportage jusqu'à cet après-midi, ou peut-être plus ? Elle reste toujours partie aussi longtemps qu'elle le veut. »

Ifemelu comprit le sous-entendu. Il n'avait rien de subtil ; Doris avait l'intention d'être comprise.

« J'ai pensé que tu pourrais, par exemple, passer la première semaine à t'habituer. Regarder ce que nous faisons. Ensuite tu pourras commencer à traiter certains sujets, dit Doris.

— D'accord », répondit Ifemelu.

Le local, une grande pièce meublée de quatre bureaux, équipés chacun d'un ordinateur, paraissait nu et encore peu utilisé, comme si c'était le premier jour de travail. Ifemelu se demanda ce qui pourrait l'améliorer, peut-être des photos de famille sur les bureaux, ou simplement davantage d'objets, de dossiers, de papiers, d'agrafeuses, de preuves d'activité.

« J'avais un job formidable à New York mais j'ai décidé de revenir et de m'installer ici, dit Doris. Sans doute la pression de la famille pour que je me fixe, des raisons de ce genre, tu vois ? Peut-être parce que je suis fille unique. Quand je suis rentrée, une de mes tantes m'a regardée et dit : "Je peux te trouver un travail dans une bonne banque, mais il faudra que tu coupes cette coiffure dada." » Elle secoua la tête d'un côté puis de l'autre avec un air moqueur tout en imitant l'accent nigérian. « Je t'assure, cette ville est pleine de banques qui veulent seulement que tu sois raisonnablement séduisante, d'un genre plutôt classique, et juste comme ça tu as un job au service clients. Quoi qu'il en soit, j'ai pris ce boulot parce que je m'intéresse à la presse magazine, tu vois ? Et c'est un bon moyen de rencontrer des gens, avec tous les événements auxquels nous participons, tu vois ? » Le ton de Doris laissait entendre qu'elle et Ifemelu poursuivaient le même but, avaient la même conception du monde. Ifemelu s'irrita un peu de cette certitude arrogante de la part de Doris, qui semblait croire qu'Ifemelu partageait les mêmes sentiments qu'elle.

Peu avant le déjeuner, une femme en jupe crayon et escarpins vernis à talons échasses entra dans le bureau, ses cheveux défrisés soigneusement tirés en arrière. Ses traits n'étaient pas harmonieux, elle n'était pas jolie, mais elle se comportait comme si elle l'était. Nubile. C'est le mot qui vint à l'esprit d'Ifemelu en voyant sa mince silhouette bien proportionnée, sa taille de guêpe et la courbe exagérément haute de ses seins.

« Salut. Tu es Ifemelu, n'est-ce pas ? Bienvenue à *Zoe*. Je suis Zemaye. » Elle serra la main d'Ifemelu, le visage intentionnellement neutre.

« Bonjour, Zemaye. Heureuse de te connaître. Tu as un joli nom.

— Merci. » Elle était habituée au compliment. « J'espère que tu n'aimes pas les pièces où on gèle.

— Les pièces où on gèle ?

— Oui. Doris règle l'air conditionné au maximum et je suis obligée de porter un pull au bureau, mais maintenant que tu vas le partager, peut-être pourrons-nous voter, dit Zemaye en s'installant à son bureau.

— Qu'est-ce que tu racontes ? Depuis quand dois-tu mettre un pull au bureau ? » demanda Doris.

Zemaye haussa les sourcils et sortit un châle épais de son tiroir.

« C'est l'humidité qui est insupportable, dit Doris en se tournant vers Ifemelu, s'attendant à être approuvée. J'avais l'impression de ne pas pouvoir respirer lorsque je suis arrivée. »

Zemaye s'adressa à son tour à Ifemelu. « Je suis une fille du Delta, née et élevée ici. Je n'ai pas grandi avec la climatisation et je n'ai pas besoin qu'il fasse froid dans une pièce pour respirer. » Elle parlait d'un ton détaché et tout ce qu'elle disait était prononcé calmement, sans hausser ni baisser la voix.

« Bon, pour moi il ne fait pas froid, dit Doris. La plupart des bureaux à Lagos ont l'air conditionné.

— Pas réglé au maximum.

— Tu ne t'es jamais plainte, dit Doris.

— Je passe mon temps à le faire, Doris.

— Tu veux dire que ça t'empêche réellement de travailler ?

— Il fait froid, c'est tout », dit Zemaye.

Leur antipathie mutuelle rampait comme un léopard furieux dans la pièce.

« Je n'aime pas le froid, intervint Ifemelu. Je crois que je gèlerais si l'air conditionné était réglé au maximum. »

Doris tressaillit. Elle parut non seulement trahie mais surprise de l'avoir été. « Bon, OK, on peut l'arrêter et le remettre en marche durant la journée ? J'ai du mal à respirer sans l'air conditionné et les fenêtres sont affreusement petites.

— D'accord », dit Ifemelu.

Zemaye resta silencieuse, elle avait allumé son ordinateur, comme indifférente à cette petite victoire, et Ifemelu se sentit inexplicablement déçue. Elle avait choisi son camp, après tout, se rangeant franchement du côté de Zemaye, qui restait pourtant impassible, difficile à déchiffrer. Ifemelu se demanda quelle était son histoire ; Zemaye l'intriguait.

Un peu plus tard, Doris et Zemaye étaient en train d'examiner des photos étalées sur le bureau de Doris, d'une femme corpulente portant des vêtements étroits et froissés, quand Zemaye dit : « Excuse-moi, je suis pressée », et elle se hâta vers la porte avec une agilité que lui envia Ifemelu. Doris la suivit du regard.

« Tu ne trouves pas exaspérant d'entendre les gens dire "je suis pressé" ou "je dois me soulager" quand ils veulent aller à la salle de bains ? »

Ifemelu rit. « Entièrement d'accord !

— Bon, "salle de bains" est très américain. Mais on peut dire "toilettes", "W-C", "cabinets".

— Je n'ai jamais aimé "cabinets". Je préfère "toilettes".

— Moi aussi ! dit Doris. Et est-ce que tu détestes que les gens disent "sur" à la place de "à" ? Je suis sur Lagos !

— Tu sais ce que je ne peux pas supporter ? Que l'on dise "prendre" au lieu de "boire". Je prendrai un peu de vin.

— Oh Seigneur, je sais ! »

Elles riaient quand Zemaye revint. Elle regarda Ifemelu avec son air étrangement inexpressif avant de dire : « Vous êtes sans doute en train de parler de la prochaine réunion des Been-To ?

— Qu'est-ce que c'est ? demanda Ifemelu.

— Doris en parle tout le temps, mais elle ne peut pas m'inviter parce que c'est réservé à ceux qui ont été à l'étranger. » S'il y avait de l'ironie dans l'intonation de Zemaye, et il devait y en avoir, elle était masquée par le débit monotone de sa voix.

« Oh, je t'en prie ! Been-To est tellement démodé, n'est-ce pas ? Nous ne sommes plus en 1960 », dit Doris. Puis elle ajouta, à l'intention d'Ifemelu : « J'allais t'en parler. On l'appelle le Nigerpolitan Club, il s'agit d'un groupe de gens récemment rentrés de l'étranger, certains d'Angleterre, mais la majorité des États-Unis. Un truc sans prétention, un simple partage d'expériences et de contacts. Je parie que tu connais certaines de ces personnes. Tu devrais venir, hein ?

— Oui, volontiers. »

Doris se leva et prit son sac. « Il faut que j'aille chez Tante Onenu. »

Quand elle fut partie, la pièce resta silencieuse. Zemaye pianotait sur son ordinateur, Ifemelu consultait Internet, se demandant à quoi pensait Zemaye.

Zemaye finit par dire : « Ainsi tu étais une célèbre blogueuse de la race en Amérique. Quand Tante Onenu nous l'a dit, je n'ai pas compris.

— Qu'est-ce que tu n'as pas compris ?

— Pourquoi la race ?

— J'ai découvert ce qu'était la race en Amérique et j'ai été fascinée.

— Hmm », fit Zemaye, comme si elle considérait que la découverte de la race était un phénomène exotique et complaisant. « Tante Onenu dit que ton ami est un Noir américain et qu'il doit bientôt venir. »

Ifemelu fut étonnée. Tante Onenu l'avait questionnée sur sa vie personnelle, avec une insistance désinvolte. Elle lui avait raconté la fausse histoire de Blaine, pensant que sa vie personnelle ne la regardait en rien, et voilà que sa vie personnelle était connue des autres employées. Peut-être était-elle trop américaine sur ce sujet, trop attachée à son intimité. Quelle importance si Zemaye était au courant pour Blaine ?

« Oui. Il devrait arriver le mois prochain.

— Comment se fait-il que là-bas seuls les Noirs soient des criminels ? »

Ifemelu ouvrit la bouche et la referma. Elle, la célèbre blogueuse de la race, restait à court de mots.

« J'adore *Cops*. C'est à cause de cette série que j'ai un abonnement à DSTV, dit Zemaye. Et tous les criminels sont noirs.

— C'est comme si on disait que chaque Nigérian est un fraudeur 419 », dit finalement Ifemelu. Elle eut l'impression de manquer de conviction, d'efficacité.

« C'est vrai, nous avons tous un peu de 419 dans le sang ! » Zemaye sourit avec pour la première fois un regard sincèrement amusé. Puis elle ajouta : « Désolée. Je ne voulais pas dire que ton ami est un criminel. Je posais juste une question. »

CHAPITRE 48

Ifemelu demanda à Ranyinudo de les accompagner, Doris et elle, à la réunion du Nigerpolitan Club.

« Pitié, je n'ai pas assez d'énergie pour vous autres "les retours au pays", dit Ranyinudo. En outre, Ndudi est enfin rentré de ses voyages divers et variés, et nous allons sortir.

— Bravo, choisis un homme plutôt que ton amie, sorcière.

— Oui *o*. C'est toi qui vas m'épouser ? En plus j'ai dit à Don que je sortais avec toi, alors débrouille-toi pour ne pas aller dans un endroit où il pourrait se trouver. » Ranyinudo riait. Elle continuait à voir Don, attendait d'être certaine que Ndudi était « sérieux » avant d'arrêter, et elle espérait aussi que Don lui achèterait sa nouvelle voiture avant.

La réunion du Nigerpolitan Club : un petit groupe de gens qui buvaient du champagne dans des gobelets de carton, au bord de la piscine dans une maison d'Osborne Estate, des gens élégants, modèles de savoir-vivre, chacun soignant ses fantaisies – une coiffure afro couleur gingembre, un T-shirt orné d'un portrait de Thomas Sankara, des boucles d'oreilles géantes faites à la main accrochées comme des spécimens d'art contemporain. Les voix bourdonnantes, mêlées d'accents étrangers. *Impossible de trouver un smoothie décent dans ce pays ! Oh mon Dieu, vous assistiez à cette conférence ? Ce dont ce pays a besoin c'est d'une société civile active.* Ifemelu connaissait certains d'entre eux. Elle bavarda avec Bisola et Yagazie, qui avaient toutes les deux des cheveux naturels, coiffés en vanilles, un halo de spirales encadrant leurs visages. Elles parlaient des salons de coiffure de la ville, où les coiffeuses bataillaient avec les cheveux naturels, comme s'il s'agissait d'une éruption extraterrestre, comme si leurs propres cheveux n'avaient pas été semblables avant d'être soumis à la chimie.

« Les filles des salons ne cessent de dire : "Tante, vous ne voulez pas lisser vos cheveux ?" Quel dommage que les Africains n'apprécient pas nos cheveux naturels en Afrique, dit Yagazie.

— Je sais », dit Ifemelu, consciente du ton moralisateur de sa voix, de toutes leurs voix. Ils étaient les sanctifiés, ceux qui étaient de retour au pays avec une couche de brillant supplémentaire. Ikenna se joignit à elles, elle était avocate et avait vécu dans les environs de Philadelphie ; elle l'avait rencontrée à un congrès du Blogging While Brown. Puis Fred vint les rejoindre à son tour. Il s'était présenté à Ifemelu un peu plus tôt, un homme grassouillet et soigné. « J'ai vécu à Boston jusqu'à l'année dernière », dit-il d'une voix faussement détachée, parce que Boston était le nom de code de Harvard (sinon il aurait dit MIT ou Tufts ou n'importe quoi d'autre), tout comme une autre femme disait : « J'étais à New Haven », avec cet air évasif qui signifiait qu'elle était à Yale. D'autres vinrent grossir leur groupe, tous faisant partie d'un cercle familier, car ils avaient facilement accès aux mêmes références. Ils se mirent bientôt à rire et à faire l'inventaire des choses qu'ils regrettaient de l'Amérique.

« Le lait de soja basses calories, la radio publique nationale, le haut débit, dit Ifemelu.

— Un bon service, un bon service, un bon service, dit Bisola. Ici, les gens se comportent comme s'ils vous faisaient une faveur en vous servant. Les endroits haut de gamme sont corrects, pas exceptionnels, mais les restaurants classiques ? Oubliez. L'autre jour j'ai demandé au garçon si je pouvais avoir de l'igname bouillie avec une autre sauce que celle qui figurait au menu et il m'a juste regardée et dit non. Hilarant, non ?

— Mais le service en Amérique peut être tellement agaçant. Il y a toujours quelqu'un qui tourne autour de vous sans répit. *Êtes-vous prêt à attaquer la suite* ? Comme si manger signifiait partir à l'attaque, dit Yagazie.

— Ce qui me manque, c'est un bon restaurant végétarien », dit Doris, puis elle parla de sa nouvelle employée de maison qui ne savait même pas préparer un simple sandwich et raconta qu'elle avait commandé un rouleau de printemps végétarien dans un restaurant de Victoria Island auquel elle avait trouvé un goût de poulet. Elle avait appelé le serveur qui lui avait répondu avec un sourire : « Peut-être qu'ils ont mis du poulet aujourd'hui. » Il y eut un éclat de rire général. Fred déclara qu'un bon restaurant végétarien ne tarderait probablement pas à ouvrir : avec tous les investissements nouveaux qui proliféraient dans le pays, quelqu'un comprendrait qu'il y avait un marché végétarien à prendre.

« Un restaurant végétarien ? Impossible. Il n'y a que quatre végétariens dans ce pays, en comptant Doris, dit Bisola.

— Vous n'êtes pas végétarienne, n'est-ce pas ? » demanda Fred à Ifemelu. Il avait simplement envie de lui parler. En levant les yeux, elle avait rencontré son regard fixé sur elle.

« Non, dit-elle.

— Oh, il y a ce nouvel endroit qui vient d'ouvrir dans Akin Adesola, dit Bisola. Le brunch est vraiment excellent. Ils servent toutes sortes de choses parfaitement mangeables. Nous devrions y aller dimanche. »

Ils servent toutes sortes de choses parfaitement mangeables. Un sentiment d'embarras gagna Ifemelu. Elle se sentait à son aise ici et elle aurait souhaité ne pas l'être. Elle aurait voulu ne pas être tellement intéressée par ce nouveau restaurant, ne pas dresser l'oreille, imaginant des salades fraîches et des légumes bien fermes cuits à la vapeur. Elle aimait manger tous les mets qui lui avaient manqué pendant son absence, le riz jollof préparé avec beaucoup d'huile, le plantain frit, l'igname bouillie, mais elle avait aussi envie des choses auxquelles elle s'était habituée en Amérique, même le quinoa, la spécialité de Blaine, servi avec des tomates et de la féta. C'était ce qu'elle espérait ne pas être devenue, tout en redoutant que ce ne soit déjà le cas, quelqu'un qui disait « ils servent toutes sortes de choses parfaitement mangeables ».

Fred parlait de Nollywood d'une voix un peu trop forte. « Nollywood est en réalité du théâtre filmé ; si vous le voyez ainsi, il devient plus acceptable. C'est un produit de consommation, conçu pour la participation collective, pas pour l'expérience individuelle qu'est le film de cinéma. » Il la regardait, cherchant des yeux son approbation : des gens comme eux n'étaient pas censés regarder Nollywood, et s'ils le faisaient, c'était seulement comme une amusante expérience anthropologique.

« J'aime bien Nollywood », affirma Ifemelu, même si elle pensait effectivement qu'il s'agissait plus de théâtre que de cinéma. Elle ressentait le besoin de montrer son désaccord. En se distinguant ainsi des autres, peut-être serait-elle moins la personne qu'elle craignait d'être devenue. « Nollywood est peut-être mélodramatique, mais la vie au Nigeria est très mélodramatique.

— Vraiment ? » dit la femme de New Haven, écrasant son gobelet de carton dans sa main, comme si elle trouvait très étrange qu'une personne assistant à cette réunion appréciât Nollywood. « C'est tellement choquant intellectuellement parlant. Pour moi, les productions sont simplement de mauvaise qualité. Que disent-elles sur nous ?

— Mais Hollywood produit des films tout aussi mauvais. L'éclairage y est seulement meilleur », dit Ifemelu.

Fred rit, avec trop d'enthousiasme, pour montrer qu'il était de son côté.

« Ce n'est pas seulement une question de technique, dit la femme de New Haven. Cette industrie est régressive. Regardez la façon dont sont décrites les femmes ? Ces films sont plus misogynes que la société. »

Ifemelu aperçut de l'autre côté de la piscine un homme dont les larges épaules lui rappelèrent Obinze. Mais il était trop grand pour que ce soit lui. Elle se demanda ce qu'Obinze penserait d'une réunion de ce genre. Serait-il même venu ? Après tout, il avait été expulsé d'Angleterre, et peut-être ne se considérait-il pas comme un « retour au pays ».

« Hé, revenez sur terre, dit Fred, s'approchant d'elle, s'appropriant son espace personnel. Vous avez l'esprit ailleurs. »

Elle sourit. « Il est de nouveau présent. »

Fred savait plein de choses. Il avait l'assurance de quelqu'un de pragmatique. Il avait probablement un MBA de Harvard et utilisait des mots comme « capacité » et « valeur ». Il ne rêvait pas en images, mais en faits et chiffres.

« Il y a un concert demain au MUSON. Vous aimez la musique classique ?

— Non. » Elle ne s'attendait pas à ce qu'il en soit amateur.

« Avez-vous envie d'aimer ça ?

— Avoir envie d'aimer quelque chose, quelle drôle d'idée », dit-elle, sa curiosité éveillée, vaguement intéressée. Ils parlèrent. Fred mentionna Stravinsky et Strauss, Vermeer et Van Dyck, multipliant les références et les citations, tourné vers l'autre côté de l'Atlantique, trop transparent dans son numéro, trop prompt à étaler sa connaissance de l'Occident. Ifemelu l'écoutait avec un grand bâillement intérieur. Elle s'était trompée à son sujet. Ce n'était pas un diplômé d'école de commerce qui pensait que le monde était un business. C'était un intermédiaire, policé et expérimenté, le genre d'homme qui pouvait prendre un bon accent américain et un bon accent anglais, qui savait comment parler aux investisseurs, les mettre à l'aise, et qui pouvait sans mal obtenir des prêts des étrangers pour des projets discutables. Elle se demandait ce qu'il y avait derrière cet avocat expérimenté.

« Alors viendrez-vous à ce cocktail ?

— Je suis épuisée, dit-elle. Je crois que je vais rentrer à la maison. Mais téléphonez-moi. »

CHAPITRE 49

La vedette rapide glissait entre les gerbes d'écume, passait devant des plages de sable ivoire, des arbres luxuriants, des pelouses bien entretenues. Elle rit malgré elle en se voyant à présent, dans un gilet de sauvetage orange, un navire apparaissant au loin dans l'air grisonnant, ses compagnons avec leurs lunettes de soleil, en route pour la maison de plage des amis de Priye où ils feraient griller de la viande et courraient pieds nus. Elle pensa : je suis vraiment chez moi. Je suis chez moi. Elle n'envoyait plus de textos à Ranyinudo pour savoir quoi faire – *Faut-il que j'achète de la viande chez Shoprite ou dois-je envoyer Iyabo au marché ? Où puis-je trouver des cintres ?* Désormais elle se réveillait au cri des paons et se levait avec le programme de sa journée et son emploi du temps tout tracés. Elle s'était inscrite à un gymnase, mais n'y était allée que deux fois, car elle préférait retrouver ses amis en sortant du travail. Elle avait beau se jurer de ne rien manger, elle finissait par avaler un club sandwich en buvant un ou deux Chapman, puis elle décidait de remettre le sport à plus tard. Ses vêtements la serraient de plus en plus étroitement. Quelque part, dans un recoin éloigné de son esprit, elle voulait perdre du poids avant de revoir Obinze. Elle ne l'avait pas appelé ; elle attendrait d'avoir retrouvé sa ligne.

Au bureau, elle éprouvait une impatience grandissante. *Zoe* l'étouffait. Comme un pull rêche par temps froid, elle avait envie de l'ôter, mais craignait les conséquences. Elle songeait souvent à commencer un blog, écrire sur ce qui était important pour elle, le développer lentement et finir par créer son propre magazine. Mais c'était flou dans son esprit, il y avait trop d'inconnu. Ce job, maintenant qu'elle était rentrée chez elle, lui donnait un point d'ancrage. Au début, elle avait aimé tenir cette chronique, interviewer des femmes de la bonne société chez elles, observer la façon dont elles vivaient et réapprendre d'anciennes subtilités. Mais elle s'était vite ennuyée et elle attendait la fin des entretiens, mi-attentive, mi-absente. Chaque fois qu'elle s'engageait dans les allées cimentées de leurs propriétés, elle rêvait d'enfoncer ses doigts de pied dans du sable. Une employée ou un enfant la priait d'entrer, de s'asseoir dans un salon tout de cuir et de marbre qui lui rappelait l'aéroport impeccable d'un pays riche. Puis Madame apparaissait, chaleureuse et enjouée, lui offrait à boire, parfois à manger, avant de s'installer sur un canapé pour parler. Toutes, ces madames qu'elle interviewait, se vantaient de ce qu'elles possédaient, des endroits qu'elles et leurs enfants avaient visités, de ce qu'ils avaient fait. Puis elles terminaient leurs fanfaronnades par Dieu. *Nous remercions Dieu. C'est l'œuvre de Dieu. Dieu est notre soutien*. En partant, Ifemelu pensait qu'elle pourrait écrire les articles sans faire les interviews.

Elle aurait pu aussi couvrir les événements sans y assister. C'était un mot banal à Lagos, un mot populaire : événement. Ce pouvait être le lancement d'une marque, un défilé de mode, la promotion d'un nouvel album. Tante Onenu insistait toujours pour qu'une journaliste accompagne le photographe. « Je vous en prie, n'oubliez pas de vous mêler aux autres, disait Tante Onenu. S'ils ne nous achètent pas de publicité pour le moment, il faut qu'ils s'y mettent ; s'ils le font déjà, il faut qu'ils en achètent davantage ! » Tante Onenu prononçait le mot « mêler » avec emphase, comme si elle estimait que ce n'était pas le fort d'Ifemelu. Peut-être avait-elle raison au fond. Dans ces événements, dans ces salles égayées de ballons multicolores, aux tentures soyeuses drapées dans les angles, aux chaises recouvertes d'étoffe de gaze, où déambulaient des hôtesses trop nombreuses et trop maquillées, Ifemelu détestait parler de *Zoe* à des inconnus. Elle passait son temps à échanger des textos avec Ranyinudo, Priye ou Zemaye, attendant de pouvoir partir sans que cela paraisse impoli. Il y avait toujours deux ou trois discours interminables, et tous semblaient écrits par la même plume, verbeuse et hypocrite. Les célébrités et les riches étaient cités – « Ce soir nous avons l'honneur de compter parmi nous l'ancien gouverneur de... » Les bouchons sautaient, on ouvrait les bouteilles de jus de fruit, on servait les samosas et les satay de poulet. Une fois, au cours d'un événement auquel elle assistait avec Zemaye, le lancement d'une nouvelle boisson, elle crut voir passer Obinze. Elle se tourna. Ce n'était pas lui, mais cela aurait très bien pu l'être. Il aurait pu assister à des événements comme celui-ci, dans une salle comme celle-ci, avec sa femme à ses côtés. Ranyinudo lui avait dit que, quand elle était étudiante, sa femme avait été élue la plus belle fille de l'université de Lagos. Dans l'imagination d'Ifemelu, elle ressemblait à Bianca Onoh, l'icône de son adolescence, avec ses hautes pommettes et ses yeux en amande. Et quand Ranyinudo mentionna son nom, Kosisochukwu, un nom inhabituel, Ifemelu imagina la mère d'Obinze lui demandant de le traduire. La pensée de la mère et de la femme d'Obinze décidant de la meilleure traduction – la Volonté de Dieu ou Comme il plaît à Dieu – lui fit l'effet d'une trahison. Ce souvenir de la mère d'Obinze lui disant « traduis-le » tant d'années auparavant lui paraissait encore plus précieux aujourd'hui qu'elle n'était plus là.

Comme Ifemelu s'en allait, elle aperçut Don. « Ifemelu », dit-il. Il lui fallut un moment pour le reconnaître. Ranyinudo les avait présentés un après-midi, des mois plus tôt, quand Don était passé chez Ranyinudo en se rendant à son club, habillé de blanc pour le tennis. Ifemelu était partie immédiatement, les laissant seuls. Il avait plus d'allure dans un costume bleu marine, ses cheveux brillants parsemés de fils d'argent.

« Bonsoir, dit-elle.

— Vous êtes en beauté, particulièrement en beauté, dit-il, jetant un regard appréciateur sur sa robe de cocktail largement décolletée.

— Merci.

— Vous ne demandez pas ce que je deviens. » Comme si elle avait eu une raison de le lui demander. Il lui tendit sa carte. « Appelez-moi, n'y manquez pas. Nous parlerons. Au revoir. »

Il ne s'intéressait pas vraiment à elle, pas spécialement. Il était seulement quelqu'un d'important à Lagos, elle était séduisante et seule, et d'après les règles de leur univers il se devait de lui faire des avances, même sans conviction, même s'il sortait avec une de ses amies. Et il s'attendait, naturellement, à ce qu'elle n'en dise mot à Ranyinudo. Elle glissa la carte dans son sac et, rentrée chez elle, la déchira en petits morceaux qu'elle regarda flotter dans l'eau des toilettes pendant un moment avant de tirer la chasse. Bizarrement, elle était furieuse contre lui. Son initiative disait quelque chose de son amitié avec Ranyinudo qu'elle n'aimait pas. Elle appela Ranyinudo. Elle était sur le point de lui raconter ce qui était arrivé, quand Ranyinudo dit : « Ifem, je suis complètement déprimée. » Et Ifemelu se contenta de l'écouter. Il s'agissait de Ndudi. « C'est un vrai *gosse*. Si on dit quelque chose qui ne lui plaît pas, il cesse de parler et se met à chantonner. Chantonner sérieusement, chantonner tout haut. Comment un adulte peut-il avoir un comportement aussi immature ? »

*

On était lundi matin. Ifemelu lisait *Postbourgie*, son blog américain préféré. Zemaye triait des tirages photo sur papier brillant. Doris fixait l'écran de son ordinateur, entourant de ses mains un mug I ♥ FLORIDA. Sur son bureau, près de son ordinateur, il y avait une boîte de thé en vrac.

« Ifemelu, cette chronique n'est-elle pas un peu trop rentre-dedans ?

— Tes commentaires éditoriaux sont inestimables, dit Ifemelu.

— Que signifie "rentre-dedans" ? Tu peux l'expliquer à celles d'entre nous qui n'ont pas été à l'école en Amérique ? » dit Zemaye.

Doris l'ignora.

« Je ne crois pas que Tante Onenu acceptera qu'on publie ça.

— C'est à toi de la convaincre, tu es rédactrice en chef. Il faut donner un coup de jeune à ce magazine. »

Doris haussa les épaules et se leva. « Nous en parlerons à la réunion.

— Je tombe de sommeil, dit Zemaye. Je vais demander à Esther de faire du Nescafé avant de m'endormir pendant la réunion.

— Le café instantané n'est-il pas une horreur ? dit Doris. Je suis tellement contente de ne pas être une grande buveuse de café, sinon j'en mourrais.

— Qu'est-ce qui ne va pas avec le Nescafé ? demanda Zemaye.

— On ne devrait même pas lui donner le nom de café. On ne fait pas plus mauvais. »

Zemaye bâilla et s'étira. « Moi, j'aime ça. Le café c'est du café. »

Plus tard, en pénétrant dans le bureau de Tante Onenu derrière Doris, qui portait une robe tablier et des chaussures noires à bride et à talons carrés, Zemaye demanda à Ifemelu : « Pourquoi Doris porte-t-elle n'importe quoi au bureau ? On dirait qu'elle se fiche du monde. »

Elles s'assirent autour de la table de conférence ovale dans le bureau de Tante Onenu. Les nouvelles extensions de Tante Onenu étaient plus longues et plus incongrues que les précédentes, relevées haut sur le crâne, avec des ondulations flottant dans le dos. Elle buvait à même une bouteille de Diet Sprite et déclara que l'article de Doris, « Épouser votre meilleur ami », lui plaisait.

« Très bon et très inspiré, dit-elle.

— Ah, mais Tante Onenu, les femmes ne devraient pas se marier avec leur meilleur ami parce qu'il n'y a pas d'alchimie sexuelle », dit Zemaye.

Tante Onenu lança à Zemaye le genre de regard qu'on jette à l'étudiant inepte qu'on ne peut pas prendre au sérieux, puis elle rassembla ses papiers et dit qu'elle n'aimait pas le portrait de Mme Funmi King par Ifemelu.

« Pourquoi dites-vous "elle ne regarde jamais son domestique quand elle lui parle" ? demanda-t-elle.

— Parce que c'est vrai, répondit Ifemelu.

— Mais cela donne d'elle une image déplaisante.

— Je pense que c'est un détail intéressant, dit Ifemelu.

— Je suis de l'avis de Tante Onenu, dit Doris. Intéressant ou pas, c'est s'ériger en juge, non ?

— Le principe de l'interview et du portrait revient à s'ériger en juge, dit Ifemelu. La question n'est pas le sujet. C'est ce que l'intervieweur en fait. »

Tante Onenu secoua la tête. Doris secoua la tête.

« Pourquoi devons-nous rester aussi timorées ? » demanda Ifemelu.

Doris feignit de plaisanter : « Ce n'est pas ton blog américain, où tu provoquais tout le monde, Ifemelu. C'est un magazine féminin sérieux.

— Exactement ! renchérit Tante Onenu.

— Mais, Tante Onenu, nous ne dépasserons jamais *Glass* si nous continuons ainsi », dit Ifemelu.

Tante Onenu écarquilla les yeux.

« *Glass* fait exactement ce que nous faisons », dit vivement Doris.

Esther entra pour prévenir Tante Onenu que sa fille était arrivée.

Esther vacillait sur ses hauts talons noirs et, comme elle passait près d'elle, Ifemelu craignit que ses chaussures ne cèdent et qu'Esther se torde les chevilles. Dans la matinée elle avait dit à Ifemelu : « Tante, vos cheveux sont *jaga-jaga* », avec une sorte de franchise affligée, à propos de la coiffure afro bouclée dont Ifemelu était pourtant fière.

« *Ehn*, elle est déjà là ? dit Tante Onenu. Les filles, finissez la réunion sans moi, je vous prie. Je vais faire des courses avec ma fille et j'ai un meeting cet après-midi avec nos distributeurs. »

Ifemelu était fatiguée et morte d'ennui. Elle pensa à nouveau à lancer un blog. Son téléphone vibrait, Ranyinudo l'appelait. En temps normal elle aurait attendu la fin de la réunion pour la rappeler mais elle dit : « Excusez-moi, il faut que je réponde, un appel de l'étranger », et elle se hâta de sortir. Ranyinudo se plaignait de Don. « Il dit que je ne suis plus la fille agréable que j'étais avant. Que j'ai changé. En attendant, je sais qu'il m'a acheté la jeep et l'a même dédouanée au port, mais maintenant il ne veut plus me la donner. »

Ifemelu pensa à l'expression « fille agréable ». Fille agréable signifiait que, longtemps, Don avait fait de Ranyinudo quelqu'un de malléable, ou qu'elle lui avait permis de le croire.

« Et Ndudi ? »

Ranyinudo poussa un gros soupir. « Nous ne nous sommes pas parlé depuis dimanche. Aujourd'hui il va oublier de m'appeler. Demain il sera trop occupé. Je lui ai dit que ce n'était plus tolérable. Pourquoi devrais-je faire tous les efforts ? Maintenant il boude. Il ne peut jamais avoir une conversation d'adulte, ni reconnaître ses torts. »

Plus tard dans leur bureau, Esther annonça qu'un certain M. Tolu voulait voir Zemaye.

« C'est le photographe avec lequel tu as fait l'article sur les tailleurs ? demanda Doris.

— Oui. Il est en retard. Il évite mes appels depuis plusieurs jours. »

Doris dit : « Occupe-toi de ça et assure-toi que j'aie les photos demain après-midi. Il faut que tout parte chez l'imprimeur avant trois heures. Je ne veux pas un nouveau retard d'impression, surtout maintenant que *Glass* est imprimé en Afrique du Sud.

— D'accord. » Zemaye secoua sa souris. « Le serveur est tellement lent aujourd'hui. Il faut que j'envoie ce truc. Esther, dis-lui d'attendre.

— Oui, ma.

— Tu te sens mieux, Esther ? demanda Doris.

— Oui, ma. Merci, ma. » Esther fit la révérence, suivant la coutume yoruba. Elle se tenait près de la porte, attendant qu'on la congédie, tout en écoutant la conversation. « Je prends le médicament pour la typhoïde.

— Tu as la typhoïde ? demanda Ifemelu.

— Tu n'as pas remarqué son état lundi ? Je lui ai donné de l'argent et lui ai dit d'aller à l'hôpital, pas à la pharmacie », dit Doris.

Ifemelu s'en voulut de ne pas avoir remarqué qu'Esther était souffrante.

« Je suis désolée, Esther, dit-elle.

— Merci, ma.

— Esther, désolée *o*, dit Zemaye. J'ai vu qu'elle avait mauvaise mine, mais j'ai pensé qu'elle jeûnait. Vous savez qu'elle est toujours en train de jeûner. Elle jeûnera et continuera à jeûner jusqu'à ce que Dieu lui donne un mari. »

Esther gloussa.

« Je me souviens de cette crise très sévère que j'ai eue quand j'étais au lycée, dit Ifemelu. C'était terrible, je prenais un antibiotique qui n'était pas assez fort. Que prends-tu, Esther ?

— Un médicament, ma.

— On t'a donné quel antibiotique ?

— Je ne sais pas.

— Tu ne connais pas le nom ?

— Je vais les apporter, ma. »

Esther revint avec des sachets de pilules transparents, sur lesquels n'était inscrit aucun nom mais où figuraient des instructions d'une écriture en pattes de mouche à l'encre bleue. *Deux le matin et le soir. Une trois fois par jour*.

« Il faudrait écrire un article sur le sujet, Doris. Avoir une rubrique santé avec des conseils pratiques. Quelqu'un devrait avertir le ministère de la Santé que les Nigérians ordinaires vont voir un médecin et qu'il leur donne des médicaments qui ne portent pas de nom. C'est un truc qui peut vous tuer. Comment peut-on savoir ce qu'on a déjà pris, ou ce qu'on ne doit pas prendre à cause d'un autre traitement ?

— Ahn-ahn, mais c'est un problème mineur. Ils le font pour que tu n'achètes pas le médicament chez quelqu'un d'autre, dit Zemaye.

Mais les contrefaçons ? Va au marché et regarde un peu ce qu'ils vendent.

— OK, calmons-nous. Pas besoin de devenir des activistes. Nous ne sommes pas un journal d'investigation », dit Doris.

Ifemelu commença alors à se représenter ce que serait son nouveau blog, un design bleu et blanc, et, sur la bannière de la page d'accueil, une photo d'une scène typique de Lagos. Rien de déjà vu, pas d'embouteillage de bus jaunes rouillés ni de taudis aux toits de tôle dans un terrain inondé. La maison abandonnée à côté de chez elle ferait peut-être l'affaire. Elle prendrait la photo elle-même, dans la lumière hantée du crépuscule, avec l'espoir de saisir un paon en vol. Les posts du blog seraient composés dans une typographie simple et lisible. Un article sur les soins de santé, basé sur l'histoire d'Esther, avec des illustrations de sachets de médicaments anonymes. Un sujet sur le Nigerpolitan Club. Une rubrique de mode consacrée aux vêtements que les femmes pouvaient réellement s'offrir. Des articles sur l'entraide, mais rien qui ressemblât aux récits de *Zoe*, qui mettaient toujours en scène une personne riche prenant dans ses bras des bébés dans un orphelinat, avec des sacs de riz et des boîtes de lait en poudre disposés à l'arrière-plan.

« Mais, Esther, il faut que tu arrêtes tous ces jeûnes *o*, dit Zemaye. Vous savez, il y a des mois où Esther donne tout son salaire à son église, ils appellent ça "planter une graine", puis elle vient me voir et me demande de lui donner trois cents nairas pour le bus.

— Mais, ma, c'est juste une petite aide. C'est pas grand-chose pour vous, dit Esther en souriant.

— La semaine dernière elle jeûnait avec un mouchoir, poursuivit Zemaye. Elle l'a gardé sur son bureau toute la journée. Elle nous a dit que quelqu'un de son église avait eu une promotion après avoir jeûné avec le mouchoir.

— C'est pour ça qu'elle avait ce mouchoir sur sa table ? demanda Ifemelu.

— Mais je crois que les miracles existent vraiment. Je sais que ma tante a été guérie du cancer dans son église, dit Doris.

— Avec un mouchoir magique, *abi* ? s'esclaffa Zemaye.

— Vous ne croyez pas, ma ? Mais c'est vrai. » Ravie de participer à la discussion, Esther rechignait à regagner son bureau.

« Ainsi, tu voudrais une promotion, Esther ? Ce qui veut dire que tu veux mon job ? demanda Zemaye.

— Non, ma ! Nous serons tous promus au nom de Jésus ! dit Esther.

— Esther t'a-t-elle dit quel esprit tu as, Ifemelu ? demanda Zemaye en se dirigeant vers la porte. Quand j'ai commencé à travailler ici, elle m'invitait constamment à venir dans son église, et un jour elle m'a dit qu'il y aurait un service de prières spécial pour les gens qui avaient l'esprit de séduction. Des gens comme moi.

— Ce n'est pas totalement exagéré, dit Doris avec un air narquois.

— Quel est mon esprit, Esther ? » demanda Ifemelu.

Esther secoua la tête en souriant, et quitta le bureau.

Ifemelu alluma son ordinateur. Le titre du blog lui était juste venu à l'esprit. *Les petites rédemptions de Lagos*.

« Je me demande avec qui sort Zemaye ? dit Doris.

— Elle m'a dit qu'elle n'avait pas d'ami.

— Tu as vu sa voiture ? Avec son salaire elle ne pourrait même pas se payer les phares. Sa famille n'est ni riche ni rien. Je travaille avec elle depuis presque un an et je ne sais pas ce qu'elle fait vraiment.

— Peut-être qu'elle rentre chez elle, se change et commet des vols à main armée la nuit, dit Ifemelu.

— Va savoir.

— Nous devrions faire un sujet sur les églises, dit Ifemelu. Comme celle d'Esther.

— Ce n'est pas le style de *Zoe*.

— Ça n'a pas de sens que Tante Onenu veuille publier trois portraits de ces femmes rasoir qui n'ont jamais rien accompli et n'ont rien à dire. Ou de femmes plus jeunes sans aucun talent qui ont décidé qu'elles étaient créatrices de mode.

— Tu sais qu'elles payent Tante Onenu, n'est-ce pas ? dit Doris.

— Elles la payent ? » Ifemelu eut l'air stupéfait. « Non, je ne savais pas. Et tu le sais très bien.

— Eh bien, elles la payent. La plupart. Il faut que tu comprennes que ça se passe souvent ainsi dans ce pays. »

Ifemelu se leva pour rassembler ses affaires. « Je ne sais jamais quelle est ton opinion ni même si tu en as une.

— Et toi, tu es une peste qui critique tout ! » hurla Doris, les yeux exorbités. Affolée par la soudaineté de son changement, Ifemelu pensa que Doris était peut-être, sous ses airs affectés, une de ces femmes capables de se transformer complètement quand on les provoquait, de déchirer leurs vêtements et se battre dans la rue.

« Tu es là à t'ériger en juge, continuait Doris. Pour qui te prends-tu ? Pourquoi crois-tu que ce magazine devrait tourner autour de toi ? Il ne t'appartient pas. Tante Onenu t'a dit ce qu'elle voulait faire de ce magazine, alors soit tu le fais, soit tu n'as rien à faire ici.

— Tu devrais t'acheter une crème hydratante et arrêter de faire peur aux gens avec ce rouge à lèvres affreux, dit Ifemelu. Et faire quelque chose de ta vie, au lieu de croire que lécher les bottes de Tante Onenu et l'aider à publier un magazine de merde t'ouvrira des portes, car tu peux toujours courir. »

Elle sortit du bureau, consciente de sa grossièreté, honteuse de ce qui venait de se produire. C'était peut-être un signe, qui l'incitait à partir et à créer son blog.

Au moment où elle sortait, Esther lui dit tout bas avec le plus grand sérieux : « Ma, vous avez l'esprit qui fait peur aux maris. Vous êtes trop dure, ma, vous ne trouverez pas de mari. Mais mon pasteur peut détruire cet esprit. »

CHAPITRE 50

Dike voyait un thérapeute trois fois par semaine. Ifemelu l'appelait tous les deux jours. Il parlait parfois de ses séances ou n'en parlait pas, mais il voulait toujours l'entendre raconter sa nouvelle vie. Elle lui décrivait son appartement, lui disait qu'elle avait un chauffeur qui l'emmenait au bureau, qu'elle voyait ses anciens amis, et qu'elle aimait conduire sa voiture le dimanche parce que les routes étaient désertes ; Lagos devenait une ville plus aimable et les gens dans leurs atours colorés du dimanche ressemblaient, de loin, à des fleurs dans le vent.

Elle lui dit : « Tu aimerais Lagos, je crois », et il répondit avec un enthousiasme qui la surprit : « Est-ce que je pourrais venir te voir, Coz ? »

Au début, Tante Uju se montra récalcitrante. « Lagos ? La ville est-elle sûre ? Tu sais ce qu'il a traversé. Je ne crois pas qu'il pourra le supporter.

— Mais c'est lui qui a demandé à venir, Tante.

— Il l'a demandé ? Mais depuis quand sait-il ce qui est bon pour lui ? N'est-ce pas lui qui a voulu me priver d'enfant ? »

Tante Uju acheta quand même un billet d'avion pour Dike, et ils étaient là, tous les deux dans sa voiture, avançant au pas dans les embouteillages d'Oshodi, Dike le nez collé à la vitre, les yeux écarquillés. « Oh, mon Dieu, Coz, je n'ai jamais vu autant de Noirs dans un même endroit ! » dit-il.

Ils s'arrêtèrent dans un fast-food où il commanda un hamburger. « Est-ce que c'est de la viande de cheval, Coz ? Parce que ce n'est pas un hamburger. » Par la suite, il ne voudrait manger que du riz jollof et des plantains.

Son arrivée lui parut de bon augure, un jour après qu'elle avait ouvert son blog et une semaine après avoir démissionné. Tante Onenu ne parut pas surprise et n'essaya pas de la persuader de rester. « Venez m'embrasser, ma chère », se contenta-t-elle de dire, avec un sourire absent, au grand dépit d'Ifemelu. Mais elle était pleine d'espérances pour *Les petites rédemptions de Lagos*, dont la bannière d'accueil montrait une photo romantique d'une maison coloniale abandonnée. Son premier post fut une courte interview de Priye, avec des photos des mariages qu'elle avait organisés. Ifemelu trouvait la plupart des décors prétentieux et outrés, mais l'article suscita des commentaires enthousiastes. *Décoration fantastique, madame Priye, j'espère que vous ferez celle de mon mariage. Superbe travail, continuez.* Zemaye avait écrit, sous un pseudonyme, un article sur le langage du corps et le sexe. « Peut-on dire si deux personnes couchent ensemble juste en les regardant ? » Il donna lieu à beaucoup de commentaires. Mais c'est l'article d'Ifemelu sur le Nigerpolitan Club qui en provoqua le plus.

Lagos n'a jamais été, ne sera jamais, et n'a jamais aspiré à être semblable à New York, ni en fait à n'importe quelle autre ville. Lagos a toujours été indéfectiblement elle-même. Pourtant, jamais vous ne vous en douteriez en assistant à une réunion du Nigerpolitan Club, un groupe de jeunes « retours au pays » qui se retrouvent chaque semaine pour se lamenter que Lagos ne soit pas, par bien des points, comparable à New York, comme si Lagos avait jamais ressemblé, même de loin, à New York. Une confession : j'en fais partie. Pour la plupart, nous sommes rentrés pour faire fortune au Nigeria, créer une entreprise, passer des contrats avec le gouvernement et nouer des contacts. D'autres sont venus avec des rêves plein leurs poches et le désir de changer le pays, mais nous ne cessons de nous plaindre du Nigeria et, même si ces critiques sont fondées, je peux imaginer que, étrangère au groupe, je dirais : Repartez d'où vous venez ! Si votre cuisinier ne prépare pas de paninis parfaits, ce n'est pas parce qu'il est stupide. C'est parce que le Nigeria n'est pas une nation de mangeurs de sandwichs et que son dernier *oga* ne mangeait pas de pain l'après-midi. Alors il a besoin d'être formé et de s'exercer. Et le Nigeria n'est pas une nation de gens allergiques à certains aliments, pas une nation de gens difficiles pour lesquels la nourriture rime avec différenciation et séparation. C'est une nation de gens qui mangent du bœuf, du poulet, de la peau de vache, des intestins et du poisson séché mélangés dans un même bol de soupe, ce qu'on appelle un assortiment. Alors reprenez vos esprits et comprenez que la vie qu'on mène ici est juste cela, un assortiment.

Le premier commentateur écrivit : *Foutaises. Qui cela peut-il intéresser ?* Le deuxième écrivit : *Dieu merci quelqu'un aborde enfin ce sujet.* Na wa *pour l'arrogance des « retours au pays » nigérians. Ma cousine est rentrée après six ans en Amérique et l'autre jour elle m'a accompagnée à la maternelle à Unilag où je déposais ma nièce ; près de la porte d'entrée, elle a vu des étudiants qui faisaient la queue en attendant l'autobus et elle a dit : « Waou, les gens font vraiment la queue ici ! »* Un autre lecteur de la première heure écrivit : *Pourquoi les Nigérians qui font des études à l'étranger devraient-ils avoir le choix de l'endroit où ils feront leur service national ? Les Nigérians qui font leurs études au Nigeria sont affectés de manière aléatoire, aussi pourquoi ceux qui font leurs études à l'étranger ne seraient-ils pas affectés de la même manière ?*Ce commentaire déclencha plus de réponses que l'article original. Le sixième jour, le blog avait enregistré mille visiteurs.

Ifemelu modérait les commentaires, éliminant tout ce qui était obscène, se délectant de la vivacité de ces échanges, heureuse d'être l'avant-garde agissante d'une expérience dynamique. Elle écrivit un long post sur le style de vie de certaines jeunes femmes de Lagos et le lendemain Ranyinudo l'appela au téléphone, furieuse, la respiration haletante.

« Ifem, comment peux-tu faire ce genre de chose ? N'importe qui me connaissant saura qu'il s'agit de moi !

— Ce n'est pas vrai, Ranyi. Ton histoire est tellement classique.

— Que veux-tu dire ? C'est visiblement moi ! Écoute ça ! » Ranyinudo fit une pause puis se mit à lire.

Beaucoup de jeunes femmes à Lagos disposent de Sources Inconnues de Revenus. Elles mènent une existence qu'elles n'ont pas les moyens de s'offrir. Elles ne vont en Europe qu'en business class, mais ont des jobs qui ne leur permettraient même pas de s'offrir un billet en éco. L'une d'elles est mon amie, belle et brillante, qui travaille dans la publicité. Elle vit sur l'Île et sort avec un banquier important. Je crains qu'elle finisse comme beaucoup de femmes à Lagos qui déterminent leurs vies en fonction d'hommes qu'elles ne pourront jamais réellement avoir, entravées par leur culture de la dépendance, du désespoir dans le regard et des sacs de grands couturiers au poignet.

« Ranyi, sincèrement, personne ne saura que c'est toi. Tous les commentaires que j'ai eus jusqu'à présent viennent de femmes qui disent se reconnaître dans ce portrait. Tant de femmes se perdent dans des relations de ce genre. C'est Tante Uju avec le Général que j'avais réellement à l'esprit. Cette relation l'a détruite. Elle est devenue une autre personne à cause du Général, sans pouvoir rien faire pour elle-même, et quand il est mort elle ne savait plus qui elle était.

— Qui es-tu pour en juger ? Quelle différence y a-t-il avec toi et ton riche Blanc en Amérique ? Aurais-tu aujourd'hui la citoyenneté américaine sans lui ? Comment as-tu pu travailler en Amérique ? Arrête tes stupidités. Arrête de te sentir tellement supérieure ! »

Ranyinudo lui raccrocha au nez. Pendant un long moment, Ifemelu contempla le téléphone silencieux, bouleversée. Puis elle retira l'article de son blog et se rendit chez Ranyinudo.

« Ranyi, je regrette. S'il te plaît, ne sois pas fâchée », dit-elle.

Ranyinudo lui jeta un long regard.

« Tu as raison, dit Ifemelu. C'est facile de porter des jugements. Mais il n'y avait rien de personnel, aucune mauvaise intention. Je t'en prie, *biko*. Je n'envahirai plus jamais ta vie privée à l'avenir. »

Ranyinudo secoua la tête. « Ifemelunamma, tu souffres de frustration émotionnelle. Va retrouver Obinze, je t'en prie. »

Ifemelu éclata de rire. C'était la chose qu'elle s'attendait le moins à entendre.

« Il faut d'abord que je maigrisse, dit-elle.

— Tu as simplement peur. »

Avant qu'Ifemelu s'en aille, elles s'assirent sur le canapé et burent du lait malté, regardant les dernières nouvelles des célébrités sur E !.

*

Dike proposa d'être modérateur des commentaires du blog pour lui permettre de souffler.

« Seigneur, Coz, ces gens prennent vraiment tout ce fatras personnellement ! » dit-il. Il lui arrivait de rire tout seul en lisant un commentaire. Ou il lui demandait la signification d'expressions qui ne lui étaient pas familières. *Que veut dire « attention les yeux » ?* Lorsque l'électricité tomba en panne peu après son arrivée, les vrombissements, sifflements, bourdonnements de son onduleur l'effrayèrent. « Oh mon Dieu, c'est une alarme à incendie ? demanda-t-il.

— Non, c'est simplement un système qui empêche mon poste de télévision d'être détruit par ces infernales coupures.

— C'est *dingue* », dit Dike, mais quelques jours plus tard il mit lui-même l'onduleur en marche à l'autre bout de l'appartement quand l'électricité fut coupée.

Ranyinudo lui présenta ses cousines, des filles de son âge, jeans moulants épousant leurs hanches minces, seins naissants que révélaient leurs T-shirts étroits. « Dike, tu dois en épouser une *o*, dit Ranyinudo. Nous avons besoin d'avoir de beaux enfants dans la famille.

— Ranyi ! » protestèrent les cousines, confuses, dissimulant leur timidité. Dike leur plaisait. C'était si facile de l'aimer, avec son charme, son humour et sa vulnérabilité sous-jacente. Il mit sur Facebook une photo qu'Ifemelu avait prise de lui dans la véranda avec les cousines de Ranyinudo, et il inscrivit comme légende : *Ces lionnes-là ne sont pas près de me manger, les amis !*

« J'aimerais parler igbo, lui dit-il à la suite d'une soirée passée avec ses parents.

— Mais tu le comprends parfaitement.

— J'aimerais le parler.

— Tu peux encore apprendre », dit-elle, soudain saisie d'angoisse, incertaine de l'importance que cela avait pour lui, repensant à lui étendu sur le canapé du sous-sol, trempé de sueur. Elle se demanda si elle devait en dire plus.

« Oui, sans doute », dit-il, et il haussa les épaules, comme pour signifier que c'était déjà trop tard.

Quelques jours avant de partir, il demanda : « À quoi ressemblait vraiment mon père ?

— Il t'aimait.

— Tu le trouvais sympathique ? »

Elle ne voulait pas lui mentir. « Je ne sais pas. C'était un personnage haut placé dans un gouvernement militaire. Ça compte dans la manière dont tu perçois les gens. Je m'inquiétais pour ta mère car j'estimais qu'elle méritait mieux. Mais elle l'aimait, elle l'aimait vraiment, et il t'aimait. Il te prenait dans ses bras avec une telle tendresse.

— Je n'arrive pas à croire que maman m'ait caché si longtemps qu'elle était sa maîtresse.

— Elle voulait te protéger, dit Ifemelu.

— Pouvons-nous aller voir la maison de Dolphin Estate ?

— Si tu veux. »

Elle le conduisit à Dolphin Estate, étonnée de voir à quel point tout s'était détérioré. La peinture s'écaillait, les rues étaient pleines de nids-de-poule, et toute la résidence paraissait se résigner à sa décrépitude. « C'était tellement plus joli avant », lui dit-elle. Il resta à contempler la maison un moment, jusqu'à ce que le gardien leur demande : « Un problème ? » et ils regagnèrent la voiture.

« Est-ce que je peux conduire, Coz ? demanda-t-il.

— Tu es sûr ? »

Il hocha la tête. Elle quitta la place du conducteur et fit le tour de la voiture pour prendre la sienne. Il conduisit jusqu'à la maison, hésitant un peu avant de s'engager dans Osborne Road, puis se mêlant à la circulation avec plus d'assurance. Elle savait que cela signifiait quelque chose pour lui qu'elle ne pouvait nommer. Ce soir-là, quand le courant s'interrompit, son générateur ne voulut pas démarrer et elle craignit qu'on ait vendu à son chauffeur, Ayo, du fuel coupé de kérosène. Elle ouvrit les fenêtres, lui fit enlever sa chemise et ils restèrent allongés côte à côte sur le lit à parler de tout et de rien. Elle tendit le bras et toucha son front, y laissant sa main posée jusqu'à ce qu'elle entende la respiration régulière de son sommeil.

Le lendemain matin, le ciel était couvert de nuages gris ardoise, l'air lourd de menaces de pluie. Près de la maison des oiseaux piaillèrent et s'envolèrent. La pluie s'annonçait, un océan se déverserait du ciel et les images de la télévision allaient devenir granuleuses, les réseaux téléphoniques s'encombrer, les rues seraient inondées et la circulation s'étranglerait. Elle se tenait avec Dike dans la véranda quand les premières gouttes tombèrent.

« Ça me plaît plutôt d'être ici », lui dit-il.

Elle eut envie de dire : « Tu peux vivre avec moi. Il y a de bonnes écoles privées auxquelles tu pourrais t'inscrire », mais elle n'en fit rien.

Elle le conduisit à l'aéroport et resta à le regarder jusqu'à ce qu'il passe devant la police, lui fasse un geste de la main et continue son chemin. Rentrée chez elle, elle écouta ses pas résonner dans le vide tandis qu'elle passait de sa chambre au salon puis à la véranda et faisait ensuite le chemin inverse. Plus tard, Ranyinudo lui dit : « Je ne comprends pas comment un garçon aussi bien que Dike a pu vouloir se tuer. Un garçon qui vit en Amérique et qui a tout. Comment est-ce possible ? C'est typique du comportement des étrangers.

— Des étrangers ? Qu'est-ce que tu racontes ? Est-ce que tu as lu *Le monde s'effondre* ? » demanda Ifemelu, regrettant d'avoir parlé de Dike à Ranyinudo. Elle lui en voulait comme jamais, pourtant elle savait que Ranyinudo était pleine de bonnes intentions et avait dit ce que beaucoup de Nigérians auraient dit. C'était d'ailleurs pour cela qu'elle n'avait parlé de la tentative de suicide de Dike à personne d'autre depuis son retour.

CHAPITRE 51

La première fois qu'elle était allée à la banque, devoir passer devant le garde armé, entrer au signal sonore dans le sas, attendre dans un espace hermétiquement clos et sans air, comme dans un cercueil vertical, jusqu'à ce que la lumière passe au vert, l'avait terrifiée. Les banques avaient-elles toujours possédé ce dispositif de sécurité ostentatoire ? Avant de quitter l'Amérique, elle avait transféré un peu d'argent au Nigeria, et la Bank of America lui avait fait rencontrer trois personnes différentes, chacune lui disant que le Nigeria était un pays à haut risque ; si quelque chose arrivait à son argent, ils ne seraient pas responsables. Comprenait-elle ? La dernière employée à laquelle elle s'adressa lui demanda de répéter. *Madame, je suis désolée. Je ne vous ai pas entendue. J'ai besoin de savoir que vous avez compris que le Nigeria est un pays à haut risque.* « J'ai compris ! » avait-elle dit. Ils lui lurent mise en garde après mise en garde, et elle commença à s'inquiéter pour son argent en train de fendre l'air jusqu'au Nigeria. Elle s'inquiéta encore davantage quand elle arriva à la banque et vit la débauche de cordons de sécurité à l'entrée. Mais l'argent l'attendait tranquillement sur son compte. C'est à ce moment-là, en entrant dans la banque, qu'elle aperçut Obinze dans le bureau d'accueil de la clientèle. Il lui tournait le dos mais elle le reconnut à sa taille et à la forme de sa tête. Elle se figea sur place, malade d'appréhension, espérant qu'il ne se retournerait pas avant qu'elle n'ait recouvré son sang-froid. Mais il se retourna et ce n'était pas Obinze. Sa gorge se serra. Elle avait la tête peuplée de fantômes. De retour dans sa voiture, elle mit l'air conditionné et décida de l'appeler, pour se libérer. Le téléphone sonna longtemps. C'était quelqu'un d'important maintenant, il ne répondrait certainement pas à un appel provenant d'un numéro inconnu. Elle envoya un texto : *Ciel, c'est moi*. Son téléphone sonna presque aussitôt.

« Allô ! Ifem ? » Cette voix qu'elle n'avait pas entendue depuis si longtemps, qui semblait changée et inchangée.

« Ciel ! Comment vas-tu ?

— Tu es revenue.

— Oui. » Ses mains tremblaient. Elle aurait dû commencer par envoyer un e-mail. Elle aurait dû être enjouée, demander des nouvelles de sa femme et de son enfant, lui dire qu'elle était revenue depuis quelque temps.

« Alors, dit Obinze en traînant sur le mot. Comment vas-tu ? Où es-tu ? Quand puis-je te voir ?

— Pourquoi pas maintenant ? » L'audace dont elle faisait souvent preuve quand elle était nerveuse avait fait jaillir les mots, cependant peut-être valait-il mieux le voir tout de suite et en finir avec cette situation. Elle aurait préféré être un peu plus élégante, avoir mis sa robe portefeuille favorite qui l'amincissait, mais sa jupe au genou n'était pas mal, les hauts talons lui donnaient toujours confiance en elle, et sa coiffure afro n'avait, Dieu merci, pas encore trop souffert de l'humidité.

Il y eut un silence du côté d'Obinze – une hésitation ? – qui lui fit regretter son imprudence.

« En fait, je suis un peu en retard pour une réunion, ajouta-t-elle vivement, mais je voulais seulement te dire bonjour et nous pourrions nous rencontrer un de ces jours…

— Ifem, où es-tu ? »

Elle lui dit qu'elle allait acheter un livre au Jazzhole, et qu'elle y serait dans quelques minutes. Une demi-heure après, elle attendait devant la librairie quand une Range Rover noire s'arrêta et Obinze descendit de l'arrière.

*

Il y eut un moment où le ciel bleu chavira, un moment de stupeur, pendant lequel aucun des deux ne sut que faire, lui marchant vers elle, elle figée, plissant les yeux, puis il fut près d'elle et ils tombèrent dans les bras l'un de l'autre. Elle lui tapa dans le dos, une fois, deux fois, pour simuler une embrassade copain-copain, une étreinte platonique et sans risque, mais il l'attira légèrement plus près de lui et l'y maintint un instant de trop, comme pour signifier qu'il n'avait pas l'intention d'être copain-copain.

« Obinze Maduewesi ! Il y a si longtemps ! Tu n'as pas changé ! » Elle était troublée, cette note stridente dans sa voix l'agaçait. Il la dévisageait franchement, nullement décontenancé, et elle ne put soutenir son regard. Ses doigts tremblaient malgré elle, ce qui était déjà suffisamment pénible, elle n'avait pas besoin en plus de le regarder dans les yeux tandis qu'ils étaient tous les deux immobiles sous le soleil brûlant, au milieu des fumées d'échappement des voitures dans Awolowo Road.

« C'est tellement bon de te revoir, Ifem », dit-il. Il était calme. Elle avait oublié que c'était quelqu'un de calme. Il y avait encore, dans son attitude, un reste de son passé d'adolescent : celui qui n'en faisait pas trop, celui que les filles recherchaient et que les garçons auraient voulu être.

« Tu es chauve », dit-elle.

Il rit et se toucha la tête. « Oui. Surtout par choix. »

Il avait forci, le mince jeune homme du temps de l'université était devenu un homme plus enveloppé, plus musclé, qui paraissait moins élancé que dans son souvenir. Avec ses hauts talons, elle était plus grande que lui. Elle n'avait pas oublié, mais le souvenir ne lui revenait que maintenant, qu'il avait toujours eu ce comportement réservé, avec son jean de couleur sombre, ses mocassins de cuir, la façon dont il entrait dans la librairie sans arrogance.

« Asseyons-nous », dit-il.

La librairie était obscure et fraîche, l'atmosphère sérieuse et éclectique, des livres, des CD et des magazines disposés sur des rayonnages bas. Un homme à l'entrée leur fit un signe de bienvenue, tout en ajustant de gros écouteurs à ses oreilles. Ils s'assirent l'un en face de l'autre dans le minuscule café à l'arrière et commandèrent un jus de fruit. Obinze posa ses deux téléphones sur la table ; ils s'allumaient souvent, vibrant en mode silencieux, et il leur jetait un coup d'œil puis détournait le regard. Il faisait de la musculation, comme en témoignait son torse puissant moulé dans une chemise ajustée.

« Tu es donc revenue depuis quelque temps », dit-il. Il l'observait à nouveau, et elle se souvint qu'elle avait souvent eu l'impression qu'il lisait dans ses pensées, qu'il savait des choses la concernant dont elle n'était même pas consciente.

« Oui, dit-elle.
— Et qu'es-tu venue acheter ?
— Pardon ?
— Quel livre voulais-tu acheter ?
— En réalité, je voulais seulement te revoir ici. J'ai pensé que si te retrouver était une chose dont je désirais garder le souvenir, je voudrais m'en souvenir au Jazzhole.
— Je voudrais m'en souvenir au Jazzhole, répéta-t-il en souriant, comme si elle seule pouvait inventer cette expression. Tu es restée sincère, Ifem. Dieu merci.
— Je pense déjà que je vais vouloir m'en souvenir. » Sa nervosité se dissipait ; le premier moment d'embarras était vite passé.
« Es-tu attendue quelque part ? demanda-t-il. Peux-tu rester un peu ?
— Oui. »
Il éteignit ses deux téléphones. Preuve rare dans une ville comme Lagos, de la part d'un homme tel que lui, qu'elle avait son entière attention. « Comment va Dike ? Et Tante Uju ?
— Ils vont bien. Dike est tout à fait remis à présent. Il est venu me voir. Il vient à peine de partir. »
La serveuse leur apportait deux grands verres de jus d'orange et de mangue.
« Qu'est-ce qui t'a le plus surprise à ton retour ?
— Tout, pour être franche. J'ai fini par me demander si c'était moi qui n'allais pas bien.
— Oh, c'est normal », dit-il, et elle se souvint qu'il avait toujours voulu la rassurer, la réconforter. « Je suis parti beaucoup moins longtemps, mais j'ai été très surpris à mon retour. Je pensais que les choses auraient dû m'attendre, mais il n'en était rien.
— J'avais oublié que la vie était aussi chère à Lagos. C'est incroyable ce que les riches nigérians peuvent dépenser.
— La plupart sont des voleurs ou des mendiants. »
Elle rit. « Des voleurs ou des mendiants ?
— C'est la vérité. Et ils ne se bornent pas à dépenser beaucoup, ils s'attendent à dépenser beaucoup. J'ai rencontré un type l'autre jour qui me racontait comment il avait créé son affaire d'antennes paraboliques il y a vingt ans. C'était l'époque où ces antennes étaient encore une nouveauté dans ce pays et il importait donc quelque chose que les gens ne connaissaient pas. Il a établi un business plan, fixé un prix correct qui lui laissait un bénéfice

confortable. Un de ses amis, qui était déjà dans les affaires et voulait investir dans ce projet, a jeté un œil sur le prix et lui a recommandé de le doubler. Sinon, lui a-t-il dit, les riches nigérians n'achèteront pas. Il l'a doublé et ça a marché.

— C'est dingue, dit-elle. Il en a peut-être toujours été ainsi et nous l'ignorions parce que nous ne pouvions pas le savoir. C'est comme si nous regardions un Nigeria adulte dont nous ne connaissions rien.

— Oui. » Elle vit qu'il était heureux qu'elle ait dit « nous » et elle était heureuse que ce « nous » lui soit venu si spontanément.

« C'est une ville de transactions, dit-elle. De transactions déprimantes. Même les rapports entre les gens sont des transactions.

— Certains.

— Oui, certains », reconnut-elle. Ils se disaient quelque chose qu'aucun des deux ne pouvait encore exprimer ouvertement. Sentant ses doigts pris à nouveau d'un tremblement nerveux, elle se réfugia dans l'humour. « Et il y a une certaine emphase dans la manière dont nous nous exprimons que j'avais aussi oubliée. Je ne me suis sentie véritablement chez moi que lorsque j'ai commencé à être grandiloquente. »

Obinze rit. Elle aimait son rire tranquille. « À mon retour, j'ai été choqué de voir avec quelle rapidité mes amis étaient tous devenus gros, avec des estomacs gonflés de bière. Je me suis demandé : mais qu'arrive-t-il ? Puis je me suis rendu compte qu'ils appartenaient à la nouvelle classe moyenne que notre démocratie a engendrée. Ils avaient du boulot et pouvaient se permettre de boire beaucoup plus de bière et d'aller au restaurant, et tu sais que restaurant pour nous signifie poulet-frites, et par conséquent ils ont grossi. »

L'estomac d'Ifemelu se serra. « Bon, si tu regardes attentivement, tu remarqueras que cela ne concerne pas uniquement tes amis.

— Oh non, Ifem, tu n'es pas grosse. Tu es typiquement américaine sur ce point. Ce qui est gros pour les Américains est simplement normal pour nous. Tu devrais voir les types qui travaillent avec moi pour comprendre ce que je veux dire. Tu te souviens d'Uche Okoye ? Et même d'Okwudiba ? Ils n'arrivent même plus à boutonner leurs chemises à présent. » Obinze s'interrompit. « Tu as un peu grossi et cela te va très bien. *I maka.* »

Elle se sentit intimidée, agréablement intimidée, de l'entendre dire qu'elle était belle.

« Tu me taquinais, tu disais que je n'avais pas de fesses.

— Je retire ce que j'ai dit. À la porte, j'ai attendu exprès que tu passes devant. »

Ils éclatèrent de rire puis leur hilarité s'estompa et ils restèrent silencieux, se souriant dans l'étrangeté de leur intimité. Elle se souvint de lui, quand elle se levait nue de son matelas posé sur le sol à Nsukka et qu'il la regardait en disant : « J'allais te dire de le remuer, mais il n'y a rien à remuer », et elle lui avait flanqué en riant un coup de pied dans le tibia. La clarté de ce souvenir, la soudaine brûlure de désir qu'il provoqua, la laissèrent chancelante.

« Mais à propos de surprise, Ciel, dit-elle. Regarde ce que tu es devenu. L'homme important à la Range Rover. Avoir de l'argent a dû changer les choses.

— Oui, sans doute.

— Oh, allons, dit-elle. De quelle manière ?

— Les gens te traitent différemment. Je ne veux pas dire seulement les inconnus. Les amis aussi. Même ma cousine Nneoma. Tout d'un coup il y a toutes ces marques de considération de la part de gens qui pensent que c'est ce que tu attends, toute cette politesse exagérée, ces éloges exagérés, et même ce respect exagéré qui ne t'est pas dû, tellement factice et outrancier, c'est comme un tableau aux couleurs criardes, mais parfois tu te mets à y croire un peu et tu te vois sous un jour différent. Une fois, je suis allé à un mariage dans mon village natal, et le maître de cérémonie m'a accueilli en chantant toutes sortes de louanges stupides, et je me suis rendu compte que je marchais différemment. Je ne voulais pas marcher différemment mais c'était ce que je faisais.

— Quoi, comme si tu paradais ? le taquina-t-elle. Montre-moi !

— Tu dois d'abord chanter mes louanges. » Il but lentement son verre. « Les Nigérians peuvent être tellement obséquieux. Nous sommes un peuple qui a de l'assurance mais vraiment trop obséquieux. Nous n'avons aucun mal à être hypocrites.

— Nous avons de l'assurance mais pas de dignité.

— Oui. » Il la regarda, d'un œil approbateur. « Et si on te couvre sans cesse de ces louanges excessives, tu deviens paranoïaque. Tu ne sais plus distinguer ce qui est sincère de ce qui ne l'est pas. Ensuite les gens deviennent paranoïaques pour toi, mais différemment. Ma famille passe son temps à me dire : méfie-toi des endroits où tu vas manger. Même ici, à Lagos, mes amis me disent de faire attention à ce que je mange. Ne mange pas chez une femme, elle va mettre quelque chose dans ta nourriture.

— Et tu le fais ?
— Je fais quoi ?
— Attention à ce que tu manges ?
— Je ne le ferais pas chez toi. » Un silence. Il flirtait ouvertement et elle ne savait quoi dire.
« Mais non, poursuivit-il. Je préfère croire que si j'accepte de manger chez quelqu'un, ce sera une personne qui ne mettra pas des trucs bizarres dans les plats.
— C'est vraiment désespérant.
— Une des choses que j'ai apprises est que tout le monde dans ce pays a l'obsession du manque. Nous imaginons que même les choses qui ne manquent pas manquent. Et cela crée un sentiment de frénésie générale. Même chez les riches.
— Les riches comme toi, tu veux dire. »
Il resta silencieux. Il restait souvent silencieux avant de parler. Cela lui semblait particulièrement délicat, comme s'il portait une telle attention à son interlocuteur qu'il formait ses phrases de la meilleure manière possible. « J'espère ne pas éprouver cette frénésie. J'ai parfois l'impression que l'argent que je possède n'est pas vraiment à moi, comme si j'en avais la garde pour quelqu'un d'autre pendant un temps. Après avoir acheté ma maison à Dubai, ma première propriété hors du Nigeria, je me suis senti presque intimidé et, quand je l'ai raconté à Okwudiba, il m'a dit que j'étais fou et que je devais cesser de me comporter comme si l'existence ressemblait aux romans que je lisais. Il était impressionné par ce que je possédais, alors que moi j'avais l'impression que ma vie n'était que faux-semblants, si bien que je me suis mis à regretter le passé. Je pensais à l'époque où j'habitais avec Okwudiba dans son premier petit appartement à Surulere, où nous faisions chauffer le fer à repasser sur le fourneau quand la NEPA coupait le courant. Et que le voisin à l'étage en dessous criait "Que Dieu soit loué !" chaque fois que la lumière revenait et que, même pour moi, il y avait quelque chose de magique dans ce retour de la lumière, quand on était impuissants parce qu'on n'avait pas de générateur. Mais tout ça est d'un sentimentalisme un peu stupide, car je n'ai aucune envie de revenir à ce genre de vie. »
Elle détourna le regard, craignant que le flot d'émotions qu'elle avait ressenties pendant qu'il parlait n'apparaisse sur son visage. « Bien sûr que non. Tu aimes ta vie, dit-elle.
— Je vis ma vie.

— Oh, tu es bien mystérieux.

— Et toi, la fameuse blogueuse de la race, boursière de Princeton, jusqu'à quel point as-tu changé ? demanda-t-il en souriant, se penchant vers elle les coudes posés sur la table.

— Lorsque je faisais du baby-sitting à l'université, je me suis surprise un jour à dire à l'enfant que je gardais : "Tu es un sacré cabot !" C'est un mot rigolo, non ? »

Obinze rit.

« C'est alors que j'ai pensé, oui, peut-être ai-je un peu changé, dit-elle.

— Tu n'as pas l'accent américain.

— Je me suis efforcée de ne pas l'avoir.

— J'ai été surpris quand j'ai lu les archives de ton blog. Cela ne te ressemblait pas.

— Je ne crois pourtant pas avoir tellement changé.

— Oh si, tu as changé. » Il prononça ces mots avec une certitude qui lui déplut.

« Comment ?

— Je ne sais pas. Tu es plus consciente de toi. Peut-être davantage sur tes gardes.

— On dirait un oncle déçu.

— Non. » Encore un de ses silences, mais cette fois il semblait se retenir. « J'ai lu ton blog avec fierté. J'ai pensé : elle est partie, elle a appris et elle a gagné. »

Une fois encore elle se sentit intimidée. « Gagner n'est pas mon affaire.

— Ton esthétique aussi a changé.

— Que veux-tu dire ?

— Est-ce que tu fumais toi-même ta viande en Amérique ?

— Quoi ?

— J'ai lu un article sur ce nouveau mouvement parmi les Américains des classes privilégiées. Sur les gens qui veulent boire du lait tiré directement de la vache, ce genre de choses. J'ai pensé que tu en étais peut-être une adepte, maintenant que tu mets une fleur dans tes cheveux. »

Elle éclata de rire.

« Mais franchement, dis-moi en quoi tu as changé. » Son ton était taquin, pourtant elle se crispa légèrement. La question lui paraissait trop intime, trop proche d'un point vulnérable. Elle dit d'une voix désinvolte : « Mon goût, sans doute. Je n'en reviens pas du nombre de choses que je trouve laides à présent. J'ai horreur de la plupart des maisons de cette ville. Je suis devenue une personne qui a appris à admirer les poutres apparentes. » Elle leva les yeux au ciel et il sourit de la voir se moquer ainsi d'elle-même, un sourire auquel Ifemelu attacha un prix qu'elle aurait cent fois voulu mériter.

« C'est une sorte de snobisme, ajouta-t-elle.

— C'est du snobisme, pas une sorte, dit-il. J'étais comme ça quand il s'agissait de livres. Avec le sentiment secret que ton goût est supérieur.

— Le problème c'est que je ne sais pas toujours tenir ma langue. »

Il rit. « Oh, tout le monde le sait.

— Tu dis que tu étais comme ça ? Qu'est-il arrivé ?

— Ce qui est arrivé c'est que j'ai grandi.

— Aïe ! » fit-elle.

Il ne dit rien ; son léger haussement de sourcils sardonique signifiait qu'elle aussi ferait bien de grandir.

« Que lis-tu en ce moment ? demanda-t-elle. Je suis sûre que tu as lu tous les romans américains qui ont été publiés.

— Je m'intéresse davantage à la non-fiction, l'histoire et les biographies. Sur tout, pas seulement sur l'Amérique.

— Quoi, tu n'en es plus amoureux ?

— J'ai compris que je pouvais acheter l'Amérique et elle a perdu de son éclat. Quand tout ce qui comptait pour moi était ma passion pour l'Amérique, ils ne m'ont pas accordé de visa, mais avec mon nouveau compte en banque, obtenir le visa est devenu très facile. J'y suis allé plusieurs fois. J'envisageais d'acheter une propriété à Miami. »

Elle eut un pincement au cœur, il était venu en Amérique et elle n'en avait rien su.

« Alors qu'as-tu fini par penser du pays de tes rêves ?

— Je me souviens de ta première réaction quand tu es arrivée à Manhattan, tu as dit : "C'est merveilleux mais ce n'est pas le paradis." J'y ai pensé la première fois que j'ai pris le taxi à Manhattan. »

Elle se souvint en effet de l'avoir écrit, peu avant de rompre tout contact avec lui, de le repousser derrière de multiples barrières. « Le plus agréable en Amérique c'est la notion d'espace. C'est ce que j'aime le plus. Croire en un rêve, c'est un leurre, mais tu y crois et c'est tout ce qui compte. »

Il contempla son verre, indifférent à sa philosophie, et elle se demanda si ce qu'elle avait lu dans ses yeux était du ressentiment, si lui aussi se souvenait qu'elle l'avait totalement exclu. Quand il dit : « Es-tu restée amie avec tes anciens copains ? », elle pensa qu'il cherchait à savoir qui elle avait laissé tomber en dehors de lui pendant toutes ces années. Devait-elle aborder d'elle-même cette question, ou attendre qu'il l'interroge ? Elle devait l'aborder, elle le lui devait, mais une peur muette la saisit, la peur de briser quelque chose de fragile.

« Je vois toujours Ranyinudo, oui. Et Priye. Les autres sont à présent des gens qui étaient autrefois mes amis. Un peu comme toi avec Emenike. Tu sais, quand j'ai lu tes e-mails, je n'ai pas été surprise qu'Emenike ait tourné comme ça. Il a toujours eu un comportement bizarre. »

Il secoua la tête et finit son jus ; il en avait ôté la paille et buvait à même le verre.

« Un jour où j'étais à Londres avec lui, il se moquait du garçon qui travaillait avec lui, un Nigérian, parce qu'il ne savait pas prononcer Featherstonehaugh. Il articulait le mot phonétiquement comme l'avait fait ce garçon, ce qui n'était visiblement pas la bonne manière, mais lui non plus ne le disait pas correctement. Moi-même je ne savais pas le prononcer et il savait que je ne savais pas. Ont suivi ces horribles minutes où il a prétendu que nous nous moquions tous les deux de ce pauvre type. Alors qu'il n'en était rien, naturellement. Il se moquait aussi de *moi*. C'est à ce moment que j'ai compris qu'il n'avait jamais été mon ami.

— C'est un connard, dit-elle.

— Connard. C'est très américain, ça.

— Vraiment ? »

Il haussa légèrement les sourcils comme s'il était inutile d'énoncer l'évidence. « Emenike ne m'a plus donné signe de vie après mon expulsion. Puis, l'année dernière, sans doute après avoir appris que j'étais à nouveau dans le coup, il s'est mis à m'appeler. » Obinze avait dit « dans le coup » d'une voix moqueuse. « Il n'arrêtait pas de demander s'il y avait des affaires que nous pourrions mener ensemble, ce genre de stupidités. Et un jour je lui ai dit que je préférais vraiment sa condescendance, et il ne m'a plus rappelé.

— Et Kayode ?

— Nous gardons le contact. Il a eu un enfant avec une Américaine. »

Obinze consulta sa montre et ramassa ses téléphones. « Je suis désolé de devoir partir mais il le faut.

— Oui, moi aussi. » Elle aurait voulu prolonger ce moment, retrouver Obinze au milieu de l'odeur des livres. Avant de regagner leurs voitures respectives, ils s'étreignirent en murmurant d'une même voix : « C'était bon de te revoir », et elle se dit que son chauffeur et celui d'Obinze devaient les observer avec curiosité.

« Je t'appellerai demain », dit-il, mais elle s'était à peine assise dans sa voiture qu'un bip de son téléphone annonçait un nouveau texto. *Es-tu libre demain à déjeuner ?* Elle était libre. C'était un samedi et elle aurait dû demander pourquoi il n'était pas avec sa femme et son enfant, elle aurait dû engager une discussion sur ce qu'ils étaient en train de faire exactement, mais ils avaient un passé, des liens inextricables, ce qui ne signifiait pas qu'ils avaient un but quelconque, ou qu'une explication était nécessaire, aussi ouvrit-elle la porte quand il sonna et il entra, admira les fleurs de la véranda, les lis blancs qui se dressaient dans les bacs comme des cygnes.

« J'ai passé la matinée à lire *Les petites rédemptions de Lagos*, dit-il. À les parcourir, plutôt. »

Elle s'en réjouit. « Qu'en as-tu pensé ?

— J'ai aimé le post sur le Nigerpolitan Club. Un peu trop moralisateur, peut-être.

— Je ne sais pas comment je dois prendre ça.

— Comme la vérité », dit-il, avec ce léger haussement de sourcils qui semblait être une nouvelle bizarrerie chez lui ; elle ne se souvenait pas qu'il avait ce tic autrefois. « Mais c'est un blog épatant. Courageux et intelligent. J'aime bien la mise en page. » Une fois encore, il cherchait à la rassurer.

Elle désigna la propriété voisine. « Tu la reconnais ?

— Ah ! Oui.

— J'ai pensé qu'elle illustrerait parfaitement le blog. Une si belle maison dans un état de magnifique décrépitude. Plus les paons sur le toit.

— Elle ressemble un peu à un palais de justice. Je suis toujours fasciné par ces vieilles maisons et par les histoires qui leur sont attachées. » Il tira sur la mince rambarde en métal de la véranda d'Ifemelu, comme pour vérifier si elle était solide, si elle était sûre, un geste qui l'émut. « Quelqu'un va bientôt sauter sur l'occasion, démolir la maison, et construire un immeuble resplendissant d'appartements de luxe hors de prix.

— Quelqu'un comme toi.

— Quand j'ai débuté dans l'immobilier, je voulais réhabiliter de vieilles maisons au lieu de les démolir, mais cela n'avait pas de sens. Les Nigérians n'achètent pas une maison parce qu'elle est vieille. Une grange rénovée de deux cents ans, par exemple, le genre de choses qui plaît aux Européens, cela ne marche pas du tout ici. Mais il y a une raison : nous appartenons au tiers-monde et sommes par conséquent tournés vers l'avenir, nous aimons ce qui est nouveau, parce que le meilleur est encore devant nous, tandis que pour les Occidentaux le meilleur appartient au passé et c'est pourquoi ils ont le culte du passé.

— Est-ce que je me trompe ou as-tu maintenant tendance à tenir des petits discours ?

— C'est reposant d'avoir quelqu'un d'intelligent à qui parler. »

Elle détourna les yeux, contrariée à la pensée qu'il faisait allusion à sa femme.

« Ton blog a déjà une telle audience, dit-il.

— J'ai de grands projets. J'aimerais parcourir le Nigeria et écrire des posts sur chaque État, avec des photos et des histoires personnelles, mais je ne dois pas me précipiter, il faut d'abord l'implanter solidement, gagner un peu d'argent avec la publicité…

— Tu as besoin d'investisseurs.

— Je ne veux pas de ton argent », dit-elle, un peu sèchement, gardant les yeux fixés sur le toit de la maison abandonnée. Sa remarque à propos d'une personne intelligente l'avait irritée, parce qu'elle visait, elle devait viser sa femme, et elle aurait voulu lui demander pourquoi il lui disait cela. Pourquoi avait-il épousé une femme qui n'était pas intelligente pour lui dire maintenant que sa femme n'était pas intelligente ?

« Regarde le paon, Ifem », dit-il doucement, comme s'il percevait son irritation.

Ils regardèrent le paon sortir de l'ombre d'un arbre, puis prendre son envol mélancolique jusqu'au toit, son perchoir favori, où il se posa, surveillant le royaume délabré qui s'étendait en contrebas.

« Combien y en a-t-il ? demanda-t-il.

— Un mâle et deux femelles. J'espérais apercevoir le mâle danser sa danse nuptiale, mais je ne l'ai jamais vu. Ils me réveillent le matin avec leurs cris. Tu les as déjà entendus ? On dirait presque un enfant qui refuse d'obéir. »

Le cou gracieux du paon se mouvait de droite à gauche, puis soudain, comme s'il l'avait entendue, il criailla, le bec largement ouvert, ses cris jaillissant de sa gorge.

« Tu avais raison à propos du cri, dit-il en se rapprochant d'elle, il évoque celui d'un enfant. Cette maison me fait penser à une propriété que j'ai à Enugu. Une vieille maison. Elle a été construite avant la guerre, je l'ai achetée pour la démolir, mais finalement j'ai décidé de la garder. Elle est très élégante et reposante, une grande véranda et des vieux frangipaniers à l'arrière. Je refais complètement l'intérieur, qui sera très moderne, mais l'extérieur conserve son aspect ancien. Ne ris pas, mais quand je l'ai vue, elle m'a fait penser à de la poésie. »

Il y avait quelque chose de juvénile dans la manière dont il avait dit « ne ris pas » qui la fit lui sourire, se moquant à demi de lui, lui faisant comprendre qu'elle aimait l'idée d'une maison qui lui faisait penser à de la poésie.

« J'imagine qu'un jour, quand je m'évaderai de tout ça, j'irai vivre là-bas, dit-il.

— Les gens deviennent vraiment excentriques en devenant riches.

— Ou peut-être avons-nous tous une dose d'excentricité en nous, mais pas l'argent nécessaire pour le montrer. J'aimerais que tu voies cette maison. »

Elle murmura quelque chose, un vague acquiescement.

Son téléphone sonnait depuis un certain temps, un bourdonnement assourdi au fond de sa poche. Il le sortit, jeta un coup d'œil et dit : « Il faut que je prenne l'appel. » Elle hocha la tête et rentra dans l'appartement, se demandant si c'était sa femme.

Depuis le salon, elle entendait des bribes de sa voix, qui montait et descendait, montait à nouveau, parlant igbo. Quand il rentra à l'intérieur, sa mâchoire était crispée.

« Il y a un problème ? demanda-t-elle.

— C'est un gosse de mon village. Je paye ses frais de scolarité mais maintenant il croit que tout lui est dû. Ce matin, il m'a envoyé un texto pour me dire qu'il lui fallait un téléphone portable et me demander de l'envoyer dès vendredi. Un garçon de quinze ans. Quel culot. Il m'a rappelé. Je viens de le remettre à sa place et de lui dire que sa bourse, c'était terminé, juste pour lui faire peur et lui mettre un peu de plomb dans la cervelle.

— C'est un parent ?

— Non. »

Elle attendit qu'il en dise plus.

« Ifem, je fais ce que les riches sont censés faire, je paye les frais scolaires d'une centaine d'étudiants de mon village et du village de ma mère. » Il s'exprimait avec une indifférence embarrassée ; ce n'était pas un sujet dont il avait envie de parler. Il se tenait debout près de sa bibliothèque. « Quel superbe salon.

— Merci.

— Tu as fait expédier tous tes livres ?

— La plupart.

— Ah ! Derek Walcott.

— Je l'aime beaucoup. Je commence à comprendre un peu la poésie.

— Je vois que tu as Graham Greene.

— Je me suis mise à le lire à cause de ta mère. J'adore *Le fond du problème*.

— J'ai essayé de le lire lorsqu'elle est morte. Je voulais l'aimer. J'ai pensé que si j'arrivais à l'aimer… » Il effleura le livre, sa voix s'estompa.

Elle fut émue par sa nostalgie. « C'est de la vraie littérature, dit-elle, une histoire pleine d'humanité qu'on lira encore dans deux cents ans.

— Tu parles exactement comme ma mère », dit-il.

Il se sentait en terrain connu et inconnu à la fois. À travers la fente des rideaux un croissant de lumière illuminait le salon. Ils étaient debout près de la bibliothèque et elle lui racontait comment elle avait fini par ouvrir *Le fond du problème*, et il écoutait, avec cette intensité si particulière, avalant ses mots comme une boisson. Debout près de la bibliothèque, ils riaient en se rappelant que sa mère n'avait cessé de le harceler pour qu'il lise ce livre. Puis, toujours debout devant la bibliothèque, ils s'embrassèrent. Un baiser délicat d'abord, lèvres contre lèvres, puis leurs langues se touchèrent et elle se sentit fléchir contre lui. Il s'écarta le premier.

« Je n'ai pas de préservatifs, dit-elle, provocante, délibérément provocante.

— J'ignorais que nous avions besoin de préservatifs pour déjeuner. »

Elle lui donna une petite tape amicale. Tout son corps était envahi de millions d'incertitudes. Elle ne voulait pas le regarder. « J'ai une femme qui fait le ménage et la cuisine, alors j'ai plein de ragoût dans le congélateur et du riz jollof dans le réfrigérateur. Nous pouvons déjeuner ici. Veux-tu quelque chose à boire ? » Elle se dirigea vers la cuisine.

« Que s'est-il passé en Amérique ? demanda-t-il. Pourquoi as-tu coupé tout contact ? »

Ifemelu continua d'avancer en direction de la cuisine.

« Pourquoi as-tu coupé tout contact ? répéta-t-il doucement. S'il te plaît, dis-moi ce qui est arrivé. »

Avant de s'asseoir en face de lui à sa petite table de salle à manger et de lui raconter l'histoire de l'entraîneur de tennis d'Ardmore au regard vicieux, elle remplit deux verres de jus de mangue. Elle lui décrivit en détail le bureau de cet homme dont elle avait gardé le souvenir, les piles de magazines sportifs, l'odeur de moisi, mais en arrivant au moment où il l'avait emmenée dans sa chambre, elle dit simplement : « J'ai retiré mes vêtements et fait ce qu'il me demandait de faire. Je ne pouvais pas croire que je puisse jouir. Je le détestais. Je me détestais. Je me détestais vraiment. J'avais l'impression, je ne sais pas, de m'être trahie moi-même. » Elle s'interrompit. « Et de t'avoir trahi. »

Il resta sans rien dire pendant plusieurs longues minutes, les yeux baissés, comme s'il absorbait ses paroles.

« Je n'y pense pas souvent, continua-t-elle. Je n'ai pas oublié, mais je ne m'appesantis pas. Je ne veux pas m'appesantir. C'est tellement étrange d'en parler à présent. C'était probablement une raison stupide pour gâcher tout ce que nous avions, mais c'est l'explication et, le temps passant, je ne savais plus comment faire pour réparer. »

Il continuait à garder le silence. Elle regardait fixement la caricature encadrée de Dike accrochée au mur, avec ses oreilles comiquement pointues, se demandant ce qu'Obinze ressentait.

Finalement, il dit : « Comme tu as dû être malheureuse et te sentir seule. Tu aurais dû m'en parler. Je regrette tellement que tu ne m'aies rien dit. »

Elle entendit ces mots résonner à ses oreilles comme une mélodie et elle sentit sa respiration se précipiter, l'air lui manquer. Elle ne voulait pas pleurer, c'eût été ridicule de pleurer après si longtemps, mais ses yeux se remplissaient de larmes, un poids lui contractait la poitrine, sa gorge brûlait. Les larmes lui piquaient les yeux. Il prit sa main, la garda serrée dans la sienne sur la table et le silence s'alourdit entre eux, un silence ancien qui leur était familier. Elle était à l'intérieur de ce silence et elle y était en sûreté.

CHAPITRE 52

« Allons faire une partie de ping-pong. Je suis membre d'un petit club privé de Victoria Island, dit-il.

— Je n'ai pas joué depuis des lustres. »

Elle se souvenait qu'elle voulait toujours le battre, même s'il était champion de l'école, et qu'il la taquinait : « Essaye d'y mettre plus de stratégie et moins de force. La passion ne fait jamais gagner un match, quoi qu'on dise. » Il tenait à peu près le même discours aujourd'hui : « On ne gagne pas un match avec des excuses. Essaye la stratégie. »

Il avait pris le volant. Il mit le contact et la musique retentit aussitôt. Le « *Yori Yori* » de Bracket.

« Oh, j'adore cette chanson », dit-elle.

Il monta le volume et ils chantèrent en chœur : il y avait une telle exubérance dans cette musique, dans son tempo joyeux, si dénué d'artifice, qui emplissait l'air de légèreté.

« Ahn-ahn ! Tu es de retour depuis si peu de temps et tu es déjà capable de chanter cette chanson ?

— Dès mon arrivée je me suis mise à jour sur la musique. C'est tellement excitant, toutes ces nouveautés.

— C'est vrai. À présent les boîtes jouent de la musique nigériane. »

Elle garderait le souvenir de ce moment, assise à côté d'Obinze dans sa Range Rover bloquée dans les encombrements, à écouter « *Yori Yori* » – *Your love dey make my heart do yori yori. Personne ne t'aimera jamais comme moi* – avec à leur hauteur une Honda rutilante, dernier modèle, et devant eux une vieille Datsun qui paraissait avoir cent ans.

Après quelques parties de ping-pong, qu'il gagna toutes, la faisant gentiment enrager, ils déjeunèrent dans le petit restaurant, seuls hormis une femme plongée dans la lecture des journaux au bar. Le gérant, un rondouillard qui éclatait presque dans sa veste noire mal ajustée, ne cessait de venir à leur table pour leur dire : « J'espère que tout va bien, sir. Cela fait plaisir de vous revoir, sir. Comment vont les affaires, sir. »

Ifemelu se pencha vers Obinze : « Tu n'en as pas marre au bout d'un moment ?

— Ce type ne viendrait pas si souvent s'il ne pensait pas que tu me négliges. Tu es vraiment obsédée par ce téléphone.

— Excuse-moi, je vérifiais seulement le blog. » Elle se sentait détendue et heureuse. « Tu sais, tu devrais écrire pour moi.

— Moi ?

— Oui, je te confierais un sujet. Par exemple, sur les dangers d'être jeune, beau et riche.

— Je serais ravi de traiter un sujet auquel je peux personnellement m'identifier.

— Que penses-tu de la sécurité ? Je veux faire quelque chose sur la sécurité. Est-ce que tu as eu des problèmes sur le Third Mainland Bridge ? Quelqu'un me racontait qu'il avait quitté un club tard le soir et qu'un pneu de sa voiture avait éclaté pendant le trajet du retour sur le continent. Ils ont continué à rouler parce qu'il est dangereux de s'arrêter sur le pont.

— Ifem, j'habite à Lekki, et je ne sors pas en boîte. Plus maintenant.

— Bon. » Elle jeta à nouveau un coup d'œil à son téléphone. « Je voudrais simplement avoir des nouveaux sujets originaux, vivants.

— Tu rêves.

— Tu connais Tunde Razaq ?

— Tout le monde le connaît. Pourquoi ?

— Je veux l'interviewer. Je veux lancer une rubrique hebdomadaire « Lagos vue par un initié », et je veux commencer par les gens les plus intéressants.

— En quoi est-il intéressant ? Parce que c'est un playboy de Lagos qui vit grâce à l'argent de son père, ledit argent provenant d'un monopole d'importation de diesel obtenu grâce à leur relation avec le président ?

— C'est aussi un producteur de musique, et apparemment un champion d'échecs. Mon amie Zemaye le connaît et il vient de lui écrire en disant qu'il me donnera l'interview uniquement si j'accepte de dîner avec lui.

— Il a probablement vu ta photo quelque part. » Obinze se leva et repoussa sa chaise avec une force qui la fit sursauter. « Ce type est un obsédé.

— Sois gentil », dit-elle, amusée. Sa jalousie l'enchantait. Il remit « *Yori Yori* » sur le trajet du retour et elle se balança et dansa avec ses bras, à son grand amusement.

« Je croyais que ton Chapman était sans alcool, dit-il. Je veux te faire entendre une autre chanson. Elle me fait penser à toi. »

C'était « *Obi Mu O* » d'Obiwon, et elle resta immobile et silencieuse tandis que les paroles emplissaient la voiture. *C'est un sentiment que je n'ai jamais ressenti... et je ne vais pas le laisser mourir.* Quand le chanteur et la chanteuse passèrent à l'igbo, Obinze se joignit à eux, quittant la route des yeux pour la regarder, comme pour lui dire que ces mots étaient les leurs, ces mots qui disaient qu'elle était belle, qu'il était beau, que chacun était le plus cher ami de l'autre. *Nwanyi oma, nwoke oma, omalicha nwa, ezigbo oyi m o.*

Quand il la déposa, il se pencha pour l'embrasser sur la joue, hésitant à trop s'approcher ou à la serrer contre lui, comme s'il avait peur de céder à leur attirance commune. « Est-ce que je peux te voir demain ? » demanda-t-il, et elle dit oui.

Ils allèrent dans un restaurant brésilien au bord du lagon, où le serveur leur apporta quantité de brochettes de viande et de fruits de mer, jusqu'à ce qu'Ifemelu lui dise qu'elle allait être malade. Le lendemain, il lui demanda si elle voulait dîner avec lui et il l'emmena dans un restaurant italien, dont les plats hors de prix lui parurent sans saveur et les serveurs en nœud papillon, désespérément maussades et lents.

Au retour, ils passèrent par Obalende, avec ses tables et ses étals le long de la rue, les flammes orange vacillantes des lampes des marchands ambulants.

Ifemelu dit : « Arrêtons-nous pour acheter des plantains frits ! »

Obinze trouva une place un peu plus loin, devant un bar, et y gara la voiture. Il salua les hommes en train de boire assis sur un banc, d'une manière décontractée et amicale, et ils lui rendirent chaleureusement son salut. « Chef ! Tu peux y aller ! Ta voiture est en sécurité ! »

La vendeuse de plantains tenta de persuader Ifemelu d'acheter en plus des patates douces frites.

« Non, seulement des plantains.

— Et peut-être de l'akara, tante ? Je le prépare maintenant. Très frais.

— D'accord, dit Ifemelu. Mets-en quatre.

— Pourquoi achètes-tu de l'akara si tu n'en as pas envie ? demanda Obinze, amusé.

— Parce qu'elle a une véritable entreprise. Elle vend ce qu'elle produit. Elle ne vend pas son adresse ou l'origine de son huile ou le nom de la personne qui a moulu le café. Elle vend simplement ce qu'elle fabrique. »

Dans la voiture, elle ouvrit le sac huileux qui contenait les plantains, fit glisser une petite tranche dorée parfaitement frite dans sa bouche. « C'est tellement meilleur que ces trucs dégoulinants de beurre que j'ai eu du mal à finir au restaurant. Et tu sais que tu ne risques pas d'intoxication alimentaire parce que la friture tue les microbes. »

Il l'observait en souriant, et elle craignit d'être trop bavarde. Elle conserverait aussi ce souvenir d'Obalende la nuit, éclairé par des centaines de petites lumières, les voix bruyantes des hommes avinés, et le balancement des larges hanches d'une madame passant près de la voiture.

*

Il demanda s'il pouvait l'inviter à déjeuner et elle suggéra un nouvel endroit décontracté dont elle avait entendu parler, où elle commanda un sandwich au poulet et se plaignit d'un homme qui fumait dans un coin. « C'est bien américain de râler à cause de la fumée », dit Obinze, sans qu'elle sache s'il s'agissait d'un reproche ou non.

« Le sandwich est accompagné de frites ? demanda Ifemelu au serveur.

— Oui, madame.

— Avec de vraies pommes de terre ?

— Madame ?

— Vos frites sont-elles importées et surgelées, ou coupez-vous et faites-vous frire vos propres patates ? »

Le serveur eut l'air offensé. « Elles sont importées et surgelées. »

Comme il s'éloignait, Ifemelu dit : « Ces trucs surgelés ont un goût épouvantable.

— Il n'arrive pas à croire que tu veuilles de vraies pommes de terre, dit Obinze sèchement. Pour lui, ce sont des trucs d'arriéré. N'oublie pas que c'est l'univers de notre nouvelle classe moyenne. Nous n'avons pas conclu le premier cycle de prospérité, avant de retourner à son commencement, pour boire le lait directement sorti du pis de la vache. »

Chaque fois qu'il la raccompagnait, il l'embrassait sur la joue ; chacun se penchait vers l'autre, puis s'écartait, et elle disait « salut » et descendait de sa voiture. Le cinquième jour, comme il pénétrait dans sa résidence, elle demanda : « Est-ce que tu as des préservatifs dans ta poche ? »

Il resta un instant silencieux. « Non, je n'ai pas de préservatifs dans ma poche.

— Bon, j'en ai acheté un paquet il y a quelques jours.

— Ifem, pourquoi dis-tu ça ?

— Tu es marié, tu as un enfant et nous avons envie l'un de l'autre. Qui trompons-nous avec cette histoire de rendez-vous platoniques ? Nous pourrions aussi bien passer à l'acte.

— Tu te caches derrière le sarcasme.

— Oh, comme c'est noble de ta part. » Elle était furieuse. À peine une semaine s'était écoulée depuis leurs retrouvailles et elle était déjà en colère, furieuse qu'il la reconduise, qu'il rentre chez lui retrouver son autre vie, sa véritable vie, et qu'elle ne puisse se représenter les détails de cette vie, ne sache pas dans quel genre de lit il dormait, dans quel genre d'assiette il mangeait. Depuis qu'elle avait commencé à se pencher sur son passé, elle s'était figuré une liaison avec lui, mais seulement à travers des images floues aux contours indistincts. Aujourd'hui, face à la réalité de sa présence et à l'alliance en argent à son doigt, elle craignait de s'habituer à lui, de se noyer. Ou peut-être s'était-elle déjà noyée, et sa peur venait du fait qu'elle en avait conscience.

« Pourquoi ne m'as-tu pas appelé à ton retour ? demanda-t-il.

— Je ne sais pas. Je voulais d'abord m'installer.

— J'espérais t'aider à t'installer. »

Elle ne dit rien.

« Tu es toujours avec Blaine ?

— Qu'est-ce que cela peut te faire, à toi, un homme marié ? » dit-elle, avec un ton railleur beaucoup trop caustique ; elle aurait voulu se montrer froide, distante, maîtresse d'elle-même.

« Puis-je entrer un instant ? Pour parler ?

— Non, je dois faire des recherches pour le blog.

— S'il te plaît, Ifem. »

Elle soupira. « Bon. »

Dans l'appartement, il s'assit sur le canapé tandis qu'elle s'asseyait dans son fauteuil, aussi loin de lui que possible. Une soudaine terreur la saisit à la pensée de ce qu'il s'apprêtait à lui dire, qu'elle refusait d'entendre, et elle dit sans réfléchir : « Zemaye veut écrire un guide humoristique pour les hommes qui cherchent à tromper leur femme ou leur petite amie. Elle dit qu'elle n'arrivait pas à joindre son ami l'autre jour et quand il a finalement rappliqué, il lui a raconté que son téléphone était tombé dans l'eau. Elle dit que c'est l'histoire la plus vieille du monde, le téléphone tombé dans l'eau. Elle m'a paru drôle. Je ne l'avais jamais entendue. D'où le conseil numéro un de son guide : ne dites jamais que votre téléphone est tombé dans l'eau.

— Ce n'est pas tromper quelqu'un, pour moi, dit-il doucement.

— Ta femme sait-elle que tu es ici ? » Elle le provoquait. « Je me demande combien d'hommes qui trompent leur femme déclarent qu'ils n'ont pas l'impression de la tromper. En bref, leur arrive-t-il de dire qu'ils ont l'impression de la tromper ? »

Il se leva, l'air décidé, et elle crut qu'il voulait se rapprocher d'elle, ou aller aux toilettes, mais il se dirigea vers la porte d'entrée, l'ouvrit et partit. Elle resta immobile un long moment, puis se leva et se mit à marcher de long en large dans la pièce, incapable de se concentrer, hésitant à l'appeler, s'interrogeant. Elle décida de ne pas l'appeler ; elle lui reprochait son attitude, son silence, son hypocrisie. Quand la sonnette retentit quelques minutes plus tard, une partie d'elle-même hésita à ouvrir la porte.

Elle le fit entrer. Ils s'assirent côte à côte sur son canapé.

« Je suis désolé d'être parti de cette façon, dit-il. Je ne suis plus moi-même depuis ton retour et je n'ai pas aimé t'entendre suggérer que notre histoire était ordinaire. Elle ne l'est pas. Et je pense que tu le sais. Je pense que tu l'as dit pour me blesser mais surtout parce que *tu* es troublée. Je sais que tu n'es pas heureuse que nous nous voyions ainsi, que nous parlions de tant de choses et en évitions tant d'autres.

— Tu parles par énigmes », dit-elle.

Il était tendu, les mâchoires serrées, et elle aurait voulu l'embrasser. Certes, il était intelligent et sûr de lui, mais il y avait aussi chez lui une sorte d'innocence, une confiance dénuée d'ego, un rappel émouvant d'une époque et de lieux anciens.

« Je n'ai rien dit parce que je suis parfois tellement heureux de me trouver avec toi que je ne veux rien gâcher, dit-il. Et aussi parce que je veux avoir quelque chose à dire, avant d'ouvrir la bouche.

— Je me caresse en pensant à toi. »

Il la regarda, pris au dépourvu.

« Nous ne sommes pas deux célibataires en train de flirter, Ciel, dit-elle. Nous ne pouvons nier que nous sommes attirés l'un par l'autre et peut-être devrions-nous en discuter.

— Tu sais qu'il ne s'agit pas de sexe, dit-il. Il ne s'est jamais agi de sexe.

— Je sais. » Elle lui prit la main. Il y avait, entre eux, un désir en apesanteur, permanent. Elle se pencha et l'embrassa. Il fut long à réagir au début, puis il releva son corsage, dégagea ses seins de son soutien-gorge. Elle se rappela avec précision la fermeté de son étreinte, pourtant il y avait quelque chose de nouveau dans leur union ; leurs corps se souvenaient et ne se souvenaient pas. Elle toucha la cicatrice sur sa poitrine, retrouvant la même émotion. L'expression « faire l'amour » lui avait toujours paru sentimentale à l'excès. « Baiser » était plus réaliste et « s'envoyer en l'air » plus excitant, mais couchée près de lui ensuite, souriant, riant parfois, son corps baigné de paix, elle songea à quel point « faire l'amour » était juste. Des sensations nouvelles la parcouraient jusqu'au bout des ongles, dans ces parties de son corps qui étaient toujours restées insensibles. Elle aurait voulu lui dire : « Il ne s'est pas passé une semaine sans que je pense à toi. » Mais était-ce vrai ? Bien sûr il y avait eu des semaines durant lesquelles elle l'avait gardé enfoui sous des pans entiers de sa vie, mais ces mots avaient *l'accent* de la vérité.

Elle se redressa et dit : « J'ai toujours vu le ciel avec les autres hommes. »

Il eut un long et lent sourire. « Tu sais ce que j'ai ressenti pendant si longtemps ? Comme si j'attendais d'être heureux. »

Il se leva pour aller aux toilettes. Elle le trouvait si séduisant avec sa petite taille, sa petite taille compacte et solide. C'était signe de fermeté ; il pouvait résister à n'importe quoi, rien ne le ferait varier. Il revint et elle dit qu'elle avait faim et il trouva des oranges dans le réfrigérateur, qu'il éplucha. Ils mangèrent les oranges, assis l'un près de l'autre, puis reposèrent enlacés, nus, dans un halo de félicité, et elle s'endormit et ne sut quand il était parti. Elle se réveilla le lendemain matin sous un ciel couvert, pluvieux. Son téléphone sonnait. C'était Obinze.

« Comment vas-tu ?

— Sonnée. Pas sûre de ce qui est arrivé hier. Est-ce que tu m'as séduite ?

— Je suis heureux que ta porte se ferme automatiquement. J'aurais été désolé de devoir te réveiller pour que tu la fermes derrière moi.

— Donc tu m'as séduite. »

Il rit. « Puis-je venir te retrouver ? »

Elle aima la façon dont il le dit.

« Oui. Il pleut des cordes.

— Vraiment ? Il ne pleut pas ici. Je suis à Lekki. »

Cela lui parut follement excitant, qu'il pleuve là où elle se trouvait et ne pleuve pas là où il était, à quelques minutes de chez elle, aussi attendit-elle impatiemment, avec une émotion délicieuse, qu'ils puissent voir la pluie ensemble.

CHAPITRE 53

Ainsi débutèrent des jours grisants remplis de clichés : elle se sentait pleinement vivante, son cœur battait plus vite quand il arrivait, et chaque matin était pour elle comme la découverte d'un cadeau. Elle riait, croisait les jambes, roulait légèrement ses hanches avec une conscience plus aiguë d'elle-même. Sa chemise de nuit sentait l'eau de Cologne d'Obinze, un léger mélange d'agrumes et de bois, car elle restait sans la laver aussi longtemps qu'elle le pouvait, et elle retardait le moment de nettoyer une trace de crème pour les mains qu'il avait laissée sur son lavabo ; après l'amour, elle ne touchait pas à l'oreiller creusé là où sa tête avait reposé. Ils se tenaient souvent sur sa véranda et regardaient les paons sur le toit de la maison abandonnée, glissant de temps en temps leurs mains l'une dans l'autre, et elle pensait à la prochaine fois, et à la suivante, où ils recommenceraient. C'était ça l'amour, l'impatience du lendemain. Était-ce ce qu'elle ressentait quand elle était adolescente ? Les émotions qu'elle éprouvait lui paraissaient absurdes. Elle s'inquiétait quand il ne répondait pas dans la minute à ses textos. Elle s'assombrissait en songeant à son passé. « Tu es le grand amour de ma vie », lui disait-il, et elle le croyait, mais était malgré tout jalouse de ces femmes qu'il avait aimées même fugitivement, de ces femmes qui avaient occupé une place dans ses pensées. Elle était même jalouse des femmes à qui il plaisait, imaginant le succès à Lagos d'un bel homme, riche de surcroît. La première fois qu'elle le présenta à la gracieuse Zemaye dans sa jupe moulante et ses chaussures à plateforme, elle réprima son agacement, parce qu'elle vit dans le regard appréciateur de Zemaye le regard de convoitise de toutes les femmes de Lagos. C'était une jalousie provoquée par son imagination, il ne faisait rien pour y contribuer ; il était présent et laissait voir clairement ses sentiments. Elle s'émerveillait de l'intensité, de l'attention qu'il mettait à l'écouter. Il se souvenait de tout ce qu'elle lui disait. C'était la première fois que cela lui arrivait, d'être réellement écoutée, et il lui fut encore plus précieux ; chaque fois qu'il raccrochait à la fin d'une conversation téléphonique, elle se sentait prise de panique. C'était parfaitement absurde. Leur amour avait été beaucoup moins mélodramatique lorsqu'ils étaient jeunes. Ou peut-être était-ce à cause des circonstances : il y avait maintenant, menaçant, ce mariage dont il ne parlait jamais. Il disait parfois : « Je ne pourrai pas venir dimanche avant le milieu de l'après-midi », ou « Il faut que je parte tôt aujourd'hui », des empêchements qu'elle savait venir de sa femme, mais ils n'en parlaient pas davantage. Il n'essayait pas d'en parler, et elle ne voulait pas en parler, ou elle se disait qu'elle ne le voulait pas. Elle s'étonnait qu'il l'emmène aussi ouvertement déjeuner ou dîner, dans son club privé où le serveur l'appelait « madame », imaginant peut-être qu'elle était sa femme ; qu'il s'attarde avec elle jusqu'à minuit passé et ne prenne jamais de douche après qu'ils avaient fait l'amour ; qu'il rentre chez lui la peau imprégnée de son odeur et de son parfum. Il était déterminé à donner autant de dignité que possible à leur relation, à prétendre qu'il ne se cachait pas alors qu'il le faisait, naturellement. Il lui dit une fois de façon laconique, alors qu'ils étaient enlacés sur son lit dans la lumière indistincte de la fin de journée : « Je peux rester toute la nuit. J'aimerais rester. » Elle refusa net. Elle ne voulait pas prendre l'habitude de se réveiller à côté de lui, elle ne voulait pas penser à la raison qui lui permettait de rester cette nuit-là. La réalité de son mariage planait toujours au-dessus d'eux, jamais mentionnée, jamais matérialisée, jusqu'à ce soir où elle n'eut pas envie de dîner dehors. Il dit avec entrain : « Tu as des spaghettis et des oignons. Je fais la cuisine.

— Tant que ça ne me fait pas mal à l'estomac. »

Il rit. « Faire la cuisine me manque. Je ne peux pas cuisiner à la maison. » Et, à cet instant, sa femme devint une sombre présence fantomatique dans la pièce. Elle était palpable et menaçante comme elle ne l'avait jamais été quand il disait : « Je ne pourrai pas venir dimanche avant le milieu de l'après-midi », ou « Il faut que je parte tôt aujourd'hui. » Elle se détourna et ouvrit son ordinateur pour consulter son blog. Un brasier s'était allumé au plus profond d'elle-même. Il comprit la soudaine importance des paroles qu'il venait de prononcer car il s'approcha et se tint près d'elle.

« Kosi n'a jamais aimé que je fasse la cuisine. Elle a des idées très conventionnelles et simplistes sur le rôle d'une épouse et elle a pensé que mon désir de faire la cuisine était une critique, ce qui m'a semblé stupide. J'y ai donc renoncé, juste pour avoir la paix. Je fais des omelettes, pas plus, et nous prétendons que ma soupe d'onugbu n'est pas meilleure que la sienne. Il y a beaucoup de simulacres dans mon mariage, Ifem. » Il se tut un instant. « Je l'ai épousée quand je me sentais vulnérable. J'ai connu de grands bouleversements dans ma vie à cette époque. »

Elle dit, le dos tourné : « Obinze, s'il te plaît, fais les spaghettis.

— Je me sens très responsable de Kosi et c'est tout ce que je sens. Et je veux que tu le saches. » Il l'obligea doucement à se tourner vers lui, la tenant par les épaules. Il semblait vouloir lui dire autre chose, mais s'attendait à ce qu'elle l'aide, ce qui suscita chez elle une nouvelle vague d'irritation. Elle retourna à son ordinateur, étranglée par une rage de tout casser, de taillader, de brûler.

« Je vais dîner demain avec Tunde Razaq, dit-elle.

— Pourquoi ?

— Parce que j'en ai envie.

— Tu as dit l'autre jour que tu n'irais pas.

— Que se passe-t-il quand tu rentres chez toi et que tu vas rejoindre ta femme au lit ? » demanda-t-elle. Les larmes lui montèrent aux yeux. Quelque chose s'était brisé entre eux.

« Je crois que tu devrais partir, dit-elle.

— Non.

— Obinze, je t'en prie, va-t'en. »

Il refusa de partir, et plus tard elle en fut heureuse. Il prépara des spaghettis et elle les repoussa sur le bord de son assiette, la gorge sèche, sans appétit.

« Je ne te demanderai jamais rien. Je suis une femme adulte et je connaissais ta situation quand je me suis engagée dans cette histoire.

— S'il te plaît, ne parle pas ainsi, dit-il. Cela me fait peur. J'ai l'impression d'être sans importance.

— Il ne s'agit pas de toi.

— Je sais. Je sais que c'est la seule manière dont tu puisses garder un peu de dignité. »

Elle le regarda et même son attitude réfléchie commença à l'irriter.

« Je t'aime, Ifem. Nous nous aimons », dit-il.

Il était au bord des larmes. Elle se mit à pleurer elle aussi, des sanglots incontrôlés. Plus tard, ils restèrent étendus dans le lit et l'air était tellement immobile et silencieux qu'on entendait les gargouillements de l'estomac d'Obinze.

« C'est mon estomac ou le tien ? demanda-t-il en riant

— Bien sûr que c'est le tien.

— Tu te souviens de la première fois où nous avons fait l'amour ? Juste avant, tu m'avais massé en me marchant dessus. J'ai adoré.

— Je ne peux plus le faire maintenant. Je suis trop grosse.

— Arrête. »

Finalement il se leva et enfila son pantalon, d'un mouvement lent et réticent. « Je ne peux pas venir demain, Ifem. Il faut que j'emmène ma fille… »

Elle l'interrompit. « Très bien.

— Vendredi je vais à Abuja.

— Oui, tu l'as dit. » Elle essayait de repousser le sentiment d'abandon qui menaçait ; il la submergerait dès qu'il serait parti et qu'elle entendrait la porte se refermer.

« Viens avec moi, dit-il.

— Comment ?

— Viens avec moi à Abuja. Je n'ai que deux réunions et nous pourrons rester le week-end. Cela nous fera du bien d'être dans un endroit différent, et de parler. Et tu n'es jamais allée à Abuja. Je peux réserver des chambres d'hôtel séparées si tu veux. Dis oui. Je t'en prie.

— Oui », dit-elle.

Après son départ, elle se permit une chose qu'elle n'avait jamais faite, elle regarda les photos de Kosi sur Facebook. Elle était d'une beauté étonnante, avec ses pommettes hautes, sa peau sans défaut, ses courbes féminines parfaites. Quand elle vit une photo prise sous un angle peu flatteur, elle s'y attarda un instant avec un malin plaisir.

*

Elle était dans le salon de coiffure quand il lui envoya un texto : *Je regrette Ifem mais je crois qu'il vaut mieux que j'aille seul à Abuja. J'ai besoin d'un peu de temps pour réfléchir. Je t'aime.* Elle lut le texto et, les doigts tremblants, lui répondit en deux mots : *Sale dégonflé*. Puis elle se tourna vers la coiffeuse : « Vous allez me faire un brushing avec cette brosse ? Vous plaisantez. Qu'est-ce que vous avez dans la cervelle ? »

La coiffeuse eut l'air surpris. « Tante, je suis désolée, mais c'est celle que j'ai déjà utilisée pour vos cheveux. »

Quand Ifemelu pénétra en voiture dans sa résidence, elle vit la Range Rover d'Obinze garée devant chez elle. Il la suivit à l'étage.

« Ifem, s'il te plaît. Il faut que tu comprennes. Je pense que tout a été un peu trop vite, entre nous, et je veux prendre un peu de temps pour penser à l'avenir.

— Un peu trop vite, répéta-t-elle. Pas très original. Cela ne te ressemble pas du tout.

— Tu es la femme que j'aime. Rien ne me fera changer. Mais j'ai un sentiment de responsabilité face à ce que je dois faire. »

Elle s'écarta de lui, du son rauque de sa voix, de la vaine inconsistance de ses paroles. Que signifiait « un sentiment de responsabilité face à ce que je dois faire » ? Voulait-il dire qu'il avait l'intention de continuer à la voir tout en restant marié ? Voulait-il dire qu'il ne pouvait plus continuer à la voir ? Il communiquait clairement quand il le voulait, mais à présent il se cachait derrière des mots imprécis.

« Que veux-tu dire ? demanda-t-elle. Qu'est-ce que tu essayes de me dire ? »

Comme il restait silencieux, elle dit : « Va au diable. »

Elle entra chez elle et ferma la porte à clé. Par la fenêtre, elle regarda sa Range Rover disparaître au tournant de la rue.

CHAPITRE 54

Abuja avait des horizons lointains, de larges rues, un aspect ordonné ; en venant de Lagos on était frappé par une sensation d'espace et d'harmonie. L'atmosphère respirait la puissance : ici chacun évaluait l'autre, se demandant à quel point il était « quelqu'un ». La ville sentait l'argent, l'argent facile, l'argent qui changeait aisément de mains. Et le sexe était partout. L'ami d'Obinze, Chidi, disait qu'il ne courait pas les filles à Abuja parce qu'il ne voulait pas empiéter sur le territoire d'un ministre ou d'un sénateur. Ici, toute jeune femme séduisante était mystérieusement suspecte. Abuja était plus conservatrice que Lagos, disait Chidi, parce que plus musulmane, et dans les réceptions les femmes ne portaient pas de vêtements provocants, pourtant on pouvait y acheter et y vendre du sexe beaucoup plus facilement. C'était à Abuja qu'Obinze avait failli tromper Kosi, pas avec une de ces filles spectaculaires qui portaient des lentilles de contact colorées et de longs cheveux ondulés et lui faisaient des avances, mais avec une femme d'âge moyen, vêtue d'un caftan, assise à côté de lui dans le bar de l'hôtel, et qui avait dit : « Je sais que vous vous ennuyez. » Elle paraissait prête aux imprudences, peut-être une épouse refoulée, frustrée qui s'était libérée cette nuit-là.

Pendant un moment, un désir intense, une pure pulsion sexuelle, le submergea, mais il songea qu'il serait encore plus las après, impatient de la voir quitter sa chambre d'hôtel, et tout cela lui parut demander un trop grand effort.

Elle finirait avec l'un des nombreux hommes d'Abuja qui menaient une vie oisive dans des hôtels et des maisons qu'ils occupaient temporairement, rampant devant des personnes bien introduites, cherchant à obtenir un contrat ou à être payés pour un contrat. Au cours du dernier voyage d'Obinze à Abuja, un de ces personnages qu'il connaissait à peine avait observé pendant un moment le manège de deux jeunes femmes à l'autre bout du bar, et lui avait demandé avec désinvolture : « Auriez-vous un préservatif à me prêter ? » mais il n'avait pas répondu.

À présent, assis à une table couverte d'une nappe blanche dans l'hôtel Protea Asokoro, attendant Edusco, l'homme d'affaires qui voulait acquérir son terrain, il imagina Ifemelu à côté de lui, et se demanda ce qu'elle penserait d'Abuja. Peut-être serait-elle rebutée par son aspect dénué d'âme. Peut-être pas. Elle était imprévisible. Un jour, dans un restaurant de Victoria Island, où les serveurs habillés de noir virevoltaient autour de la table, elle avait paru distante, le regard fixé sur le mur derrière lui, et il s'était inquiété. « À quoi penses-tu ? avait-il demandé.

— Je suis en train de penser qu'à Lagos tous les tableaux semblent être toujours de travers, jamais droits », avait-elle répondu. Il avait ri et pensé qu'il était avec elle comme il n'avait jamais été avec une autre femme : gai, vif, plein d'entrain. Quand ils avaient quitté le restaurant un peu plus tard, il l'avait regardée faire un pas de côté pour éviter les flaques d'eau près de la porte d'entrée, et avait eu envie d'aplanir pour elle toutes les routes de Lagos.

Son esprit ne le laissait pas en paix : il se disait qu'il avait eu raison de ne pas être venu à Abuja avec elle, parce qu'il avait besoin de réfléchir, et, la minute suivante, il était bourrelé de remords. Elle s'était peut-être sentie rejetée. Il l'avait appelée à plusieurs reprises, avait envoyé des textos demandant s'ils pouvaient se parler, mais elle l'avait ignoré, ce qui était peut-être préférable, parce qu'il ne savait pas ce qu'il aurait dit s'ils s'étaient parlé.

Edusco était arrivé. Une voix forte retentit dans le hall de l'hôtel tandis qu'il parlait au téléphone. Obinze le connaissait peu – ils avaient fait des affaires ensemble une fois auparavant, présentés par un ami commun – mais Obinze admirait les hommes de ce genre, des hommes qui ne connaissaient aucun puissant bien placé, qui n'avaient pas de relations, et avaient fait fortune d'une manière qui ne défiait pas la simple logique du capitalisme. Edusco n'avait fréquenté que l'école primaire avant de suivre une formation de vendeur ; il avait débuté avec un étal à Onitsha et était maintenant propriétaire de la deuxième plus grande compagnie de transport du pays. Il pénétra dans le restaurant, la démarche assurée et son gros ventre en avant, parlant fort un anglais épouvantable ; il ne lui venait pas à l'idée de douter de lui-même.

Tandis qu'ils discutaient du prix du terrain, Edusco dit : « Écoute, mon frère. Tu ne le vendras jamais à ce prix-là. *Ife esika kita*. La récession frappe tout le monde.

— Frère, mets un peu plus au pot, c'est un terrain situé à Maitama dont nous parlons, pas dans ton village, dit Obinze.

— Tu as le ventre plein. Que veux-tu de plus ? Tu vois, c'est le problème avec vous autres Igbos. Vous ne faites pas frère-frère. C'est pour cela que j'aime les Yorubas, ils s'entraident. Sais-tu que l'autre jour je suis allé au service des impôts près de chez moi et il y avait un Igbo, j'ai vu son nom, et je lui ai parlé en igbo. Il ne m'a même pas répondu ! Un Haoussa parlera haoussa à un compagnon haoussa, un Yoruba qui rencontre un autre Yoruba lui parlera yoruba. Mais un Igbo parlera anglais à un Igbo. Je suis même surpris que tu me parles igbo.

— C'est vrai, dit Obinze. C'est triste, c'est l'héritage d'un peuple vaincu. Nous avons perdu la guerre du Biafra et appris à avoir honte.

— C'est simplement de l'égoïsme ! dit Edusco, indifférent à l'interprétation intellectuelle d'Obinze. Le Yoruba aide son frère, mais vous les Igbos ? *I ga-asikwa*. Regarde comment tu me proposes ce prix.

— OK, Edusco, pourquoi ne te donnerais-je pas ce terrain gratis ? Je vais aller chercher le titre de propriété et te le céder maintenant. »

Edusco rit. Il trouvait son interlocuteur sympathique, c'était visible. Obinze l'imagina en train de parler de lui dans une réunion d'autres self-made men igbos, des hommes audacieux et entreprenants, qui brassaient d'énormes affaires et avaient la charge de vastes familles étendues. Il imaginait Edusco disant : *Obinze* ma ife. *Obinze n'est pas comme certains de ces garçons inutiles qui ont de l'argent. Lui n'est pas stupide*.

Il regarda sa bouteille de Gulder presque vide. C'était étrange que tout perde ainsi son éclat en l'absence d'Ifemelu ; même le goût de sa bière préférée était différent. Il aurait dû l'amener avec lui à Abuja. C'était stupide de prétendre qu'il avait besoin de temps pour réfléchir alors qu'il se cachait simplement une vérité qu'il connaissait déjà. Elle l'avait traité de dégonflé. Elle avait raison, il y avait de la lâcheté dans sa peur du désordre, de bouleverser ce qu'il ne désirait même pas : sa vie avec Kosi, cette seconde peau qui ne lui avait jamais convenu.

« D'accord, Edusco, dit Obinze, soudain épuisé. Je ne vais pas manger ce terrain si je ne le vends pas. »

Edusco eut l'air stupéfait. « Tu veux dire que tu acceptes mon prix ?

— Oui », dit Obinze.

Après le départ d'Edusco, Obinze appela et rappela Ifemelu mais n'obtint pas de réponse. Sa sonnerie était peut-être coupée, et elle était en train de déjeuner dans sa salle à manger, portant ce T-shirt rose qu'elle mettait si souvent, avec un petit trou au cou, et HEARTBREAKER CAFÉ inscrit sur le devant ; ses tétons, quand ils durcissaient, ponctuaient les mots comme des apostrophes. Cette pensée l'excita. Ou peut-être était-elle en train de lire au lit, son peignoir en abada étendu sur elle comme une couverture, vêtue de sa seule culotte noire. Elle n'avait que de simples culottes noires en guise de sous-vêtements ; elle se moquait des froufrous féminins. Un jour, il avait ramassé une de ces culottes qu'il venait de jeter sur le sol après l'avoir fait glisser le long de ses jambes et avait regardé la trace laiteuse de l'entrejambe ; elle avait ri et dit : « Ah, tu as envie de sentir, hein ? Je n'ai jamais compris qu'on puisse aimer renifler ça. » Ou peut-être était-elle devant son ordinateur, occupée par son blog. Ou sortie avec Ranyinudo. Ou au téléphone avec Dike. Ou avec un autre homme dans son salon, lui parlant de Graham Greene. Une nausée monta en lui à la pensée qu'elle pouvait être avec quelqu'un d'autre. Non, elle n'était pas avec quelqu'un d'autre, pas si vite. Cependant il y avait chez elle cette obstination imprévisible ; elle pouvait agir ainsi pour le blesser. Quand elle lui avait dit, le premier jour : « J'ai toujours vu le ciel avec les autres hommes », il s'était demandé combien il y en avait eu. Il aurait voulu le lui demander, mais s'en était abstenu, craignant qu'elle lui dise la vérité et qu'il en souffre durablement. Elle savait, bien sûr, qu'il l'aimait, mais savait-elle à quel point sa passion pour elle le consumait, le dévorait chaque jour, et que son pouvoir sur lui s'exerçait même pendant son sommeil ? « Kimberly adore son mari et son mari n'aime que lui-même ; elle devrait le quitter mais elle ne le fera jamais », avait-elle dit en parlant de la femme pour qui elle avait travaillé en Amérique, la femme avec *obi ocha*. Ifemelu s'était exprimée sur un ton léger, sans équivoque, bien qu'il perçût dans ses paroles d'autres significations.

Quand elle lui avait raconté sa vie en Amérique, il avait écouté avec une intensité proche du désespoir. Il aurait voulu avoir tout partagé avec elle, avoir connu les émotions qu'elle avait ressenties. Une fois, elle lui avait dit : « Le problème avec les relations interculturelles c'est qu'on passe un temps fou à se justifier. Mon ex et moi passions des heures entières à nous expliquer. Je me demandais même parfois si nous aurions eu quelque chose à nous dire si nous avions été originaires du même endroit. » Ces mots le comblaient car ils donnaient à sa relation avec elle une réelle profondeur, l'opposé d'une fantaisie insignifiante. Ils venaient du même endroit et ils avaient encore des milliers de choses à se dire.

Ils parlaient un jour de la politique américaine quand elle dit : « J'aime l'Amérique. C'est vraiment le seul pays au monde où je pourrais vivre en dehors d'ici. Mais un jour, des copains de Blaine et moi parlions de la question des enfants, et je me suis rendu compte que si j'avais des enfants, je ne voudrais pas qu'ils soient élevés à l'américaine. Je ne veux pas qu'ils disent "salut" aux adultes. Je veux qu'ils disent "bonjour" et "bonsoir". Je ne veux pas qu'ils marmonnent "bien" quand quelqu'un leur demande comment ils vont. Ou qu'ils lèvent cinq doigts quand on leur demande leur âge. Je veux qu'ils répondent "Je vais bien, merci", et "J'ai cinq ans". Je ne veux pas d'un enfant gavé de compliments, qui s'attend à recevoir une médaille en récompense de ses efforts et répond aux adultes au nom de la liberté d'expression. Est-ce une attitude horriblement conservatrice ? C'est ce que disaient les copains de Blaine et, pour eux, "conservateur" est la pire insulte qui soit. »

Il avait ri, regrettant de ne pas avoir été là avec les « copains » de Blaine, désirant que cet enfant imaginaire soit le sien, l'enfant bien élevé aux manières traditionnelles. Il lui dit : « Cette enfant aura un jour dix-huit ans et se teindra les cheveux en violet », et elle dit : « Oui, mais avant cela je l'aurai virée de la maison. »

À l'aéroport d'Abuja le jour de son retour à Lagos, il songea à se rendre dans le bâtiment international et à acheter un billet pour une destination improbable, comme Malabo. Puis il éprouva un bref sentiment de dégoût de lui-même parce qu'il n'en ferait rien ;

il ferait ce qu'il était censé faire. Il embarquait quand Kosi téléphona.

« Ton vol est à l'heure ? Souviens-toi que nous sortons avec Nigel pour son anniversaire.

— Bien sûr que je m'en souviens. »

Il y eut un silence. Il avait répondu sèchement.

« Excuse-moi, dit-il. J'ai un fichu mal de tête.

— Chéri, *ndo*. Je sais que tu es fatigué, dit-elle. À tout à l'heure. »

Il raccrocha et pensa au jour où Buchi, leur bébé tout humide, les cheveux frisés, était née au Woodlands Hospital de Houston et que Kosi s'était tournée vers lui pendant qu'il se débattait encore avec ses gants de latex et avait dit, avec un ton d'excuse : « Chéri, nous aurons un garçon la prochaine fois. » Il avait tressailli. Il s'était rendu compte qu'elle ne le connaissait pas. Elle ne le connaissait pas du tout. Elle ne savait pas que le sexe de leur enfant lui était indifférent. Et il avait éprouvé un léger mépris pour elle, qui avait voulu un garçon parce qu'ils étaient censés vouloir un garçon, et qui avait dit, après avoir mis au monde une fille, « la prochaine fois nous aurons un garçon ». Peut-être aurait-il dû parler davantage avec elle, de l'enfant qu'ils attendaient et du reste, car s'ils échangeaient des propos plaisants, étaient bons amis et partageaient d'agréables silences, ils ne parlaient pas vraiment. Mais il n'avait jamais essayé, parce qu'il savait que les réponses qu'il attendait de la vie étaient entièrement différentes des siennes.

Il le savait depuis le début, il l'avait ressenti dès leur première conversation quand un ami les avait présentés lors d'un mariage. Elle portait une robe de demoiselle d'honneur fuchsia, dont le large décolleté dégageait la naissance de ses seins, qu'il ne pouvait quitter des yeux ; quelqu'un avait fait un discours, appelant la mariée une « femme de vertu », et Kosi avait vivement approuvé de la tête et murmuré : « C'est une vraie femme de vertu. » Il avait été surpris qu'elle puisse employer le mot « vertu » sans la moindre trace d'ironie, comme on le faisait dans les articles mal écrits des suppléments féminins des journaux du week-end. *L'épouse du ministre est une femme de vertu*. Cependant, il l'avait désirée, lui avait fait la cour avec une détermination sans faille. Il n'avait jamais vu une femme avec des pommettes si bien dessinées qu'elles donnaient à son visage une architecture parfaite, une expression si vivante quand elle souriait. Lui-même était depuis peu riche et désorienté : sans un sou et campant dans l'appartement de son cousin, il s'était retrouvé du jour au lendemain avec des millions de nairas sur son compte en banque. Kosi était devenue pour lui la pierre de touche de la réalité. S'il pouvait être avec elle, si incroyablement belle et pourtant si ordinaire, prévisible, terre à terre et dévouée, alors peut-être commencerait-il à croire que cette vie était la sienne. Elle s'installa dans la maison qu'il possédait, quittant l'appartement qu'elle partageait avec une amie, et disposa ses flacons de parfum sur la commode de leur chambre, des senteurs d'agrume qu'il finit par associer à la maison, elle s'assit à côté de lui dans la BMW comme si la voiture avait toujours appartenu à Obinze, suggéra d'un air détaché des voyages à l'étranger comme s'il avait toujours eu la possibilité de voyager, et quand ils prenaient une douche ensemble, elle le frottait avec une éponge rugueuse, même entre les doigts de pied, jusqu'à ce qu'il se sente renaître. Jusqu'à ce qu'il entre complètement dans sa nouvelle vie. Ils n'avaient pas d'intérêts en commun – c'était quelqu'un de prosaïque, qui lisait peu, était satisfaite plutôt que curieuse du monde qui l'entourait – mais il lui était reconnaissant, il se sentait chanceux d'être avec elle. Un jour, elle lui dit que sa famille demandait quelles étaient ses intentions. « Ils posent sans cesse la question », dit-elle, insistant sur le « ils », pour s'exclure de cette revendication. Il perça à jour son stratagème. Mais il l'épousa. Ils vivaient ensemble de toute façon et il n'était pas malheureux. Il pensait qu'avec le temps elle acquerrait un peu plus de caractère. Cela n'avait pas été le cas, après quatre ans, sauf physiquement, d'une manière qui la rendait encore plus belle, plus fraîche, avec des hanches et une poitrine plus pleines, comme une plante d'intérieur bien arrosée.

*

Obinze s'étonna que Nigel ait décidé de s'installer au Nigeria, plutôt que d'y venir en visite chaque fois qu'Obinze avait besoin de présenter son directeur général blanc. Nigel était bien payé, il aurait pu mener dans l'Essex une vie qu'il n'avait jamais imaginée auparavant, mais il voulait vivre à Lagos, au moins pendant un certain temps. Et avec un malin plaisir Obinze attendit que Nigel se lasse de la soupe au poivre, des night-clubs et d'aller boire dans les cabanes de Kuramo Beach. Mais Nigel ne bougeait pas, installé dans son appartement d'Ikoyi, avec une employée de maison à demeure et son chien. Il ne disait plus : « L'atmosphère de Lagos est tellement agréable », il se plaignait davantage de la circulation et avait enfin cessé de se lamenter à cause de sa dernière petite amie, une jolie fille de Benue aux manières sournoises qui l'avait plaqué pour un riche homme d'affaires libanais.

« Ce mec n'a pas un poil sur le caillou, avait dit Nigel à Obinze.

— Le problème avec toi, mon ami, est que tu tombes amoureux trop facilement et trop souvent. N'importe qui aurait vu que cette fille jouait la comédie, qu'elle cherchait le prochain gros poisson.

— Ne dis pas “gros poisson” comme ça, mon vieux ! » avait protesté Nigel.

À présent, il avait fait la connaissance d'Ulrike, une jeune femme mince au visage anguleux et au corps d'adolescente qui travaillait dans une ambassade et semblait déterminée à mener sa carrière nigériane sans cesser de faire la tête. À table, elle essuyait ses couverts avec sa serviette avant de commencer à manger.

« Vous ne le faites pas dans votre pays, n'est-ce pas ? » lui demanda froidement Obinze. Nigel lui lança un regard stupéfait.

« Si », répondit Ulrike en le regardant droit dans les yeux.

Kosi lui tapota la cuisse sous la table, comme pour le calmer, ce qui l'irrita. Nigel, lui aussi, l'agaçait, à parler des maisons de ville qu'Obinze projetait de faire construire, du plan remarquable du nouvel architecte. Une tentative timide d'interrompre la conversation d'Obinze avec Ulrike.

« Un architecte d'intérieur fantastique, qui me fait penser à certains de ces fabuleux lofts de New York.

— Nigel, je n'ai pas l'intention de prendre ce plan. Une cuisine ouverte ne marchera jamais avec les Nigérians et nous avons pour cible les Nigérians parce que nous voulons vendre, pas louer. Les cuisines ouvertes sont faites pour les expatriés et les expatriés n'achètent pas d'immobilier ici. » Il avait déjà expliqué à Nigel que la cuisine nigériane n'avait rien de futile, avec tout ce qu'il fallait piler. Elle demandait des efforts, beaucoup d'épices, et les Nigérians préféraient montrer le résultat final plutôt que la préparation.

« Arrêtez de parler boutique ! dit Kosi avec bonne humeur. Ulrike, avez-vous essayé la cuisine nigériane ? »

Obinze se leva brusquement et alla dans la salle de bains. Il appela Ifemelu et enragea de voir qu'elle restait une fois de plus sans répondre. Il était furieux contre elle, lui en voulait de faire de lui quelqu'un qui n'avait plus totalement le contrôle de ses sentiments.

Nigel entra dans la salle de bains. « Qu'est-ce qui ne va pas, mon vieux ? » Il avait les joues écarlates comme toujours lorsqu'il buvait. Obinze se tenait près du lavabo, son téléphone à la main, sentant monter à nouveau en lui une extrême lassitude. Il aurait voulu en parler à Nigel. C'était peut-être le seul ami en qui il avait une totale confiance, mais Nigel aimait bien Kosi. « C'est une vraie femme, mon vieux », lui avait-il dit un jour, et Obinze avait vu dans son regard le regret nostalgique et désespéré d'une chose qu'il lui serait à jamais impossible d'atteindre. Nigel l'écouterait, mais Nigel ne comprendrait pas.

« Désolé. Je n'aurais pas dû être grossier avec Ulrike, dit Obinze. Je suis simplement fatigué. Je pense que je vais avoir une crise de malaria. »

Cette nuit-là, Kosi se faufila tout près de lui, s'offrant à lui. Ce n'était pas le désir qu'elle exprimait en lui caressant la poitrine, prenant son sexe dans la main, mais une offrande votive. Quelques mois plus tôt, elle avait dit qu'elle voulait « essayer d'avoir notre fils ». Elle n'avait pas dit « notre deuxième enfant », elle avait dit « notre fils », c'était le genre de chose qu'elle apprenait dans son église. *Le pouvoir réside dans la parole. Revendiquez votre miracle.* Il se souvenait que, la première fois, après des mois d'essais infructueux, elle avait commencé à dire, l'air vertueux et chagrin : « Toutes mes amies qui ont mené une vie dévergondée sont enceintes. »

Après la naissance de Buchi, il avait accepté d'assister à un service d'action de grâces à l'église de Kosi remplie d'une assistance élégamment habillée, des amis de Kosi, du même style que Kosi. Et il avait eu l'impression d'être devant une marée d'imbéciles, des imbéciles niais frappant dans leurs mains, se balançant d'un pied sur l'autre, dociles et soumis devant le pasteur dans son costume de bon faiseur.

« Qu'est-ce qui ne va pas, chéri ? demanda Kosi, quand il resta flasque dans sa main. Tu ne te sens pas bien ?

— Seulement fatigué. »

Elle avait les cheveux couverts d'un filet noir, le visage enduit d'une crème qui sentait la menthe, qu'il avait toujours aimée. Il se détourna. Il se détournait depuis le jour où il avait embrassé Ifemelu pour la première fois. Il n'aurait pas dû comparer, mais c'était plus fort que lui. Ifemelu était exigeante. « Non, ne jouis pas tout de suite, je te tuerai si tu jouis », disait-elle, ou « Non, chéri, ne bouge pas », et elle enfonçait ses mains dans sa toison et remuait à son propre rythme, et quand enfin elle se cambrait en poussant un cri perçant, il éprouvait un intense contentement de l'avoir satisfaite. Elle s'attendait à être satisfaite, mais pas Kosi. Kosi acceptait toujours ses caresses avec complaisance et il se figurait parfois que son pasteur lui disait qu'une femme devait faire l'amour avec son mari, même si elle n'en avait pas envie, sinon le mari irait se consoler chez les prostituées.

« J'espère que tu ne vas pas être malade, dit-elle.

— Ça va. » En temps normal, il l'aurait attirée contre lui et lui aurait doucement caressé le dos jusqu'à ce qu'elle s'endorme. Mais il ne put s'y résoudre. Au cours des semaines passées il avait souvent songé à lui parler d'Ifemelu puis s'était arrêté. Que pourrait-il dire ? Cela ressemblerait au scénario d'un film stupide. *Je suis amoureux d'une autre femme. Il y a quelqu'un d'autre. Je te quitte.* Des mots qu'il était impensable de prononcer sérieusement, en dehors d'un film ou d'un roman. Kosi l'entourait de ses bras. Il se dégagea, marmonna qu'il avait mal à l'estomac et alla aux toilettes. Elle avait mis un nouveau pot-pourri, un mélange de feuilles sèches et de graines dans une coupe violette, sur le couvercle du réservoir de la chasse d'eau. L'odeur trop puissante de lavande l'oppressa. Il versa le contenu de la coupe dans les toilettes et fut aussitôt pris de remords. Elle avait pensé bien faire. Comment aurait-elle su qu'un fort parfum de lavande lui serait pénible ?

La première fois qu'il avait vu Ifemelu au Jazzhole, il était rentré à la maison et avait dit à Kosi : « Ifemelu est en ville. J'ai pris un verre avec elle », et Kosi avait dit : « Oh, ton amie de l'université », avec une indifférence telle qu'il n'avait pas été convaincu.

Pourquoi le lui avait-il dit ? Peut-être parce qu'il avait compris, même alors, la force de ce qu'il ressentait, et qu'il voulait la préparer, lui annoncer par étapes. Mais comment ne voyait-elle pas qu'il avait changé ? Comment ne le voyait-elle pas sur son visage ? Avec tout le temps qu'il passait seul dans son bureau, et avec ses sorties fréquentes, ses retours tardifs ? Il avait espéré, égoïstement, qu'il pourrait s'attirer son hostilité, la provoquer. Mais elle acquiesçait, hochait la tête avec complaisance quand il lui disait qu'il avait passé la soirée à son club. Ou chez Okwudiba. Il lui raconta qu'il s'efforçait de conclure un accord difficile avec les nouveaux propriétaires arabes de Megatel, évoquant « l'accord » en question d'un air naturel, comme si elle était déjà au courant, et elle avait répondu par de vagues paroles encourageantes. Mais il n'avait jamais engagé la moindre discussion avec Megatel.

*

Le lendemain matin, il se réveilla tout aussi fatigué, envahi d'une grande tristesse. Kosi était déjà levée et avait pris son bain ; elle était assise devant sa coiffeuse encombrée de crèmes et de lotions si bien rangées qu'il avait parfois envie de saisir la table et de la renverser pour voir ce qu'il adviendrait de tous ces flacons.

« Ça fait longtemps que tu ne m'as pas préparé d'œufs, le Zed », dit-elle en s'approchant pour l'embrasser quand elle vit qu'il était réveillé.

Il lui prépara donc des œufs et joua avec Buchi dans le salon du rez-de-chaussée. Lorsque Buchi se fut endormie, il lut les journaux, le cœur toujours serré. Ifemelu ne répondait pas à ses appels. Il monta dans la chambre. Kosi rangeait une penderie. Des chaussures jonchaient le sol, les talons hauts émergeant de la pile. Il se tint près de la porte et dit doucement : « Je ne suis pas heureux, Kosi. J'aime quelqu'un d'autre. Je veux divorcer. Je ferai en sorte que toi et Buchi ne manquiez de rien.

— Quoi ? » Elle se détourna du miroir pour lui jeter un regard vide d'expression.

« Je ne suis pas heureux. » Ce n'était pas ainsi qu'il avait prévu de le dire, mais il n'avait même pas réfléchi à ce qu'il allait dire. « Je suis amoureux de quelqu'un d'autre. Je ferai en sorte que… »

Elle leva la main, sa paume ouverte tournée vers lui, pour l'arrêter. N'en dis pas plus, disait sa main. N'en dis pas plus. Qu'elle refuse d'en savoir plus le contraria. Sa paume était pâle, presque diaphane, il voyait le réseau bleuâtre de ses veines. Elle laissa retomber sa main. Puis, lentement, elle tomba à genoux. Elle n'avait aucun mal à s'agenouiller car c'est un geste qu'elle faisait souvent quand elle priait, dans la salle de télévision à l'étage, avec la femme de ménage et la nounou ou quiconque se trouvait à la maison avec eux. « Buchi, chut », disait-elle au milieu de sa prière, pendant que Buchi poursuivait son babillage, mais à la fin Buchi lançait toujours de sa petite voix fluette : « Amen ! » Quand Buchi disait « Amen ! » avec cette allégresse, cet entrain, Obinze craignait qu'elle ne devienne une femme qui étoufferait d'un « amen » les questions qu'elle voudrait poser au monde. Et maintenant Kosi tombait à genoux devant lui et il refusait de comprendre le sens de son geste.

« Obinze, nous sommes une famille, dit Kosi. Nous avons une enfant. Elle a besoin de toi. J'ai besoin de toi. Nous devons préserver ensemble cette famille. »

Elle était à genoux et le suppliait de ne pas partir et il aurait tellement préféré qu'elle soit furieuse.

« Kosi, j'aime une autre femme. Je déteste te faire souffrir ainsi et...

— Il ne s'agit pas d'une autre femme, Obinze, dit Kosi en se relevant, d'une voix soudain coupante, le regard durci. Il s'agit de préserver cette famille ! Tu as juré devant Dieu. J'ai juré devant Dieu. Je suis une bonne épouse. Nous sommes un vrai couple. Penses-tu pouvoir détruire cette famille parce que ton amie d'autrefois est revenue dans cette ville ? Sais-tu ce que signifie être un père responsable ? Tu es responsable vis-à-vis de cette enfant qui est en bas ! Ce que tu fais aujourd'hui peut ruiner sa vie et la dévaster jusqu'au jour de sa mort ! Et tout cela parce que ton ex est revenue d'Amérique ? Parce que tu fais l'amour dans des positions acrobatiques comme au temps de l'université ? »

Obinze battit en retraite. Ainsi elle savait. Il sortit, alla dans son bureau et ferma la porte à clé. Il en voulait à Kosi, parce qu'elle savait depuis le début et avait feint de ne pas savoir, il lui en voulait de l'avoir humilié, de cette boue qui lui emplissait l'estomac. Il avait gardé un secret qui n'était même pas un secret. Un sentiment de culpabilité l'accabla, non seulement de vouloir la quitter, mais aussi de l'avoir épousée. Il ne pouvait pas l'avoir épousée, sachant très bien que c'était une erreur, et maintenant, avec un enfant, vouloir la quitter. Elle était décidée à rester mariée et c'était le minimum qu'il lui devait, rester marié. Une vague de panique le traversa à la pensée de rester marié ; sans Ifemelu, l'avenir lui paraissait d'un ennui infini, sans joie. Puis il se dit qu'il était stupide, mélodramatique. Il devait penser à sa fille. Pourtant, faisant pivoter son fauteuil pour prendre un livre sur un rayonnage, il sut qu'il avait déjà pris la fuite.

*

Parce qu'il s'était retiré dans son bureau, y avait dormi sur le divan, parce qu'ils ne s'étaient rien dit, il pensa que Kosi n'irait pas le lendemain au baptême de l'enfant de son ami Ahmed. Mais le matin Kosi déposa, sur leur lit, sa longue jupe de dentelle bleue, son caftan bleu sénégalais et, entre les deux, la robe de velours bleu à volants de Buchi. Elle ne l'avait jamais fait auparavant, étaler des vêtements de couleur assortie pour tous les trois. En bas, il vit qu'elle avait préparé des pancakes, épais comme il les aimait, servis sur la table du petit déjeuner. Buchi avait renversé un peu d'Ovaltine sur son set de table.

« Hezekiah m'a appelée », dit Kosi d'un air songeur, parlant de son cousin à Awka, qui appelait seulement quand il voulait de l'argent. « Il a envoyé un texto disant qu'il n'arrivait pas à te joindre. J'ignore pourquoi il feint d'ignorer que tu ne prends jamais ses appels. »

C'était étrange de l'entendre accuser Hezekiah de feindre, alors qu'elle en faisait autant ; elle déposait des cubes d'ananas frais dans son assiette, comme s'il ne s'était rien passé la veille.

« Mais tu devrais faire quelque chose pour lui, même de peu d'importance, sinon il ne te laissera pas tranquille. »

« Faire quelque chose pour lui » signifiait lui donner de l'argent et Obinze eut soudain horreur de cette habitude commune aux Igbos d'utiliser des euphémismes chaque fois qu'ils parlaient d'argent, des allusions ambiguës, des gesticulations, au lieu de s'exprimer franchement. C'était exaspérant. Un manque de courage, surtout chez des gens qui pouvaient se montrer cruellement directs. *Sale dégonflé*, avait dit Ifemelu. Il y avait quelque chose de lâche dans sa manière même de lui envoyer des textos et de l'appeler, sachant qu'elle ne répondrait pas ; il aurait pu aller chez elle et frapper à sa porte, ne serait-ce que pour l'entendre lui dire de partir de vive voix. Et il y avait quelque chose de lâche dans le fait de ne pas redire à Kosi qu'il voulait divorcer, de s'appuyer sur le refus de Kosi. Kosi prit un morceau d'ananas dans son assiette et le mangea. Elle était résolue, inébranlable, calme.

« Tiens la main de papa », dit-elle à Buchi tandis qu'ils pénétraient cet après-midi-là dans la propriété d'Ahmed où se déroulait la fête. Elle voulait absolument retrouver la normalité.

Elle voulait faire exister leur mariage. Elle apportait un cadeau enveloppé de papier d'argent pour le bébé d'Ahmed. Dans la voiture, elle lui avait dit de quoi il s'agissait, mais il avait déjà oublié.

Des tentes et des tables de buffet étaient disséminées dans le vaste domaine, verdoyant et bien dessiné, avec la promesse d'une piscine derrière la maison. Un orchestre jouait. Deux clowns se promenaient çà et là. Les enfants dansaient et poussaient des cris.

« Ils ont engagé le même orchestre que celui que nous avions pour la fête de Buchi », murmura Kosi. Elle avait voulu une grande réception et il avait traversé cette journée en flottant, comme dans une bulle. Quand le maître de cérémonie avait annoncé « le nouveau père », il avait été étrangement surpris en se rendant compte qu'il s'agissait de lui, qu'il était réellement le nouveau père. Un père.

La femme d'Ahmed, Sike, le serrait dans ses bras, pinçait les joues de Buchi, les gens tournaient autour d'eux, les rires emplissaient l'air. Ils admiraient le nouveau-né, endormi entre les bras de sa grand-mère. Et Obinze songea soudain qu'ils avaient assisté à des mariages quelques années auparavant, que c'était des baptêmes aujourd'hui, et que suivraient bientôt des enterrements. Ils mourraient. Ils mourraient tous après avoir péniblement traversé des vies qui ne les auraient rendus ni heureux ni malheureux. Il tenta d'écarter cette ombre morose qui l'enveloppait. Kosi emmena Buchi jusqu'au groupe de mères et d'enfants près de la porte du salon ; les enfants formaient un cercle, au centre duquel se tenait un clown aux lèvres rouges. Obinze regarda sa fille – sa démarche maladroite, le ruban bleu, piqueté de fleurs de soie, qui entourait son épaisse chevelure, son air implorant quand elle regardait Kosi, avec une expression qui lui rappelait sa propre mère. Il ne supportait pas la pensée que Buchi en grandissant puisse lui en vouloir, privée de ce qu'il aurait dû être pour elle. Mais ce n'était pas qu'il quitte ou non Kosi qui importait, c'était le temps qu'il pourrait passer avec Buchi. Il vivrait à Lagos, après tout, et il ferait en sorte de la voir autant qu'il le pourrait. Une quantité de gens grandissaient sans la présence d'un père. Comme lui, bien qu'il ait toujours eu le souvenir consolateur de son père, idéalisé, mêlé à de joyeuses images d'enfance. Depuis le retour d'Ifemelu, il avait cherché à connaître des histoires d'hommes qui avaient quitté leur famille, s'obstinant à leur trouver une conclusion heureuse, des enfants plus épanouis avec des parents séparés qu'avec un couple désuni. Mais la plupart de ces histoires étaient pleines d'enfants amers, qui en voulaient à leurs parents d'avoir divorcé, qui auraient préféré que, même malheureux, ils restent mariés. Un jour, dans son club, il s'était senti rasséréné en entendant un jeune homme parler à des amis du divorce de ses parents, racontant comment il avait été soulagé tant il était accablé de les voir malheureux ensemble. « Leur mariage étouffait tout ce qu'il y avait de bon dans notre vie, et le pire c'est qu'ils ne se disputaient même pas. »

« Parfait ! » s'était exclamé Obinze à l'autre extrémité du bar, s'attirant les regards surpris de tout le monde.

Il regardait Kosi et Buchi parler au clown aux lèvres rouges, quand Okwudiba arriva. « Le Zed ! »

Ils s'étreignirent, se tapèrent dans le dos.

« Comment c'était, la Chine ? demanda Obinze.

— Ces Chinois, *ehn*. Des malins. Tu sais que les crétins qui s'occupaient de mon projet auparavant avaient signé des accords stupides avec les Chinois. Nous voulions en modifier certains mais voilà ces Chinois, cinquante au moins, qui arrivent à une réunion avec un paquet de documents et ils te disent seulement : "Signez ici, signez ici !" Ils t'épuisent à force de négociations jusqu'à ce qu'ils obtiennent ton argent et même ton portefeuille. » Okwudiba rit. « Viens, montons à l'étage. J'ai entendu dire qu'Ahmed avait des bouteilles de Dom Pérignon là-haut. »

En haut, dans ce qui semblait être une salle à manger, sous un lustre compliqué semblable à un gâteau de mariage en cristal, brillant de mille feux, de lourds rideaux bordeaux étaient tirés, masquant la lumière du jour. Plusieurs convives étaient assis autour d'une grande table en chêne, chargée de vins et d'alcools, de plats de riz, de viande et de salades. Ahmed entrait et sortait, donnant des ordres à la serveuse, écoutant les conversations, ajoutant quelques mots.

« Les riches ne s'intéressent pas vraiment à la tribu. Mais plus vous vous rapprochez du bas de l'échelle, plus la tribu compte », disait Ahmed au moment où Obinze et Okwudiba entrèrent. Obinze appréciait le caractère sardonique d'Ahmed. Ahmed avait loué des emplacements stratégiques sur les toits de Lagos quand les compagnies de téléphone commençaient à s'y implanter et maintenant il leur sous-louait les toits pour leurs antennes-relais, gagnant ainsi, comme il le disait ironiquement, le seul argent facile et propre du pays.

Obinze serra la main des hommes, qu'il connaissait pour la plupart, demanda à la serveuse, une jeune femme qui avait placé un verre à vin devant lui, s'il pouvait avoir un Coca-Cola à la place. L'alcool l'enliserait encore plus profondément dans ses problèmes.

Il écouta les conversations autour de lui, les plaisanteries, les rosseries, les histoires rabâchées. Puis, comme prévu, ils se mirent à critiquer le gouvernement – l'argent volé, les contrats non respectés, les infrastructures dégradées, laissées à l'abandon.

« Écoutez, il est très difficile d'être un fonctionnaire intègre dans ce pays. Tout est organisé pour le vol. Et le pire c'est que les gens veulent que vous voliez. Vos parents veulent que vous voliez, vos amis veulent que vous voliez », dit Olu. Il était mince et voûté, avec la vanité facile qui venait d'une fortune héritée, de son nom connu. On lui avait jadis offert un poste ministériel, et la légende courait en ville qu'il avait répondu : « Mais je ne peux pas vivre à Abuja, il n'y a pas d'eau, je ne peux pas vivre sans mes bateaux. » Olu venait de divorcer de sa femme, Morenike, une amie de Kosi à l'époque où elle était étudiante. Il avait harcelé Morenike, qui avait quelques kilos en trop, pour qu'elle maigrisse, pour qu'elle se maintienne en forme afin qu'il continue à s'intéresser à elle. Durant le divorce, elle avait découvert sur l'ordinateur familial un dossier secret de photos pornographiques, représentant toutes des femmes obèses, leurs bras et leurs ventres débordant de graisse, et elle en avait conclu, avec Kosi, qu'Olu avait un problème psychologique.

« Pourquoi tout doit-il être un problème psychologique ? Ce type est simplement fétichiste », avait dit Obinze à Kosi. Maintenant, il lui arrivait de regarder Olu avec une curiosité amusée ; on ne savait jamais avec les gens.

« Le problème n'est pas que les fonctionnaires volent, le problème c'est qu'ils volent trop, disait Okwudiba. Regardez ces gouverneurs. Ils quittent leur État et viennent à Lagos pour rafler tous les terrains et ils resteront sans y toucher jusqu'à ce qu'ils quittent leur fonction. C'est pour cette raison que personne ne peut acheter de terrain de nos jours.

— C'est vrai ! Les spéculateurs rendent les prix inabordables. Et les spéculateurs sont des types qui font partie du gouvernement. Nous avons de sérieux problèmes dans ce pays, dit Ahmed.

— Mais pas seulement au Nigeria. Il y a des gens qui spéculent sur les terrains partout dans le monde », dit Eze. Eze était l'homme le plus riche de la pièce, propriétaire de puits de pétrole, et, comme la plupart des Nigérians riches, il n'avait pas d'angoisses, un homme heureux, indifférent à ce qui l'entourait. Il était collectionneur d'art et s'en vantait à tout bout de champ. Il rappelait à Obinze l'amie de sa mère, Tante Chinelo, une professeur de littérature qui, au retour d'un court séjour à Harvard, avait déclaré lors d'un dîner : « Notre problème dans ce pays est que nous avons une bourgeoisie arriérée. Ces gens-là ont de l'argent mais ils ont besoin d'acquérir une certaine sophistication. Ils doivent apprendre à s'y connaître en vin. » Et sa mère avait répliqué, calmement : « Il y a beaucoup de façons différentes d'être pauvre dans le monde mais il semble n'y en avoir qu'une seule d'être riche. » Plus tard, après le départ de Tante Chinelo, sa mère avait dit : « C'est complètement stupide. Quel besoin de devenir connaisseur en vin ? » Obinze s'était étonné de cette réflexion – ils doivent apprendre à s'y connaître en vin – mais, d'une certaine manière, il avait été déçu, parce qu'il avait toujours aimé Tante Chinelo. Il imagina que quelqu'un avait dit à Eze quelque chose de similaire – il faut que tu deviennes collectionneur d'art, il faut que tu t'y connaisses en art – et qu'il s'était intéressé à l'art avec le zèle d'un découvreur. Chaque fois qu'Obinze voyait Eze, et l'entendait s'escrimer à parler de sa collection, il était tenté de lui dire de la liquider et de se libérer.

« Les prix des terrains ne sont pas un problème pour les gens comme toi, Eze », dit Okwudiba.

Eze se mit à rire, un rire d'assentiment complaisant. Il avait ôté son blazer rouge et l'avait suspendu au dos de sa chaise. Il était toujours à la recherche de l'élégance, à la limite du dandysme ; il portait des couleurs primaires, et ses boucles de ceinture étaient massives et proéminentes, comme des crocs.

À l'autre bout de la table, Mekkus disait : « Savez-vous que mon chauffeur raconte qu'il a passé le WAEC, mais l'autre jour je lui demande de m'écrire une liste et il ne sait absolument pas écrire ! Incapable d'épeler "garçon" ou "chat" ! Formidable !

— À propos de chauffeurs, un ami m'a raconté que le sien est un homosexuel économique, il suit des hommes qui lui donnent de l'argent, et pendant ce temps il a une femme et des enfants à la maison, dit Ahmed.

— Homosexuel économique ! » répéta quelqu'un, au milieu d'un éclat de rire général. Charlie Bombay semblait particulièrement amusé. Il avait un visage rude barré de cicatrices, le genre d'individu qu'on imaginait au milieu d'un groupe d'hommes bruyants, mangeant des viandes épicées, buvant de la bière et regardant les matchs d'Arsenal.

« Le Zed ! Tu es bien silencieux aujourd'hui, dit Okwudiba, qui en était à son cinquième verre de champagne. *Aru adikwa ?* »

Obinze haussa les épaules. « Je vais bien. Simplement fatigué.

— Mais le Zed est toujours calme, dit Mekkus. C'est un gentleman. Est-ce parce qu'il est venu nous rejoindre ici ? C'est quelqu'un qui lit de la poésie et Shakespeare. Un vrai Britannique. » Mekkus rit bruyamment de sa propre plaisanterie. À l'université, c'était un as en électronique, il réparait les lecteurs de CD considérés irréparables et il avait eu le premier ordinateur portable qu'ait jamais vu Obinze. Son diplôme en poche, il était parti en Amérique, dont il était revenu peu après très discrètement et très riche, ce que beaucoup attribuaient à une escroquerie massive à la carte bancaire. Sa maison était bourrée de caméras de surveillance ; ses gardes du corps portaient des armes automatiques. Et aujourd'hui, chaque fois qu'on mentionnait l'Amérique dans une conversation, il disait : « Vous savez que je ne pourrai jamais entrer en Amérique après les transactions que j'y ai faites », comme pour retirer le venin des rumeurs qui le poursuivaient.

« Oui, le Zed est un gentleman sérieux, dit Ahmed. Figurez-vous que Sike m'a demandé l'autre jour si je connaissais quelqu'un comme lui que je pourrais présenter à sa sœur ? J'ai dit : Ahn-ahn, tu ne veux pas de quelqu'un dans mon genre pour épouser ta sœur, tu veux quelqu'un comme le Zed, qu'est-ce que tu imagines !

— Non, le Zed n'est pas silencieux parce qu'il est un gentleman », dit Charlie Bombay de son ton traînant, la langue pâteuse après avoir sifflé la moitié d'une bouteille de cognac qu'il avait placée stratégiquement devant lui. « C'est parce qu'il veut que personne ne sache combien d'argent il a ! »

Ils rirent. Obinze avait toujours supposé que Charlie Bombay battait sa femme. Il n'avait aucune raison de le penser, il ne savait rien de la vie personnelle de Charlie Bombay, il n'avait jamais vu sa femme. Pourtant, chaque fois qu'il le voyait, il l'imaginait battant sa femme avec une épaisse ceinture de cuir. Il semblait d'un naturel violent, ce gros balèze vantard, ce parrain qui avait payé pour la campagne du gouverneur de son État et qui maintenant détenait le monopole de presque toutes les activités qui y étaient pratiquées.

« Ne t'occupe pas du Zed, il croit que nous ignorons qu'il possède la moitié des terrains de Lekki », dit Eze.

Obinze émit le petit rire attendu. Il sortit son téléphone et envoya en vitesse un texto à Ifemelu. *S'il te plaît parle-moi*.

« Nous ne nous connaissons pas. Je m'appelle Dapo », dit l'homme qui était assis de l'autre côté d'Okwudiba, tendant la main à travers la table pour serrer avec chaleur celle d'Obinze, comme s'il venait juste de le voir. Obinze répondit avec un enthousiasme mitigé. Charlie Bombay avait mentionné sa richesse et il devenait soudain intéressant aux yeux de Dapo.

« Vous êtes aussi dans le pétrole ?

— Non », répondit Obinze froidement. Il avait entendu un peu plus tôt des bribes de la conversation de Dapo, qui parlait de son job de consultant dans le pétrole, de ses enfants à Londres. Dapo faisait probablement partie de ceux qui installaient leur famille en Angleterre et revenaient ensuite au Nigeria pour y faire fortune.

« Je disais justement que les Nigérians qui se plaignent des sociétés pétrolières ne comprennent pas que notre économie s'effondrerait sans elles, dit Dapo.

— Vous êtes complètement à côté de la plaque si vous pensez que les compagnies pétrolières nous font une faveur », dit Obinze. Okwudiba lui lança un regard stupéfait ; la sécheresse de son ton était inhabituelle. « Le gouvernement nigérian finance principalement l'industrie pétrolière par des appels de fonds auprès de ses actionnaires et, de toute manière, les grandes compagnies prévoient de se retirer des opérations terrestres. Elles veulent les abandonner aux Chinois et se concentrer sur l'offshore. C'est comme une économie parallèle ; elles gardent l'offshore, n'investissent que dans des équipements high-tech, extrayent le pétrole à des milliers de mètres de profondeur. Pas de personnel local. Les équipes viennent par avion de Houston et d'Écosse. Donc, non, elles ne nous font pas de faveur.

— Oui ! approuva Mekkus. Ce sont tous des canailles. Tous ces plombiers sous-marins, ces plongeurs en eau profonde, ces gens qui savent comment entretenir et réparer les robots sous l'eau. Tous la même racaille. On les voit dans le salon d'attente de British Airways. Ils ont passé un mois sur la plateforme sans alcool et le temps d'arriver à l'aéroport ils sont fin soûls et ils se comportent comme des porcs dans l'avion. Ma cousine était hôtesse de l'air, elle dit que c'en était arrivé au point où les compagnies aériennes devaient faire signer des accords à ces types concernant la boisson, sinon on ne les acceptait pas à bord.

— Mais le Zed ne voyage pas avec British Airways, il n'est pas au courant », dit Ahmed. Il s'était moqué d'Obinze qui refusait d'utiliser British Airways, qui était pourtant la compagnie qu'utilisaient les gens importants.

« Quand j'étais un client ordinaire en classe économique, British Airways me traitait comme une vilaine diarrhée », dit Obinze.

Tout le monde rit. Obinze espérait que son téléphone allait vibrer, et il rongeait son frein. Il se leva.

« Où sont les toilettes ?

— C'est juste en bas », dit Mekkus.

Okwudiba sortit avec lui.

« Je rentre, dit Obinze. Il faut que je trouve Kosi et Buchi.

— Le Zed, *o gini* ? Qu'est-ce que tu as ? Simplement de la fatigue ? »

Ils se tenaient près de l'escalier courbe, bordé d'une rambarde ornementée.

« Tu sais qu'Ifemelu est revenue », dit Obinze. Le simple fait de prononcer son nom lui réchauffa le cœur.

« Je sais. » Okwudiba laissait entendre qu'il en savait davantage.

« C'est sérieux. Je veux l'épouser.

— Ahn-ahn, serais-tu devenu musulman sans nous le dire ?

— Okwu, je ne plaisante pas. Je n'aurais jamais dû me marier avec Kosi. Je le savais, même alors. »

Okwudiba inspira à fond, puis souffla comme pour chasser les vapeurs de l'alcool. « Écoute, le Zed, beaucoup d'entre nous n'ont pas épousé la femme qu'ils aimaient vraiment. Nous avons épousé la femme qui se trouvait là quand nous étions prêts à nous marier. Alors oublie cette histoire. Tu peux continuer à la voir, mais tu n'as pas besoin d'adopter ce comportement de Blanc. Si ta femme avait un enfant de quelqu'un d'autre ou si tu la battais, ça serait une raison de divorcer. Mais te lever et dire que tu n'as aucun problème avec ta femme mais que tu la quittes pour une autre ? *Haba !*Nous ne nous conduisons pas comme cela, je t'en prie. »

Kosi et Buchi étaient en bas de l'escalier. Buchi pleurait. « Elle est tombée, dit Kosi. Elle veut que son papa la porte. »

Obinze descendit l'escalier. « Buch-Buch ! Que s'est-il passé ? » Elle lui tendait déjà les bras.

CHAPITRE 55

Un jour, Ifemelu vit le paon mâle danser, ses plumes déployées comme un halo géant. La femelle se tenait non loin, picorant le sol, puis, au bout d'un moment, elle s'éloigna, indifférente au grand flamboiement de plumes du mâle. L'oiseau sembla brusquement vaciller, peut-être sous le poids de ses plumes, ou de l'abandon. Ifemelu prit une photo pour son blog. Elle se demanda ce qu'Obinze en penserait ; elle se souvenait qu'il lui avait demandé si elle avait jamais vu le mâle danser. Les souvenirs envahissaient si facilement son esprit ; au milieu d'une réunion avec une agence de publicité, il lui arrivait de se rappeler Obinze en train de lui arracher un poil superflu au menton avec une pince à épiler, elle la tête sur un oreiller, et lui tout proche, l'examinant avec attention. Chacun de ces souvenirs la frappait d'un éclat aveuglant. Chacun s'accompagnait d'une sensation de perte intangible, d'un poids immense et menaçant, qu'elle aurait voulu écarter, laisser passer au-dessus d'elle sans qu'il l'atteigne. L'amour était douloureux. Porteur de cette souffrance dont parlaient les romanciers. Elle avait souvent trouvé un peu ridicule l'idée de souffrir par amour, mais elle comprenait maintenant. Elle évitait soigneusement la rue de Victoria Island où se trouvait son club, et elle ne faisait plus ses courses au Palms, imaginant que lui aussi évitait la partie d'Ikoyi où elle résidait, se tenant éloigné du Jazzhole. Elle ne l'avait croisé nulle part.

Au début elle écoutait sans cesse « *Yori Yori* » et « *Obi Mu O* », puis elle arrêta parce que ces chansons donnaient à ses souvenirs un caractère définitif, tels des chants funèbres. Elle était blessée par la tiédeur de ses textos et de ses appels, la mollesse de ses efforts. Il l'aimait, elle le savait, mais il n'avait pas la force qu'elle attendait de lui, sa détermination était affaiblie par le sens du devoir. Quand elle écrivit un post sur la démolition par le gouvernement les cabanes des vendeurs de rue, après sa visite au bureau de Ranyinudo, un commentateur anonyme écrivit : *C'est de la pure poésie*. Et elle fut certaine que c'était lui. Elle en était certaine.

C'est le matin. Un camion, un camion du gouvernement, s'arrête près du grand immeuble de bureaux, à proximité des cabanes des vendeurs de rue, et des hommes en sortent, des hommes qui frappent, détruisent, rasent et piétinent. Ils détruisent les cabanes, les réduisent à des morceaux de bois. Ils font leur travail, affichant « démolisseurs » comme des costumes trois pièces bien repassés. Eux-mêmes vont dans ces cabanes, et si toutes ces cabanes disparaissaient à Lagos, ils seraient privés de déjeuner, sans moyens de se payer autre chose. Mais ils cognent, piétinent, frappent. L'un d'eux gifle une femme, parce qu'elle ne s'est pas emparée de sa marmite et de ses ustensiles et n'est pas partie en courant. Elle reste là et tente de leur parler. Plus tard, le visage rougi par la gifle, elle regarde ses biscuits mêlés à la poussière. Son regard trace une ligne vers le ciel morose. Elle ne sait pas encore ce qu'elle va faire mais elle va faire quelque chose, elle va se ressaisir, récupérer et partir ailleurs vendre ses haricots, son riz et ses spaghettis cuits en bouillie, son Coca-Cola et ses biscuits.

C'est le soir. Dehors, près du haut immeuble de bureaux, le jour diminue et les autobus des employés attendent. Des femmes se dirigent vers eux, chaussées de tongs et racontant d'interminables histoires sans importance. Leurs chaussures à hauts talons sont dans leurs sacs. Du sac de l'une d'elles dont la fermeture est ouverte, un talon sort comme un poignard émoussé. Les hommes se dirigent plus vite vers les bus. Ils marchent sous un bouquet d'arbres qui, une heure plus tôt, abritaient le gagne-pain des vendeurs de rue. C'est là que les chauffeurs et les coursiers achetaient leur déjeuner. Mais les cabanes ont disparu. Elles ont été effacées, il n'en reste rien, pas un emballage de biscuit qui traîne, pas une bouteille d'eau vide, rien qui laisse supposer qu'elles se trouvaient là.

Ranyinudo l'incitait souvent à sortir davantage, à rencontrer des hommes. « Obinze ne s'est jamais pris en main, de toute manière », disait-elle, et bien qu'Ifemelu ait su que Ranyinudo essayait seulement de la consoler, elle était toujours surprise que les autres ne voient pas en Obinze la presque perfection qu'elle-même voyait.

Elle écrivait ses posts en se demandant ce qu'il en penserait. Elle raconta un défilé de mode auquel elle avait assisté, décrivant le mannequin qui virevoltait dans une jupe en ankara, le bruissement de bleus et de verts, semblable à un papillon orgueilleux. Elle parla de la femme du coin de la rue dans Victoria Island qui s'était exclamée gaiement : « Jolie Tante ! » quand Ifemelu s'était arrêtée pour acheter des pommes et des oranges. Elle décrivit la vue de la fenêtre de son appartement, une aigrette blanche affalée sur le mur opposé, épuisée par la chaleur, un gardien qui aidait une vendeuse ambulante à hisser son plateau sur sa tête, un geste d'une telle élégance qu'elle était restée en contemplation longtemps après que la vendeuse eut disparu. Elle écrivit sur les présentateurs de la radio, avec leurs accents outrés et drôles. Elle écrivit sur la tendance des Nigérianes à donner des conseils, des conseils sincères et si moralisateurs. Elle écrivit sur le voisinage détrempé avec ses maisons en tôle ondulée, leurs toits semblables à des chapeaux aplatis, sur les jeunes femmes qui y vivaient, à la mode et futées dans leurs jeans étroits, leurs vies obstinément illuminées par l'espoir : elles voulaient ouvrir des salons de coiffure, aller à l'université. Elles étaient sûres que leur tour viendrait. *Un pas seulement nous sépare de ces bidonvilles, nous tous qui menons dans nos appartements climatisés une existence bourgeoise*, écrivait-elle, se demandant si Obinze serait d'accord. La peine que lui causait son absence ne diminuait pas avec le temps ; elle semblait la pénétrer plus profondément chaque jour, éveiller en elle des souvenirs plus précis. Pourtant, elle était en paix : elle était chez elle, rédigeait son blog, avait redécouvert Lagos. Elle s'était, enfin, pleinement trouvée.

*

Elle cherchait à renouer avec son passé. Elle téléphona à Blaine pour lui dire bonjour, lui dire qu'elle avait toujours pensé qu'il était trop bon, trop parfait pour elle. Il était guindé au téléphone, comme s'il lui en voulait de son appel, mais avait fini par avouer : « Je suis heureux que tu aies appelé. » Elle appela Curt et le trouva plein d'entrain, ravi de l'entendre, et elle s'imagina à nouveau avec lui, une liaison sans attachement profond ni souffrance.

« Est-ce qu'elles venaient de toi, ces grosses sommes d'argent que je recevais pour mon blog ? demanda-t-elle.

— Non », dit-il, sans qu'elle sache si elle devait le croire ou non. « Donc tu as toujours un blog ?

— Oui.

— Sur la race ?

— Non, sur la vie. La race ne compte pas tellement ici. En descendant de l'avion à Lagos j'ai eu l'impression d'avoir cessé d'être noire.

— Tu parles. »

Elle avait oublié à quel point il pouvait être américain.

« Ça n'a jamais été la même chose avec personne d'autre », dit-il. Elle fut heureuse de cet aveu. Il l'appela tard dans la soirée, à l'heure nigériane, et ils parlèrent de tout ce qu'ils faisaient ensemble. Leurs souvenirs semblaient plus riches à présent. Il parla vaguement de venir la voir à Lagos et elle prononça de vagues paroles d'assentiment.

Un soir qu'elle entrait au Terra Kulture pour voir une pièce de théâtre avec Ranyinudo et Zemaye, elle tomba sur Fred. Après le spectacle, ils allèrent tous au restaurant boire des smoothies.

« Sympathique », murmura Ranyinudo à Ifemelu.

Au début, Fred parla de musique et d'art, s'efforçant d'impressionner.

« J'aimerais savoir comment vous êtes quand vous n'êtes pas en représentation », dit Ifemelu.

Il rit. « Vous le saurez si vous sortez avec moi. »

Il y eut un silence. Ranyinudo et Zemaye regardaient Ifemelu avec curiosité, et elle s'en amusa.

« D'accord », dit-elle.

Il l'emmena dans une boîte de nuit et quand elle déclara qu'elle était incommodée par la musique trop forte, la fumée et la proximité de corps d'inconnus à peine vêtus, il reconnut timidement que lui non plus n'aimait pas les boîtes, mais qu'il avait présumé qu'elle les aimait. Ils regardèrent des films dans l'appartement d'Ifemelu, puis dans sa maison d'Oniru aux murs décorés de fresques. Elle découvrit avec surprise qu'ils aimaient les mêmes films. Son cuisinier, un homme élégant originaire de Cotonou, prépara un plat à base d'arachide qu'elle apprécia. Fred joua de la guitare pour elle et chanta, d'une voix rauque, et il lui dit qu'il rêvait d'être le chanteur d'un groupe de musique folk. Il était séduisant, avait le genre de charme qu'on apprécie chaque jour davantage. Il levait souvent la main pour repousser ses lunettes, un petit geste du bout du doigt qui l'émouvait. Alors qu'ils étaient nus sur le lit d'Ifemelu, détendus et calmes, elle souhaita que les choses fussent différentes. Si seulement elle pouvait ressentir ce qu'elle désirait ressentir.

*

Puis, dans la langueur d'un dimanche soir, sept mois après l'avoir vu pour la dernière fois, elle trouva Obinze à la porte de son appartement. Elle le regarda fixement.

« Ifem », dit-il.

C'était une telle surprise de le voir, sa tête rasée, la douceur merveilleuse de son visage. Ses yeux avaient un regard pressant, intense, elle voyait sa large poitrine se soulever sous l'effet de sa respiration précipitée. Il tenait une grande feuille de papier couverte d'une écriture serrée. « J'ai écrit cette lettre pour toi. C'est ce que j'aimerais savoir si j'étais à ta place. Mes pensées. J'ai tout écrit. »

Il lui tendait le papier, la poitrine toujours haletante, et elle restait figée, sans chercher à le prendre.

« Je sais que nous pourrions accepter ce que nous ne pouvons être l'un pour l'autre, et même en faire la tragédie poétique de nos existences. Ou nous pourrions agir. Je veux agir, je veux que les choses arrivent. Kosi est une femme bien, et notre mariage se passait dans une sorte de contentement quotidien, mais je n'aurais jamais dû l'épouser. J'ai toujours su qu'il manquait quelque chose. Je veux élever Buchi, je veux la voir chaque jour. Mais j'ai joué la comédie pendant tous ces mois et un jour elle sera assez grande pour savoir que je joue la comédie. J'ai quitté la maison aujourd'hui. J'habite mon appartement à Parkview pour l'instant et j'espère voir Buchi tous les jours si je le peux. Je sais que tout cela m'a pris trop longtemps et je sais que tu avances dans la vie et je comprendrais parfaitement que tu hésites et que tu aies besoin de temps. »

Il se tut, fit un mouvement, et dit : « Ifem, je t'ai poursuivie et je continuerai à le faire jusqu'à ce que tu me donnes une chance. »

Elle le regarda longuement. Il disait ce qu'elle voulait entendre et elle continuait à le regarder.

« Ciel, dit-elle enfin. Entre. »

REMERCIEMENTS

Ma profonde gratitude à ma famille, qui a lu les premières ébauches, m'a raconté des histoires, m'a dit « *jisie ike* » lorsque j'avais besoin d'encouragement, a respecté mon besoin d'espace et de temps, et n'a jamais vacillé dans cette étrange et belle confiance née de l'amour : James et Grace Adichie, Ivara Esege, Ijeoma Maduka, Uche Sonny-Eduputa, Chuks Adichie, Obi Maduka, Sonny Eduputa, Tinuke Adichie, Kene Adichie, Okey Adichie, Nneka Adichie Okeke, Oge Ikemelu et Uju Egonu.

Trois personnes merveilleuses ont consacré beaucoup de temps et de réflexion à ce livre : Ike Anya, *oyi di ka nwanne* ; Louis Edozien ; et Chinakueze Onyemelukwe.

Pour l'intelligence et la grande générosité avec lesquelles ils ont lu le manuscrit, souvent plus d'une fois, me permettant de voir mes personnages à travers leur regard, soulignant ce qui allait bien et ce qui n'allait pas, je remercie mes chers amis : Aslak Sira Myhre, Binyavanga Wainaina, Chioma Okolie, Dave Eggers, Muhtar Bakare, Rachel Silver, Ifeacho Nwokolo, Kym Nwosu, Colum McCann, Funmi Iyanda, Martin Kenyon (si justement pointilleux), Ada Echetebu, Thandie Newton, Simi Dosekun, Jason Cowley, Chinazo Anya, Simon Watson, et Dwayne Betts.

Mille mercis à mon éditeur Robin Desser chez Knopf ; à Nicholas Pearson, Minna Fry et Michelle Kane de Fourth Estate ; à toute l'équipe de la Wylie Agency, en particulier Charles Buchan, Jackie Ko et Emma Paterson ; à Sarah Chalfant, amie et agent, pour ce continuel sentiment de confiance ; et au Radcliffe Institute for Advanced Study de Harvard, pour le petit bureau plein de lumière.

Composition : IGS-CP à L'Isle-d'Espagnac (16)
Achevé d'imprimer en mars 2016
par Normandie Roto Impression s.a.s.
61250 Lonrai
1er dépôt légal : décembre 2014
Dépôt légal : mars 2016
Numéro d'imprimeur : 1601289

ISBN : 978-2-07-014235-4 / Imprimé en France

305197